S0-DHV-734

# FIRST FRENCH

# FIRST FRENCH

## LE FRANÇAIS NON SANS PEINE

PAUL BARRETTE / University of Illinois

THEODORE BRAUN / University of California at Berkeley

SCOTT, FORESMAN AND COMPANY
Chicago
Atlanta
Dallas
Palo Alto
Fair Lawn, N.J.

L. C. Catalog Card #64-13660

Printed in the United States of America

# INTRODUCTION TO THE STUDENT

Your work in this course can be divided into three categories:

1) the work done at home, for which you alone are responsible—learning the structural and grammatical patterns of the French language;

2) the work done in the classroom, for which both you and your instructor are responsible—learning the conversations, conversing in French with relative ease, and answering orally the structural drills;

3) the work done in the language laboratory—practicing both the conversations and the structural patterns (with or without your instructor's guidance).

## WORK AT HOME

Since the same method of study seldom works as well for one person as it does for another, the method we suggest here is intended only as a guide; but it is the one we found most effective for our own students, and we believe it will be helpful to others.

The primary object of *First French* is to help you learn to speak French reasonably well by the time you complete the last lesson. But there is more to knowing a language well than just speaking it and understanding it when it is spoken—you have to be able to read it and write it, too. In order to leave as much classroom time as possible for oral work, this text has been designed with complete, self-explanatory grammar sections so that you can study all the grammar at home. On the theory that you will learn the grammar more easily if you can devise your own rules, basing them on examples that are given to you, we have included in many of the grammar sections a series of questions that draw your attention to the particular point being studied. In Lesson 7, for instance, grammatical questions are raised in sections I, III, IV, and V. The answers to these questions, if not implicit in the text, can be found in Appendix II B at the back of the book. But before you look up a suggested answer, try to provide your own: think about the subject! If you don't understand a point, your instructor will help you outside of class. Class time should be used for developing your ability to speak French.

With Lesson 4 (pp. 56-69) as the example, here is a step-by-step method of studying the grammar on your own. It should enable you to learn as much as possible as well as possible in the smallest possible amount of time.

## LESSON 4, SECTION I: **DIRECT OBJECT PRONOUNS**
**(les pronoms personnels—compléments directs)**

Read and re-read the examples and the explanations (beginning on p. 56), which present the various forms of the direct object pronouns. There is no way to learn these forms except by memorizing them, so take the time necessary to do so. Then continue, reading the sentences carefully, e.g. (p. 57):

| | |
|---|---|
| Il ne voit pas Anne. | Il ne **la** voit pas. |
| [*He doesn't see Anne.*] | [*He doesn't see* ***her.***] |

Note the position of the object pronoun **la** [*her*]. After reading the examples very carefully, you might devise a rule such as: "In negative and interrogative sentences, as in affirmative sentences, the direct object pronoun (**la** [*her*]) goes just before the verb (**voit** [*sees*]). **Ne** is always placed before the direct object pronoun (**la** [*her*])."

After forming the rule, re-read all the examples until you have memorized them—that is, until you understand them perfectly in French and can repeat them without thinking of their meaning in English.

When you are sure that you have learned this material well, do the first series of exercises on page 57 without consulting the grammar. Then check your answers carefully, one by one, making sure you haven't forgotten anything. For example, in the second sentence, **Elle a la lettre**, you should have substituted the direct object pronoun **la** [*it*] for the direct object **la lettre** [*the letter*]; in addition, **la** should become **l'** (you should know why). The complete answer is **Elle l'a.**

When you finish this section, go on to the second group of exercises, continuing to check your work with the greatest care and attention to details.

Limit the time you spend studying grammar to brief periods of concentrated effort. When you find your mind wandering from the subject, put down your work and turn to another pursuit. Generally speaking one section of the grammar and its exercises can be sufficiently learned and adequately checked in a half hour to an hour.

## SECTION II: **NUMBERS** (les numéros)

When you return to your work, start studying the second section (beginning on p. 58), which covers the numbers from 40 to 1000. Once again, there is no way to learn this material except by memorizing it. If you don't know that **quarante** means 40 and that 40 is **quarante,** you haven't learned that part of the lesson. Go over the 40 series several times, trying to think of the concept rather than the English word—that is, of 40, not of *forty*. It is a good idea to go through the whole series, for example, 42, 43, 44, and so on. Repeat the same process for the fifties.

A quick glance at the printed page shows that the numbers from 60 to 79 form a closed series in French. Therefore, it is important for you to learn 70, 71, 72, etc., again thinking of the number itself and not of its English name. It is also helpful to write down the number as you recite it; for example, when you say «**soixante-dix-neuf**,» write 79. Do the same thing for the numbers from 80 to 99, and then continue in a similar manner in the 100 series up to 1000. Finally, proceed to the explanations listed in sub-sections 1, 2, and 3.

When you think you know this material perfectly, try writing out the numbers in **Exercice** 3 without referring to the examples given in the book. After completing the exercise, check your answers against the models. If you have made a mistake, review the material with which you had trouble. Don't waste time "studying" what you already know. Next, do **Exercice** 4 orally.

## SECTION III: **DEMONSTRATIVE ADJECTIVES** (les adjectifs démonstratifs)

This section begins (p. 59) with a definition. The examples give the French equivalent of the English, first in sentences and then in schematic fashion. Can you see why the form **cet** is used? Careful examination of the examples will answer this question for you. When you are sure you know the material, do **Exercice 5** on page 60; correct the exercise when you are finished, as you did with preceding exercises.

## SECTION IV: **PARTITIVE CONSTRUCTION** (la construction partitive)

This section begins (p. 60) with a discussion of the meaning of the partitive, then goes on to reëxamine the meanings of the definite article in French and the meaning and uses of the partitive. Study these explanations carefully. When you think you understand the concept of the partitive—what it is and what it means—go on to page 62 and the sub-section which deals with the forms of the partitive. You will notice that no rule is given for forming the partitive (because a careful examination of the examples will show you how to do it) except in those specific instances when it is reduced to **de** or **d'**. Here again, learning means memorization. When you have memorized the material, particularly the examples given (by repeating them over and over again until you know what you are saying without having to translate into English), go on to the exercises, correcting them with care. Number 6, for example, requires **d'** and not **des**. Why?

### SECTION V: **VERBS FOR SPECIAL STUDY:** SPELLING CHANGES IN -cer AND -ger VERBS

In this section (beginning on p. 63), you see the influence of pronunciation on spelling. Learn the examples and keep the principles always in mind.

Next, go on to the general exercises at the end of the lesson. For the fill-in questions (**Exercice A**, p. 64), check your answers after you finish the entire section, as you have been doing. The conversation passage (**Exercice B**, p. 64) is translated in Appendix II A at the back of the book. The best way to proceed is to translate perhaps two or three sentences at a time and then to check your translations against those provided in the Appendix. If you have made a mistake, turn to the section of the grammar that explains the point (whether it's in this lesson or an earlier one) and study it again as if you were learning it for the first time. Continue in this way until the conversation is finished. Rely on your own resources; treat the classroom review of the exercises not as an answer guide but as a double check on your own work.

Having completed all the other exercises, go on to the **Exercices structuraux** (pp. 66-69). These exercises drill the major points of each lesson and also review material you have learned in previous lessons. You will notice that an answer is provided for each question asked. Use these exercises as if you were in the language laboratory. For example, read sentence #1:

Nous voyons le garçon.
[*We see the waiter.*]

Then provide the answer (covering the one in the text with a piece of paper):

Nous le voyons.
[*We see him.*]

Re-read the statement. Then—uncovering the answer—read the correct answer, as it is provided in the text. If your answer was correct, you reinforce your knowledge of the correct answer by repetition or "overlearning"; if you made a mistake, you have an opportunity to correct it immediately.

You can apply the principles of this study method to all **Exercices structuraux** throughout the text. Keep the following points in mind:

1) You learn by repetition. Repeat what you are learning over and over again until you are automatically responding in French.

2) Check your answers very carefully and be severe with yourself. If you've made a mistake, either you didn't grasp a point or you weren't paying enough attention to what you were writing. In either case, review the points that tripped you up.

3) A few minutes every day, review the material in previous lessons. Even if you do nothing more than re-read the explanations of the earlier lessons, this quick review will help keep them fresh in your memory.

Since you will probably have three or four days to complete a lesson assignment, you should learn to budget your time. Most students need about five hours to master the material in a lesson; some students may require more time, and a very few will need less time.

You may have noticed that the conversation and the questionnaire have not been mentioned as elements in this study method. This work belongs in the classroom or in the language lab, where any mistake you make in pronunciation can be corrected. Remember that you can learn to pronounce incorrectly, as well as correctly, simply by doing so over and over again.

## WORK IN THE CLASSROOM

Classroom time will be spent chiefly on the oral aspects of the language—learning the conversations, answering questions based on the conversation, drilling French sounds and pronunciation patterns, and working with oral drills that review grammatical structure and vocabulary. You *learn* the elements of grammar at home; you *apply* them in the classroom and in the laboratory.

In the classroom you should listen attentively to your instructor's French pronunciation; imitate it as faithfully as possible and memorize the dialogues under your instructor's direction. You will find it relatively easy to be attentive when you are repeating material with the rest of the class in chorus or when you yourself are asked to respond individually. It may take more effort to concentrate when the oral work is being done by other students, but you can keep your attention focused if you will answer mentally every question the instructor asks.

You may notice that no matter how much time you spend in the classroom on one conversation, it never seems to be enough. You may also find that you understand fairly well what you learn at home, but that it sometimes slips out of your mind when you least expect it to. What you need, of course, is even more practice on both the conversations and the structural elements of the language. If, for instance, you were learning English as a foreign language, you might memorize a conversation in which the sentence "Have you seen my children?" appeared. You would use this sentence, slightly changed, in different situations; you would learn that the plural of *child* is *children*; and finally you would instinctively produce the proper form. Your instructor might then devise the following type of drill in which he would present you with a sentence containing a singular noun which you, in turn, would put into the plural.

Let's say you were practicing the plural forms of irregular nouns, such as *child—children, foot—feet,* etc.; of regular nouns which simply add an *s* (pronounced "s"), such as *shirt—shirts*; and of regular nouns which add an *s* (pronounced "z"), such as *love—loves.* The exercise might go something like this:

| INSTRUCTOR | STUDENT |
|---|---|
| Have you seen my child? | Have you seen my children? |
| Have you seen my mouse? | Have you seen my mice? |
| Have you seen my tooth? | Have you seen my teeth? |
| | |
| Have you seen my shirt? | Have you seen my shirts? |
| Have you seen my sock? | Have you seen my socks? |
| Have you seen my book? | Have you seen my books? |
| | |
| Have you seen my chair? | Have you seen my chairs? |
| Have you seen my pen? | Have you seen my pens? |
| Have you seen my shoe? | Have you seen my shoes? |

When properly practiced, this type of structural drill is extremely valuable, because it enables you to "overlearn" structures until you can use them automatically.

The **Exercices structuraux** in this text are most effective when you do them on your own (in the language lab, for instance), but they can also be done in the classroom when your instructor wishes to check individual progress or when he finds the class as a whole has not learned a particular point adequately.

# WORK IN THE LANGUAGE LABORATORY

The tapes for *First French* provide material to accompany each of the twenty-four lessons in this book and each of the review sections (found after every six lessons). The tape for each lesson is divided into two parts: the first part provides help in memorizing the conversations; the second, practice in the structural elements of the language. The conversations and most of the **Exercices structuraux** are taken directly from the text. This enables you to prepare for classroom work by spending additional time in the laboratory or to prepare at home for sessions in the laboratory. In either case, you have a built-in review for each lesson: work done in the classroom, in the laboratory, and at home complement each other perfectly.

## CONVERSATIONS

As an example of how the conversations are presented on the tapes, let's say that you are to learn the following material in English:

—The Red Ox Inn is located on First Street, just across from the University Book Store.
—I'll meet you there at seven o'clock.
—Fine. If I can't make it, I'll call you before six.

The tape begins with the conversation presented at normal conversational speed. During this first hearing, you should concentrate only on understanding what is being said:

—The Red Ox Inn is located on First Street, just across from the University Book Store.
—I'll meet you there . . .

Next, the conversation is broken up and interspersed with pauses in which you are to repeat what has just been said. When the sentences are quite long, they are broken into segments, which are presented in reverse order. During this second hearing, the first sentence of the conversation would be presented to you in this way:

just across from the University Book Store.
[*pause for you to repeat*]
on First Street, just across from the University Book Store.
[*pause for you to repeat*]
The Red Ox Inn is located on First Street, just across from the University Book Store.
[*pause for you to repeat*]

Finally, you would hear the conversation a third time, without the sentence breakdown, but with pauses for repeating after every sentence:

—The Red Ox Inn is located on First Street, just across from the University Book Store.
[*pause for you to repeat*]
—I'll meet you there...
[*pause for you to repeat*]

The three hearings of the conversation comprise the first part of the lesson's recorded material; together they amount to no more than ten minutes.

## STRUCTURAL DRILLS

The second part of the tape for each lesson consists of drills on structural or grammatical elements of the language. We will use as our example a drill which provides practice in using the verb *to be* as you might hear it in English in the language laboratory.

The instructions are given first:

**Exercise A. Put the subject and verb of the following sentences into the plural:**

You will then hear three models which illustrate the exercise, each model employing the four-phase self-correctional technique:

1) stimulus—cue given by speaker
 2) *pause for response*
3) confirmation or correction of response by speaker
 4) *pause for repetition*

In the models, the responses will be given by the speaker.

**Model One**
1) I am at home.
 2) *We are at home.*
3) We are at home.
 4) *We are at home.*

**Model Two**
1) He was at home.
 2) *They were at home.*
3) They were at home.
 4) *They were at home.*

**Model Three**
1) You will be...

After all three models are presented, the exercises begin.

**Exercise One:**

1) I was at home.

   2) [Pause, in which you say: *We were at home.*]

3) We were at home.

   4) [Pause, in which you repeat: *We were at home.*]

**Exercise Two:**

1) He is at home.

   2) [Pause, in which you say: *They are at home.*]

3) They are . . .

And so on, for ten, fifteen, or more exercises of the same pattern.

Following this method, a great variety of drills has been devised. Among the most common types that you will hear are these (your response is in brackets):

a) For asking questions:

**Exercise A. Put the following sentences into the interrogative:**

Mary has lost her purse.

[*Has Mary lost her purse?*]

They have both been sick.

[*Have they both been sick?*]

b) For using pronouns:

**Exercise B. In the following sentences, replace all nouns with the appropriate pronouns:**

John has found his wallet.

[*He has found it.*]

John and Mary have just received the letters.

[*They have just received them.*]

c) For using various tenses:

**Exercise C. Put the following sentences into the past perfect tense:**

I am sick.

[*I have been sick.*]

Mary sees her brother.

[*Mary has seen her brother.*]

d) For using subordinate clauses:
**Exercise D. Combine the following sentences by converting the first verb into a present participle:**
I went to the door. I saw John.
[*Going to the door, I saw John.*]
I looked out the window. I noticed Mary.
[*Looking out the window, I noticed Mary.*]

e) For changing a different element in each sentence:
**Exercise E. In the following sentences, replace the appropriate word with the substitute word the speaker provides:**
Mary hates to buy her bread in Marseilles.
[*Mary hates to buy her bread in Marseilles.*]
. . . likes . . .
[*Mary likes to buy her bread in Marseilles.*]
. . . Paris . . .
[*Mary likes to buy her bread in Paris.*]
. . . soap . . .
[*Mary likes to buy her soap in Paris.*]

The tapes for the review lessons contain the same types of structural drills as those for the regular lessons. By providing supplementary exercises, these tapes help you review the most important points covered in the six preceding lessons.

All the tapes are intended to improve your ability to understand and to speak—skills usually practiced in the laboratory without the written text. Transcriptions of most of the recorded drills are printed in the book in the **Exercices structuraux** sections which follow every lesson. Those structural drills which are given only on tape and not in the text provide you with additional drills and gradually eliminate any reliance on the printed page.

* * * * * * *

If it seems to you that a great deal of work is required for the mastery of a language and that most of the burden of this work rests squarely on your shoulders, you are right. Your instructor, of course, will help you in class with drills and exercises, and he will undoubtedly devote some time to your problems outside of class hours. In addition, the language laboratory will help you immensely as a complement to classroom work and home study. With enthusiasm and determination, you can make the task an enjoyable one, and before you know it you will be speaking—and thinking—in French.

## ACKNOWLEDGMENTS

The authors wish to express their gratitude to all members of the French Department of the University of California at Berkeley, permanent staff members and teaching assistants alike, for their many comments and suggestions during the years the book has been used in an inchoate state in Berkeley. They are particularly indebted to Professor Bertrand Augst and to Professor Lionel Duisit, who gave so generously of their time in reading the manuscript and working on the preliminary edition; without their encouragement and constant attention, this book could not have been completed. Special thanks are also due to Professor Ronald Walpole for encouraging the experimental use of the text; Mrs. Althea Doyle and her staff for their help in typing and in preparing the manuscript; Professor Jesse Sawyer, director of the language laboratory at the University of California, and Professor Francis Nachtmann, director of the language laboratory at the University of Illinois, for their suggestions for laboratory procedure; and Professor Henry Stavan of the University of Wyoming for his help with the illustration program. Finally, the authors want to express their special gratitude to Miss Sylvia Linde and Mr. Walter Glanze of Scott, Foresman for their unflagging enthusiasm and their incisive editorial assistance.

**P. B.**
**T. B.**

# TABLE OF CONTENTS

AUTOMATES
CURIOSITES
BIBELOTS

# PREMIÈRE LEÇON

## CONVERSATION: LA PREMIÈRE RENCONTRE

| | |
|---|---|
| *Anne* | Pardon, Monsieur.[1] |
| *Étienne* | Oui, Mademoiselle? |
| *Anne* | Est-ce que l'Hôtel de Normandie est près d'ici? |
| *Étienne* | Oui, Mademoiselle, l'Hôtel de Normandie est dans la rue de la Huchette en face d'une épicerie. Allez tout droit! |
| *Anne* | Merci bien, Monsieur. |
| *Étienne* | De rien, Mademoiselle. Je vois que vous n'êtes pas parisienne. D'où venez-vous? |
| *Anne* | Vous avez raison, Monsieur, je ne suis pas parisienne. Je suis américaine; je viens de New York. |
| *Étienne* | Mais vous parlez très bien le français. |
| *Anne* | Merci bien, Monsieur. Mon père est américain mais ma mère est française. Nous parlons les deux langues à la maison. |
| *Étienne* | Et comment vous appelez-vous? |
| *Anne* | Je m'appelle Anne Dupont. Et vous? |

[1]Suggestions for studying the conversations and grammar sections may be found in the introduction "To the Student."

| | |
|---|---|
| *Étienne* | Étienne Leblanc. Je suis enchanté de faire votre connaissance, Mademoiselle. |
| *Anne* | Et moi aussi, Monsieur. Au revoir, Monsieur. |
| *Étienne* | Au revoir, Mademoiselle. |

**QUESTIONNAIRE**

*Répondez en français par des phrases complètes (reply in French with complete sentences):*
1. Où est l'hôtel? 2. Est-ce que l'hôtel est près d'ici? 3. Où est l'épicerie? 4. Est-ce que l'épicerie est près d'ici? 5. Est-ce que l'hôtel est près de l'épicerie? 6. Est-ce que l'épicerie est près de l'hôtel? 7. Où est la rue de la Huchette? 8. Est-ce que la rue de la Huchette est près d'ici? 9. Est-ce que l'épicerie est en face de l'hôtel? 10. Est-ce que l'hôtel est en face de l'épicerie? 11. Êtes-vous parisien? 12. Êtes-vous américain? 13. Parlez-vous français? 14. Est-ce que votre père est français? 15. Est-ce que votre mère est française? 16. Est-ce que votre père est américain? 17. Est-ce que votre mère est américaine? 18. Parlez-vous anglais à la maison? 19. Parlez-vous français à la maison? 20. Comment vous appelez-vous?

# GRAMMAIRE

## I GENDER OF NOUNS (le genre des noms)

In French, all nouns are classified as masculine (*m.*) or feminine (*f.*). As in English, all males are of the masculine gender and all females of the feminine. But while things in English are of the neuter gender, in French they, too, are either masculine or feminine.

In order to learn the gender of a given noun in French, it is necessary to learn the article with the noun:

| | |
|---|---|
| la jeune fille *f.* | le garçon *m.* |
| la rue *f.* | le français *m.* |
| une épicerie *f.* | un hôtel *m.* |
| une Américaine *f.* | un Anglais *m.* |

### II THE DEFINITE ARTICLES (les articles définis)

The definite article in French corresponds to the English *the*:

| | |
|---|---|
| le garçon | *the* boy |
| la jeune fille | *the* girl |

**Le** is the masculine singular form of the definite article and **la** is the feminine singular form.

Before all masculine and feminine singular nouns beginning with a vowel or a mute *h*,[2] the form of the definite article changes to **l'**:

| | |
|---|---|
| l'épicerie *f.* | *the* grocery store |
| l'hôtel *m.* | *the* hotel |

The plural forms of the definite articles are:

| | |
|---|---|
| **les** garçons | *the* boys |
| **les** jeunes filles | *the* girls |
| **les** épiceries | *the* grocery stores |
| **les** hôtels | *the* hotels |

Is there any difference between the masculine and feminine plural forms?

In French, the name of a language is normally preceded by a definite article. All languages are masculine.

**le** français
l'anglais *m.*

However, the definite article is usually omitted when the name of the language follows immediately or very closely after the verb **parler**:

| | |
|---|---|
| **Il parle français.** | He speaks French. |
| **Il ne parle pas français.** | He does not speak French. |

[2]In addition to the mute *h* (the most common *h* in French), there is the aspirate *h*. The singular form of the definite article does not change before the aspirate *h*; therefore, the article and noun are pronounced as two words: **la hauteur.** Words beginning with an aspirate *h* will be noted in the end vocabulary with an asterisk: ***hauteur** *f.*

**Exercice 1.** *Donnez la forme convenable de l'article défini (give the proper form of the definite article):*

| | | | |
|---|---|---|---|
| 1. _______ | garçon | 7. _______ | épicerie |
| 2. _______ | jeune fille | 8. _______ | français |
| 3. _______ | mère | 9. _______ | jeunes filles |
| 4. _______ | père | 10. _______ | pères |
| 5. _______ | rue | 11. _______ | rues |
| 6. _______ | hôtel | 12. _______ | Américains |

## III THE INDEFINITE ARTICLES (les articles indéfinis)

The indefinite article in French corresponds to the English *a* or *an*:

*m.*

**un** hôtel français — *a* French hotel
**un** père parisien — *a* Parisian father

*f.*

**une** rue américaine — *an* American street
**une** épicerie française — *a* French grocery store

**Un** is the masculine singular form of the indefinite article and **une** is the feminine singular form.

**Exercice 2.** *Donnez la forme convenable de l'article indéfini*:

| | | | |
|---|---|---|---|
| 1. _______ | hôtel | 5. _______ | Américain |
| 2. _______ | rue | 6. _______ | père |
| 3. _______ | épicerie | 7. _______ | mère |
| 4. _______ | Français | 8. _______ | langue |

## IV GENDER OF PRONOUNS (le genre des pronoms)

Pronouns take the gender and number of the nouns they replace:

*singular*

*m.*

Le garçon est ici. **Il** est ici. — The boy is here. *He* is here.

*f.*

La rue est là. **Elle** est là. — The street is there. *It* is there.

*plural*
*m.*

| | |
|---|---|
| Les garçons sont ici. **Ils** sont ici. | The boys are here. *They* are here. |

*f.*

| | |
|---|---|
| Les rues sont là. **Elles** sont là. | The streets are there. *They* are there. |

**Exercice 3.** *Remplacez les pronoms signalés entre parenthèses par les équivalents français (replace the pronouns indicated in parentheses with the French equivalents)*:

1. (*She*) L'Américaine est ici. ______ est ici.
2. (*It*) L'épicerie est ici. ______ est ici.
3. (*They*) Les hôtels sont ici. ______ sont ici.
4. (*They*) Les rues sont ici. ______ sont ici.
5. (*He*) Le père est là. ______ est là.
6. (*She*) Marie est là. ______ est là.
7. (*He*) Étienne est à Paris. ______ est à Paris.

## V ADJECTIVES (les adjectifs)

### • Form

All adjectives in French must agree in number and gender with the nouns they modify. Feminine adjectives are usually formed by adding an *-e* to the masculine:

| *m.* | *f.* |
|---|---|
| Étienne est **français.** | Anne est **française.** |
| Peter est **américain.** | Betty est **américaine.** |

To form the plural of an adjective or of a noun, simply add an *-s* to the singular form; exceptions to this rule will be noted in the vocabulary.

| *singular* | *plural* |
|---|---|
| l'**hôtel parisien** | les **hôtels parisiens** |
| l'**épicerie française** | les **épiceries françaises** |

But if the singular form of the noun or adjective already ends in *-s*, there is no change in the plural form:

| | |
|---|---|
| l'hôtel **français** | les hôtels **français** |

French has no proper adjectives; therefore, no French adjective is spelled with a capital letter. For example:

| | |
|---|---|
| une **Française** | a *Frenchwoman* |
| *But*: | |
| la langue **française** | the *French* language |

**Exercice 4.** *Remplacez l'adjectif signalé entre parenthèses par l'équivalent français*:

1. (*American*) Mon père est ______.
2. (*French*) Étienne est ______.
3. (*American*) Anne est ______.
4. (*French*) la langue ______
5. (*French*) un hôtel ______
6. (*American*) une épicerie ______
7. (*Parisian*) une rue ______
8. (*French*) les pères ______
9. (*American*) Ils sont ______.
10. (*Parisian*) les rues ______

### • Position

In French, most adjectives follow the noun they modify:

un hôtel **parisien**
une épicerie **française**

However, there are certain groups of adjectives which precede the noun they modify; for example:

| | |
|---|---|
| *articles*: | **les** hôtels |
| *numbers*: | les **deux** langues |
| *possessive adjectives*: | **mon** père |

To become thoroughly acquainted with those adjectives which precede the noun, study the conversations and grammatical examples of this and following lessons.

**Exercice 5.** *Insérez la forme convenable de l'adjectif signalé entre parenthèses:*

1. (américain) l'épicerie
2. (deux) les épiceries
3. (premier) l'épicerie
4. (parisien) la maison
5. (anglais) les maisons
6. (français) le garçon
7. (français) les garçons
8. (anglais) l'hôtel
9. (premier) l'hôtel
10. (français) la jeune fille
11. (premier) la rue
12. (anglais) les pères

## VI VERBS (les verbes)

### • The English verbal system

One of the most important elements in any language is its system of verbs. Most English verbs are *regular*—that is, their past tense and past participle are formed by adding *-ed* to the infinitive: walk, walk*ed*, walk*ed*.

Because of this, we need to learn the forms of relatively few *irregular* verbs—so called because they depart from the usual pattern: see, *saw*, *seen*.

In English, we also have little to learn in conjugating verbs (changing verb endings to correspond with grammatical person). For example, the conjugation of the verb *see* in the present tense is:

| *singular* | *plural* |
|---|---|
| I see | we see |
| you see | you see |
| he sees | they see |

Here, the only change in verb ending is in the third person singular: *he sees*. Another way of expressing present tense in English is by using the present progressive form, composed of an auxiliary verb plus the present participle: *I am seeing*, *you are seeing*, etc.

### • The French verbal system

In French, the pattern for conjugating verbs is slightly more complex. Every verb has a stem (or stems), and every tense has its own particular set of verb endings which are added to the stem. The following examples show how an English verb might be rendered in French:

| | |
|---|---|
| I am looking | **je regarde** |
| I was looking | **je regardais** |

The French stem **regard-** may be compared to *looking* (considered the main verb in English) and the French endings **-e** and **-ais** accomplish the same purpose as *am* and *was* (the English auxiliary verbs).

### VII PRESENT TENSE OF VERBS IN THE -ER CONJUGATION

The tense of a verb expresses the time of its action—the present tense expressing action taking place at the present time, etc. Our study of the present tense begins with verbs in the **-er** conjugation; these verbs are so grouped because their infinitive ends in **-er**, for example: **parl*er*.**

To form the present tense of regular **-er** verbs:

1) Drop the **-er** ending from the infinitive, leaving the stem:
   **parl*er*** **parl-**

2) To the stem, add the verb endings which correspond to the grammatical person of the subject. These endings are:

| | *singular* | *plural* |
|---|---|---|
| *first person* | -e | -ons |
| *second person* | -es | -ez |
| *third person* | -e | -ent |

With the stem and these endings, nearly any **-er** verb can be conjugated. Study the conjugation of **parler**:

*present tense of* **parler**—*to speak*

*singular*

| | |
|---|---|
| je parle | I speak, do speak, am speaking |
| tu parles | you speak, do speak, are speaking |
| il parle | he speaks, does speak, is speaking |
| elle parle | she speaks, does speak, is speaking |

*plural*

| | |
|---|---|
| nous parlons | we speak, do speak, are speaking |
| vous parlez | you speak, do speak, are speaking |
| ils parlent | they speak, do speak, are speaking |
| elles parlent | they speak, do speak, are speaking |

The personal pronouns used as subjects of the verb are:

| | *singular* | | *plural* | | |
|---|---|---|---|---|---|
| *first person* | **je** | I | **nous** | we | |
| *second person* | **tu** | you | **vous** | you | |
| *third person* | **il** | he | **ils** | they | *m.* |
| | **elle** | she | **elles** | they | *f.* |

When addressing close friends, classmates, members of the family, small children, and animals, **tu** is the correct form to use in the singular, and **vous**, the correct form in the plural.

When speaking to acquaintances, strangers, elders, and superiors, **vous** is used for both singular and plural *you*.

### VIII NEGATION (la négation)

Study the following examples carefully, noting the pattern for forming the negative construction in French:

| | |
|---|---|
| Je parle français. | I speak French. (I do speak French, I am speaking French.) |
| Je **ne** parle **pas** français. | I do *not* speak French. (I am *not* speaking French.) |

Before a vowel, **ne** becomes **n'**: Il **n'**est **pas** français. He is *not* French.

**Exercice 6.** *Dites en français* (*say in French*):

1. Étienne does not speak French.
2. We are not speaking.
3. They do not speak English.
4. She is not speaking French.
5. You are not French.

### IX INTERROGATION (l'interrogation)

One way to ask a question in French is to place the expression **est-ce que** before a statement:

| *statement* | *question* |
|---|---|
| Vous parlez français. | **Est-ce que** vous parlez français? |
| Étienne est français. | **Est-ce qu'**Étienne est français? |

Notice that **que** becomes **qu'** before a vowel.

**Exercice 7.** *Dites en français:*

1. Does Anne speak French?
2. Are they speaking English?
3. Do you speak French?
4. Is she Parisian?
5. Is my father French?

### X VERBS FOR SPECIAL STUDY: ÊTRE

The verb **être**, which means *to be*, presents certain difficulties that can be overcome only by memorizing its conjugation:

*present tense of* **être**—*to be*

*singular*

| | |
|---|---|
| **je suis** | I am |
| **tu es** | you are |
| **il est** | he is |
| **elle est** | she is |

*plural*

| | |
|---|---|
| **nous sommes** | we are |
| **vous êtes** | you are |
| **ils sont** | they are |
| **elles sont** | they are |

**Être** is an irregular verb. The only other completely irregular verbs in French are **avoir** (*to have*) and **aller** (*to go*). Other French verbs are often called irregular, but actually have only slight irregularities in their stems. All verbs with such irregularities will be presented as verbs for special study in succeeding lessons.

**Exercice 8.** *Dites en français:*

1. I speak.
2. Does he speak?
3. Is he?
4. We are.
5. Are you?
6. They speak.
7. They are.
8. Do we speak?
9. Are they?
10. We do not speak.
11. I am speaking.

**Exercice 9.** *Dites en français:*

1. He is not here.
2. You are not French.
3. They are not American.
4. You are not right.
5. Is the grocery store near here?
6. Is Étienne speaking French?

**EXERCICES**

**A.** *Remplacez les expressions signalées entre parenthèses par l'équivalent français:*

1. (*American; French*) Étienne n'est pas ______; il est ______.
2. (*Parisian*) Anne est ______.
3. (*speak*) Vous ______ très bien le français.
4. (*don't speak*) Nous ______ français à la maison.
5. (*The, the*) ______ hôtel est près de ______ rue de la Huchette.
6. (*a*) L'Excelsior est ______ hôtel à Paris.
7. (*a French hotel*) Le Waldorf-Astoria n'est pas ______.
8. (*the French language*) Parlez-vous ______?
9. (*French, English*) Oui, je parle ______ et je parle ______.
10. (*the*) Est-ce que ______ père d'Étienne parle français?
11. (*the*) Est-ce que ______ mère d'Étienne parle français?
12. (*American*) Est-ce qu'Anne est ______?
13. (*Are you*) ______ français?
14. (*English, the*) ______ est ______ langue de mon père.
15. (*English and French, the*) ______ sont ______ langues de ma mère.

**B.** *Dites en français:*

—What is your name, Miss?
—My name is Anne Dupont. And you?
—John Williams. Pleased to meet you, Anne. Are you American?
—Yes, I'm American. Are you French, John?
—No, I'm not French. I come from New York.
—But you speak the language very well.
—Thank you.
—Where is the Hôtel de Normandie? Is it near here?
—No, it is on the rue de la Huchette, facing a grocery store.

## VOCABULAIRE

In the lesson vocabularies, nouns beginning with a vowel or mute *h* will be preceded by the indefinite article; nouns beginning with a consonant or aspirate *h* will be preceded by the definite article. A key to the abbreviations used precedes the French-English Vocabulary at the back of the text.

à at, to
**aller** to go; **allez!** go!
**américain** *adj.* American
(un) **Américain** American
(une) **Américaine** American woman
**anglais** *adj.* English; (un) **anglais** English (*language*)
(un) **Anglais** Englishman; (une) **Anglaise** Englishwoman, English girl
**appeler** to call; **s'appeler** to call oneself, to be named; **je m'appelle** my name is; **comment vous appelez-vous?** what is your name?
**aussi** also
**avoir** to have
**bien** well
**comment** how
(la) **connaissance** acquaintance; **faire la connaissance de qqn** to make s.o.'s acquaintance, to become acquainted with s.o.
(la) **conversation** conversation
**dans** in, into; on (*when ref. to street*)
**de** of, from
**deux** two
**droit** straight; **tout droit** straight ahead
**elle** *f.* she, it
**enchanter** to charm, to delight; **enchanté de faire votre connaissance** pleased to meet you, pleased to make your acquaintance
(une) **épicerie** grocery store
**et** and
**être** to be; **est-ce que: est-ce que vous parlez français?** do you speak French?
(la) **face** face; **en face de** opposite, facing
**faire** to do, to make
**français** *adj.* French; (le) **français** French (*language*)
(le) **Français** Frenchman; (la) **Française** Frenchwoman, French girl
(le) **garçon** boy
(un) **hôtel** hotel
**ici** here
**il** *m.* he, it
**je** I
(la) **jeune fille** girl, young lady
**la**; *pl.* **les** *f.* the
**là** there
(la) **langue** language, tongue
**le**; *pl.* **les** *m.* the
(la) **leçon** lesson

**mademoiselle, Mademoiselle** (*abbr.* **M**[lle]) Miss; *pl.* **Mesdemoiselles** (*abbr.* **M**[lles]) young ladies
**mais** but
(la) **maison** house; **à la maison** at home
**merci** thank you; **merci bien** many thanks
(la) **mère** mother
**moi** me
**mon, ma**; *pl.* **mes** my
**monsieur, Monsieur** (*abbr.* **M.**) gentleman, Sir (Mr.); *pl.* **messieurs** (*abbr.* **MM.**) gentlemen
(le) **mot** word
**ne: ne...pas** not
**nous** we
**où** where
**oui** yes
**pardon** pardon, excuse me
**parisien, parisienne** *adj.* Parisian
(le) **Parisien,** (la) **Parisienne** Parisian
**parler** to speak
**pas** not
(le) **père** father
**premier, première** first
**près** near; **près de** near, close to
**que** that
(la) **raison** reason, intellect; **vous avez raison** you are right
(la) **rencontre** meeting, encounter
**revoir** to see again; **au revoir** good-bye, so long
**rien** nothing; **de rien** you're welcome
(la) **rue** street
**très** very
**tu** you *fam.*
**un, une** a, an, one
**venir** to come; **je viens** I come; **d'où venez-vous?** where do you come from?
**voir** to see; **je vois** I see
**votre** your
**vous** you

## EXERCICES STRUCTURAUX[1]

**A.** *Remplacez l'article indéfini par l'article défini (replace the indefinite article with the definite article):*

1. une rue
   la rue
2. une langue
   la langue
3. une jeune fille
   la jeune fille
4. une maison
   la maison
5. une connaissance
   la connaissance
6. une mère
   la mère

[1]Primarily intended for use in the language laboratory.

7. un Français
   le Français
8. un Parisien
   le Parisien
9. un père
   le père
10. un hôtel
   l'hôtel
11. une épicerie
   l'épicerie
12. une langue
   la langue
13. une jeune fille
   la jeune fille
14. un père
   le père
15. un Français
   le Français

**B.** *Remplacez l'article défini par l'article indéfini (replace the definite article with the indefinite article):*

1. la mère
   une mère
2. la maison
   une maison
3. la jeune fille
   une jeune fille
4. la connaissance
   une connaissance
5. la langue
   une langue
6. la rue
   une rue
7. l'épicerie
   une épicerie
8. le Parisien
   un Parisien
9. le Français
   un Français
10. l'hôtel
   un hôtel
11. le Parisien
   un Parisien
12. la mère
   une mère
13. le Français
   un Français
14. la jeune fille
   une jeune fille
15. la maison
   une maison
16. la connaissance
   une connaissance
17. la langue
   une langue
18. l'épicerie
   une épicerie
19. le père
   un père
20. l'hôtel
   un hôtel

**C.** *Mettez les noms suivants au pluriel (put the following nouns into the plural):*

1. la mère
   les mères
2. la maison
   les maisons
3. la jeune fille
   les jeunes filles
4. la connaissance
   les connaissances
5. la langue
   les langues
6. la rue
   les rues
7. l'épicerie
   les épiceries
8. le Parisien
   les Parisiens
9. le Français
   les Français
10. l'hôtel
    les hôtels
11. le Parisien
    les Parisiens
12. la mère
    les mères
13. le Français
    les Français
14. la jeune fille
    les jeunes filles
15. la maison
    les maisons
16. la connaissance
    les connaissances
17. la langue
    les langues
18. l'épicerie
    les épiceries
19. le père
    les pères
20. l'hôtel
    les hôtels

**D.** *Mettez les phrases suivantes à la forme négative (put the following sentences into the negative form):*

1. Anne parle français.
   Anne ne parle pas français.
2. Nous parlons français.
   Nous ne parlons pas français.
3. Nous sommes près de l'hôtel.
   Nous ne sommes pas près de l'hôtel.
4. Ils sont dans la rue.
   Ils ne sont pas dans la rue.
5. Je vois l'Hôtel de Normandie.
   Je ne vois pas l'Hôtel de Normandie.
6. Étienne est parisien.
   Étienne n'est pas parisien.
7. Vous êtes étudiant.
   Vous n'êtes pas étudiant.

8. Vous avez raison.
   Vous n'avez pas raison.
9. L'hôtel est en face de l'épicerie.
   L'hôtel n'est pas en face de l'épicerie.
10. Je m'appelle Anne.
    Je ne m'appelle pas Anne.
11. Anne parle français.
    Anne ne parle pas français.
12. Nous parlons français.
    Nous ne parlons pas français.
13. Étienne est parisien.
    Étienne n'est pas parisien.
14. Vous êtes étudiant.
    Vous n'êtes pas étudiant.
15. Nous sommes près de l'hôtel.
    Nous ne sommes pas près de l'hôtel.
16. Vous avez raison.
    Vous n'avez pas raison.
17. Ils sont dans la rue.
    Ils ne sont pas dans la rue.
18. L'hôtel est en face de l'épicerie.
    L'hôtel n'est pas en face de l'épicerie.
19. Je m'appelle Anne.
    Je ne m'appelle pas Anne.
20. Je vois l'Hôtel de Normandie.
    Je ne vois pas l'Hôtel de Normandie.

**E.** *Mettez les phrases suivantes à la forme interrogative (put the following sentences into the interrogative form):*

1. Anne parle français.
   Est-ce qu'Anne parle français?
2. Nous parlons français.
   Est-ce que nous parlons français?
3. Nous sommes près de l'hôtel.
   Est-ce que nous sommes près de l'hôtel?
4. Ils sont dans la rue.
   Est-ce qu'ils sont dans la rue?

5. Je vois l'Hôtel de Normandie.
   Est-ce que je vois l'Hôtel de Normandie?
6. Étienne est parisien.
   Est-ce qu'Étienne est parisien?
7. Vous êtes étudiant.
   Est-ce que vous êtes étudiant?
8. L'hôtel est en face de l'épicerie.
   Est-ce que l'hôtel est en face de l'épicerie?
9. Vous avez raison.
   Est-ce que vous avez raison?
10. Je m'appelle Anne.
   Est-ce que je m'appelle Anne?
11. Anne parle français.
   Est-ce qu'Anne parle français?
12. Nous parlons français.
   Est-ce que nous parlons français?
13. Étienne est parisien.
   Est-ce qu'Étienne est parisien?
14. Vous êtes étudiant.
   Est-ce que vous êtes étudiant?
15. Nous sommes près de l'hôtel.
   Est-ce que nous sommes près de l'hôtel?
16. Vous avez raison.
   Est-ce que vous avez raison?
17. Ils sont dans la rue.
   Est-ce qu'ils sont dans la rue?
18. L'hôtel est en face de l'épicerie.
   Est-ce que l'hôtel est en face de l'épicerie?
19. Je m'appelle Anne.
   Est-ce que je m'appelle Anne?
20. Je vois l'Hôtel de Normandie.
   Est-ce que je vois l'Hôtel de Normandie?

HOTEL
12
RUE
DE LA
HUCHETTE
BAR DE L'HOTEL DE NORMA
RUE
DU CHAT
QUI PÊCHE
MENU

# DEUXIÈME LEÇON

## CONVERSATION: À L'HÔTEL

*Anne* Bonjour, Madame. Je m'appelle Anne Dupont.

*L'hôtelière* Ah oui! Mademoiselle. Je vous attends depuis trois jours. J'ai ici votre lettre du 12 avril. C'est aujourd'hui le 18.

*Anne* Mais, Madame, je viens d'arriver.

*L'hôtelière* Ah! Cela n'a pas d'importance. Votre chambre est libre depuis une semaine. Avant de vous installer je vais remplir une fiche d'identité. Quelle est votre nationalité, Mademoiselle?

*Anne* Je suis américaine.

*L'hôtelière* Et quelle est votre adresse?

*Anne* Mon adresse est 7 avenue des Amériques, New York.

*L'hôtelière* Et votre profession?

*Anne* Je suis étudiante.

*L'hôtelière* Est-ce que vous comptez rester ici longtemps?

*Anne* Au moins deux ou trois semaines.

*L'hôtelière* Bien. C'est tout, Mademoiselle.

*Anne* Avez-vous la clé de la chambre?

*L'hôtelière* Voici, Mademoiselle.

**QUESTIONNAIRE**

*Répondez en français par des phrases complètes*:

1. Est-ce que vous avez la lettre du 12 avril? 2. Quelle est la date aujourd'hui? 3. Est-ce que la chambre est libre? 4. Depuis quand (*how long*) est-ce que la chambre est libre? 5. Est-ce que la chambre est libre depuis longtemps? 6. Comment vous appelez-vous? 7. Est-ce que vous avez une fiche d'identité? 8. Quelle est votre nationalité? 9. Parlez-vous français? 10. Est-ce que vous êtes français? 11. Quelle est votre adresse? 12. Quelle est votre profession? 13. Est-ce que vous êtes hôtelière? 14. Est-ce que vous êtes étudiant? 15. Avez-vous une mère? 16. Est-ce que vous êtes la mère d'Anne? 17. Est-ce que vous comptez rester à l'hôtel? 18. Est-ce que vous comptez rester dans votre chambre? 19. Est-ce que vous comptez rester longtemps? 20. Où est-ce que vous comptez rester? 21. Avez-vous la clé de la chambre? 22. Où est la clé de la chambre? 23. Où est la clé de l'hôtel? 24. Où est l'hôtelière?

# GRAMMAIRE

## I PRESENT TENSE OF VERBS IN THE -S CONJUGATION

In Lesson 1, you were introduced to the present tense of regular verbs belonging to the **-er** conjugation. Throughout this text, all verbs not belonging to the **-er** conjugation will be grouped in a second category—the -s conjugation.

To form the present tense of verbs in the -s conjugation, it is necessary to determine two stems for each verb. The pattern for determining these stems depends on the infinitive ending.

For most verbs whose infinitives end in **-ir**, the stem pattern is: one stem for the singular forms and another for the plural:

**finir**—*to finish*
*singular stem* fini-
*plural stem* finiss-

Unless otherwise noted, **-ir** verbs (like **finir**) have two stems. Verbs that end in **-oir** will not be considered **-ir** verbs, because of the difference in pronouncing the **-ir** ending.

The stem pattern for almost all other **-s** conjugation verbs will be one of two types: one stem for the singular and third person plural forms (the **je**, **tu**, **il**, and **ils** forms) and another stem for the first and second person plural forms (the **nous** and **vous** forms):

**voir**—*to see*

| | |
|---|---|
| *singular and third person plural stem* | voi- |
| *first and second person plural stem* | voy- |

Or, one stem for the singular forms and another for the plural forms:

**attendre**—*to wait [for]*

| | |
|---|---|
| *singular stem* | attend- |
| *plural stem* | attend- |

These two stems are often identical; exceptions will be listed in Verb Appendix I at the back of the text.

The present tense ending for verbs grouped in the **-s** conjugation are:

| | *singular* | *plural* |
|---|---|---|
| *first person* | -s | -ons |
| *second person* | -s | -ez |
| *third person* | -t[1] | -ent |

Notice that the plural endings are identical with those of verbs in the **-er** conjugation.

These **-s** conjugation endings are added to the stems to form the present tense:

*present tense of* **finir**—*to finish*
(I finish, am finishing, do finish, etc.)

| | |
|---|---|
| je fini**s** | nous fini**ssons** |
| tu fini**s** | vous fini**ssez** |
| il fini**t** | ils fini**ssent** |

[1]This *t* is omitted when the stem ends in the consonant *d*. (See the following conjugation of **attendre**.)

*present tense of* **voir**—*to see*
(I see, am seeing, do see, etc.)

| | |
|---|---|
| je vois | nous voy**ons** |
| tu vois | vous voy**ez** |
| il voit | ils voi**ent** |

*present tense of* **attendre**—*to wait [for]*
(I wait [for], am waiting [for], do wait [for], etc.)

| | |
|---|---|
| j'attends | nous attend**ons** |
| tu attends | vous attend**ez** |
| il attend | ils attend**ent** |

## II AN ADDITIONAL USE OF THE PRESENT TENSE

As you learned in the first lesson, French employs only one form of the present tense to express several locutions. For example, **je parle** may be translated as *I speak, I am speaking,* and *I do speak.* When used with the word **depuis** in affirmative sentences, the present tense has yet another meaning:

| | |
|---|---|
| Je parle **depuis** trois heures. | I have been speaking *for* three hours. |

In this construction, the present tense plus **depuis** denotes an action which, though it began in the past, is still going on at the present time. Thus, the above sentence means that the speaking, begun three hours ago, is still continuing.

To express *how long* in French, a special locution, **depuis quand,** is used with the present tense:

| | |
|---|---|
| **Depuis quand** êtes-vous ici? | *How long* have you been here? |

Answers to such questions would also use the present tense with **depuis**:

| | |
|---|---|
| Je suis ici **depuis** lundi. | I have been here *since* Monday. |

**Exercice 1.** *Remplacez les expressions signalées entre parenthèses par l'équivalent français*:

1. (*has been*) Depuis quand est-ce qu'Anne ______ ici?
2. (*have been speaking*) Je ______ depuis trois jours.

3. (*I have been waiting*) ______ depuis longtemps.
4. (*has been here*) Étienne ______ depuis lundi.
5. (*has been waiting*) Le père ______ depuis deux jours.

### III OMISSION OF THE INDEFINITE ARTICLE AFTER ÊTRE

Study the following examples, noting that the indefinite article is omitted after **être**:

| | |
|---|---|
| **Vous n'êtes pas parisienne.** | You are not Parisian (a Parisian). |
| **Je suis américain.** | I am American (an American). |
| **Je suis étudiante.** | I am a student. |

In French, unmodified names of professions, nationalities, and religions are considered adjectives when they follow the verb **être**. Therefore, the indefinite article is omitted.

**Exercice 2.** *Dites en français:*

1. He is American.
2. He is an American.
3. The student is French.
4. Is he a Frenchman?
5. Is she an Englishwoman?
6. She is not a Parisian.
7. Are you a student, Anne?
8. Are they Frenchwomen?

### IV NUMBERS (les nombres)

The French cardinal numbers from 1 to 39 are:

| | | | | | |
|---|---|---|---|---|---|
| 1 | un, une[2] | 14 | quatorze | 27 | vingt-sept |
| 2 | deux | 15 | quinze | 28 | vingt-huit |
| 3 | trois | 16 | seize | 29 | vingt-neuf |
| 4 | quatre | 17 | dix-sept | 30 | trente |
| 5 | cinq | 18 | dix-huit | 31 | trente et un |
| 6 | six | 19 | dix-neuf | 32 | trente-deux |
| 7 | sept | 20 | vingt | 33 | trente-trois |
| 8 | huit | 21 | vingt et un | 34 | trente-quatre |
| 9 | neuf | 22 | vingt-deux | 35 | trente-cinq |
| 10 | dix | 23 | vingt-trois | 36 | trente-six |
| 11 | onze | 24 | vingt-quatre | 37 | trente-sept |
| 12 | douze | 25 | vingt-cinq | 38 | trente-huit |
| 13 | treize | 26 | vingt-six | 39 | trente-neuf |

[2]Note that only **un** has a special feminine form: **une**.

**Exercice 3.** *Dites les nombres suivants en français:*

8, 16, 5, 17, 4, 20, 3, 19, 2, 29, 30, 24, 7, 1, 6, 18

**Exercice 4.** *Lisez à haute voix* (*read aloud*):

| | | | |
|---|---|---|---|
| 1. | 8 garçons | 7. | 6 Français |
| 2. | 5 jeunes filles | 8. | 2 Américains |
| 3. | 5 hommes | 9. | 2 jeunes filles |
| 4. | 9 hôtels | 10. | 8 hôtels |
| 5. | 10 hôtels | 11. | 10 Anglais |
| 6. | 6 rues | 12. | 20 étudiantes |

## V INTERROGATIVE ADJECTIVES (les adjectifs interrogatifs)

**Quel** and **quelle** are interrogative adjectives qualifying the noun standing after the verb **être** in questions. They correspond to the English *what* or *which* in questions beginning with *what* [*which*] *is*...? (or *what* [*which*] *are*...?). As adjectives, they must agree in number and gender with the nouns they modify.

| | |
|---|---|
| **Quelle** est votre adresse? | *What* is your address? |
| **Quel** est votre hôtel? | *Which* is your hotel? |
| **Quels** sont les jours de la semaine? | *What* are the days of the week? |
| **Quelles** sont vos clés? | *Which* are your keys? |

Interrogative adjectives can also qualify a noun appearing before a verb:

| | |
|---|---|
| **Quel** hôtel habitez-vous? | *Which* hotel do you live in? |

**Exercice 5.** *Remplacez l'adjectif interrogatif signalé entre parenthèses par l'équivalent français:*

1. (*What*) _______ est l'adresse de Marie?
2. (*Which*) _______ est votre hôtel?
3. (*What*) _______ sont les langues de l'Europe?
4. (*Which*) _______ père est américain?
5. (*Which*) _______ mère est française?
6. (*Which*) _______ étudiants sont français dans la classe?
7. (*Which*) _______ étudiant arrive?
8. (*Which*) _______ est notre chambre?

### VI POSSESSIVE ADJECTIVES (les adjectifs possessifs)

As its name implies, a possessive adjective indicates the ownership of an object. Since it is an adjective, it must agree with the noun it modifies in number and gender. Study the following examples, noting the form and meaning of the possessive adjectives:

| *singular* | | *plural* | |
|---|---|---|---|
| **mon** hôtel | *my* hotel | **mes** hôtels | *my* hotels |
| **ma** chambre | *my* room | **mes** chambres | *my* rooms |
| **ton** hôtel | *your* hotel | **tes** hôtels | *your* hotels |
| **ta** chambre | *your* room | **tes** chambres | *your* rooms |
| **son** hôtel | *his* (*her*) hotel | **ses** hôtels | *his* (*her*) hotels |
| **sa** chambre | *his* (*her*) room | **ses** chambres | *his* (*her*) rooms |
| **notre** hôtel | *our* hotel | **nos** hôtels | *our* hotels |
| **notre** chambre | *our* room | **nos** chambres | *our* rooms |
| **votre** hôtel | *your* hotel | **vos** hôtels | *your* hotels |
| **votre** chambre | *your* room | **vos** chambres | *your* rooms |
| **leur** hôtel | *their* hotel | **leurs** hôtels | *their* hotels |
| **leur** chambre | *their* room | **leurs** chambres | *their* rooms |

Notice that French does not distinguish between *his* and *her,* but only notes possession by a third person singular.

Feminine singular nouns beginning with a vowel or mute *h* require a masculine form of the possessive adjective in order to distinguish the two words in speech:

**mon** adresse *f.*
**ton** adresse *f.*
**son** adresse *f.*

**Ton**, **ta**, and **tes** are required in cases where **tu** is the subject pronoun; **votre** and **vos** are required when **vous** is the subject pronoun:

Aimes-tu **ta** mère?
Aimez-vous **votre** mère?

Memorize the following chart:

| | *singular noun* | | *plural noun* |
|---|---|---|---|
| | *m.* | *f.* | *m. and f. identical* |
| *my* | mon | ma (mon) | mes |
| *your* | ton | ta (ton) | tes |
| *his, her, its* | son | sa (son) | ses |
| *our* | notre | notre | nos |
| *your* | votre | votre | vos |
| *their* | leur | leur | leurs |

**Exercice 6.** *Remplacez l'adjectif possessif signalé entre parenthèses par l'équivalent français:*

1. (*Your*) ______ carte est ici.
2. (*Her*) ______ père est américain.
3. (*Our*) ______ mère est française.
4. (*Their*) ______ hôtel est à Paris.
5. (*Your*) ______ chambre est jolie.
6. (*his, his*) J'aime ______ père mais je n'aime pas ______ mère.
7. (*Their*) ______ chambres ne sont pas libres.
8. (*our, our*) Voici ______ adresse et ______ clés.

## VII CONTRACTION OF THE DEFINITE ARTICLE WITH DE

Study the following examples and try to determine when the definite article contracts with **de**:

*singular*

| | |
|---|---|
| l'adresse **du** garçon | the address *of the* boy (the boy'*s* address) |
| l'adresse **de la** jeune fille | the address *of the* girl (the girl'*s* address) |
| l'adresse **de** l'hôtel | the address *of the* hotel (the hotel'*s* address) |

*plural*

| | |
|---|---|
| l'adresse **des** garçons | the address *of the* boys (the boys' address) |

| | |
|---|---|
| l'adresse **des** jeunes filles | the address *of the* girls (the girls' address) |
| l'adresse **des** hôtels | the address *of the* hotels (the hotels' address) |

Notice that ownership is expressed in French by use of the preposition **de**:

| | |
|---|---|
| la clé **de** Marie | Mary'*s* key |
| la clé **du** garçon | the boy'*s* key |

The preposition **de** contracts with the definite articles **le** and **les** but not with **l'** or **la**:

| *singular* | *plural* |
|---|---|
| **du** (de plus le) | **des** (de plus les) |
| **de l'** | **des** |
| **de la** | **des** |

**VIII ELISION (l'élision)**

In this lesson and Lesson 1, you have seen examples of a vowel being dropped (such as the **e** in **le**, **ne**, or **que**) when it precedes a word beginning with a vowel or aspirate *h*; these are examples of *elision.*

l'Hôtel de Normandie
vous **n'**êtes pas
est-ce **qu'**elle

Elision is only possible in the following cases:

1) *with the* **e** *in* **je, me, te, se, ce, de, jusque, le, ne,** *and* **que**:
l'hôtel *But*: le livre

2) *with the* **a** *in* **la**:
l'eau *But*: la femme

3) *and with the* **i** *in* **si** *when followed by* **il** *or* **ils**:
s'il *But*: si elle

**Exercice 7.** *Insérez dans les phrases suivantes la forme convenable de* **de** *et de l'article défini*:

1. la clé _______ chambre
2. l'adresse _______ épicerie
3. les cartes _______ hôteliers
4. les chambres _______ hôtels
5. le père _______ jeune fille
6. la clé _______ hôtel
7. la nationalité _______ père
8. la profession _______ père
9. les jours _______ semaine

## IX VERBS FOR SPECIAL STUDY: AVOIR

The second completely irregular verb for special study is **avoir**, *to have.* Memorize its conjugation:

*present tense of* **avoir**—*to have*

*singular*

| | |
|---|---|
| **j'ai** | I have |
| **tu as** | you have |
| **il a** | he has |

*plural*

| | |
|---|---|
| **nous avons** | we have |
| **vous avez** | you have |
| **ils ont** | they have |

## EXERCICES

A. *Remplacez les expressions signalées entre parenthèses par l'équivalent français*:

1. (*I have been waiting*) _______ depuis un jour.
2. (*What is*) _______ sa profession?
3. (*What day*) _______ est-ce aujourd'hui?
4. (*his*) Où est _______ soeur?
5. (*her*) Où est _______ soeur?
6. (*his*) Où sont _______ soeurs?
7. (*her*) Où sont _______ soeurs?
8. (*is not my*) L'hôtelier _______ frère.

9. (*our*) L'hôtelière est ______ mère.
10. (*Your*) ______ hôtels sont français.
11. (*of the, our*) Les frères ______ hôtelier ont ______ clés.
12. (*Their, their*) ______ frère a ______ lettres.
13. (*of the, his*) La clé ______ frère est dans ______ chambre.
14. (*of the, their*) Les clés ______ frères sont dans ______ chambres.
15. (*of the*) La nationalité ______ soeurs est française.
16. (*of the*) Anne aime la chambre ______ hôtel.
17. (*Does Anne have*) ______ une chambre à l'Hôtel de Normandie?
18. (*The grocery store*) ______ est en face de l'hôtel.
19. (*How long*) ______ êtes-vous en France?
20. (*a student*) Étienne est ______.

**B.** *Lisez les nombres suivants*:

2, 12, 22; 3, 13, 23; 4, 14, 24; 5, 15, 25; 6, 16, 26;
7, 17, 27; 8, 18, 28; 9, 19, 29; 10, 20, 30.

**C.** *Lisez à haute voix*:

1. 5 chambres
2. 10 épiceries
3. 3 hôtels
4. 8 mères
5. 10 pères
6. 7 clés
7. 1 hôtelière
8. 4 soeurs
9. 6 jours
10. 15 cartes

**D.** *Comptez*:

1. jusqu'à 30 de 2 en 2 (2, 4, 6, etc.)
2. jusqu'à 30 de 3 en 3 (3, 6, 9, etc.)
3. jusqu'à 28 de 4 en 4 (4, 8, 12, etc.)
4. jusqu'à 30 de 5 en 5 (5, 10, 15, etc.)

**E.** *Dites en français*:

—Do you intend to stay here in the Hôtel de Normandie, Anne?
—Yes, I plan to stay here at least two weeks.
—Are you waiting for the hotelkeeper?
—Yes. What is his nationality? Is he American?
—No, he is not American; he is French. How long have you been in Paris, Anne?

—I have been in France for six days, but I just arrived in Paris.
—Oh, here is the hotelkeeper.
—Hello, sir. My name is Anne Dupont.
—Oh yes, Miss Dupont. Pleased to meet you. Your room has been free for two days. Did you just arrive?
—Yes. Do you have the key to my room?
—Here you are. Straight ahead, number nine.
—Many thanks, sir.

## VOCABULAIRE

(une) **adresse** address
**Ah!** Oh!
**aimer** to love, to like; **aimes-tu, aimez-vous?** do you like?
**aller** to go; **je vais** I go, I am going
**arriver** to arrive; **je viens d'arriver** I have just arrived
**attendre** to wait [for]
**aujourd'hui** today; **c'est aujourd'hui** today is
**avant (de)** before
(une) **avenue** avenue
**avoir** to have; **avez-vous?** do you have?
(un) **avril** April
**bien!** good!
**bonjour** hello, good day
(la) **carte** card
**cela** that
(la) **chambre** room
(la) **clé** key
**compter** to count, to intend
(la) **date** date
**depuis** since, for
**deuxième** second
**être** to be; **êtes-vous?** are you?
(un) **étudiant** student
(la) **fiche** card
**finir** to finish
(le) **frère** brother
**habiter** to live in, to dwell
(un) **homme** man
(un) **hôtelier**, (une) **hôtelière** hotelkeeper
(une) **identité** identification
(une) **importance** importance
**installer** to install
(le) **jour** day
**jusqu'à** up to, until
(la) **lettre** letter
**leur** *pl.* **leurs** their
**libre** free
**loin** far; **loin de** far from
**longtemps** long, a long time; **depuis longtemps** for a long time
**madame, Madame** (*abbr.* **M$^{me}$**) madam, Mrs.; *pl.* **mesdames** (*abbr.* **M$^{mes}$**) ladies
**moins** less; **au moins** at least
**mon, ma**; *pl.* **mes** my

(la) **nationalité** nationality
**notre** *pl.* **nos** our
**ou** or
(la) **profession** profession
**quand** when; **depuis quand?** how long?
**quel, quelle?** what?
**remplir** to fill [in]; to complete
**rester** to stay, to remain
(la) **semaine** week
(la) **soeur** sister
**son, sa;** *pl.* **ses** his, her, its
**ton, ta;** *pl.* **tes** your
**tout** all; **c'est tout** that's all
**trois** three
**venir: venir de** (+ *inf.*) to have just . . .
**voici** here is [are]; here you are
**voir** to see
**votre** *pl.* **vos** your

## EXERCICES STRUCTURAUX

**A.** *Répondez affirmativement aux questions suivantes, en employant* **je** *comme sujet (answer the following questions affirmatively, using* **je** *as the subject):*

1. Est-ce que vous arrivez en France?
   Oui, j'arrive en France.
2. Est-ce que vous comptez rester longtemps?
   Oui, je compte rester longtemps.
3. Est-ce que vous restez dans la chambre?
   Oui, je reste dans la chambre.
4. Est-ce que vous parlez français?
   Oui, je parle français.
5. Est-ce que vous habitez Paris?
   Oui, j'habite Paris.
6. Est-ce que vous restez longtemps?
   Oui, je reste longtemps.
7. Est-ce que vous parlez anglais?
   Oui, je parle anglais.
8. Est-ce que vous finissez la lettre?
   Oui, je finis la lettre.
9. Est-ce que vous remplissez la fiche?
   Oui, je remplis la fiche.
10. Est-ce que vous attendez depuis longtemps?
    Oui, j'attends depuis longtemps.

11. Est-ce que vous voyez l'hôtel?
    Oui, je vois l'hôtel.
12. Est-ce que vous êtes parisien?
    Oui, je suis parisien.
13. Est-ce que vous avez raison?
    Oui, j'ai raison.
14. Est-ce que vous êtes en France depuis longtemps?
    Oui, je suis en France depuis longtemps.
15. Est-ce que vous parlez français?
    Oui, je parle français.
16. Est-ce que vous restez dans la chambre?
    Oui, je reste dans la chambre.
17. Est-ce que vous finissez la lettre?
    Oui, je finis la lettre.
18. Est-ce que vous attendez depuis longtemps?
    Oui, j'attends depuis longtemps.
19. Est-ce que vous voyez l'hôtel?
    Oui, je vois l'hôtel.
20. Est-ce que vous êtes parisien?
    Oui, je suis parisien.

**B.** *Répondez affirmativement aux questions suivantes, en employant* ***nous*** *comme sujet:*

1. Est-ce que vous arrivez en France?
   Oui, nous arrivons en France.
2. Est-ce que vous comptez rester longtemps?
   Oui, nous comptons rester longtemps.
3. Est-ce que vous restez dans la chambre?
   Oui, nous restons dans la chambre.
4. Est-ce que vous parlez français?
   Oui, nous parlons français.
5. Est-ce que vous habitez Paris?
   Oui, nous habitons Paris.
6. Est-ce que vous restez longtemps?
   Oui, nous restons longtemps.
7. Est-ce que vous parlez anglais?
   Oui, nous parlons anglais.

8. Est-ce que vous finissez la lettre?
   Oui, nous finissons la lettre.
9. Est-ce que vous remplissez la fiche?
   Oui, nous remplissons la fiche.
10. Est-ce que vous attendez depuis longtemps?
    Oui, nous attendons depuis longtemps.
11. Est-ce que vous voyez l'hôtel?
    Oui, nous voyons l'hôtel.
12. Est-ce que vous êtes parisiens?
    Oui, nous sommes parisiens.
13. Est-ce que vous avez raison?
    Oui, nous avons raison.
14. Est-ce que vous parlez français?
    Oui, nous parlons français.
15. Est-ce que vous restez dans la chambre?
    Oui, nous restons dans la chambre.
16. Est-ce que vous êtes en France depuis longtemps?
    Oui, nous sommes en France depuis longtemps.
17. Est-ce que vous finissez la lettre?
    Oui, nous finissons la lettre.
18. Est-ce que vous attendez depuis longtemps?
    Oui, nous attendons depuis longtemps.
19. Est-ce que vous voyez l'hôtel?
    Oui, nous voyons l'hôtel.
20. Est-ce que vous êtes parisiens?
    Oui, nous sommes parisiens.

C. *Remplacez **je** par **il** (replace **je** with **il**):*

1. Je vois l'hôtel.
   Il voit l'hôtel.
2. Je finis la lettre.
   Il finit la lettre.
3. Je compte rester longtemps.
   Il compte rester longtemps.
4. Je reste ici.
   Il reste ici.

5. Je remplis la fiche.
   Il remplit la fiche.
6. J'arrive en France.
   Il arrive en France.
7. J'attends depuis longtemps.
   Il attend depuis longtemps.
8. J'ai raison.
   Il a raison.
9. Je suis parisien.
   Il est parisien.
10. Je suis en France depuis longtemps.
    Il est en France depuis longtemps.

**D.** *Remplacez* ***je*** *par* ***elles*** *(replace* ***je*** *with* ***elles****):*

1. Je vois l'hôtel.
   Elles voient l'hôtel.
2. Je finis la lettre.
   Elles finissent la lettre.
3. Je compte rester longtemps.
   Elles comptent rester longtemps.
4. Je reste ici.
   Elles restent ici.
5. Je remplis la fiche.
   Elles remplissent la fiche.
6. J'arrive en France.
   Elles arrivent en France.
7. J'attends depuis longtemps.
   Elles attendent depuis longtemps.
8. J'ai raison.
   Elles ont raison.
9. Je suis parisien.
   Elles sont parisiennes.
10. Je suis en France depuis longtemps.
    Elles sont en France depuis longtemps.

**E.** *Remplacez* ***je*** *par* ***vous*** *(replace* ***je*** *with* ***vous****):*

1. Je vois l'hôtel.
   Vous voyez l'hôtel.
2. Je finis la lettre.
   Vous finissez la lettre.
3. Je compte rester longtemps.
   Vous comptez rester longtemps.
4. Je reste ici.
   Vous restez ici.
5. Je remplis la fiche.
   Vous remplissez la fiche.
6. J'arrive en France.
   Vous arrivez en France.
7. J'attends depuis longtemps.
   Vous attendez depuis longtemps.
8. J'ai raison.
   Vous avez raison.
9. Je suis parisien.
   Vous êtes parisien.
10. Je suis en France depuis longtemps.
    Vous êtes en France depuis longtemps.

**F.** *Remplacez l'article défini par* ***mon, ma*** *ou* ***mes*** *(replace the definite article with* ***mon, ma,*** *or* ***mes****):*

1. la jeune fille
   ma jeune fille
2. la maison
   ma maison
3. la mère
   ma mère
4. la clé
   ma clé
5. la chambre
   ma chambre
6. la nationalité
   ma nationalité
7. la fiche
   ma fiche
8. l'épicerie
   mon épicerie
9. l'avenue
   mon avenue
10. le frère
    mon frère

11. le jour
    mon jour
12. le père
    mon père
13. les langues
    mes langues
14. les rues
    mes rues
15. les lettres
    mes lettres
16. les adresses
    mes adresses

**G.** *Remplacez l'article défini par* ***son, sa*** *ou* ***ses*** *(replace the definite article with* ***son, sa,*** *or* ***ses****):*

1. la jeune fille
    sa jeune fille
2. la maison
    sa maison
3. la mère
    sa mère
4. la clé
    sa clé
5. la chambre
    sa chambre
6. la nationalité
    sa nationalité
7. la fiche
    sa fiche
8. l'épicerie
    son épicerie
9. l'avenue
    son avenue
10. le frère
    son frère
11. le jour
    son jour
12. le père
    son père
13. les langues
    ses langues
14. les rues
    ses rues
15. les lettres
    ses lettres
16. les adresses
    ses adresses

**H.** *Remplacez l'article défini par* ***notre*** *ou* ***nos*** *(replace the definite article with* ***notre*** *or* ***nos****):*

1. la jeune fille
    notre jeune fille
2. la maison
    notre maison
3. la mère
    notre mère
4. la clé
    notre clé
5. la chambre
    notre chambre
6. la nationalité
    notre nationalité
7. la fiche
    notre fiche
8. l'épicerie
    notre épicerie

9. l'avenue
   notre avenue
10. le frère
   notre frère
11. le jour
   notre jour
12. le père
   notre père
13. les langues
   nos langues
14. les rues
   nos rues
15. les lettres
   nos lettres
16. les adresses
   nos adresses

**I.** *Remplacez l'article défini par **leur** ou **leurs** (replace the definite article with **leur** or **leurs**):*

1. la jeune fille
   leur jeune fille
2. la maison
   leur maison
3. la mère
   leur mère
4. la clé
   leur clé
5. la chambre
   leur chambre
6. la nationalité
   leur nationalité
7. la fiche
   leur fiche
8. l'épicerie
   leur épicerie
9. l'avenue
   leur avenue
10. le frère
   leur frère
11. le jour
   leur jour
12. le père
   leur père
13. les langues
   leurs langues
14. les rues
   leurs rues
15. les lettres
   leurs lettres
16. les adresses
   leurs adresses

ULANGERIE 9
PARIS 1909
D OR
PAINS FR NÇAIS ET VIENNOIS
PAINS CHAUDS POUR DINERS
P BEAUFRERE

# TROISIÈME LEÇON

## ※ CONVERSATION: LA CHAMBRE D'ANNE

*L'hôtelière* — Nous voici au deuxième,[1] Mademoiselle. Votre chambre est à gauche.

*Anne* — Est-elle grande?

*L'hôtelière* — Certainement, Mademoiselle. Vous allez voir. La voici. Entrons!

*Anne* — Quelle jolie chambre! Elle est très grande.

*L'hôtelière* — Oui, Mademoiselle, vous avez assez de place pour vous mettre à votre aise.

*Anne* — Est-ce que le lit est confortable?

*L'hôtelière* — Oui, Mademoiselle. Le lit est confortable et vous avez là une bonne table et une chaise. Le fauteuil est près de la fenêtre, comme vous voyez.

*Anne* — Il y a d'ici une bonne vue de la rue.

*L'hôtelière* — Oui, Mademoiselle. C'est parfois amusant de regarder passer les gens.

*Anne* — Est-ce que la salle de bains est loin d'ici?

*L'hôtelière* — La salle de bains est à droite. Si vous avez besoin de quelque chose, sonnez. Je suis en bas jusqu'à dix heures.

[1]**au deuxième,** *on the third floor.* The first floor in France is the first story above the ground floor.

**QUESTIONNAIRE**

*Répondez en français par des phrases complètes:*

1. Où êtes-vous? 2. Où est la chambre d'Anne? 3. Est-ce que sa chambre est grande? 4. Est-ce que la chambre d'Anne est jolie? 5. Est-ce que votre chambre est jolie? 6. Est-ce que vous avez une vue de la rue de votre fenêtre? 7. Est-ce que vous avez un fauteuil? 8. Où est le fauteuil? 9. Qu'est-ce qu'Anne voit de sa fenêtre? 10. Qu'est-ce qu'il y a près de la fenêtre? 11. Est-ce qu'il y a des gens dans la rue? 12. Est-ce qu'il y a des gens dans la chambre? 13. Est-ce qu'il y a une vue de la fenêtre d'Anne? 14. Où est la salle de bains? 15. Est-ce que vous avez besoin de quelque chose? 16. Où est l'hôtelière jusqu'à dix heures? 17. Qu'est-ce qu'il y a dans la chambre d'Anne? 18. Est-ce qu'Anne compte rester longtemps à l'hôtel? 19. Jusqu'à quelle heure est-ce que l'hôtelière est en bas? 20. Qu'est-ce qu'il y a près de la table? 21. Est-ce qu'il y a assez de place dans la chambre?

## GRAMMAIRE

### I VOICI, VOILÀ AND IL Y A

#### • Voici and voilà

We have already seen the expressions **voici** (*here is, here are*) and **voilà** (*there is, there are*) in earlier lessons. Both of these words have the function of pointing out something, and both take a direct object.

Voici and **voilà** are formed from a stem of **voir** (**voi-**) and the adverbs (i)ci and là (*here* and *there*). **Voici** and **voilà** have no subject; they may be followed by either singular or plural nouns without any change:

| | |
|---|---|
| Voici votre clé. | *Here is* your key. |
| Voici vos clés. | *Here are* your keys. |
| Voilà votre clé. | *There is* your key. |
| Voilà vos clés. | *There are* your keys. |

#### • Il y a

Il y a is an expression which simply states the existence of something, without pointing it out. (Pointing out is the function of **voilà** and **voici.**) Study the following examples, noting the use of **il y a:**

| | |
|---|---|
| **À Paris il y a un hôtel.** | In Paris *there is* a hotel. |
| **Y a-t-il deux clés dans votre chambre?** | *Are there* two keys in your room? |

It is important that you distinguish between **voilà** and **il y a**, for both expressions are employed frequently in French.

**Exercice 1.** *Remplacez l'expression signalée entre parenthèses par* ***voici, voilà*** *ou* ***il y a****, selon le cas:*[2]

1. (*There is*) _______ une lettre pour Marie.
2. (*Here are*) _______ cinq lettres.
3. (*There are*) _______ trois épiceries dans la rue.
4. (*There is; there are*) _______ la rue; _______ le lit, la table et la chaise.
5. (*There is*) _______ une chambre au deuxième.
6. (*There are*) _______ cinq hôtels dans la rue.
7. (*There are*) _______ trente jours en avril.
8. (*There is*) _______ votre clé.
9. (*Here is*) _______ votre fiche d'identité.
10. (*There is*) _______ sa maison.

## II TIME EXPRESSIONS

Study the following expressions for telling time in French:

| | |
|---|---|
| **Quelle heure est-il?** | What time is it? |
| **Il est une heure.** | It is one o'clock. |
| **Il est quatre heures.** | It is four o'clock. |
| **Il est six heures dix.** | It is ten minutes past six. |
| **Il est six heures et quart.** | It is a quarter past six. |
| **Il est six heures et demie.** | It is half past six. |
| **Il est sept heures moins vingt-cinq.** | It is twenty-five to seven. |
| **Il est sept heures moins le quart.** | It is a quarter to seven. |
| **Il est midi (minuit).** | It is noon (midnight). / It is twelve o'clock. |
| **Il est midi (minuit) et demi.** | It is half past twelve o'clock. |

[2]Since more than one answer may be possible, be ready to explain your choice.

From the preceding examples, it is clear that, when telling time in French, the word **heure** (**heures**) must always be expressed, except with **midi** or **minuit**.

To tell the time in minutes past an hour, simply add the number of minutes to the hour:

**dix heures vingt** — twenty minutes past ten

To tell the time in minutes before the hour, subtract the minutes from the hour:

**onze heures moins dix** — ten minutes to eleven

1) Pay attention to the expressions for the quarter- and half-hour periods. **Et** is used only with **quart** and **demi(e)**.

2) Notice that the word for *half past an hour* is written **demie**, except with the expressions **midi** and **minuit**, when it is written **demi**.

3) To say *twelve o'clock*, always use either **midi** (*midday, noon*) or **minuit** (*midnight*).

**Exercice 2.** *Dites en français*:

1. one o'clock
2. three twenty-five
3. a quarter to eight
4. half past seven
5. twelve-thirty
6. four eighteen
7. two twenty-four
8. a quarter past nine
9. a quarter to three
10. five eleven
11. half past twelve
12. a quarter to six
13. What time is it?
14. It is six thirteen.

## III CONTRACTION OF THE DEFINITE ARTICLE WITH À

Study the following examples carefully and try to determine when the definite article contracts with **à**:

*singular*

| | |
|---|---|
| Je parle à l'étudiant. | I am speaking *to the* student. |
| Je vais **au** deuxième étage. | I am going *to the* third floor. |
| Je compte aller à l'épicerie. | I intend to go *to the* grocery store. |
| Je vais à **la** maison. | I am going home (*to the* house). |

*plural*

| | |
|---|---|
| Parlez-vous **aux** frères? | Are you speaking *to the* brothers? |
| Parlez-vous **aux** étudiants? | Are you speaking *to the* students? |
| Anne parle **aux** étudiantes. | Anne is speaking *to the* students. |

The preposition à contracts with the definite articles **le** and **les** but not with **l'** or **la**:

| *singular* | *plural* |
|---|---|
| **au** (à plus le) | **aux** (à plus les) |
| à l' | **aux** (à plus les) |
| à la | **aux** (à plus les) |

**Exercice 3.** *Insérez la forme convenable d'à et de l'article défini:*

1. ______ avenue
2. ______ jour
3. ______ rues
4. ______ épicerie
5. ______ épiceries
6. ______ chambre
7. ______ carte
8. ______ hôtel
9. ______ lettres
10. ______ adresses
11. ______ hôteliers
12. ______ hôtelier
13. ______ lit
14. ______ clé
15. ______ étudiants
16. ______ étudiantes
17. ______ mère
18. ______ étage

## IV INTERROGATIVE WORD ORDER WHEN SUBJECT IS A PRONOUN

As was noted in the first lesson, any statement can be turned into a question by placing the expression **est-ce que** before it. Questions may also be formed by simply inverting the order of the subject pronoun and the verb, except with the **je** form.[3]

**-er** conjugation verbs

| *singular* | *plural* |
|---|---|
| Est-ce que je parle? | Parlons-nous? |
| Parles-tu? | Parlez-vous? |
| Parle-t-il? | Parlent-ils? |

[3]For certain commonly used verbs, there are optional forms. For example: **ai-je, suis-je, vais-je,** etc.

-s conjugation verbs

| *singular* | *plural* |
|---|---|
| Est-ce que je finis? | Finissons-nous? |
| Finis-tu? | Finissez-vous? |
| Finit-il? | Finissent-ils? |
| Est-ce que j'attends? | Attendons-nous? |
| Attends-tu? | Attendez-vous? |
| Attend-il? | Attendent-ils? |

Notice that in **parle-t-il** a *t* has been placed between the subject and verb. This is done whenever the third person singular form (**il**, **elle**) of a verb ends in a vowel, as the following examples show:

| | |
|---|---|
| **Va-t-elle** à Paris? | *Is she going* to Paris? |
| **A-t-il** cinq frères? | *Does he have* five brothers? |

**Exercice 4.** *Mettez les phrases suivantes à la forme interrogative*:

1. Il parle à son père.
2. J'ai une vue de l'avenue.
3. Nous attendons l'étudiante.
4. Elle finit sa lettre.
5. Vous voyez l'hôtel.
6. Ils ont trois lettres.
7. Il va à l'épicerie.
8. J'arrive.
9. Nous sommes français.
10. Ils comptent rester à Paris.
11. Elle est libre.
12. Vous remplissez la fiche.
13. Ils vont voir Anne.
14. Tu restes ici longtemps.
15. Je suis au troisième étage.

## V IMPERATIVE MOOD (l'impératif)

Commands are expressed in the imperative mood. The most common imperative form is the second person singular or plural of the verb, with the subject pronoun (**tu** or **vous**) omitted.

**-er** conjugation verbs

| | | |
|---|---|---|
| *second person singular* | **Parle!** | Speak! |
| *second person plural* | **Parlez!** | Speak! |

-s conjugation verbs

| | | |
|---|---|---|
| *second person singular* | **Finis!** | Finish! |
| *second person plural* | **Finissez!** | Finish! |

| | | |
|---|---|---|
| *second person singular* | **Attends!** | Wait! |
| *second person plural* | **Attendez!** | Wait! |

Notice that **-er** verbs drop the final *s* of the **tu** form. All other verbs retain the *s* on this form.[4]

There is another imperative form, one which corresponds to the English *let's*. It is expressed by the first person plural of the verb, with **nous** omitted:

| | |
|---|---|
| **Parlons français!** | *Let's speak French.* |
| **Finissons!** | *Let's finish.* |
| **Attendons!** | *Let's wait.* |

**Exercice 5.** *Dites en français*:

1. Fill out the card.
2. Let's go in.
3. Look at the hotelkeeper.
4. Speak French.
5. Go to the hotel.
6. Look at the table.
7. Count in French.
8. Let's wait.
9. Let's see.
10. Wait—don't go to your room.

## VI VERBS FOR SPECIAL STUDY: ALLER

**Aller** is the third completely irregular verb to be studied under this heading. Memorize its conjugation:

*present tense of* **aller**—*to go*

*singular*

| | |
|---|---|
| **je vais** | I go (am going, do go) |
| **tu vas** | you go |
| **il va** | he goes |

*plural*

| | |
|---|---|
| **nous allons** | we go |
| **vous allez** | you go |
| **ils vont** | they go |

[4]This *s* is restored to commands of **-er** verbs when the word following the command is the pronoun **en** or **y**: **Va!** *(Go!)* but, **Vas-y!** *(Go there!)*. Also, **Donne!** *(Give!)* but, **Donnes-en à ta soeur!** *(Give some to your sister!)*

**EXERCICES**

A. *Remplacez les expressions signalées entre parenthèses par l'équivalent français*:

1. (*Are you finishing*) _______ la lettre?
2. (*Are there, near*) _______ trois chaises _______ la fenêtre?
3. (*on the left*) La salle de bains est _______.
4. (*Where is*) _______ la chambre d'Anne?
5. (*There is*) _______ la chambre d'Anne. (*It is*) _______ à droite.
6. (*has she been*) Depuis quand _______ en France?
7. (*have been here*) Elles _______ depuis longtemps.
8. (*There is*) _______ une table dans votre chambre.
9. (*Here is*) _______ la salle de bains.
10. (*to the*) Elle parle _______ hôtelier.
11. (*Let's go*) _______ à la chambre d'Étienne.
12. (*What is*) _______ votre profession?
13. (*Do you have*) _______ assez de place?
14. (*Does he intend*) _______ rester longtemps à Paris?
15. (*near the*) La table est _______ lit.
16. (*What a pretty view!*) _______!
17. (*of Anne's father*) Où est la lettre _______?
18. (*her father*) Elle parle à _______.
19. (*There is*) _______ une salle de bains près d'ici.
20. (*of the hotel*) Quelle est l'adresse _______?

B. *Dites en français:*

1. It is noon.
2. It is one-thirty.
3. It is half past one.
4. It is thirteen to four.
5. What time is it?
6. It is a quarter to seven.
7. It is a quarter after nine.
8. Is it half past twelve?
9. It is five eighteen.
10. It is nine minutes to eight.

C. *Dites en français:*

—Good morning. Do you have my key?
—Yes, here you are.
—But, madam, I need the key to my room, not the hotelkeeper's key.
—Oh certainly! Is your room on the third floor? Wait! Here's your key.
—Thank you.

—And here is a letter for you. Are you going to your room?
—Yes. There is a good view of the street from my window; I intend to watch the people pass by. It's very amusing.

## VOCABULAIRE

(une) **aise** ease, comfort; **pour vous mettre à votre aise** to make yourself comfortable
**amusant** funny, amusing
**assez (de)** enough
**bas, basse** low; **en bas** below, downstairs
(le) **besoin** need, requirement; **avoir besoin de** to need
**bon, bonne** good
**certainement** certainly
(la) **chaise** chair
(la) **chose** thing
**comme** as
**confortable** comfortable
(la) **demie** half [hour]
**des** some, any
(la) **droite** right [side]; **à droite** on [to] the right
**en** in
**entrer** to enter
(un) **étage** story, floor; **au deuxième** [**étage**] on the third floor
**être** to be; **c'est** it is
(le) **fauteuil** armchair
(la) **fenêtre** window
(la) **gauche** left [side]; **à gauche** on [to] the left
(les) **gens** *m. & f. pl.* people
**grand** large
(une) **heure** hour; **quelle heure est-il?** what time is it? **il est sept heures** it is seven o'clock
**il**: **il y a** there is, there are
**joli** pretty, attractive
(le) **lit** bed
**mettre** to put
(le) **midi** noon, twelve o'clock
(le) **minuit** midnight, twelve o'clock
**moins** less; to, of, before (*in time expressions*)
**parfois** sometimes
**passer** to pass, to go by
(la) **place** space, room
**pour** for, in order to
(le) **quart** quarter [hour]
**que** *interr. pron.* what; **qu'est-ce que?** what?
**quelque chose** something
**regarder** to look at, to watch
(la) **salle** room; **salle de bains** bathroom
**si** if
**sonner** to ring
(la) **table** table
**très** very
**troisième** third
**voilà** there is, there are; there you are
(la) **vue** view

## ※ EXERCICES STRUCTURAUX

**A.** *Mettez les noms au singulier (put the nouns in the singular):*

1. Je parle aux hôteliers.
   Je parle à l'hôtelier.
2. Je parle aux garçons.
   Je parle au garçon.
3. Je vais aux hôtels.
   Je vais à l'hôtel.
4. Je parle aux jeunes filles.
   Je parle à la jeune fille.
5. Je parle aux hôtelières.
   Je parle à l'hôtelière.
6. Je parle aux mères.
   Je parle à la mère.
7. Je vais aux salles de bains.
   Je vais à la salle de bains.
8. Je vais aux chambres.
   Je vais à la chambre.
9. Je vais aux épiceries.
   Je vais à l'épicerie.
10. Je vais aux adresses.
    Je vais à l'adresse.
11. Je parle aux garçons.
    Je parle au garçon.
12. Je parle aux jeunes filles.
    Je parle à la jeune fille.
13. Je vais aux salles de bains.
    Je vais à la salle de bains.
14. Je vais aux chambres.
    Je vais à la chambre.
15. Je parle aux mères.
    Je parle à la mère.

**B.** *Mettez les phrases suivantes à la forme interrogative; suivez cet exemple (put the following sentences into the interrogative form; follow this example):* ***Vous parlez français. / Parlez-vous français?***

1. Elle est grande.
   Est-elle grande?
2. C'est aujourd'hui le dix-huit.
   Est-ce aujourd'hui le dix-huit?
3. Tu es étudiant.
   Es-tu étudiant?
4. Tu n'es pas étudiant.
   N'es-tu pas étudiant?
5. Nous ne voyons pas Anne.
   Ne voyons-nous pas Anne?
6. Je vais au deuxième étage.
   Vais-je au deuxième étage? (ou) Est-ce que je vais au deuxième étage?
7. Vous avez la clé.
   Avez-vous la clé?
8. Ils attendent leur mère.
   Attendent-ils leur mère?
9. Elle a raison.
   A-t-elle raison?
10. Il ne parle pas à Étienne.
    Ne parle-t-il pas à Étienne?

**C.** *Modifiez les phrases suivantes; suivez cet exemple (modify the following sentences; follow this example):* ***L'homme a une clé. / Voici la clé de l'homme.***

1. La mère a un garçon.
   Voici le garçon de la mère.
2. La jeune fille a une adresse.
   Voici l'adresse de la jeune fille.
3. Le garçon a une clé.
   Voici la clé du garçon.
4. L'Américain a une lettre.
   Voici la lettre de l'Américain.
5. Les hôteliers ont les fiches.
   Voici les fiches des hôteliers.
6. L'hôtel a dix chambres.
   Voici les dix chambres de l'hôtel.

7. Les garçons ont une maison.
    Voici la maison des garçons.
8. Les hôtelières ont les fiches.
    Voici les fiches des hôtelières.
9. L'hôtel a dix chambres.
    Voici les dix chambres de l'hôtel.
10. La mère a un garçon.
    Voici le garçon de la mère.
11. La jeune fille a une adresse.
    Voici l'adresse de la jeune fille.
12. Le garçon a une clé.
    Voici la clé du garçon.
13. L'Américain a une lettre.
    Voici la lettre de l'Américain.
14. Les garçons ont une maison.
    Voici la maison des garçons.
15. La mère a une clé.
    Voici la clé de la mère.

**D.** *Commencez chaque phrase par le mot donné entre parenthèses; suivez cet exemple (begin each sentence with the word given in parentheses; follow this example):* ***Je vais à Paris. (vous . . .) / Vous allez à Paris.***

1. Je vais à Marseille. *(Jean-Paul . . .)*
   Jean-Paul va à Marseille. *(nous . . .)*
   Nous allons à Marseille. *(Marie et Anne . . .)*
   Marie et Anne vont à Marseille. *(je . . .)*
   Je vais à Marseille. *(il . . .)*
   Il va à Marseille. *(tu . . .)*
   Tu vas à Marseille. *(vous . . .)*
   Vous allez à Marseille. *(Henri et Jacques . . .)*
   Henri et Jacques vont à Marseille. *(Henri . . .)*
   Henri va à Marseille.

2. Je suis joli. *(Paris . . .)*
   Paris est joli. *(nous . . .)*
   Nous sommes jolis. *(Marie . . .)*
   Marie est jolie. *(Anne et Marie . . .)*

Anne et Marie sont jolies. *(l'hôtel ...)*
L'hôtel est joli. *(la rue ...)*
La rue est jolie. *(elle ...)*
Elle est jolie. *(tu ...)*
Tu es joli. *(vous ...)*
Vous êtes joli.

3. Tu n'es pas joli. *(je ...)*
Je ne suis pas joli. *(Marie ...)*
Marie n'est pas jolie. *(nous ...)*
Nous ne sommes pas jolis. *(Marie et Anne ...)*
Marie et Anne ne sont pas jolies. *(l'hôtel ...)*
L'hôtel n'est pas joli. *(la rue ...)*
La rue n'est pas jolie. *(elle ...)*
Elle n'est pas jolie. *(tu ...)*
Tu n'es pas joli. *(vous ...)*
Vous n'êtes pas joli.

4. J'ai raison. *(tu ...)*
Tu as raison. *(nous ...)*
Nous avons raison. *(Anne ...)*
Anne a raison. *(vous ...)*
Vous avez raison. *(Étienne et Jacques ...)*
Étienne et Jacques ont raison. *(Étienne ...)*
Étienne a raison. *(tu ...)*
Tu as raison. *(Anne et Marie ...)*
Anne et Marie ont raison. *(nous ...)*
Nous avons raison.

5. Tu n'as pas raison. *(je ...)*
Je n'ai pas raison. *(Anne ...)*
Anne n'a pas raison. *(Henri ...)*
Henri n'a pas raison. *(vous ...)*
Vous n'avez pas raison. *(tu ...)*
Tu n'as pas raison. *(elle et Anne ...)*
Elle et Anne n'ont pas raison. *(Marie ...)*
Marie n'a pas raison. *(je ...)*
Je n'ai pas raison. *(nous ...)*
Nous n'avons pas raison.

S.E.D.E.J.
Mutzig
BIERE D'ALSACE
TABAC
P.M.U

# QUATRIÈME LEÇON

## CONVERSATION: AU RESTAURANT

| | |
|---|---|
| *Étienne* | Tiens! Bonjour, Anne. Quel plaisir de vous revoir! |
| *Anne* | Bonjour, Étienne. Que faites-vous ces jours-ci? |
| *Étienne* | Pas grand-chose. Avez-vous mangé? |
| *Anne* | Pas encore. |
| *Étienne* | Eh bien! Mangeons ensemble! |
| *Anne* | C'est une excellente idée. J'ai faim. |
| *Étienne* | Moi aussi. Asseyez-vous à cette table. Voilà le garçon. Je vais l'appeler. Garçon? |
| *Le Garçon* | Monsieur désire? |
| *Étienne* | La carte, s'il vous plaît. |
| *Le Garçon* | La voici, Monsieur. |
| *Étienne* | Voyez-vous quelque chose qui vous intéresse, Anne? |
| *Anne* | Il y a tant de bonnes choses ici, je ne sais pas où commencer. |
| *Étienne* | D'ailleurs, c'est très bon marché: côtelette de veau, 3,20 *F*;[1] côtelette de porc, 3,00 *F;* bifteck, 3,00 *F.* |

[1]Lisez: **trois francs vingt.**

| | |
|---|---|
| *Anne* | Je vais prendre du porc. |
| *Étienne* | Et moi aussi. Qu'est-ce que vous voulez comme légume? Il y a des pommes frites, des haricots verts, des épinards et de la choucroute. |
| *Anne* | De la choucroute pour moi. |
| *Étienne* | Et des haricots verts pour moi. Voulez vous du vin? |
| *Anne* | Non, merci—de l'eau. |

**QUESTIONNAIRE**

*Répondez en français par des phrases complètes*:

1. Que faites-vous ces jours-ci? 2. Est-ce que vous faites beaucoup de choses? 3. Qu'est-ce que vous faites maintenant? 4. Avez-vous mangé? 5. Voulez-vous manger? 6. Avez-vous faim? 7. Qu'est-ce que Monsieur désire? 8. Où est la carte? 9. Voyez-vous quelque chose qui vous intéresse? 10. Est-ce qu'il y a beaucoup de choses sur la carte? 11. Combien coûte le bifteck? 12. Combien coûte la côtelette de porc? 13. Combien coûte la côtelette de veau? 14. Qu'est-ce que vous allez prendre? 15. Qu'est-ce qu'il y a comme légume? 16. Aimez-vous les légumes? 17. Aimez-vous la choucroute? 18. Voulez-vous des pommes frites? 19. Voulez-vous des haricots verts? 20. Où est le garçon? 21. Où est Étienne? 22. Où sont Anne et Étienne?

# GRAMMAIRE

**I DIRECT OBJECT PRONOUNS (les pronoms personnels—compléments directs)**

In the following examples, drawn from the conversation, observe the position of the direct object pronouns **vous**, **la**, **le**, and **l'**:

> Quel plaisir de **vous** revoir!
> **La** voici, Monsieur.
> Voyez-vous quelque chose qui **vous** intéresse?
> Voilà le garçon. Je vais **l'**appeler.

Note that an object pronoun usually precedes the verb.[2] The object pronouns are:

| *singular* | | *plural* | |
|---|---|---|---|
| **me** [m'] | *me* | **nous** | *us* |
| **te** [t'] | *you* | **vous** | *you* |
| **le** [l'] | *him, it* | **les** | *them* |
| **la** [l'] | *her, it* | **les** | *them* |

Before a word beginning with a mute *h* or a vowel, **me**, **te**, **le**, and **la** become **m'**, **t'**, and **l'** respectively:

| | |
|---|---|
| Avez-vous la clé? | Do you have the key? |
| Je l' ai. | I have *it*. |

As noted previously, a direct object pronoun goes *before* the expressions **voici** and **voilà**:

| | |
|---|---|
| Voilà le garçon. | **Le** voilà. |
| Voici la carte. | **La** voici. |

Study the following examples, noting the position of direct object pronouns in negative and interrogative sentences:

| | |
|---|---|
| Il ne voit pas Anne. | Il ne **la** voit pas. |
| Voit-elle Étienne? | **Le** voit-elle? |
| Ne remplit-elle pas la carte? | Ne **la** remplit-elle pas? |

**Exercice 1.** *Remplacez les mots en italique par des pronoms compléments:*

1. Elle parle *français.*
2. Elle a *la lettre.*
3. Elle a *les lettres.*
4. Ils voient *Étienne et Anne.*
5. J'ai *votre carte.*
6. Voilà *l'hôtelier.*
7. Voulez-vous *ces légumes-ci?*
8. Je veux *ce légume-là.*

[2]The only exception is in affirmative commands. *See Lesson 6, section 1.*

9. Avez-vous *la clé de la chambre*?
10. N'avez-vous pas *la clé*?
11. Ne voulez-vous pas *le bifteck*?
12. Voit-elle *Jean-Paul*?

**Exercice 2.** *Insérez dans les phrases suivantes l'équivalent français du pronom complément signalé entre parenthèses*:

1. (*you*) J'aime.
2. (*you*) Je n'aime pas.
3. (*me*) Aimez-vous?
4. (*me*) N'aimez-vous pas?
5. (*us*) Ils voient.
6. (*us*) Ils ne voient pas.
7. (*you*) Est-ce que je vais revoir?
8. (*them*) Nous n'avons pas.
9. (*it*) Il dit.
10. (*her*) Tu aimes.
11. (*it*) Voyez-vous la rue? Je vois.
12. (*her*) Voilà.

### II NUMBERS (les nombres)

The French cardinal numbers from 40 to 1000 are formed as follows:

| | | | |
|---|---|---|---|
| 40 | quarante | 80 | quatre-vingts |
| 41 | quarante et un | 81 | quatre-vingt-un |
| 42 | quarante-deux | 89 | quatre-vingt-neuf |
| 50 | cinquante | 90 | quatre-vingt-dix |
| 51 | cinquante et un | 91 | quatre-vingt-onze |
| 60 | soixante | 94 | quatre-vingt-quatorze |
| 61 | soixante et un | 99 | quatre-vingt-dix-neuf |
| 62 | soixante-deux | 100 | cent |
| 69 | soixante-neuf | 101 | cent un |
| 70 | soixante-dix | 200 | deux cents |
| 71 | soixante et onze | 201 | deux cent un |
| 75 | soixante-quinze | 1000 | mille |
| 77 | soixante-dix-sept | | |

1) Numbers from 60 to 79 and 80 to 99 form two closed series. Because

no single word is commonly used for 70 or 90 in France, the compounds must be kept.

2) The **et** in 21 (**vingt** *et* **un**), 31, 41, 51, 61, and 71 is not expressed in 81 and 91: **quatre-vingt-un, quatre-vingt-onze.** The same holds true for 101, 201, etc.: **cent un, deux cent un**, etc.

3) The *-s* of **quatre-vingts** and **cents** is dropped in compound numbers: **quatre-vingt-douze** (92); **six cent quinze** (615).

**Exercice 3.** *Lisez les nombres suivants:*

33, 44, 55, 66, 77, 88, 99; 38, 94, 76, 52, 87, 90, 61; 100; 1010

**Exercice 4.** *Comptez*:

1. jusqu'à 100 de 2 en 2
2. jusqu'à 99 de 3 en 3
3. jusqu'à 100 de 4 en 4
4. jusqu'à 50 de 5 en 5
5. jusqu'à 96 de 6 en 6

## III DEMONSTRATIVE ADJECTIVES (les adjectifs démonstratifs)

A demonstrative adjective is one which points out something. In English, the demonstrative adjectives are *this*, *that*, *these*, and *those*. Study the following examples, noting the form of the demonstrative adjective in French:

| | |
|---|---|
| **Ce** porc est bon. | *This* [*that*] pork is good. |
| Voulez-vous **cette** côtelette? | Do you want *this* [*that*] chop? |
| Voyez-vous **cet** étudiant? | Do you see *this* [*that*] student? |
| Je ne veux pas voir **ces** rues. | I do not want to see *these* [*those*] streets. |

The demonstrative adjectives are:

| | *singular* | *plural* |
|---|---|---|
| *masculine* | **ce (cet)** | **ces** |
| *feminine* | **cette** | **ces** |

The form **cet** of the demonstrative adjective is used before any masculine singular noun or adjective beginning with a vowel or a mute *h*:

| | | |
|---|---|---|
| **cet** étudiant | *But*: | **ce** jeune étudiant |
| **cet** autre garçon | *But*: | **ce** garçon |

If it is essential to distinguish between *this* and *that* or between *these* and *those,* add **-ci** or **-là** to the noun:

| | |
|---|---|
| Voulez-vous **ces** légumes**-ci** ou **ces** légumes**-là**? | Do you want *these* vegetables or *those* vegetables? |
| Je veux voir **cette** carte**-là**, pas **cette** carte**-ci**. | I want to see *that* menu, not *this* menu. |

Since these expressions are very emphatic in French, use them only to contrast *this* (*these*) and *that* (*those*) or in set expressions such as:

| | |
|---|---|
| Que faites-vous **ces jours-ci**? | What are you doing *these days*? |

**Exercice 5.** *Remplacez l'article défini en italique par la forme convenable de l'adjectif démonstratif*:

1. Donnez *les* clés à Jeanne!
2. Regardez *la* carte!
3. Voyez-vous *l'*hôtel?
4. *Le* bifteck n'est pas bon.
5. Je ne veux pas *les* légumes.
6. Aimez-vous *les* haricots verts?
7. Combien coûte *le* veau?
8. Asseyez-vous à *la* table!
9. Où est *le* garçon?
10. Que fait *l'*homme?

## IV PARTITIVE CONSTRUCTION (la construction partitive)

The partitive construction in French is used to express the concept of *some* or *any*. To understand the partitive construction thoroughly, it is helpful to re-examine the uses of the definite article.

### • Definite article: general and specific meanings

The definite article may be used to indicate a general class of things or persons:

| | |
|---|---|
| le français | French (the French language) |
| la choucroute | sauerkraut |
| les haricots verts | string beans |

Besides this general meaning, the definite article may also be used to limit the noun it modifies—that is, to denote particular things. It is in this specific sense that the French definite article corresponds to the English *the*:

| | |
|---|---|
| le garçon (que je vois) | *the* boy (whom I see) |
| la choucroute | *the* sauerkraut |
| les tables | *the* tables |

Study the following examples, noting the use of the definite article:

| | |
|---|---|
| J'aime **la** choucroute. | I like sauerkraut. |
| **La** choucroute est bonne aujourd'hui. | *The* sauerkraut is good today. |

In what sense is the definite article used in the first sentence? in the second?

- **Definition and use of the partitive**

In between the two different meanings of the definite article (the general sense and the particular sense) lies the *partitive*. The partitive can be thought of as a qualitative rather than a quantitative[3] modifier. The partitive denotes neither a particular, limited amount of an item nor the item in general (all of that item). Rather, it suggests *some of it*, an indefinite *part of it*. For example:

| | |
|---|---|
| Je veux **de la** choucroute. | I want *some* sauerkraut. |

Here, reference is made to a portion of sauerkraut. The speaker implies: I don't want this particular sauerkraut, nor do I want sauerkraut in general; I want a part of all the sauerkraut there is.

To understand this point better, study the following chart:

| *All of the item or the item in general* | *The noun in a specific sense or a particular item* |
|---|---|
| J'aime **le** veau. | **Le** veau est bon aujourd'hui. |

| *Some (a part) of the item* |
|---|
| Je vais prendre **du** veau. |

The partitive **des** serves as the plural form of the indefinite articles, **un** and **une**:

[3]For the use of *some* in a quantitative way (as a synonym of *a few* or *several*), see Lesson 13.

| | |
|---|---|
| **un** hôtel; des hôtels | *a* hotel; (*some*) hotels |
| **une** rue; des rues | *a* street; (*some*) streets |

- **Forms of the partitive article**

Study the following examples to determine the form of the partitive article:

| *masculine* | *feminine* |
|---|---|
| du porc | de la choucroute |
| de l'argent | de l'eau |
| des haricots verts | des pommes frites |

- **The partitive used without the definite article**

In partitive constructions, **de** (or **d'**) is used without the definite article in the following cases:

1) *After a negative verb*:[4]

| | |
|---|---|
| Je n'ai pas **de** pommes frites. | I haven't *any* french fries. |
| *But*: | |
| J'ai **des** pommes frites. | I have *some* french fries. |

2) *Before a plural noun when it is preceded by an adjective*:

| | |
|---|---|
| J'ai **de** bonnes idées. | I have *some* good ideas. |
| *But*: | |
| J'ai **des** idées. | I have *some* ideas. |

3) *After certain expressions of quantity*:

| | |
|---|---|
| assez **de** tables | enough tables |
| beaucoup **de** pommes de terre | many (a lot of) potatoes |
| une bouteille **de** vin | a bottle of wine |
| combien **de** francs | how many francs |
| un million **de** francs | a million francs |
| moins **d'**argent | less money |
| moins **de** jeunes filles | fewer girls |
| un peu **d'**eau | a little water |
| peu **de** langues | few languages |
| plus **de** chambres | more rooms |

[4]In negative constructions, the indefinite article **un** becomes **de**: Voyez-vous **un** restaurant? Je ne vois pas de restaurant.

| | |
|---|---|
| tant de bonnes choses | so many good things |
| une tasse de café | a cup of coffee |
| trop d'hôtels | too many hotels |

**Exercice 6.** *Insérez la forme convenable de l'article partitif dans les phrases suivantes*:

1. Il y a ______ place.
2. Il n'y a pas ______ place.
3. Il y a assez ______ place.
4. Avez-vous ______ pommes frites?
5. Ils ont ______ très bonnes pommes.
6. Beaucoup ______ étudiants sont à Paris.
7. Mangeons ______ haricots verts.
8. Est-ce qu'il y a ______ bonnes choses ici?
9. Il y a trop ______ garçons dans ce restaurant.
10. Voulez-vous ______ porc?
11. Voulez-vous ______ bon porc?
12. N'avez-vous pas ______ bifteck?
13. Je vois ______ fauteuils près de la fenêtre.
14. Combien ______ côtelettes voulez-vous?
15. Il y a ______ lits dans ma chambre.

## V VERBS FOR SPECIAL STUDY: SPELLING CHANGES IN -CER AND -GER VERBS

In preceding lessons, you have seen certain words which are spelled with a *c* cedilla (ç): **français, garçon.** The cedilla shows that the *c* is pronounced as an *s*; without it, the *c* would be pronounced as a *k* (as it usually is before *a*, *o*, or *u*: **carte, comme**).

Similarly, a *g* before *a*, *o*, or *u* is pronounced as a "hard" *g*: **gauche.** In order to pronounce a "soft" *g*, the letter *e* is placed between the "hard" *g* and the following vowel: **mangeons.**

| | |
|---|---|
| manger: | nous mangeons |
| commencer: | nous commençons |

Verbs whose infinitives end in **-cer** or **-ger** (such as **commencer** and **manger**) make the above changes in order to preserve the "soft" sound of the infinitive throughout the conjugation.

**EXERCICES**

A. *Remplacez les expressions signalées entre parenthèses par l'équivalent français*:

1. Quelle heure est-il? (*eleven fifty-seven*) Il est ______.
2. (*Do you see*) ______ la table? (*There it is.*) ______.
3. (*Does he have*) ______ votre clé?
4. (*She likes it*) ______.
5. (*the pork*) Combien coûte ______?
6. (*This; that*) ______ bifteck est bon; je n'aime pas ______ bifteck.
7. (*These*) ______ fauteuils ne sont pas confortables.
8. (*French, English*) Anne parle ______, mais ______ est sa langue natale.
9. (*How many*) ______ étudiants sont ici?
10. (*many*) Il y a ______ gens dans la rue.
11. (*enough, so many; too many*) Ce restaurant a ______ tables, et ______ choses à manger; mais il a aussi ______ clients.
12. (*any chairs*) Voyez-vous ______?
13. (*Spinach, sauerkraut*) ______ sont bons, mais je préfère ______.
14. (*wine*) Aimez-vous ______?
15. (*wine*) Voulez-vous ______?
16. (*french fries*) Nous n'avons pas ______.
17. (*a little*) Donnez ______ choucroute à Madame.
18. (*fewer*) Il y a ______ chaises dans cette chambre.

**B.** *Dites en français*:

—Hello, Marie. What a pleasure to see you again!
—Hello, Charles. Have you been waiting for a long time?
—No, I just arrived. Are you hungry? Let's eat in that restaurant.
—That's an excellent idea. I am very hungry.

* * * * *

—Here we are at the restaurant. Let's go in.
—There are so many people here. Do you see a free table?
—Yes—here's a table and there's the waiter. I am going to call him. What do you want, Marie?
—I don't know. What are you going to have?

—I'm going to have some veal chops, french fries, and string beans.
—Well, then, I'm going to have steak, spinach, and french fries.
—Good. Here's the waiter.

## VOCABULAIRE

**ailleurs** elsewhere; **d'ailleurs** besides
(un) **argent** money
**s'asseoir** to sit down; **asseyez-vous!** sit down!
**beaucoup** much, many, a great deal
**bien** well; **eh bien!** well!
(le) **bifteck** steak
(la) **carte** menu
**ce** (**cet**) **cette**; *pl.* **ces** this, that; these, those
(le) **chiffre** figure, number
(la) **choucroute** sauerkraut
(le) **client** customer
**combien** how; how much, how many
**commencer** to begin
(la) **côtelette** chop, cutlet; **côtelette de veau** veal cutlet
**coûter** to cost
**désirer** to desire; **Monsieur désire?** What would the gentleman like?
**dire** to say, to tell
**donner** to give
(une) **eau** water
**encore** still, yet; **pas encore** not yet
**ensemble** together
(les) **épinards** *m. pl.* spinach
**excellent** excellent
(la) **faim** hunger; **avoir faim** to be hungry
**faire** to do, to make; **vous faites** you are doing (making)
(le) **franc** (*abbr. F*) franc
(le) **garçon** waiter, boy
**grand-chose** much
(un) **haricot vert** string bean
(une) **idée** idea
**intéresser** to interest
(le) **jour** day; **ces jours-ci** these days
(le) **légume** vegetable
**maintenant** now
**mangé** eaten
**manger** to eat
(le) **marché** market, bargain; [à] **bon marché** inexpensive, cheap
**moi** me
**natale** native
**non** no
**plaire** to please; **s'il vous plaît** [if you] please
(le) **plaisir** pleasure
(la) **pomme** apple
(les) **pommes de terre** *f. pl.* potatoes; **pommes frites** french fries
(le) **porc** pork
**préférer** to prefer
**prendre** to take; to have (*food*)

**quatrième** fourth
**quelque chose** something
**qui** which, that, who
(le) **restaurant** restaurant
**savoir** to know; **je sais** I know
**sur** on
**tant de** so many, so much
(le) **veau** veal
(le) **vin** wine
**vouloir** to wish, to want; **je veux** I want; **vous voulez** you want

## EXERCICES STRUCTURAUX

**A.** *Remplacez les noms par la forme convenable du pronom complément (replace the nouns with the proper form of the object pronoun):*

1. Nous voyons le garçon.
   Nous le voyons.
2. Anne voit Étienne.
   Anne le voit.
3. Anne remplit la fiche.
   Anne la remplit.
4. Voici ma mère.
   La voici.
5. L'hôtelière a la clé.
   L'hôtelière l'a.
6. J'aime le bifteck.
   Je l'aime.
7. J'aime le garçon.
   Je l'aime.
8. Nous voyons les étudiants.
   Nous les voyons.
9. Anne ne remplit pas la fiche.
   Anne ne la remplit pas.
10. Vous ne voyez pas les étudiants.
    Vous ne les voyez pas.
11. Ils ne parlent pas français.
    Ils ne le parlent pas.
12. Voyez-vous les étudiants?
    Les voyez-vous?
13. Aimez-vous les haricots verts?
    Les aimez-vous?

14. Ne voyez-vous pas les étudiants?
    Ne les voyez-vous pas?
15. J'aime le bifteck.
    Je l'aime.
16. Anne ne remplit pas la fiche.
    Anne ne la remplit pas.
17. L'hôtelière a la clé.
    L'hôtelière l'a.
18. Vous ne voyez pas les étudiants.
    Vous ne les voyez pas.
19. Ils aiment les haricots verts.
    Ils les aiment.
20. Vous voyez les étudiants.
    Vous les voyez.

**B.** *Remplacez l'article défini par la forme convenable de l'adjectif démonstratif (replace the definite article with the proper form of the demonstrative adjective):*

1. Voyez-vous la chaise?
   Voyez-vous cette chaise?
2. Où est l'hôtel?
   Où est cet hôtel?
3. Je vois le garçon.
   Je vois ce garçon.
4. Prenez le fauteuil!
   Prenez ce fauteuil!
5. J'aime le vin.
   J'aime ce vin.
6. Où sont les lits?
   Où sont ces lits?
7. Elle n'aime pas les choses.
   Elle n'aime pas ces choses.
8. Où est l'hôtel?
   Où est cet hôtel?
9. Je vois le garçon.
   Je vois ce garçon.

10. Prenez le fauteuil!
    Prenez ce fauteuil!
11. Voyez-vous la chaise?
    Voyez-vous cette chaise?
12. Où sont les lits?
    Où sont ces lits?
13. J'aime le vin.
    J'aime ce vin.
14. Elle n'aime pas les choses.
    Elle n'aime pas ces choses.

**C.** *Commencez chaque phrase par le mot donné entre parenthèses:*

1. Je vais à l'hôtel. *(tu . . .)*
   Tu vas à l'hôtel. *(nous . . .)*
   Nous allons à l'hôtel. *(Anne . . .)*
   Anne va à l'hôtel. *(vous . . .)*
   Vous allez à l'hôtel. *(Étienne et Jacques . . .)*
   Étienne et Jacques vont à l'hôtel. *(Étienne . . .)*
   Étienne va à l'hôtel. *(tu . . .)*
   Tu vas à l'hôtel. *(Anne et Marie . . .)*
   Anne et Marie vont à l'hôtel. *(nous . . .)*
   Nous allons à l'hôtel.

2. J'ai un livre. *(tu . . .)*
   Tu as un livre. *(nous . . .)*
   Nous avons un livre. *(Anne . . .)*
   Anne a un livre. *(vous . . .)*
   Vous avez un livre. *(Étienne et Jacques . . .)*
   Étienne et Jacques ont un livre. *(Étienne . . .)*
   Étienne a un livre. *(tu . . .)*
   Tu as un livre. *(Anne et Marie . . .)*
   Anne et Marie ont un livre. *(nous . . .)*
   Nous avons un livre.

**D.** *Modifiez les phrases suivantes selon cet exemple:* ***J'aime le porc./ J'aime le porc et je veux du porc.***

1. J'aime les légumes.
   J'aime les légumes et je veux des légumes.
2. J'aime les haricots verts.
   J'aime les haricots verts et je veux des haricots verts.
3. J'aime les côtelettes.
   J'aime les côtelettes et je veux des côtelettes.
4. J'aime les épinards.
   J'aime les épinards et je veux des épinards.
5. J'aime la bonne choucroute.
   J'aime la bonne choucroute et je veux de la bonne choucroute.
6. Je n'aime pas le vin.
   Je n'aime pas le vin et je ne veux pas de vin.
7. Je n'aime pas l'eau.
   Je n'aime pas l'eau et je ne veux pas d'eau.
8. Je n'aime pas les pommes frites.
   Je n'aime pas les pommes frites et je ne veux pas de pommes frites.
9. Je n'aime pas les légumes.
   Je n'aime pas les légumes et je ne veux pas de légumes.
10. J'aime les haricots verts.
    J'aime les haricots verts et je veux des haricots verts.
11. J'aime les côtelettes.
    J'aime les côtelettes et je veux des côtelettes.
12. J'aime la bonne choucroute.
    J'aime la bonne choucroute et je veux de la bonne choucroute.
13. J'aime le bon café.
    J'aime le bon café et je veux du bon café.
14. Je n'aime pas le vin.
    Je n'aime pas le vin et je ne veux pas de vin.
15. Je n'aime pas les pommes frites.
    Je n'aime pas les pommes frites et je ne veux pas de pommes frites.
16. J'aime les épinards.
    J'aime les épinards et je veux des épinards.
17. Je n'aime pas les légumes.
    Je n'aime pas les légumes et je ne veux pas de légumes.
18. J'aime les bons légumes.
    J'aime les bons légumes et je veux de bons légumes.

HÔTEL DE SAVOIE

# CINQUIÈME LEÇON

## CONVERSATION: AU RESTAURANT (suite)

| | |
|---|---|
| *Le Garçon* | Êtes-vous prêt à commander, Monsieur? |
| *Étienne* | Oui, nous sommes prêts. |
| *Le Garçon* | Que voulez-vous comme viande? |
| *Étienne* | Deux côtelettes de porc. |
| *Le Garçon* | Et comme légume? |
| *Étienne* | Une choucroute pour Mademoiselle et des haricots verts pour moi. |
| *Le Garçon* | Voulez-vous une salade? |
| *Étienne* | Oui, oui. Et qu'est-ce que vous avez comme dessert? |
| *Le Garçon* | Nous avons des poires, des cerises, du fromage et du gâteau. |
| *Étienne* | Une poire pour moi. En voulez-vous une aussi, Anne, ou voulez-vous autre chose? |
| *Anne* | Rien, merci. Je ne peux pas manger autant que vous. Chez nous, on est content d'un repas assez simple. En France on mange beaucoup trop. |
| *Étienne* | Pas du tout. Ici on mange beaucoup de choses en petite quantité. Chez vous, au contraire, on mange peu de choses, mais en grande quantité. |
| *Le Garçon* | Eh bien! Voulez-vous autre chose, Monsieur? |

| | |
|---|---|
| *Étienne* | Du café pour moi. Allez-y, Anne, prenez-en! |
| *Anne* | Eh bien! Si vous insistez, j'en prends aussi, avec de la crème et du sucre. |
| *Le Garçon* | Très bien, Mademoiselle. |

### QUESTIONNAIRE

*Répondez en français par des phrases complètes:*

1. Est-ce que le garçon est prêt à commander? 2. Est-ce qu'Étienne est prêt à commander? 3. Qu'est-ce qu'Étienne commande? 4. Qu'est-ce qu'il commande pour Anne? 5. Est-ce qu'il veut une salade? 6. Aimez-vous la salade? 7. Qu'est-ce que le garçon a pour le dessert? 8. Aimez-vous les poires? 9. Aimez-vous les cerises? 10. Qu'est-ce qu'Étienne prend pour son dessert? 11. Est-ce qu'Anne veut une poire? 12. Est-ce qu'elle veut autre chose? 13. Est-ce qu'elle peut manger autant qu'Étienne? 14. Est-ce qu'on mange trop en Amérique? 15. Est-ce que les Français mangent trop? 16. Où est-ce qu'on mange peu de choses? 17. Où est-ce qu'on mange beaucoup de choses? 18. Mangez-vous en grande quantité? 19. Est-ce qu'Étienne veut autre chose? 20. Qui veut du café? 21. Voulez-vous du café? 22. En voulez-vous? 23. Aimez-vous la crème? 24. Aimez-vous votre café avec du sucre? 25. Comment prenez-vous votre café?

## GRAMMAIRE

### I THE PRONOUN OBJECT EN (le pronom complément en)

Study the use of the pronoun object **en** in the following examples:

| | |
|---|---|
| Prenez-**en**! | Take *some.* |
| Eh bien, j'**en** prends aussi. | Very well, I'll take *some* (*of it*) too. |
| Je n'**en** ai pas. | I haven't *any* (*of them*). |

In the preceding sentences, **en** expresses the partitive idea of *some* (or *any*) when no noun is present. While an English equivalent of **en** is often not expressed, **en** may imply *of it* or *of them.*

In addition to the above uses, French requires **en** before the verb in the following cases:

1) *When a number stands alone:*

| | |
|---|---|
| Une poire pour moi. **En** voulez-vous une aussi? | A pear for me. Do you want one too? |
| J'**en** veux trois. | I want three (*of them*). |
| *But*: | |
| Je veux trois poires. | I want three pears. |

2) *When expressions of quantity*[1] *are used without a noun:*

| | |
|---|---|
| Combien **en** avez-vous? | How many (*of them*) do you have? |
| *But*: | |
| Combien de chaises avez-vous? | How many chairs do you have? |

3) *When* **en** *replaces* **de** *plus a noun of location (the place from which one is coming):*

| | |
|---|---|
| J'**en** viens. | I am coming *from there.* |
| *But*: | |
| Je viens de Paris. | I am coming from Paris. |

**Exercice 1.** *Remplacez les expressions signalées entre parenthèses par l'équivalent français*:

1. (*He gives it*) _______ à Jean.
2. (*He gives some*) _______ à Jean.
3. (*any chairs*) Avez-vous _______?
4. (*Do you have any*) _______?
5. (*I have*) _______ soixante-treize.
6. (*enough*) Y a-t-il _______ place?
7. (*does not see too many*) Marie _______.
8. (*wants ninety-two*) Est-ce qu'Anne _______?
9. Voulez-vous du café? (*I want some*) Oui, _______.
10. (*Take some*) _______!
11. (*sauerkraut*) Étienne et Anne mangent _______.
12. (*are eating some*) Ils _______.
13. (*are coming from there*) Ils vont à Paris, mais nous _______.
14. (*Are you coming from there*) _______?
15. (*I have enough*) _______.

[1]*See Lesson 4, section IV.*

## II THE PRONOUN OF LOCATION Y (le pronom complément ou adverbial y)

- **Uses of y**

The pronoun of location (adverbial) **y** is used to replace a phrase combining a preposition of location or position (such as **à**, **dans**, **sur**) and the object *it*. Study the following examples:

| | |
|---|---|
| Je vois la clé sur la table. | I see the key on the table. |
| J'y vois la clé. | I see the key *there* (*on it*). |
| La chaise est dans la chambre. | The chair is in the room. |
| La chaise y est. | The chair is *there* (*in it*). |

What is the normal position of **y** in a sentence? How is **y** translated?

**Y** differs from **là** in the same way that **il y a** differs from **voilà**: **là** generally implies that someone is pointing out something, whereas **y** merely implies a location or position.

| | |
|---|---|
| Regarde là! | Look there! |
| *But*: | |
| La table est dans l'hôtel. | The table is in the hotel. |
| La table y est. | The table is *there*. |
| Marie va à Paris; elle y va souvent. | Marie is going to Paris; she goes *there* often. |

Note that **y** meaning *there* is used only when the location has been mentioned.

- **Expressions using y**

**Y** is required for certain expressions:

| | |
|---|---|
| Il y a | There is, there are |
| Allez-y! / Vas-y! | Go on! (Go ahead! Go to it!) |
| Allons-y! | Let's go! |

**Exercice 2.** *Remplacez les expressions signalées entre parenthèses par l'équivalent français, en faisant les changements nécessaires*:

1. (*we are going there*) Elle va à Marseille, et ______ aussi.
2. Anne demeure à l'Hôtel de Normandie. (*lives there*) Elle ______.
3. (*Go on*) ______!

4. (*Is there*) ________du café?
5. Voyez-vous le sucre sur la table? (*there*) Voyez-vous le sucre ________?

**Exercice 3.** *Remplacez les expressions en italique par des pronoms compléments, en faisant les changements nécessaires*:

1. *Dans ma chambre*, j'ai une photo d'Anne.
2. Je ne vois pas grand-chose *sur la table*.
3. Voyez-vous une table *dans le restaurant*?
4. Ils ne vont pas *en France*.
5. Est-ce que Mademoiselle veut du sucre *dans son café*?

## III THE EXPRESSION CHEZ

**Chez** comes from the Latin word **casā**, meaning *at the house* (*of*), and all of the various meanings of **chez** now are derived from this original one. Thus, **chez** cannot be followed by a word indicating location, but must be followed by a word indicating a person or a group of persons. For example:

| | | |
|---|---|---|
| **Chez Étienne** | may mean: | *at, in,* or *to Étienne's house* (*home*) |
| | | *at, in,* or *to Étienne's* |
| | | *at, in,* or *to Étienne's place* |
| | | *at, in,* or *to Étienne's shop* |
| | | *at, in,* or *to Étienne's country* |

**Chez** may also be followed by a pronoun (**chez nous**) or by a noun (**chez l'hôtelière**).

**Exercice 4.** *Dites en français*:

1. in the hotelkeeper's room
2. in Anne's room
3. in her brother's house
4. in our country
5. at our place
6. at Mimi's
7. Let's go to Marie's.
8. Stay home!

## IV DAYS OF THE WEEK

The days of the week in French are:

| | | | |
|---|---|---|---|
| **lundi** *m.* | Monday | **vendredi** *m.* | Friday |
| **mardi** *m.* | Tuesday | **samedi** *m.* | Saturday |
| **mercredi** *m.* | Wednesday | **dimanche** *m.* | Sunday |
| **jeudi** *m.* | Thursday | | |

Note that in French, the days of the week are all masculine and are not capitalized.

If habitual action is indicated, the definite article is used with the day of the week:

| | |
|---|---|
| Je vais à Paris **le vendredi**. | I go to Paris *on Fridays.* (*every Friday*) |
| Nous mangeons chez Robert **le dimanche**. | We eat at Robert's *on Sundays.* (*every Sunday*) |

If habitual action is not indicated, the day of the week is used alone, without the definite article:

| | |
|---|---|
| Mangeons chez nous **dimanche**! | Let's eat at home (*on*) *Sunday.* |
| Je vais à Paris **vendredi**. | I'm going to Paris (*on*) *Friday.* |

Note that in expressions indicating habitual action, the French definite article translates the English *on*; but, in expressions indicating a single action on a particular day, the *on* (optional in English) is not expressed in French.

**Exercice 5.** *Remplacez les expressions signalées entre parenthèses par l'équivalent français*:

1. (*on Thursdays*) Ils voient leurs soeurs _______.
2. (*Monday, Tuesday, Wednesday, Thursday, and Friday*) Je vais à l'Université _______.
3. (*on Saturdays*) Je mange chez mon ami _______.
4. (*Sunday*) Vas-tu voir tes parents _______?
5. (*on Wednesdays*) Elles ne font pas cela _______.

### V THE INDEFINITE PRONOUN ON

Study the following sentences, noting the use of the French indefinite pronoun on:

| | |
|---|---|
| **On frappe** à la porte. | *Someone is knocking* on the door. |
| **On dit** que vous avez raison. | *They say* that you are right. |
| **On peut** venir ici à minuit. | *You can* come here at midnight. |
| En France **on mange** bien. | *We eat* well in France. |

**On** is equivalent to *one* or *someone* and therefore takes the third person singular form of the verb. Other English equivalents to the French **on** are the vague uses of *you*, *we*, and *they*.

**Exercice 6.** *Remplacez les expressions signalées entre parenthèses par l'équivalent français*:

1. (*they eat*) En France _______ beaucoup trop.
2. (*we do not eat*) Non, ici _______ autant que les Américains.
3. (*you eat*) Chez vous, _______ plus que les Français.
4. (*are they saying*) Que _______ de Marie?
5. (*Is someone giving*) _______ la lettre à l'hôtelière?
6. (*You can eat*) _______ à ce restaurant le dimanche.

## VI VERBS FOR SPECIAL STUDY: DIRE, FAIRE, AND PRENDRE

*present tense of* **dire**—*to say, to tell*

(I say or tell, am saying or telling, do say or tell, etc.)

| | |
|---|---|
| **je dis** | **nous disons** |
| **tu dis** | **vous dites** |
| **il dit** | **ils disent** |

*present tense of* **faire**—*to make, to do*

(I make or do, am making or doing, do make or do, etc.)

| | |
|---|---|
| **je fais** | **nous faisons** |
| **tu fais** | **vous faites** |
| **il fait** | **ils font** |

Notice the irregular forms, **vous dites, vous faites**, and **ils font**.

There are five verbs in French, all of which have now been studied, whose present tense plural endings do not follow the regular pattern of **-ons**, **-ez**, and **-ent**. The following chart presents these exceptions:

| | *first person* | *second person* | *third person* |
|---|---|---|---|
| aller | | | ils vont |
| avoir | | | ils ont |
| dire | | vous dites | |
| être | nous sommes | vous êtes | ils sont |
| faire | | vous faites | ils font |

Another verb which must be studied carefully is **prendre**:

*present tense of* **prendre**—*to take*
(I take, am taking, do take, etc.)

| | |
|---|---|
| **je prends** | **nous prenons** |
| **tu prends** | **vous prenez** |
| **il prend** | **ils prennent** |

What is the singular stem of the present tense of **prendre**? the plural stem? Why is the *n* doubled in the third person plural form?

**EXERCICES**

**A.** *Remplacez les mots en italique par les pronoms convenables, en faisant les changements nécessaires*:

1. Entre *dans ce restaurant*!
2. Je veux trois *poires.*
3. Vous mangez trop *de cerises.*
4. Veux-tu *du veau?*
5. Je n'ai pas quatre-vingt-sept *gâteaux.*
6. Anne ne veut pas *de fromage.*
7. *En France*, on mange trop.
8. Je vais voir *mes soeurs* demain.
9. Combien *d'épinards* donne-t-il à Étienne?
10. Il donne soixante et onze *fiches* à Anne.
11. Avez-vous assez *de choucroute?*
12. Je veux un million *de francs.*
13. Il y a *du café.*
14. Elle ne va pas *à Paris.*
15. Ne voyez-vous pas trois *étudiants*?

**B.** *Dites en français:*

—Do you want some coffee?
—Yes, let's have some.
—Do you want sugar and cream?
—No, I don't want any, thanks.
—What are you doing today?
—Not much.
—Do you want to go to the grocery store with me? I need some vegetables and something for dessert.

—All right, if you insist. Are you ready?
—Yes. Let's go!

* * * * *

—There's the restaurant *Le Chat qui Pêche*. I like to eat there on Fridays.
—Let's eat there Friday!
—Very well.
—Here's the grocery store.
—Let's see. I need some cheese and . . .
—Do you want any pears?
—Yes, I want four, please, and some cherries. I also want some spinach and some string beans.
—You eat too much in France.
—Not at all; we eat very little. In your country, you eat more than the French. In our country we eat many things but in small quantity.
—You're right.

## VOCABULAIRE

**aller**: **allez-y!** go ahead!
(un) **ami** friend
**assez** rather, enough
**autant** as much, as many
**avec** with
(le) **café** coffee
(la) **cerise** cherry
**chez** at, in, or to country, house, place, etc.; **chez nous** in our country, house
(la) **chose** thing; **autre chose** something else
**cinquième** fifth
**commander** to order
**content** satisfied, pleased
**contraire** contrary, opposed; **au contraire** on the contrary
(la) **crème** cream
**demain** tomorrow
**demeurer** to live, to reside
(le) **dessert** dessert
**dire** to say, to tell
**en** some [of it, of them], any; from there
(le) **fromage** cheese
(le) **gâteau** cake
**insister** to insist
(le) **million** million
**on** one, someone
(le) **parent** relative; **parents** parents
**petit** little, small
**peu** little; **peu de** little, few
(la) **photo** photograph
**plus** more
(la) **poire** pear

**pouvoir** to be able; **je peux** I am able, I can
**prendre**: **j'en prends** I'll have [take] some
**prêt (à)** ready (to)
(la) **quantité** quantity
(le) **repas** meal
(la) **salade** salad
**simple** simple
(le) **sucre** sugar
(la) **suite** continuation
**tout** all; **pas du tout** not at all
**trop** too much, too many
(une) **université** university
(la) **viande** meat
**y** there; on it, in it

## EXERCICES STRUCTURAUX

**A.** *Dans les phrases suivantes, remplacez le nom par le pronom complément **en**:*

1. Il a des chambres.
   Il en a.
2. Avez-vous des chaises?
   En avez-vous?
3. Jean-Paul mange des haricots verts.
   Jean-Paul en mange.
4. L'hôtelière donne des fiches à Anne.
   L'hôtelière en donne à Anne.
5. Je n'ai pas de francs.
   Je n'en ai pas.
6. J'ai vingt livres.
   J'en ai vingt.
7. Il veut cinq livres.
   Il en veut cinq.
8. Ils ont sept hôtels.
   Ils en ont sept.
9. Voyez-vous trois jeunes filles?
   En voyez-vous trois?
10. J'ai trop de vin.
    J'en ai trop.
11. Je n'ai pas assez de place.
    Je n'en ai pas assez.
12. J'ai un peu de bifteck.
    J'en ai un peu.

13. Il y a trop d'hôtels à Paris.
    Il y en a trop à Paris.
14. Il y a tant de bonnes choses ici.
    Il y en a tant ici.
15. Nous n'avons pas huit fauteuils.
    Nous n'en avons pas huit.
16. Avez-vous des fauteuils?
    En avez-vous?
17. J'ai peu de bonnes choses.
    J'en ai peu.
18. Ils ont sept livres.
    Ils en ont sept.
19. Jean-Paul mange des haricots verts.
    Jean-Paul en mange.
20. Il y a trop d'hôtels à Paris.
    Il y en a trop à Paris.

**B.** *Dans les phrases suivantes, employez le pronom y selon cet exemple:*
***Je vois la clé sur la table. / J'y vois la clé.***

1. Je mange à ce restaurant.
   J'y mange.
2. Le fauteuil est dans la chambre.
   Le fauteuil y est.
3. Je vois le café sur la table.
   J'y vois le café.
4. Nous allons souvent à Marseille.
   Nous y allons souvent.
5. Entrons dans cet hôtel!
   Entrons-y!
6. Voyez-vous le café sur la table?
   Y voyez-vous le café?
7. Allez-vous à Paris?
   Y allez-vous?
8. Elles ne vont pas souvent à Paris.
   Elles n'y vont pas souvent.
9. Quand es-tu à l'hôtel?
   Quand y es-tu?

10. Je suis à l'hôtel le dimanche.
    J'y suis le dimanche.
11. Marie n'entre pas dans le restaurant.
    Marie n'y entre pas.
12. Il prend ses repas chez lui.
    Il y prend ses repas.
13. Marie reste chez sa mère.
    Marie y reste.

**C.** *Commencez chaque phrase par le mot donné entre parenthèses:*

1. Je dis bonjour à Jean-Paul. *(nous ...)*
   Nous disons bonjour à Jean-Paul. *(Marie ...)*
   Marie dit bonjour à Jean-Paul. *(Marie et Anne ...)*
   Marie et Anne disent bonjour à Jean-Paul. *(je ...)*
   Je dis bonjour à Jean-Paul. *(il ...)*
   Il dit bonjour à Jean-Paul. *(tu ...)*
   Tu dis bonjour à Jean-Paul. *(vous ...)*
   Vous dites bonjour à Jean-Paul. *(Henri et Jacques ...)*
   Henri et Jacques disent bonjour à Jean-Paul. *(Henri ...)*
   Henri dit bonjour à Jean-Paul.

2. Nous ne disons pas bonjour à Jean-Paul. *(je ...)*
   Je ne dis pas bonjour à Jean-Paul. *(Marie ...)*
   Marie ne dit pas bonjour à Jean-Paul. *(Marie et Anne ...)*
   Marie et Anne ne disent pas bonjour à Jean-Paul. *(je ...)*
   Je ne dis pas bonjour à Jean-Paul.

3. Je le fais. *(nous ...)*
   Nous le faisons. *(Marie ...)*
   Marie le fait. *(Marie et Anne ...)*
   Marie et Anne le font. *(je ...)*
   Je le fais. *(il ...)*
   Il le fait. *(tu ...)*
   Tu le fais. *(vous ...)*
   Vous le faites. *(Henri et Jacques ...)*
   Henri et Jacques le font. *(Henri ...)*
   Henri le fait.

4. Tu ne le fais pas. *(vous ...)*
   Vous ne le faites pas. *(on ...)*
   On ne le fait pas. *(elle ...)*
   Elle ne le fait pas. *(nous ...)*
   Nous ne le faisons pas.

**D.** *Dans les phrases suivantes, remplacez le mot convenable par le mot donné entre parenthèses.* ***Exemple: Marie va à Paris. (... New York) / Marie va à New York. (... demeurer ...) / Marie demeure à New York.***

1. Marie dit au revoir à sa mère. *(Jacques ...)*
   Jacques dit au revoir à sa mère. *(... bonjour ...)*
   Jacques dit bonjour à sa mère. *(... à son père)*
   Jacques dit bonjour à son père. *(Marie et Jacques ...)*
   Marie et Jacques disent bonjour à son père.

2. Jacques a un livre. *(Marie ...)*
   Marie a un livre. *(Jacques et Marie ...)*
   Jacques et Marie ont un livre. *(... une lettre)*
   Jacques et Marie ont une lettre. *(... voir ...)*
   Jacques et Marie voient une lettre.

3. Le fais-tu? *(... elle)*
   Le fait-elle? *(... nous)*
   Le faisons-nous? *(... on)*
   Le fait-on? *(... vous)*
   Le faites-vous?

4. Marie va à Paris. *(... New York)*
   Marie va à New York. *(... demeurer ...)*
   Marie demeure à New York. *(Jacques et Marie ...)*
   Jacques et Marie demeurent à New York.

5. Dis-tu bonjour à Marie? *(... elle ...)*
   Dit-elle bonjour à Marie? *(... nous ...)*
   Disons-nous bonjour à Marie? *(... on ...)*
   Dit-on bonjour à Marie? *(... vous ...)*
   Dites-vous bonjour à Marie?

MARTINI
BASTILLE
L'EXPRESS
PROJET
ROGER PEYREFITTE:
LES
SECRETS
D'UN
CONCLAVE
SACHEZ
CE QUE
RAPPORTENT
ICI PARIS

# SIXIÈME LEÇON

## ⁂ CONVERSATION: AU RESTAURANT (fin)

| | |
|---|---|
| *Étienne* | Garçon, l'addition, s'il vous plaît. |
| *Le Garçon* | La voici, Monsieur: deux côtelettes à 3,00 *F*—cela fait 6,00 *F*; deux plats de légumes à 1,00 *F*: 2,00 *F*; une poire à 50 centimes; et deux cafés à 30: 60 centimes. Avez-vous pris du vin? |
| *Étienne* | Non, nous n'en avons pas pris. |
| *Le Garçon* | Eh bien! Le repas vous coûte 9,10 *F* et dix pour cent pour le service, cela fait 10,00 *F*. Merci, Monsieur. |
| *Anne* | Cela n'est pas du tout cher. |
| *Étienne* | Voulez-vous aller quelque part, Anne? Tenez! Il fait beau aujourd'hui. Nous pouvons nous promener. |
| *Anne* | Je veux bien, mais avant d'aller nous promener, j'ai des courses à faire. Je veux aller au bureau de poste acheter des timbres et à la papeterie acheter un journal. |
| *Étienne* | Vous n'allez pas trouver de journal à la papeterie. On y vend du papier à lettres, des stylos, de l'encre etc. Pour les journaux il faut aller au bureau de tabac ou au kiosque. |
| *Anne* | Vraiment? Tout cela est bien compliqué. |
| *Étienne* | Oh! On s'y habitue. Allons-nous-en! |

**QUESTIONNAIRE**

*Répondez en français par des phrases complètes:*

1. Qui fait l'addition? 2. Qu'est-ce qu'Étienne demande au garçon? 3. Combien coûtent les deux côtelettes? 4. Combien coûtent les plats de légumes? 5. Combien coûte la poire? 6. Combien coûte le café? 7. Combien coûte le repas? 8. Est-ce qu'Anne et Étienne prennent du vin avec leur repas? 9. Combien coûte le service? 10. Est-ce que le repas coûte cher? 11. Voulez-vous aller quelque part? 12. Aimez-vous le vin? 13. Est-ce qu'il fait beau aujourd'hui? 14. Voulez-vous vous promener? 15. Qu'est-ce qu'Anne a à faire? 16. Pourquoi veut-elle aller au bureau de poste? 17. Qu'est-ce qu'on achète au bureau de poste? 18. Où achète-t-on des timbres? 19. Qu'est-ce qu'Anne veut acheter à la papeterie? 20. Où vend-on des journaux? 21. Qu'est-ce qu'on vend à la papeterie? 22. Qu'est-ce qu'on vend au bureau de poste? 23. Est-ce qu'Anne va trouver un journal à la papeterie? 24. Est-ce qu'elle va en trouver un au bureau de tabac? à un kiosque? 25. Est-ce qu'elle va en trouver un au bureau de poste? 26. Où achète-t-on le papier à lettres? les stylos? l'encre? les journaux? les timbres? 27. Est-ce que tout cela est compliqué?

# GRAMMAIRE

## I INDIRECT OBJECT PRONOUNS (les pronoms personnels—compléments indirects)

**• Meaning and form**

In the following sentences, study the objects of the verb and their pronoun forms. Notice that *something* is being given ***to someone***.

| | |
|---|---|
| Étienne donne **un pourboire** ***au garçon.*** | Étienne gives ***the waiter a tip.*** |
| Étienne **le** donne ***au garçon.*** | Étienne gives *it* ***to the waiter.*** |
| Étienne ***lui*** donne **un pourboire.** | Étienne gives ***him*** *a tip.* |

In the preceding examples, **un pourboire** (*the direct object*) is being given to **le garçon** (*the indirect object*). The direct object (**un pourboire; le**) is the noun or pronoun that receives the action of the verb (**donne**); the indirect object (**le garçon; lui**) is the noun or pronoun that tells *to whom* or *for whom* the action is performed.

Here are other sentences containing both direct and indirect objects. Study them and distinguish the objects from one another:

| | |
|---|---|
| **Voulez-vous rendre ce stylo à Jean?** | Do you want to return this pen to John? |
| **Voulez-vous lui rendre ce stylo?** | Do you want to return this pen to him? (Do you want to give him back this pen?) |
| **Il leur rend service.** | He is doing them a favor. (He is doing a favor for them.) |
| **Je leur dis de s'en aller.** | I am telling them to go away. |

Notice that in the last sentence a group of words is being used as a noun; here, the entire phrase, **de s'en aller**, is the direct object.

When French sentences containing indirect objects are translated into English, *to (whom)* or *for (whom)* is not always expressed. For example, **leur** in the third sentence above (**Il leur rend service**) may be translated either as *them* or *for them*.

The direct object pronouns (*see Lesson 4*) and the indirect object pronouns have nearly the same form in French; the only exceptions are the third person singular and plural forms, which are:

| | *direct* | | *indirect* | |
|---|---|---|---|---|
| *singular* | **le [l']** | him, it | **lui** | to or for him, it |
| | **la [l']** | her, it | **lui** | to or for her, it |
| *plural* | **les** | them | **leur** | to or for them |

- **Position**

Like the direct objects and the expressions **en** and **y**, the indirect object precedes the verb in a fixed order:

| | |
|---|---|
| Étienne **le lui** donne. | Étienne gives *it to him.* |
| Voulez-vous **la leur** rendre? | Do you want to give *it to them?* |
| Il **lui en** donne. | He gives *some (of it) to her.* |

Use the following chart to memorize the correct order of object pronouns:

<table>
<tr><td rowspan="5">(subject)</td><td rowspan="5">(ne)</td><td>me<br>te<br>se<br>nous<br>vous</td><td>le<br>la<br>les</td><td>lui<br>leur</td><td rowspan="5">y</td><td rowspan="5">en</td><td rowspan="5">(verb)</td><td rowspan="5">(pas)</td></tr>
</table>

With the exception of affirmative commands,[1] this order is valid for all sentences, including negative commands.

| | |
|---|---|
| **Il ne me le dit pas.** | He is not saying it to me. |
| **Nous leur en donnons trois.** | We are giving them three. |
| **Ne les y vois-tu pas?** | Don't you see them there? |
| **Ne le leur dites pas!** | Don't say it to them! |

**Exercice 1.** *Remplacez les mots en italique par les pronoms convenables, en faisant les changements nécessaires:*

1. *Jacques* donne *la lettre à sa mère.*
2. Il achète *la viande au garçon.*
3. Elle appelle *le garçon.*
4. J'attends *Marie dans le restaurant.*
5. Je demande *à Albert de me dire s'il aime Paris.*
6. Il désire *voir son ami.*

**Exercice 2.** *Insérez dans les phrases suivantes l'équivalent français des pronoms compléments signalés entre parenthèses:*

1. (*him*) Elle voit.
2. (*it to him*) Elle donne.
3. (*it to her*) Elle donne.
4. (*some there*) Je vois.
5. (*them to us*) Ils vendent.
6. (*it to her*) Ne dites pas!
7. (*any to them*) Ne donnons pas!
8. (*him*) Elle dit que vous avez raison.
9. (*some*) Il y a sur la table.
10. (*it to them*) Elle ne rend pas.
11. (*from there*) Il vient.
12. (*some of it*) Je te rends.

[1]*See Lesson 7, section II.*

**Exercice 3.** *Remplacez les mots en italique par des pronoms compléments, en faisant les changements nécessaires:*

1. Elle voit *Antoine et leur père.*
2. Étienne veut emmener *Anne au restaurant.*
3. Il cherche *trois stylos dans sa chambre.*
4. N'allez pas *chez vous*!
5. Ne vendez pas *les haricots verts à ma soeur*!
6. Ne vendez pas *de haricots verts à ma soeur*!
7. Quand Anne cherche *les côtelettes,* elle trouve *trois côtelettes à la boutique.*
8. Voyez-vous *cet homme-là*?
9. Donnez-vous *le journal à l'hôtelière?*
10. Donnez-vous *un journal à l'hôtelière?*
11. Ne cherchez-vous pas *l'hôtel de Normandie?*
12. Combien *de chaises* avez-vous *dans votre chambre*?

## II THE PAST PARTICIPLE (le participe passé)

In French, the past participle[2] is formed as follows:

1) *For all verbs in the* **-er** *conjugation, drop the* **-er** *from the infinitive and add* **-é**:

| | | |
|---|---|---|
| aller | **allé** | *(gone)* |
| donner | **donné** | *(given)* |
| manger | **mangé** | *(eaten)* |
| passer | **passé** | *(passed)* |

2) *For most verbs whose infinitives end in* **-ir**, *drop the* **-ir** *from the infinitive and add* **-i**:[3]

| | | |
|---|---|---|
| finir | **fini** | *(finished)* |
| remplir | **rempli** | *(filled)* |

3) *The past participle of most* **-oir** *verbs ends in* **-u**:

| | | |
|---|---|---|
| avoir | **eu** | *(had)* |
| pouvoir | **pu** | *(been able)* |
| voir | **vu** | *(seen)* |
| vouloir | **voulu** | *(wanted)* |

[2]In English, this is the third principle part of a verb: go, went, *gone*; be, was, *been*; see, saw, *seen*: walk, walked, *walked*.

[3]Several verbs (for example, **venir** and **tenir**) do not conform to this rule. *See Lesson 7.*

4) *For all other verbs, it is best to memorize the past participles and not try to formulate rules.* Here is a list of past participles of the verbs you have studied thus far which do not fit into the preceding three categories:

| | | |
|---|---|---|
| attendre | **attendu** | *(waited)* |
| dire | **dit** | *(said)* |
| être | **été** | *(been)* |
| faire | **fait** | *(done, made)* |
| mettre | **mis** | *(put)* |
| ouvrir | **ouvert** | *(opened)* |
| prendre | **pris** | *(taken)* |
| répondre | **répondu** | *(answered)* |
| vendre | **vendu** | *(sold)* |

## III THE PASSIVE VOICE (le passif)

### • Concept and form

Study the following examples, noting the manner in which the passive concept is expressed in French:

| | |
|---|---|
| **On vend** les journaux au bureau de tabac. | The papers *are sold* at the tobacco shop. |
| Les journaux **sont vendus** par son frère. | The papers *are sold* by his brother. |
| **On ouvre** la porte. | The door *is opened.* |
| La porte **est ouverte** par leur mère. | The door *is opened* by their mother. |

When the subject of a verb is acted upon (e.g., the newspapers are sold), the verb is said to be in the *passive* voice. In French, as in English, the true passive is constructed with a form of **être** (*be*) plus the past participle: **sont vendus** (*are sold*), **est ouverte** (*is opened*).

A more common way to express the passive concept in French is to use a verb in the *active* voice, with **on** as the subject: **on vend, on ouvre.** Here the agent or "doer" is not expressed. This construction is more widely used than the true passive, for the French prefer to look on an idea from an active point of view rather than from a passive one.

A re-examination of the examples above should lead you to the following principles for expressing the passive concept:

1) *When the doer of the action is not known or is not expressed, use* **on** *as the subject:*

| | |
|---|---|
| **On fait** l'addition après le repas. | The check *is made* after the meal. |
| **On coupe** le pain avant le repas. | The bread *is cut* before the meal. |
| **On invite** Anne à dîner. | Anne *is invited* to dinner. |

2) *When the doer is expressed, French and English have identical forms:*

| | |
|---|---|
| Le garçon **est frappé** par son frère. | The boy *is hit* by his brother. |
| Anne **est invitée** à dîner par Étienne. | Anne *is invited* to dinner by Étienne. |

**Exercice 4.** *Dites en français:*

1. French is spoken in France.
2. Stamps are sold at the post office.
3. He is put in prison (**mettre en prison**) by his father.
4. That is said in Paris.
5. The door is opened by their brother.

- **Passive voice or state of being**

It is important that you learn to distinguish between the passive voice and state of being in English. In the passive voice, the action is passed on to the subject; a state of being describes an existing state or condition:

| | |
|---|---|
| La porte est **ouverte**. | The door is *open*. |

Here the participle **ouverte** is an adjective modifying **porte**, and simply explains the condition or state of the door. Compare this example of the state of being to the following examples of the passive voice:

| | |
|---|---|
| **On ouvre** la porte. | The door *is opened*. |
| La porte **est ouverte** par leur mère. | The door *is opened* by their mother. |

Notice that **ouvre** and **est ouverte** both describe an action, not a state of being.

Study the following examples, paying special attention to the use of the past participle:

| | |
|---|---|
| Les journaux sont déjà **vendus**. | The newspapers are already *sold*. |
| Les journaux sont **vendus** par Étienne. | The newspapers are *sold* by Étienne. |
| | |
| La table est **mise**. | The table is *set*. |
| La table est **mise** par Anne. | The table is *set* by Anne. |

Which past participles are used purely as adjectives? Do they describe a state or condition?

**Exercice 5.** *Dites en français:*

1. The door is opened.
2. The door is opened by Étienne.
3. The door is already open.
4. The card is already filled out.
5. All the space is taken by a table and a chair.
6. The girl is invited to go to a restaurant. *(Note: There are two possible answers.)*
7. The girl is invited to go to a restaurant by her friend.
8. Here the bread is passed on a dish.

## IV VERBS FOR SPECIAL STUDY: REFLEXIVE VERBS

Study the following verb, paying close attention to the form and meaning of the reflexive pronouns:

*present tense of* **se laver**—*to wash {oneself}*

*singular*

| | |
|---|---|
| je **me** lave | I wash [*myself*] |
| tu **te** laves | you wash [*yourself*] |
| il **se** lave | he washes [*himself*] |
| elle **se** lave | she washes [*herself*] |

*plural*

| | |
|---|---|
| nous **nous** lavons | we wash [*ourselves*] |
| vous **vous** lavez | you wash [*yourself, yourselves*] |
| ils **se** lavent | they wash [*themselves*] |
| elles **se** lavent | they wash [*themselves*] |

The verb you have just studied is called *reflexive* because the action of the verb reflects back on the subject. The subject acts on itself; thus, the subject and the object refer to the same person:

**Je me** lave. *I* wash *myself*.

We have already used some reflexive expressions such as **je m'appelle** and **comment vous appelez-vous** in previous lessons.

Reflexive verbs are widely used in French but seldom used in modern English; therefore, many French reflexive verbs have idiomatic translations:

| | |
|---|---|
| **se coucher** | *to go to bed* |
| **s'appeler** | *to be named* |
| **se dépêcher** | *to hurry up* |

Study the following conjugation of a verb of this type, **s'en aller**:

*present tense of* **s'en aller**—*to go away*
(I go away, am going away, do go away, etc.)

| | |
|---|---|
| **je m'en vais** | **nous nous en allons** |
| **tu t'en vas** | **vous vous en allez** |
| **il s'en va** | **ils s'en vont** |

The reflexive pronoun may act as a direct object (as in the conjugation of **se laver**) or as an indirect object:

Je **me** lave **les mains.** I wash *my hands.* (literally: I wash to myself the hands.)

Another use of certain reflexive verbs in French is to express reciprocal action:

Marie et Anne **se parlent.** Marie and Anne *are talking to each other.*

Sometimes reflexive verbs are used to express the passive concept. Reflexive verbs used in this sense are most commonly used in a few expressions such as:

| | |
|---|---|
| Les journaux se **vendent** au bureau de tabac. | Newspapers *are sold* at the tobacco shop. |
| Ça **se dit**. | That's *said.* |
| Ça ne **se fait** pas. | That's not *done.* |

**EXERCICES**

**A.** *Dites en français:*

1. She is selling him some.
2. She's not selling him any.
3. Don't pass it to us.
4. She is getting used to it.
5. He is giving them to them.
6. He is giving it to them.
7. I am going away.
8. Don't wash your hands.

**B.** *Remplacez les mots en italique par des pronoms compléments, en faisant les changements nécessaires:*

1. Elle cherche *son ami* dans la boutique.
2. Il vous voit *dans la rue.*
3. J'ai trop *de chaises dans ma chambre.*
4. Elle donne *le livre à Robert.*
5. Elle donne *un livre à son ami.*
6. Robert ne parle pas *français.*
7. Ils vont *à Paris.*
8. Nous voyons trois *poires sur la table.*

**C.** *Dites en français:*

—Does the waiter have the check, Étienne?
—Yes. He is going to give it to me. Do you see him, Anne?
—There he is.
—Waiter, the check, please.
—Here you are, sir. Thank you.
—How much does the meal cost, Étienne?
—6 francs 70.
—That's not expensive.
—Do you have some errands to do, Anne?
—Yes, I want to buy some newspapers. Let's go to a stationery store.
—You cannot buy them there. You have to go to a tobacco shop.
—Fine. Are you ready?
—Yes, let's go. We can go out (**sortir**) by this door—it is open.

## VOCABULAIRE

**acheter** to buy
(une) **addition** check, bill
**aller**: **s'en aller** to go away; **allons-nous-en!** let's get going!
(la) **boutique** shop, store
(le) **bureau** bureau, office; **bureau de poste** post office; **bureau de tabac** tobacco shop
**cher, chère** expensive, dear
**chercher** to look for
**compliqué** complicated
**compliquer** to complicate
(la) **course** errand; **faire des courses** to go shopping
**coûter**: **coûter cher** to be expensive; **coûter peu** to be inexpensive
**déjà** already
**demander** to ask
**emmener** to take, to lead [away] (*used for persons only*)
(une) **encre** ink
**faire**: **il fait beau** it (the weather) is fine
**falloir** to be necessary; **il faut** it is necessary
(la) **fin** end
**habituer** to accustom; **s'habituer à** to get used to
(le) **journal**; *pl.* **journaux** newspaper
(le) **kiosque** kiosk, newspaper stand
**se laver** to wash [oneself]
(le) **livre** book
**ouvrir** to open
(la) **papeterie** stationery shop
(le) **papier** paper; **papier à lettres** note paper, stationery
**par** by, with
(le) **plat** dish
**pour cent** per cent
**pourquoi** why
**quelque part** somewhere
**rendre** to return
(le) **service** service
**sixième** sixth
(le) **soir** night
(le) **stylo** fountain pen
**tenir** to hold; **tenez!** here!
(le) **timbre** stamp
**trouver** to find
**vendre** to sell
**vouloir**: **je veux bien** I don't mind; by all means
**vraiment** really, truly

## EXERCICES STRUCTURAUX

**A.** *Remplacez le complément indirect par le pronom convenable:*

1. Marie rend le stylo au garçon.
   Marie lui rend le stylo.

2. Jean-Paul donne le livre à Jean.
   Jean-Paul lui donne le livre.
3. Nous ne parlons pas à l'étudiant.
   Nous ne lui parlons pas.
4. L'hôtelière vend l'hôtel à Marie.
   L'hôtelière lui vend l'hôtel.
5. Anne parle à Étienne.
   Anne lui parle.
6. Nous ne parlons pas à Anne.
   Nous ne lui parlons pas.
7. Étienne donne un pourboire au garçon.
   Étienne lui donne un pourboire.
8. Donne-t-il le fauteuil à ton père?
   Lui donne-t-il le fauteuil?
9. Vous n'en donnez pas trois à l'hôtelière.
   Vous ne lui en donnez pas trois.
10. Tu donnes la clé à ton amie.
    Tu lui donnes la clé.
11. Il dit bonjour aux jeunes filles.
    Il leur dit bonjour.
12. Il donne le porc à Jean-Paul et à Robert.
    Il leur donne le porc.
13. Elle vend l'hôtel à Marie et à Louise.
    Elle leur vend l'hôtel.
14. Elle dit beaucoup de choses à Étienne et à Anne.
    Elle leur dit beaucoup de choses.
15. Nous ne parlons pas aux étudiants.
    Nous ne leur parlons pas.
16. Ils parlent français à Étienne et à Anne.
    Ils leur parlent français.
17. Marie rend le stylo au garçon.
    Marie lui rend le stylo.
18. Il donne le porc à Jean-Paul et à Robert.
    Il leur donne le porc.
19. Elle vend l'hôtel à Marie et à Louise.
    Elle leur vend l'hôtel.
20. Donne-t-il le fauteuil à ton père?
    Lui donne-t-il le fauteuil?

21. Marie donne la clé aux hôtelières.
    Marie leur donne la clé.
22. Tu donnes la clé à ton amie.
    Tu lui donnes la clé.
23. Nous ne parlons pas aux jeunes filles.
    Nous ne leur parlons pas.
24. Anne parle à Étienne.
    Anne lui parle.
25. Il donne le livre à Jean.
    Il lui donne le livre.

**B.** *Remplacez le complément direct et le complément indirect par les pronoms convenables:*

1. Ils vendent les livres à Marie.
   Ils les lui vendent.
2. Ils vendent beaucoup de livres à Marie.
   Ils lui en vendent beaucoup.
3. Il donne la clé à Marie.
   Il la lui donne.
4. Ne vendez pas les haricots verts à ma soeur!
   Ne les lui vendez pas!
5. Étienne donne le pourboire au garçon.
   Étienne le lui donne.
6. Il cherche sa mère dans la boutique.
   Il l'y cherche.
7. Je donne les livres à Robert.
   Je les lui donne.
8. Je donne le livre à Robert.
   Je le lui donne.
9. Je donne des livres à Robert.
   Je lui en donne.
10. Je ne donne pas de livres à Robert.
    Je ne lui en donne pas.
11. Elle donne beaucoup de livres à son ami.
    Elle lui en donne beaucoup.
12. Nous voyons trois poires sur la table.
    Nous y en voyons trois.

13. Rendez-vous la carte à Anne?
    La lui rendez-vous?
14. Ils vont prendre leur repas ici.
    Ils vont l'y prendre.
15. Marie parle français à Étienne.
    Marie le lui parle.

C. *Commencez chaque phrase par le mot donné entre parenthèses:*

1. Je vais m'en aller. *(Jacques . . .)*
   Jacques va s'en aller.
2. Je vais me coucher. *(vous . . .)*
   Vous allez vous coucher.
3. Je vais me dépêcher. *(Anne et Marie . . .)*
   Anne et Marie vont se dépêcher.
4. Je vais m'en aller. *(nous . . .)*
   Nous allons nous en aller.
5. Je vais me laver. *(tu . . .)*
   Tu vas te laver.
6. Je vais me promener. *(Jean-Paul et Étienne . . .)*
   Jean-Paul et Étienne vont se promener.

D. *Commencez chaque phrase par le mot donné entre parenthèses:*

1. Il s'en va à six heures. *(nous . . .)*
   Nous nous en allons à six heures. *(Marie . . .)*
   Marie s'en va à six heures. *(Marie et Anne . . .)*
   Marie et Anne s'en vont à six heures. *(je . . .)*
   Je m'en vais à six heures. *(il . . .)*
   Il s'en va à six heures. *(tu . . .)*
   Tu t'en vas à six heures. *(vous . . .)*
   Vous vous en allez à six heures. *(Henri et Jean-Paul . . .)*
   Henri et Jean-Paul s'en vont à six heures. *(Henri . . .)*
   Henri s'en va à six heures.

2. Il ne s'en va pas à six heures. *(nous . . .)*
   Nous ne nous en allons pas à six heures. *(Marie . . .)*
   Marie ne s'en va pas à six heures. *(Marie et Anne . . .)*

Marie et Anne ne s'en vont pas à six heures. *(je . . .)*
Je ne m'en vais pas à six heures.

3. Il se lave les mains. *(nous . . .)*
Nous nous lavons les mains. *(Marie . . .)*
Marie se lave les mains. *(Marie et Anne . . .)*
Marie et Anne se lavent les mains. *(je . . .)*
Je me lave les mains. *(il . . .)*
Il se lave les mains. *(tu . . .)*
Tu te laves les mains. *(vous . . .)*
Vous vous lavez les mains. *(Henri et Jean-Paul . . .)*
Henri et Jean-Paul se lavent les mains. *(Henri . . .)*
Henri se lave les mains.

4. Nous ne nous lavons pas les mains. *(je . . .)*
Je ne me lave pas les mains. *(il . . .)*
Il ne se lave pas les mains. *(Henri et Jean-Paul . . .)*
Henri et Jean-Paul ne se lavent pas les mains. *(Henri . . .)*
Henri ne se lave pas les mains.

## PREMIÈRE RÉVISION

**I.** *Dites en français:*
On the rue de la Huchette in Paris, there is a small hotel, the Hôtel de Normandie. There are seventeen rooms in that hotel. Anne Dupont lives there; she is a student. Anne is American, not French. One of her friends is a French student, Étienne Leblanc. They go to a restaurant on Saturdays, and they eat pork chops and steak there. Before finishing their meal, they have some coffee. Then they go to take a walk.

**II.** *Dites en français:*
Anne's room has been free for a week. It is an attractive room and rather large. The bed is comfortable and from the window there is a good view of the street. The table and the chair are near the bed, and the armchair is near the window. Anne likes Paris; she expects to stay there for twenty-one or twenty-two weeks.

**III.** *Remplacez les mots en italique par les pronoms compléments, en faisant les changements nécessaires:*

1. Anne donne dix *francs à l'hôtelière.*
2. Étienne ne donne pas quarante *francs à sa mère.*
3. Voilà *Étienne et Anne.*
4. Les journaux se vendent *au bureau de tabac.*
5. Ne commandez pas *le repas*!
6. Ne voyez-vous pas *la boutique dans la rue*?
7. J'ai assez de *choucroute.*
8. Il ne veut pas de *côtelette de porc.*
9. Anne ne désire pas trois *poires.*
10. Vas-tu voir *tes frères* demain?

**IV.** *Remplacez les expressions signalées entre parenthèses par l'équivalent français:*

1. Quelle heure est-il? (*It is*) ______ trois heures.
2. (*her, his*) Je vais faire la connaissance de ______ frère et de ______ père.
3. (*are you doing*) Que ______?
4. (*My, her*) ______ mère est l'amie de ______ soeur.
5. (*spinach and sauerkraut*) Aimez-vous ______?
6. (*Let's eat, at six thirty-one*) ______ ce soir ______!
7. (*big rooms*) Tu aimes ______.
8. (*many*) Voulez-vous ______ gâteaux?
9. (*french fries*) Ils veulent ______.
10. (*any spinach*) Ne mangeons pas ______!
11. (*these chairs, those armchairs*) J'aime ______ mais j'aime aussi ______.
12. (*Their, your*) ______ amis ne sont pas ______ amis.
13. (*their*) Habitez-vous ______ hôtel?
14. (*big pork chops*) Tu veux ______.
15. (*French, my; my, English*) ______ est la langue de ______ parents, mais ______ frère parle ______.
16. (*in Paris*) Elles comptent rester longtemps ______.
17. (*in this hotel*) Elles comptent rester longtemps ______.
18. (*any keys*) Nous n'avons pas ______.
19. (*any keys*) Avez-vous ______?

20. (*her*) Quelle est _______ adresse?
21. (*coffee*) Je ne veux pas _______.
22. (*pens, newspapers, and tobacco*) Anne veut chercher _______.
23. (*in the restaurant*) Elle ne peut pas les acheter _______.
24. (*on Sundays*) Je mange chez Jean _______.

## EXERCICES STRUCTURAUX

A. *Mettez les phrases suivantes à la forme interrogative:*

1. Ils attendent Étienne.
   Attendent-ils Étienne?
2. Elle a la clé.
   A-t-elle la clé?
3. Je vois l'Hôtel de Normandie.
   Est-ce que je vois l'Hôtel de Normandie?
4. Nous sommes près de la rue de la Huchette.
   Sommes-nous près de la rue de la Huchette?
5. Vous êtes étudiant.
   Êtes-vous étudiant?
6. C'est aujourd'hui le dix-huit.
   Est-ce aujourd'hui le dix-huit?
7. Nous ne voyons pas Anne.
   Ne voyons-nous pas Anne?
8. Elle est grande.
   Est-elle grande?
9. Elle va à sa chambre.
   Va-t-elle à sa chambre?
10. Elles finissent la lettre.
    Finissent-elles la lettre?

B. *Dans les phrases suivantes, remplacez tous les noms par la forme convenable du pronom:*

1. Marie rend la clé au garçon.
   Elle la lui rend.

2. Je donne les livres à Robert.
   Je les lui donne.
3. J'aime les côtelettes.
   Je les aime.
4. Vous ne voyez pas les étudiants.
   Vous ne les voyez pas.
5. J'aime Étienne.
   Je l'aime.
6. Jean-Paul mange des haricots verts.
   Il en mange.
7. Anne ne veut pas aller au restaurant.
   Elle ne veut pas y aller.
8. Il y a trop d'hôtels.
   Il y en a trop.
9. Quand es-tu à l'hôtel?
   Quand y es-tu?
10. Marie rend le stylo au garçon.
    Elle le lui rend.
11. Je donne les livres à Robert.
    Je les lui donne.
12. Il vend l'hôtel à Marie et à Louise.
    Il le leur vend.
13. Étienne donne le pourboire au garçon.
    Il le lui donne.
14. Anne nous donne ses fauteuils.
    Elle nous les donne.
15. Jean te donne le livre.
    Il te la donne.
16. Marie donne trois clés à l'hôtelière.
    Elle lui en donne trois.
17. Tu donnes la clé à ton ami.
    Tu le lui donnes.
18. Nous ne parlons pas à l'étudiant.
    Nous ne lui parlons pas.
19. Nous allons au restaurant.
    Nous y allons.
20. Nous achetons des journaux.
    Nous en achetons.

**C.** *Commencez chaque phrase par le mot donné entre parenthèses:*

1. Je prends un café. *(ces garçons . . .)*
   Ces garçons prennent un café. *(ma mère . . .)*
   Ma mère prend un café. *(tu . . .)*
   Tu prends un café. *(nous . . .)*
   Nous prenons un café. *(vous . . .)*
   Vous prenez un café. *(Jean-Paul . . .)*
   Jean-Paul prend un café. *(je . . .)*
   Je prends un café. *(cette jeune fille . . .)*
   Cette jeune fille prend un café. *(tu . . .)*
   Tu prends un café.

2. Je suis enchanté. *(Jean-Paul . . .)*
   Jean-Paul est enchanté. *(nous . . .)*
   Nous sommes enchantés. *(Marie . . .)*
   Marie est enchantée. *(Anne et Marie . . .)*
   Anne et Marie sont enchantées. *(Jacques . . .)*
   Jacques est enchanté. *(tu . . .)*
   Tu es enchanté. *(nous . . .)*
   Nous sommes enchantés. *(vous . . .)*
   Vous êtes enchanté. *(il . . .)*
   Il est enchanté.

3. Je ne prends pas un café. *(ces garçons . . .)*
   Ces garçons ne prennent pas un café. *(ma mère . . .)*
   Ma mère ne prend pas un café. *(tu . . .)*
   Tu ne prends pas un café. *(nous . . .)*
   Nous ne prenons pas un café. *(vous . . .)*
   Vous ne prenez pas un café. *(Jean-Paul . . .)*
   Jean-Paul ne prend pas un café. *(je . . .)*
   Je ne prends pas un café. *(cette jeune fille . . .)*
   Cette jeune fille ne prend pas un café. *(tu . . .)*
   Tu ne prends pas un café.

4. Je dis au revoir à Marie. *(nous . . .)*
   Nous disons au revoir à Marie. *(Hélène . . .)*

Hélène dit au revoir à Marie. *(Hélène et Anne ...)*
Hélène et Anne disent au revoir à Marie. *(je ...)*
Je dis au revoir à Marie. *(il ...)*
Il dit au revoir à Marie. *(tu ...)*
Tu dis au revoir à Marie. *(vous ...)*
Vous dites au revoir à Marie. *(Henri et Jacques ...)*
Henri et Jacques disent au revoir à Marie. *(Henri ...)*
Henri dit au revoir à Marie.

5. Je le fais. *(nous ...)*
Nous le faisons. *(Marie ...)*
Marie le fait. *(Marie et Anne ...)*
Marie et Anne le font. *(je ...)*
Je le fais. *(il ...)*
Il le fait. *(tu ...)*
Tu le fais. *(vous ...)*
Vous le faites. *(Henri et Jacques ...)*
Henri et Jacques le font. *(Henri ...)*
Henri le fait.

6. Je me couche à dix heures. *(nous ...)*
Nous nous couchons à dix heures. *(Marie ...)*
Marie se couche à dix heures. *(Marie et Anne ...)*
Marie et Anne se couchent à dix heures. *(je ...)*
Je me couche à dix heures. *(il ...)*
Il se couche à dix heures. *(tu ...)*
Tu te couches à dix heures. *(vous ...)*
Vous vous couchez à dix heures. *(Henri et Jean-Paul ...)*
Henri et Jean-Paul se couchent à dix heures. *(Henri ...)*
Henri se couche à dix heures.

7. Je ne me lave pas. *(nous ...)*
Nous ne nous lavons pas. *(il ...)*
Il ne se lave pas. *(Marie ...)*
Marie ne se lave pas. *(je ...)*
Je ne me lave pas. *(tu ...)*
Tu ne te laves pas. *(vous ...)*

Vous ne vous lavez pas. *(Henri . . .)*
Henri ne se lave pas. *(Henri et Jean-Paul . . .)*
Henri et Jean-Paul ne se lavent pas. *(Marie et Anne . . .)*
Marie et Anne ne se lavent pas.

8. Je remplis la fiche. *(il . . .)*
Il remplit la fiche. *(Jacques et Marie . . .)*
Jacques et Marie remplissent la fiche. *(vous . . .)*
Vous remplissez la fiche. *(elle . . .)*
Elle remplit la fiche. *(tu . . .)*
Tu remplis la fiche. *(Marie et Anne . . .)*
Marie et Anne remplissent la fiche. *(il . . .)*
Il remplit la fiche. *(nous . . .)*
Nous remplissons la fiche. *(Henri et Jacques . . .)*
Henri et Jacques remplissent la fiche.

9. Nous voyons l'hôtel. *(tu . . .)*
Tu vois l'hôtel. *(Marie . . .)*
Marie voit l'hôtel. *(Marie et Anne . . .)*
Marie et Anne voient l'hôtel. *(vous . . .)*
Vous voyez l'hôtel. *(nous . . .)*
Nous voyons l'hôtel. *(je . . .)*
Je vois l'hôtel. *(il . . .)*
Il voit l'hôtel. *(Henri et Étienne . . .)*
Henri et Étienne voient l'hôtel. *(tu . . .)*
Tu vois l'hôtel.

10. Elle vend le papier. *(tu . . .)*
Tu vends le papier. *(Marie . . .)*
Marie vend le papier. *(Marie et Anne . . .)*
Marie et Anne vendent le papier. *(vous . . .)*
Vous vendez le papier. *(nous . . .)*
Nous vendons le papier. *(je . . .)*
Je vends le papier. *(il . . .)*
Il vend le papier. *(Henri et Étienne . . .)*
Henri et Étienne vendent le papier. *(tu . . .)*
Tu vends le papier.

# SEPTIÈME LEÇON

## CONVERSATION: ON SE PROMÈNE

| | |
|---|---|
| *Étienne* | Où voulez-vous aller? |
| *Anne* | Ça m'est égal. Je n'ai pas vu grand-chose depuis mon arrivée. |
| *Étienne* | Avez-vous visité le Louvre? |
| *Anne* | Pas encore. On m'a dit que pour le visiter comme il faut, on doit y passer au moins deux journées entières. |
| *Étienne* | Avez-vous vu la cathédrale de Notre-Dame? |
| *Anne* | Vous savez, mon hôtel se trouve tout près de la cathédrale, mais jusqu'ici, je n'ai pas encore eu le temps de la visiter. |
| *Étienne* | Est-ce que votre serviette devient trop lourde? |
| *Anne* | Oui, et ce ne sont que mes livres de classe. |
| *Étienne* | Mais s'ils vous gênent, donnez-les-moi! |
| *Anne* | Avec plaisir, si cela ne vous dérange pas. |
| *Étienne* | Pas du tout. Tiens! Vous lisez Flaubert. Comment le trouvez-vous? |
| *Anne* | Assez intéressant. L'année passée j'ai lu deux de ses romans, *Madame Bovary* et *l'Éducation sentimentale.* Ils m'ont beaucoup intéressée. |

| | |
|---|---|
| *Étienne* | Je lis toujours beaucoup de romans, mais je n'ai pas lu ceux-ci depuis longtemps. Je sais que je les ai aimés quand je les ai lus. |
| *Anne* | J'ai fait une étude sur Flaubert à l'université aux États-Unis. Ici je suis des cours sur le XIX$^e$ siècle. Tout cela m'intéresse beaucoup. |
| *Étienne* | Mais vous êtes formidable! Tiens! Nous voici devant Notre-Dame. |

**QUESTIONNAIRE**

*Répondez en français par des phrases complètes:*

1. Où voulez-vous aller? 2. Qu'avez-vous vu depuis votre arrivée? 3. Avez-vous vu beaucoup de choses depuis votre arrivée? 4. Qu'avez-vous visité ces jours-ci? 5. Avez-vous visité le Louvre? 6. Avez-vous visité Notre-Dame? 7. Combien de temps faut-il pour visiter le Louvre? 8. Avez-vous vu la cathédrale de Notre-Dame? 9. Où se trouve votre hôtel? 10. Est-ce que votre hôtel est loin de la cathédrale? 11. Pourquoi n'avez-vous pas encore visité Notre-Dame? 12. Avez-vous eu le temps de visiter la cathédrale? 13. Est-ce que votre serviette devient trop lourde? 14. Qu'est-ce qu'il y a dans votre serviette? 15. Est-ce que votre serviette vous gêne? 16. Est-ce que cela vous dérange? 17. Qu'est-ce que vous lisez? 18. Comment trouvez-vous les romans de Flaubert? 19. Qu'avez-vous lu l'année passée? 20. Est-ce que *Madame Bovary* vous a beaucoup intéressé? 21. Lisez-vous des romans? 22. Avez-vous lu celui-ci? 23. Depuis combien de temps n'avez-vous pas lu celui-ci? 24. Comment l'avez-vous trouvé quand vous l'avez lu? 25. Avez-vous aimé ces romans quand vous les avez lus? 26. Où avez-vous fait une étude sur Flaubert? 27. Vous suivez des cours sur quel siècle?

# GRAMMAIRE

## I LE PASSÉ COMPOSÉ (the past indefinite)

### • Form and meaning

The **passé composé** is the normal past tense of French conversation. Study the following sentences, noting the form and meaning of the **passé composé**:

| | |
|---|---|
| L'année passée, **j'ai lu** deux romans. | Last year, *I read* two novels. |
| **Avez-vous pris** du vin? | *Did you have* any wine? |
| **Je n'ai pas vu** grand-chose depuis[1] mon arrivée. | *I have not seen* very much since my arrival. |

From the preceding sentences, you can see that the **passé composé** of most verbs is made up of the present tense of **avoir** plus the past participle. This single form of the French past tense may be used to translate several past tense forms in English. For example:

| | | |
|---|---|---|
| **Avez-vous mangé?** | may be translated | *Have you eaten?* (present perfect) |
| | or | *Did you eat?* (past tense) |
| **J'ai mangé.** | may be translated | *I ate.* (past tense) |
| | or | *I have eaten.* (present perfect) |
| | or | *I did eat.* (emphatic past tense) |

After re-reading the preceding sentences and studying those in the opening conversation which contain the **passé composé**, determine:

1) the rule regarding the position of object pronouns with the **passé composé**;
2) the rule for forming the negative construction with the **passé composé**.

Note that in the **passé composé**, commonly used adverbs are usually placed between the auxiliary and the past participle:

| | |
|---|---|
| On me l'a **déjà** dit. | I've *already* been told so (it). |
| Je n'ai pas **encore** eu le temps de la visiter. | I've not *yet* had time to visit it. |
| Ils m'ont **beaucoup** intéressée. | They interested me *very much.* |

[1]Note that here, **depuis** is used with the **passé composé** to express the negative of the present perfect tense. Compare this use of **depuis** with that presented in the examples in Lesson 2, section II.

- **Agreement of the past participle**

You may have noticed in the conversation that the past participle sometimes takes feminine or plural forms. Study the following sentences and try to determine the rule for agreement of the past participle in the **passé composé**:

| | |
|---|---|
| Quand je les ai **lus**, je les ai **aimés**. | When I *read* them, I *liked* them. |
| La femme que j'ai **vue** est ici. | The woman whom (that) I *saw* is here. |
| Les livres que Marie a **achetés** sont ici. | The books that Marie *bought* are here. |
| Combien de cathédrales avez-vous **vues**? | How many cathedrals have you *seen*? |
| Ils m'ont beaucoup **intéressée**. | They *interested* me very much. (said by Anne) |

When the **passé composé** of a verb is formed with **avoir**, the past participle agrees in number and gender with a preceding direct object.

The past participle does *not* agree:

1) *with a direct object following the verb:*
**J'ai vu la cathédrale.** *I saw the cathedral.*

2) *with a preceding indirect object:*
**On m'a dit que pour la visiter...** *I was told that to visit it...* (*Someone told me that to visit it...*)

**Exercice 1.** *Remplacez les expressions signalées entre parenthèses par l'équivalent français:*

1. (*gave me*) Voici les côtelettes que vous ______.
2. (*gave them*) Tu ______ à Louis.
3. (*did not give them to me*) Tu ______.
4. (*Did you give them to me*) ______ la semaine passée?
5. (*Didn't I give them to you*) ______ la semaine passée?
6. (*She saw; she saw it*) ______ Notre-Dame; ______.
7. (*Have you visited*) ______ le Louvre? (*I visited it*) Oui, ______ avec un ami.
8. (*have you read*) Combien de livres ______?

9. (*has read*) Anne _______ cinq.
10. (*Did we make*) _______ une étude sur Flaubert?
11. (*interested them very much*) Les livres de Flaubert _______.
12. (*Did they eat*) _______ les poires? (*did not eat them*) Non, ils _______.
13. (*you bought*) Les choses que _______ me plaisent.
14. (*They sold; they sold it*) _______ le restaurant; _______.
15. (*did you take*) Combien de cerises _______? (*I took*) _______ sept.

- **Past tense of the passive voice (le passé du passif)**

The **passé composé** of **être** is used to form the past tense of the passive voice in French:

| | |
|---|---|
| Le garçon est frappé par son frère. | The boy is hit by his brother. |
| Le garçon **a été frappé** par son frère. | The boy *was hit* by his brother. |
| Anne est invitée à dîner par Étienne. | Anne is invited to dinner by Étienne. |
| Anne **a été invitée** à dîner par Étienne. | Anne *was invited* to dinner by Étienne. |

**Exercice 2.** *Mettez les phrases suivantes au passé du passif:*

1. Les journaux sont vendus par Étienne.
2. La table est mise par Anne.
3. La porte est ouverte par Henri.
4. Nous sommes mis en prison par notre frère.
5. Les maisons sont vendues par leur mère.
6. Toute la place est prise par une table et une chaise.

## II ORDER OF OBJECT PRONOUNS IN AFFIRMATIVE COMMANDS

In the last lesson, you learned that object pronouns precede the verb in questions, statements, and negative commands. In affirmative commands, object pronouns follow the verb and are connected to it by a hyphen or hyphens. The direct object precedes the indirect object:

| | |
|---|---|
| **Donnez-le-leur!** | *Give it to them.* |
| **Vendez-les-nous!** | *Sell them to us.* |

The pronouns **en** and **y** follow all the other pronouns:

| | |
|---|---|
| **Vendez-nous-en!** | *Sell some to us.* <br> *(Sell us some.)* |
| **Donnez-lui-en!** | *Give some to him.* <br> *(Give him some.)* |

In affirmative commands, **me** and **te** are replaced by the stressed forms, **moi** and **toi**,[2] except when followed by **en**:

| | |
|---|---|
| Donnez-**moi** dix stylos! | Give *me* ten pens. |
| Donnez-les-**moi**! | Give them *to me*. |
| Lave-**toi** les mains! | Wash *your* hands. |
| *But:* | |
| Ne te lave pas les mains! | Don't wash your hands. |
| Donnez-m'en dix! | Give me ten (of them). |
| Va-t'en! | Go away! |

**Exercice 3.** *Remplacez les mots en italique par les pronoms compléments, en faisant les changements nécessaires:*

1. Regardez *ces livres*!
2. Ne regardez pas *ces livres*!
3. Donnons *du sucre à Étienne*!
4. Vendons *les livres à la jeune fille*!
5. Attendez *Anne*!
6. Coupez *le pain* avant trois heures!

**Exercice 4.** *Dites en français:*

1. Do it at eight-thirty.
2. Let's give him it.
3. Give it to him.
4. Let's sell them some.
5. Sell me some.
6. Sell it to me.

### III THE EXPRESSION NE . . . QUE

Study the following sentences, paying careful attention to the translations:

[2]The stressed forms of pronouns will be studied more thoroughly in Lesson 8.

| | |
|---|---|
| Je **n'**aime **que** Pierre. | I love *only* Pierre. |
| Je **n'**ai aimé **que** Pierre. | I loved *only* Pierre. |
| Je **n'**ai aimé Pierre **que** l'année passée. | I loved Pierre *only* last year. |
| Je **n'**ai aimé Pierre l'année passée **qu'**après mon arrivée en France. | I loved Pierre last year *only* after my arrival in France. |

What does the expression **ne . . . que** mean? What is the position of **ne** in a sentence? the position of **que**?

**Exercice 5.** *Dites en français:*

1. Anne reads only Flaubert.
2. She has read only Flaubert.
3. Étienne loves only Anne.
4. He gives her only five books.
5. Anne has been in Paris only since Saturday.
6. Étienne speaks only French.

## IV THE DEMONSTRATIVE PRONOUNS (les pronoms démonstratifs)

In Lesson 4, we studied the demonstrative adjectives: **cet** (homme), **ce** (légume), **cette** (jeune fille), and **ces** (pommes frites). These adjectives serve to point out a person or a thing: *this* (man), *these* (french fries). In this section, you will see *this*, *that*, *these*, and *those* being used as demonstrative pronouns.

### • When the antecedent is clearly specified

If the antecedent (noun or pronoun referred to) is clearly specified, the following forms of the demonstrative pronoun are used:

| | |
|---|---|
| Je veux ton paquet et **celui** de Marie. | I want your package and Marie's. |
| Elle a lu ses romans et **ceux** que je lui ai donnés. | She has read her novels and *those* I gave her. |
| Nous avons vu sa chambre et **celle** de Jean-Paul. | We saw his room and Jean-Paul's. |
| **Celles** qui l'ont fait ne sont pas ici. | *The ones* who did it are not present. |

What is the form of the demonstrative pronoun replacing a masculine singular noun? a masculine plural noun? What is the demonstrative pronoun form replacing a feminine singular noun? a feminine plural noun?

Notice that to express the ideas *he who*, *the ones that*, etc., French uses the demonstrative pronoun:

| | |
|---|---|
| **Celui que** j'ai vu est son frère. | *The one that (whom)* I saw is his brother. |
| **Ceux qui** sont ici sont mes amis. | *Those who* are here are my friends. |

If the demonstrative pronoun is not modified by a prepositional phrase or by a noun clause, the suffix **-ci** or **-là** must be attached to it.

| | |
|---|---|
| Quel paquet voulez-vous? Je veux **celui-ci**, pas **celui-là**. | What package do you want? I want *this one*, not *that one*. |
| Je lis beaucoup de romans, mais je n'ai pas lu **ceux-ci**. | I read many novels, but I haven't read *these*. |
| J'aime cette poire-ci, mais j'aime **celle-là** aussi. | I like this pear, but I like *that one* too. |
| Elle a tant d'amies; pourquoi ne voit-elle que **celles-là** à l'université? | She has so many friends; why does she see only *those* at the university? |

The forms of the demonstrative pronoun are:

| | *singular* | *plural* |
|---|---|---|
| *m.* | celui(-ci), celui(-là) | ceux(-ci), ceux(-là) |
| *f.* | celle(-ci), celle (-là) | celles(-ci), celles(-là) |

To review the preceding points, **celui** (**ceux**, **celle**, or **celles**) must be modified by either:

1) *a clause beginning with* **qui** *or* **que***:*
Je veux **celui que** je vois sur la table.

2) *a prepositional phrase (usually beginning with* **de***):*
Je veux le livre de Marie et **celui d'**Anne.

3) *the suffix* **-ci** or **-là**:
Je veux **celui-ci**, pas **celui-là**.

- **When the antecedent is not clearly specified**

If the antecedent is not clearly specified, is neither a noun nor a pronoun, or is an idea, the forms of the demonstrative pronoun are **ceci** (*this*) and **cela** [**ça**] (*that*).

| | |
|---|---|
| Tout **cela** m'intéresse beaucoup. | All *that* interests me very much. |
| **Cela** ne me dérange pas. | *That* does not bother me. |
| Que veut dire **ceci**? | What does *this* mean? |
| Qu'est-ce que c'est que **ça**? | What's *that*? |

However, **ce** is generally used if the demonstrative pronoun is the subject of **être**:

| | |
|---|---|
| **Ce** ne sont que mes livres de classe. | *These* are only my textbooks. |
| **C'**est un ami. | *This* is a friend. |
| **C'**est Anne. | *That* is Anne. |

**Exercice 6.** *Insérez dans les phrases suivantes l'équivalent français du pronom démonstratif signalé entre parenthèses:*

1. (*The one who*) _______ a dit cela n'est pas Étienne.
2. (*these*) Donnez-moi ces paquets; je ne veux pas _______.
3. (*that one*) Cette cathédrale-là m'intéresse; _______ ne m'intéresse pas.
4. (*those whom*) Donnez-le à _______ vous aimez le mieux!
5. (*this one, that one*) Voilà deux restaurants. Voulez-vous manger dans _______ ou _______?
6. (*those*) Voulez-vous manger ces côtelettes-ci ou _______?
7. (*Pierre's*) J'aime la maison de Marie et _______.
8. Voici ma carte d'identité. (*Anne's*) Avez-vous vu _______?

**Exercice 7.** *Insérez dans les phrases suivantes l'équivalent français du pronom démonstratif signalé entre parenthèses:*

1. (*That*) _______ m'intéresse beaucoup.
2. (*This*) _______ est un livre de classe.

3. (*that*) Je n'ai pas dit ______.
4. (*The one who*) ______ vient est le père de Jean-Paul.
5. (*Étienne's*) Avez-vous vu mes livres et ______?
6. (*those*) Elle n'a pas acheté ces poires-ci; elle a acheté ______.
7. (*These; those*) ______ sont mes livres; ______ sont tes romans.
8. (*those, Louise's*) Vendez-moi ces livres-ci, ______ et ______.

## V VERBS FOR SPECIAL STUDY: SAVOIR AND LIRE

Study the following conjugations:

*present tense of* **savoir**—*to know*
( I know, do know, etc.)

| | |
|---|---|
| **je sais** | **nous savons** |
| **tu sais** | **vous savez** |
| **il sait** | **ils savent** |

*present tense of* **lire**—*to read*
(I read, am reading, do read, etc.)

| | |
|---|---|
| **je lis** | **nous lisons** |
| **tu lis** | **vous lisez** |
| **il lit** | **ils lisent** |

What is the singular stem of **savoir**? the plural stem? What is the singular stem of **lire**? the plural stem?

The past participles of these verbs (presented here in the **passé composé**) are:

| | | |
|---|---|---|
| savoir: | j'ai **su** | I *knew*, I *found out* |
| lire: | j'ai **lu** | I *read* |

### EXERCICES

**A.** *Dans le passage suivant mettez les verbes en italique au passé composé:* Anne *est* invitée à dîner par Marie. Marie l'*attend* à la porte. Elle *ouvre* la porte et *dit* à Marie d'entrer. Marie *regarde* la table et *voit* beaucoup de bonnes choses à manger. Marie *demande* à Anne de lui donner sa serviette. Elles *commencent* à manger. Anne *prend* de la viande mais elle ne *veut* pas de légumes. Elles *finissent* le repas. Marie *met* deux tasses sur la table. Anne *prend* sa tasse, *met* du sucre dans son café et *passe* le sucre à Marie. Marie en *met* dans son café aussi. Marie *demande* à Anne si elle *trouve* le café bon; Anne *répond* «oui.» Anne *prend* sa serviette et *dit* «au revoir» à Marie.

**B.** *Remplacez les expressions en italique par la forme convenable du pronom démonstratif:*

1. Marie veut *ce paquet-là.*
2. *Ce garçon-ci* est petit; *ce garçon-là* est grand.
3. *Ces jeunes filles* sont françaises. *Ces jeunes filles-là* sont américaines.
4. *Cette table* est près de la porte.
5. Je veux acheter *ces livres-ci* et *ces livres-là.*

**C.** *Remplacez les noms en italique par des pronom compléments, en faisant les changements nécessaires:*

1. Jacques a vu *Marie* à Paris.
2. Le garçon a vendu *les côtelettes* à Jean-Paul.
3. Anne a mis *la lettre* sur la table.
4. Nous avons trouvé *le garçon* dans le restaurant.
5. Nous avons trouvé *les livres* intéressants.
6. Il a pris *le paquet.*
7. Il a ouvert *la porte.*
8. Avez-vous lu *la leçon?*
9. Il a déjà vendu *les journaux.*
10. Le garçon a mis *les légumes* sur la table.

**D.** *Dites en français:*

—What do you want to do?
—I want to buy the books that you bought last year.
—I sold them to a hotelkeeper last week.
—Then sell me these.
—These are novels by (of) Flaubert. Do you read French?
—Yes, I have already read some novels by (of) Proust and Gide.
—How many have you read?
—I have read ten.
—My friend Anne started to read those books last year, but they didn't interest her.
—Really? I know that I liked them when I read them.

## VOCABULAIRE

(une) **année** year; **l'année passée** last year
(une) **arrivée** arrival
(la) **cathédrale** cathedral
**celui** *m.*, **celle** *f.*; *pl.* **ceux, celles** this, that (one); these, those
(la) **classe** class
**couper** to cut
(le) **cours** course
**depuis** since
**déranger** to disturb
**devant** before, in front of
**devenir** to become
**devoir** to have to, to owe; **on doit** one must, one has to
**égal** equal; **ça m'est égal** it's all the same to me
**entier, entière** whole, entire
(un) **état** state;
(les) **États-Unis** (the) United States
(une) **étude** study
**formidable** terrific
**gêner** to bother, to hinder
**intéressant** interesting
(la) **journée** day
**jusque** up to, until; **jusqu'ici** until now, up to now
**lire** to read; *p.p.* **lu**
**lourd** heavy
**mieux** better; **le mieux** the best
**ne: ne . . . que** only
(le) **pain** bread
(le) **paquet** package
**passé** passed, last
**près: tout près** very near
(le) **roman** novel
**savoir** to know; *p.p.* **su**
**septième** seventh
(la) **serviette** portfolio, briefcase
(le) **siècle** century
**suivre** to follow; **je suis** I follow
(le) **temps** time, weather; **avoir le temps** to have the time
**toujours** always
**trouver: se trouver** to be located, to be found
**visiter** to visit

## EXERCICES STRUCTURAUX

**A.** *Dans les phrases suivantes mettez le verbe au passé composé:*

1. Nous parlons français.
   Nous avons parlé français.
2. Tu trouves la fiche.
   Tu as trouvé la fiche.
3. Le repas coûte dix francs.
   Le repas a coûté dix francs.
4. Nous donnons le livre à notre soeur.
   Nous avons donné le livre à notre soeur.

5. Je donne le livre à Jean.
   J'ai donné le livre à Jean.
6. Elles ne finissent pas la leçon.
   Elles n'ont pas fini la leçon.
7. Nous remplissons la fiche.
   Nous avons rempli la fiche.
8. Anne finit sa côtelette.
   Anne a fini sa côtelette.
9. Je réponds à sa lettre.
   J'ai répondu à sa lettre.
10. Les garçons vendent des journaux.
    Les garçons ont vendu des journaux.
11. Ils attendent Marie au restaurant.
    Ils ont attendu Marie au restaurant.
12. Anne dit beaucoup de choses à sa mère.
    Anne a dit beaucoup de choses à sa mère.
13. Il fait une promenade.
    Il a fait une promenade.
14. Tu vois des gens dans la rue.
    Tu as vu des gens dans la rue.
15. Je ne mets pas la lettre sur la table.
    Je n'ai pas mis la lettre sur la table.
16. Elle veut acheter des timbres.
    Elle a voulu acheter des timbres.
17. Je ne suis pas à Chicago.
    Je n'ai pas été à Chicago.
18. Vous prenez du café.
    Vous avez pris du café.
19. Le repas coûte vingt francs.
    Le repas a coûté vingt francs.
20. Ils remplissent la fiche.
    Ils ont rempli la fiche.

**B.** *Mettez les phrases suivantes au passé du passif:*

1. Anne est invitée à dîner par Étienne.
   Anne a été invitée à dîner par Étienne.

2. Le garçon est frappé par son frère.
   Le garçon a été frappé par son frère.
3. L'addition est faite par le garçon.
   L'addition a été faite par le garçon.
4. Le pain est coupé par la jeune fille.
   Le pain a été coupé par la jeune fille.
5. Les journaux sont vendus par les deux amis.
   Les journaux ont été vendus par les deux amis.
6. La jeune fille est frappée par son ami.
   La jeune fille a été frappée par son ami.

**C.** *Dans les phrases suivantes remplacez tous les noms par la forme convenable du pronom:*

1. Vendons les livres à la jeune fille!
   Vendons-les-lui!
2. Donnons du sucre à Étienne!
   Donnons-lui-en!
3. Rendez la clé à l'hôtelière!
   Rendez-la-lui!
4. Allons à Paris!
   Allons-y!
5. Mangeons du bifteck!
   Mangeons-en!
6. Donnez huit stylos à Jean-Paul!
   Donnez-lui-en huit!
7. Donnez le papier à Marie!
   Donnez-le-lui!
8. Vendons les livres à la jeune fille!
   Vendons-les-lui!
9. Vendons le livre aux jeunes filles!
   Vendons-le-leur!
10. Vends le journal à l'hôtelière!
    Vends-le-lui!
11. Donne-moi le stylo!
    Donne-le-moi!
12. Donne-moi de l'encre!
    Donne-m'en!

13. Donnez-nous le timbre!
    Donnez-le-nous!
14. Donnez-lui le timbre!
    Donnez-le-lui!
15. Mange le repas!
    Mange-le!

**D.** *Ajoutez* ***ne . . . que*** *aux phrases suivantes:*

1. Anne aime Étienne.
   Anne n'aime qu'Étienne.
2. Étienne lui donne des livres.
   Étienne ne lui donne que des livres.
3. Étienne parle anglais.
   Étienne ne parle qu'anglais.
4. Elles achètent du pain.
   Elles n'achètent que du pain.
5. Le garçon mange des haricots verts.
   Le garçon ne mange que des haricots verts.
6. Il vend le tabac.
   Il ne vend que le tabac.
7. Anne a lu Flaubert.
   Anne n'a lu que Flaubert.
8. Ils ont vu Anne.
   Ils n'ont vu qu'Anne.
9. J'ai lu des romans.
   Je n'ai lu que des romans.
10. Tu as visité la France.
    Tu n'as visité que la France.
11. Marie parle français.
    Marie ne parle que français.
12. Ils ont vu Anne.
    Ils n'ont vu qu'Anne.
13. Anne a lu Flaubert.
    Anne n'a lu que Flaubert.
14. Elles achètent du pain.
    Elles n'achètent que du pain.

15. J'ai lu des romans.
    Je n'ai lu que des romans.

**E.** *Dans les phrases suivantes, remplacez l'adjectif démonstratif et le nom par le pronom démonstratif; suivez cet exemple:* ***Ces garçons sont français / Ceux-là sont français.***

1. Ces épiceries sont près d'ici.
   Celles-là sont près d'ici.
2. Ce paquet est lourd.
   Celui-là est lourd.
3. Cette poire est bonne.
   Celle-là est bonne.
4. Ces garçons sont français.
   Ceux-là sont français.
5. J'ai acheté cette maison-là.
   J'ai acheté celle-là.
6. Je veux ce roman-là, pas ce roman-ci.
   Je veux celui-là, pas celui-ci.
7. As-tu trouvé ce paquet-ci dans la rue?
   As-tu trouvé celui-ci dans la rue?
8. Vendez-moi ces livres-ci!
   Vendez-moi ceux-ci!
9. Voulez-vous manger ces côtelettes-là?
   Voulez-vous manger celles-là?
10. Cette cathédrale m'intéresse.
    Celle-là m'intéresse.

### *ICI-BAS*

| | |
|---|---|
| Ici-bas tous les lilas meurent, | **tous**, *all;* **lilas**, *lilacs;* **meurent**, *(they) die* |
| Tous les chants des oiseaux sont courts. | **chant**, *song;* **oiseau**, *bird;* **court**, *short* |
| Je rêve aux étés qui demeurent | **rêve**, *(I) dream;* **été**, *summer;* **demeurent**, *(they) stay, remain* |
| Toujours . . . | **toujours**, *always* |

Ici-bas les lèvres effleurent

Sans rien laisser de leur velours;

Je rêve aux baisers qui demeurent

Toujours . . .

Ici-bas tous les hommes pleurent

Leurs amitiés ou leurs amours;

Je rêve aux couples qui demeurent

Toujours . . .

*—Sully Prudhomme*
*(1839-1907)*

**lèvre**, *lip;* **effleurent**, *(they) touch lightly*
**laisser**, *to leave;* **velours**, *velvet*
**baiser**, *kiss*

**pleurent**, *(they) cry*

**amitié**, *friendship;* **amour**, *love*

# HUITIÈME LEÇON

## CONVERSATION: DEVANT LA CATHÉDRALE

| | |
|---|---|
| *Anne* | La cathédrale est vraiment impressionnante. |
| *Étienne* | Je suis tout à fait d'accord. Tiens, voilà un de mes copains. Salut, Jean-Paul, comment vas-tu? |
| *Jean-Paul* | Pas mal, merci, et toi? |
| *Étienne* | Ça va. On ne te voit plus ces jours-ci. Où te caches-tu? |
| *Jean-Paul* | Mais, j'étudie tout le temps. Tu sais bien que je prépare mes examens. |
| *Étienne* | Tiens! Je l'ai oublié. Je deviens de plus en plus distrait. |
| *Jean-Paul* | C'est ce que j'ai remarqué. Tu as même oublié de me présenter à ton amie. |
| *Étienne* | Mais, c'est que tu es toujours pressé, toi. Jean-Paul, permets-moi de te présenter à Anne Dupont. Anne, Jean-Paul Charbonnier. |
| *Jean-Paul* | Enchanté, Mademoiselle. |
| *Anne* | Enchantée, Monsieur. |
| *Étienne* | Anne vient des États-Unis; elle suit des cours à l'université. |
| *Jean-Paul* | Je me demande pourquoi je ne vous ai pas |

remarquée. Moi, j'y vais tous les jours à huit heures.

*Anne* Eh bien, c'est parce que, moi, je ne me lève jamais aussi tôt que vous. Je ne me couche jamais avant minuit, donc, je ne vais à l'université que l'après-midi.

**QUESTIONNAIRE**

*Répondez en français par des phrases complètes:*

1. Est-ce que la cathédrale est impressionnante? 2. Est-ce que vous êtes d'accord avec Anne? 3. Comment vas-tu? 4. Comment ça va? 5. Où vous cachez-vous? 6. Pourquoi est-ce qu'on ne vous voit plus ces jours-ci? 7. Est-ce que vous préparez vos examens? 8. Qui devient de plus en plus distrait? 9. As-tu oublié de me présenter à ton amie? 10. Est-ce que tu es toujours pressé? 11. Présentez-moi à votre amie. 12. Permets-moi de te présenter à Jean-Paul. 13. D'où vient Anne? 14. Que fait Anne à l'université? 15. Quand est-ce que Jean-Paul va à l'université? 16. À quelle heure se lève Jean-Paul? 17. À quelle heure se lève Anne? 18. À quelle heure vous levez-vous? 19. À quelle heure vous êtes-vous levé aujourd'hui? 20. À quelle heure allez-vous à l'université? 21. Quand est-ce que vous vous couchez? 22. Quand est-ce qu'Anne se couche? 23.À quelle heure vous êtes-vous couché hier soir? 24. Est-ce que vous allez à l'université tous les jours? 25. Quels jours n'allez-vous pas à l'université? 26. À quelle heure commencent vos classes? 27. À quelle heure est-ce que vos classes finissent? 28. Combien de cours suivez-vous?

# GRAMMAIRE

## I DISJUNCTIVE PRONOUNS (pronoms disjonctifs)

- **Form and meaning**

In previous lessons, you have used forms of the personal pronouns which are *conjunctive*—subject or object pronouns used in close connection with verbs.

In this section, you are introduced to *disjunctive* pronouns—special forms of the personal pronouns which are not immediately connected with verbs. Disjunctive pronouns are able to take stress and stand alone; therefore, they are often called stressed forms of the personal pronouns.

Study the following sentences carefully, noting the form and meaning of the stressed forms:

| | |
|---|---|
| Pas mal, merci, et **toi**? | Not bad, thanks, and *you*? |
| C'est que tu es toujours pressé, **toi**. | That's because *you* are always in a hurry. |
| Permets-**moi** de te présenter à Anne Dupont. | Allow *me* to introduce you to Anne Dupont. |
| **Moi**, j'y vais tous les jours. | As for *me*, I go there every day. |
| **Moi**, je ne me lève jamais aussi tôt que **vous**. | *I* never get up as early as *you*. |

The following chart shows both stressed and unstressed forms of all subject and object pronouns:

| *singular* | | *plural* | |
|---|---|---|---|
| *unstressed* | *stressed* | *unstressed* | *stressed* |
| je, me | **moi** | nous | **nous** |
| tu, te | **toi** | vous | **vous** |
| il, le | **lui** | ils, les | **eux** |
| elle, la | **elle** | elles, les | **elles** |
| que | **quoi** | | |
| se | **soi** (*singular only*) | | |

• **Use**

The stressed form of the personal pronoun is used in the following cases:

1) *when the subject of the sentence is expressed without a verb:*

| | |
|---|---|
| Qui a écrit *Hamlet*? Pas **moi**. | Who wrote *Hamlet*? Not *I*. |

2) *when the subject or object is repeated for emphasis or clarity:*

| | |
|---|---|
| **Moi**, j'y vais tous les jours. | *I* go there every day. |

3) *when the pronoun follows a preposition:*

| | |
|---|---|
| Elle l'a fait pour **lui**. | She did it for *him*. |
| Tu vas te promener avec **elle**, sans **moi**! | You're going to take a walk with *her*, without *me*! |

4) *after* **que** *in comparisons:*

| | |
|---|---|
| Jean-Paul est plus grand que **lui**. | Jean-Paul is taller than *he*. |
| Vous êtes plus intéressantes qu'**eux**. | You are more interesting than *they*. |

5) *in compound subjects or objects:*

| | |
|---|---|
| **Elle** et **moi** nous étudions le français. | *She* and *I* are studying French. |
| Je les ai vus, Robert et **lui**. | I saw Robert and *him*. |

6) *After* **c'est** *and* **ce sont***:*

| | |
|---|---|
| C'est **moi**. | It is *I* (*me*). |
| C'est **vous**. | It is *you*. |
| Ce sont **eux**. | It is *they* (*them*). |

**Exercice 1.** *Dans les phrases suivantes, renforcez (reinforce) les pronoms en italique, en employant la forme convenable du pronom disjonctif:*

1. *Je* ne l'ai jamais vue.
2. Je ne *l'*ai jamais vue.
3. *Il* se lève à midi.
4. Qu'est-ce que *tu* fais?
5. Il *leur* a dit cela.
6. On a dit qu'*elles* s'appellent Smith.
7. Êtes-*vous* américain, par hasard?
8. *Il* a dit cela?
9. Il *nous* l'a dit.
10. *J'*ai vu un film hier.

## II PASSÉ COMPOSÉ OF REFLEXIVE VERBS

All of the verbs studied up to this point have formed the **passé composé** using **avoir** as the auxiliary verb. The **passé composé** of reflexive verbs, however, is conjugated with **être** as the auxiliary verb:

*passé composé of* **se laver**—*to wash oneself*
(I washed myself, was washing myself, did wash myself, etc.)

| | |
|---|---|
| **je me suis lavé** | **nous nous sommes lavés** |
| **tu t'es lavé** | **vous vous êtes lavé**[1] |
| **il s'est lavé** | **ils se sont lavés** |
| **elle s'est lavée** | **elles se sont lavées** |

[1]Remember that **vous** can be singular or plural, masculine or feminine. Thus, the past participle agreeing with **vous** may take any one of four forms: For example, **You washed yourself (yourselves)** may be translated: **vous vous êtes lavé, vous vous êtes lavée, vous vous êtes lavés,** or **vous vous êtes lavées.** If a sentence is taken out of context, make the past participle masculine singular; if **vous** refers to members of both sexes, make the past participle agreement masculine plural.

Note that aside from using **être** instead of **avoir** as the auxiliary verb, the **passé composé** of reflexive verbs is formed in the same manner as the other verbs studied thus far. The past participle agrees in number and gender with the preceding direct object, but does not agree with an indirect object or a direct object that follows the verb.

Since reflexive pronouns may be either direct objects or indirect objects, the past participle may or may not agree in number and gender, as the following examples show:

| | |
|---|---|
| Elle **s'est lavée.** | She *washed herself.* |
| Elle **s'est lavé les mains.** | She *washed her hands.* (literally, she *washed to herself the hands.*) |
| Elle **se les est lavées.** | She *washed them.* |

In the first sentence, the reflexive pronoun **se** (**s'**) is the direct object; since it precedes the verb, the past participle agrees with it in number and gender. In the second sentence, notice that **s'** is the indirect object; since the direct object **les mains** follows the verb, there is no agreement in the past participle. In the final example, **se** is again the indirect object; however, the direct object pronoun **les** precedes the verb and so, the past participle agrees with it in number and gender.

**Exercice 2.** *Dites en français:*

1. I got up at eight o'clock.
2. Anne got up at noon.
3. He went away.
4. He prepared his exams.
5. I (*f.*) wonder if he saw me.
6. We went to bed early.
7. She looked at herself.
8. They spoke to themselves.
9. You did not get up at noon.
10. He went to bed at five to nine.

### III THE EXPRESSIONS NE . . . JAMAIS AND NE . . . PLUS

In the following examples, note carefully the position and meaning of the negative expressions **ne . . . jamais** and **ne . . . plus**:

| | |
|---|---|
| On **ne** te voit **plus.** | You aren't seen *any more.* (One *no longer* sees you.) |
| Je **ne** me lève **jamais** aussi tôt que vous. | I *never* get up as early as you. |

| | |
|---|---|
| Je **ne** me couche **jamais** avant minuit. | I *never* go to bed before midnight. |

In the **passé composé** and other compound tenses, **plus** and **jamais** follow the auxiliary verb:

| | |
|---|---|
| Il **n'a jamais** vu la cathédrale. | He *never* saw the cathedral. |
| Nous **ne** nous sommes **plus** regardés. | We didn't look at ourselves *any more*. (We *no longer* looked at one another.) |

**Exercice 3.** *Insérez dans les phrases suivantes l'équivalent français des expressions signalées entre parenthèses:*

1. (*never*) Étienne l'a présentée à Jean-Paul.
2. (*no longer*) Ils se promènent avant de manger.
3. (*does not . . . any more*) Anne attend son ami.
4. (*never*) Pourquoi m'avez-vous dit cela?
5. (*does not . . . any longer*) Il compte rester à Paris.
6. (*no more*) J'ai des copains.
7. (*no longer*) J'ai des copains.
8. (*never*) On mange à ce restaurant.

## IV VERBS FOR SPECIAL STUDY: APPELER AND SE LEVER

There is a small but important group of verbs in French that require spelling changes when conjugated. The verbs in this group can be easily recognized by their infinitives, which all end in the same pattern:

| | | | |
|---|---|---|---|
| *e* (*consonant*) *er* | Some examples are: | **app***eler* | **ach***eter* |
| | | **l***ever* | **se prom***ener* |

Study the following verbs carefully, noting the spelling changes in their conjugations:

*present tense of* **appeler**—*to call*
(I call, am calling, do call, etc.)

| | |
|---|---|
| **j'appelle** | **nous appelons** |
| **tu appelles** | **vous appelez** |
| **il appelle** | **ils appellent** |
| **elle appelle** | **elles appellent** |

*present tense of* **se lever**—*to get up*
(I get up, am getting up, do get up, etc.)

| | |
|---|---|
| **je me lève** | **nous nous levons** |
| **tu te lèves** | **vous vous levez** |
| **il se lève** | **ils se lèvent** |
| **elle se lève** | **elles se lèvent** |

As the preceding conjugations illustrate, there are two possible spelling changes for verbs of this type:

1) doubling of the consonant before a mute *e*
2) adding a grave accent to the *e* of the stem: *è*

A verb in this group may change in either of the above two ways; therefore, the conjugations of these verbs should be memorized. Study the preceding conjugations again, this time noting that the spelling changes occur when the consonant ending the stem is followed by a *mute (unpronounced) e.*

The **passé composé** of these verbs is formed as follows:

| | |
|---|---|
| **J'ai appelé** le garçon. | *I called* the waiter. |
| **Je me suis levé.** | *I got up.* |

In forming the past participle of verbs of this type, why is the consonant not doubled or a grave accent added? Re-read the examples, this time noting that the consonant ending the stem (*l* or *v*) is followed by a *pronounced* vowel.

Be sure to distinguish carefully between **appeler** (*to call*) and the reflexive form **s'appeler** (*to be called, or named*):

| | |
|---|---|
| **J'appelle** le garçon. | *I call* the waiter. |
| **Je m'appelle** Anne. | *My name is* Anne. |

### EXERCICES

**A.** *Dans les phrases suivantes, faites l'accord du participe passé:*

1. Je ne les ai jamais vu _______.
2. Marie et Paul se sont levé _______ à trois heures.
3. Elle ne s'est plus lavé _______.
4. Voici la choucroute que vous avez commandé _______.

5. Est-ce lui que Marie a aimé _______?
6. Pourquoi les a-t-il voulu _______?
7. Tu ne les as jamais acheté _______.
8. Ils s'en sont acheté _______ dix.

**B.** *Dites en français:*

—Hello, Jean-Paul. How are you?
—Not bad, thanks, and you?
—O.K. I want to introduce you to my friend.
—What is her name?
—Marie Rodin.
—Pleased to meet you, Marie. Have you been in Paris for a long time?
—No, Jean-Paul. I just arrived here.
—I know that there are many things in Paris that will interest you. Have you visited the Louvre?
—No, I haven't seen it, but I intend to go there tomorrow.
—Have you seen Notre-Dame?
—Oh yes! I got up early this morning to go there.
After that, Étienne and I ate in a little restaurant and then (**puis**) we walked until two-thirty.
—I can see that you have had (**passer**) an interesting day!

## VOCABULAIRE

(un) **accord** agreement; **être d'accord** to agree; **je suis d'accord** I agree
**aller**: **ça va!** O.K., agreed!; **comment ça va?** how are things?; **comment vas-tu?** how are you?
(un) **après-midi** afternoon
**aussi**: **aussi . . . que** as . . .as
**cacher** to hide; **se cacher** to hide
**ce**: **ce que** that which, what
(le) **copain** pal
**se coucher** to go to bed
**demander** (*à qqn de faire qqch.*) to ask (*s.o. to do sth.*); **se demander** to wonder
**distrait** absent-minded
**donc** therefore
**étudier** to study
**eux** them
(un) **examen** examination
(le) **film** movie
(le) **hasard** chance, accident
**hier** yesterday
**huitième** eighth
**impressionnant** impressive
(le) **jour**: **tous les jours** every day

**lever** to raise, to lift; **se lever** to get up
**lui** him
**mal** badly
**même** even
**ne: ne . . . jamais** never; **ne . . . plus** no longer
**oublier** to forget
**parce que** because
**permettre** to permit, to allow; **permets-moi, permettez-moi** permit me
**plus: de plus en plus** more and more
**préparer** to prepare; **préparer un examen** to study for an exam
**présenter** to introduce
**pressé** in a hurry, rushed
**quoi** what, which
**remarquer** to notice
(le) **salut** greeting, salutations; **salut!** greetings! hi!
**soi** oneself
**suivre: suivre un cours** to take a course; **elle suit un cours** she is taking a course
**toi** you
**tôt** early
**tout: tout à fait** completely, altogether; **tout le temps** all the time

## EXERCICES STRUCTURAUX

**A.** *Dans les phrases suivantes remplacez les noms après les prépositions par les pronoms disjonctifs:*

1. Je l'ai fait pour Jean-Paul.
   Je l'ai fait pour lui.
2. Je l'ai fait pour Jean-Paul et Anne.
   Je l'ai fait pour eux.
3. Jean-Paul l'a fait pour Anne et toi.
   Jean-Paul l'a fait pour vous.
4. Il l'a fait pour Anne et moi.
   Il l'a fait pour nous.
5. Je me suis promené avec ma mère.
   Je me suis promené avec elle.
6. Vous avez parlé avec ce petit garçon-là.
   Vous avez parlé avec lui.
7. Nous avons vendu le livre pour notre ami.
   Nous avons vendu le livre pour lui.
8. J'ai fait cela pour mon ami et son père.
   J'ai fait cela pour eux.

9. J'ai fait ceci pour Anne et sa mère.
   J'ai fait ceci pour elles.
10. Anne a fait cela pour son frère et sa soeur.
    Anne a fait cela pour eux.
11. Je vais chez Jacques et Henri.
    Je vais chez eux.
12. Anne a fini avant Marie.
    Anne a fini avant elle.
13. Je parle pour ma mère et ma soeur.
    Je parle pour elles.
14. Je vais à Paris avec Henri.
    Je vais à Paris avec lui.
15. Jacques a parlé avant son frère.
    Jacques a parlé avant lui.

**B.** *Mettez les phrases suivantes au passé composé:*

1. Elle se promène avec Étienne.
   Elle s'est promenée avec Étienne.
2. Nous nous levons à midi.
   Nous nous sommes levés à midi.
3. Il se couche à onze heures.
   Il s'est couché à onze heures.
4. Je me lave les mains avant de manger.
   Je me suis lavé les mains avant de manger.
5. Je me demande si vous parlez français.
   Je me suis demandé si vous parlez français.
6. Tu te laves à six heures.
   Tu t'es lavé à six heures.
7. Elle se couche à minuit.
   Elle s'est couchée à minuit.
8. Nous nous lavons samedi.
   Nous nous sommes lavés samedi.
9. Je me lève à huit heures.
   Je me suis levé à huit heures.
10. Jacques se promène avec Henri.
    Jacques s'est promené avec Henri.

**C.** *Insérez **ne . . . jamais** dans les phrases suivantes:*

1. Tu manges à ce restaurant.
   Tu ne manges jamais à ce restaurant.
2. Je vois mes amis dans la rue.
   Je ne vois jamais mes amis dans la rue.
3. J'ai demeuré à Paris.
   Je n'ai jamais demeuré à Paris.
4. Ils se sont promenés avant de manger.
   Ils ne se sont jamais promenés avant de manger.
5. Pourquoi m'avez-vous dit cela?
   Pourquoi ne m'avez-vous jamais dit cela?
6. J'ai le livre.
   Je n'ai jamais le livre.
7. Il se couche avant minuit.
   Il ne se couche jamais avant minuit.
8. Il se lave avant de manger.
   Il ne se lave jamais avant de manger.
9. Elle se promène avec Étienne.
   Elle ne se promène jamais avec Étienne.
10. J'ai fait cela.
    Je n'ai jamais fait cela.

**D.** *Insérez **ne . . . plus** dans les phrases suivantes:*

1. J'ai des copains.
   Je n'ai plus de copains.
2. Ils ont mangé à ce restaurant.
   Ils n'ont plus mangé à ce restaurant.
3. S'est-elle levée à huit heures?
   Ne s'est-elle plus levée à huit heures?
4. On t'a vu à Paris.
   On ne t'a plus vu à Paris.
5. Allez à l'hôtel!
   N'allez plus à l'hôtel!
6. Elle se promène avec Étienne.
   Elle ne se promène plus avec Étienne.
7. Je vois mes amis.
   Je ne vois plus mes amis.

8. Il se lave avant de manger.
   Il ne se lave plus avant de manger.
9. Je me suis levé à huit heures.
   Je ne me suis plus levé à huit heures.
10. Je vais chez Jacques.
   Je ne vais plus chez Jacques.

**E.** *Commencez chaque phrase par le mot donné entre parenthèses:*

1. Je sais que cette rue est petite. *(nous . . .)*
   Nous savons que cette rue est petite. *(Marie . . .)*
   Marie sait que cette rue est petite. *(Marie et Anne . . .)*
   Marie et Anne savent que cette rue est petite. *(je . . .)*
   Je sais que cette rue est petite. *(il . . .)*
   Il sait que cette rue est petite. *(tu . . .)*
   Tu sais que cette rue est petite. *(vous . . .)*
   Vous savez que cette rue est petite. *(Henri et Jean-Paul . . .)*
   Henri et Jean-Paul savent que cette rue est petite. *(Henri . . .)*
   Henri sait que cette rue est petite.

2. Je lis beaucoup de livres. *(nous . . .)*
   Nous lisons beaucoup de livres. *(Marie . . .)*
   Marie lit beaucoup de livres. *(Marie et Anne . . .)*
   Marie et Anne lisent beaucoup de livres. *(je . . .)*
   Je lis beaucoup de livres. *(il . . .)*
   Il lit beaucoup de livres. *(tu . . .)*
   Tu lis beaucoup de livres. *(vous . . .)*
   Vous lisez beaucoup de livres. *(Henri et Jean-Paul . . .)*
   Henri et Jean-Paul lisent beaucoup de livres. *(Henri . . .)*
   Henri lit beaucoup de livres.

3. J'ai lu beaucoup de livres. *(Henri . . .)*
   Henri a lu beaucoup de livres. *(Henri et Jean-Paul . . .)*
   Henri et Jean-Paul ont lu beaucoup de livres. *(vous . . .)*
   Vous avez lu beaucoup de livres. *(tu . . .)*
   Tu as lu beaucoup de livres. *(il . . .)*
   Il a lu beaucoup de livres. *(je . . .)*
   J'ai lu beaucoup de livres. *(Marie et Anne . . .)*

Marie et Anne ont lu beaucoup de livres. *(Marie . . .)*
Marie a lu beaucoup de livres. *(nous . . .)*
Nous avons lu beaucoup de livres.

4. J'appelle le garçon. *(Henri et Jean-Paul . . .)*
Henri et Jean-Paul appellent le garçon. *(vous . . .)*
Vous appelez le garçon. *(tu . . .)*
Tu appelles le garçon. *(il . . .)*
Il appelle le garçon. *(nous . . .)*
Nous appelons le garçon. *(Marie et Anne . . .)*
Marie et Anne appellent le garçon. *(Henri . . .)*
Henri appelle le garçon. *(je . . .)*
J'appelle le garçon. *(tu . . .)*
Tu appelles le garçon.

5. Je me lève le dimanche à six heures. *(nous . . .)*
Nous nous levons le dimanche à six heures. *(Marie et Anne . . .)*
Marie et Anne se lèvent le dimanche à six heures. *(je . . .)*
Je me lève le dimanche à six heures. *(Marie . . .)*
Marie se lève le dimanche à six heures. *(il . . .)*
Il se lève le dimanche à six heures. *(tu . . .)*
Tu te lèves le dimanche à six heures. *(vous . . .)*
Vous vous levez le dimanche à six heures. *(Henri et Jean-Paul . . .)*
Henri et Jean-Paul se lèvent le dimanche à six heures. *(Henri . . .)*
Henri se lève le dimanche à six heures.

**F.** *Dans les phrases suivantes, remplacez le mot convenable par le mot donné entre parenthèses:*

1. Dimanche, je me suis levé à six heures. *(vous . . .)*
Dimanche, vous vous êtes levé à six heures. *(Henri . . .)*
Dimanche, Henri s'est levé à six heures. *(tu . . .)*
Dimanche, tu t'es levé à six heures. *(il . . .)*
Dimanche, il s'est levé à six heures. *(nous . . .)*
Dimanche, nous nous sommes levés à six heures. *(Marie et Anne . . .)*
Dimanche, Marie et Anne se sont levées à six heures. *(Henri . . .)*
Dimanche, Henri s'est levé à six heures. *(je . . .)*
Dimanche, je me suis levé à six heures. *(tu . . .)*
Dimanche, tu t'es levé à six heures.

# NEUVIÈME LEÇON

## CONVERSATION: DEVANT LA CATHÉDRALE (fin)

*Jean-Paul* Dites donc, Anne, comment trouvez-vous Paris?

*Anne* Je l'aime beaucoup. Quand je suis arrivée, je me suis sentie un peu dépaysée, mais tout va mieux maintenant. Paris me plaît davantage chaque jour. Est-ce qu'il fait toujours aussi beau?

*Jean-Paul* Pas toujours. Vous avez eu de la chance. D'habitude il pleut assez souvent au mois d'octobre.

*Anne* Voyons, ne me découragez pas. C'est justement ce qui m'a le plus frappée. À New York en automne il fait moins beau qu'ici. À Paris tout est en couleur. Le ciel est bleu et les arbres sont jaunes et rouges.

*Jean-Paul* Ce que je vous dis va peut-être vous décourager, mais avant la fin de novembre, c'est-à-dire en hiver, les feuilles vont tomber; il va faire froid et il va pleuvoir et neiger presque tous les jours.

*Anne* Sans blague!

*Jean-Paul* Alors, plus de vert—seulement du brun, du noir et du gris. Mais, ne perdez pas courage, il fait beau au printemps et en été il fait chaud.

*Anne* Que vous êtes triste! Mais ce que vous venez de me dire ne me décourage pas. Je suis terriblement optimiste. Et d'ailleurs, toutes les saisons sont belles à Paris.

**QUESTIONNAIRE**

*Répondez en français par des phrases complètes:*

1. Comment trouvez-vous Paris? 2. Quand vous êtes-vous senti dépaysé? 3. Est-ce que Paris vous plaît? 4. Est-ce qu'il fait toujours aussi beau? 5. Quand est-ce qu'il pleut assez souvent? 6. En automne est-ce qu'il fait moins beau à New York ou à Paris? 7. Quel temps fait-il d'habitude en automne? 8. Quel temps fait-il en été? 9. De quelle couleur est le ciel quand il fait beau? 10. De quelle couleur sont les arbres en été? 11. De quelle couleur sont les arbres en automne? 12. De quelle couleur est le ciel quand il pleut? 13. Quel temps fait-il en hiver? 14. Est-ce qu'il neige en été? 15. Est-ce qu'il pleut en hiver? 16. Quelle saison préférez-vous? Pourquoi? 17. Est-ce que Jean-Paul décourage Anne? 18. Quel temps fait-il maintenant? 19. En quelle saison est-ce qu'il y a peu de vert? 20. En quelle saison trouve-t-on beaucoup de couleurs?

*Demandez à un autre étudiant:*

1. si l'Hôtel de Normandie est près d'ici 2. s'il est parisien 3. d'où il vient 4. s'il est américain 5. s'il parle français 6. s'il parle anglais 7. si son père est américain 8. s'il parle deux langues à la maison 9. comment il s'appelle 10. s'il est enchanté de faire votre connaissance 11. quelle est la date aujourd'hui 12. si sa chambre est libre 13. sa nationalité 14. sa profession 15. s'il compte rester ici longtemps 16. s'il a la clé de sa chambre 17. s'il est français 18. depuis quand il est ici

*Dites à un autre étudiant:*

1. qu'il parle très bien le français 2. que vous êtes américain 3. comment vous vous appelez 4. que vous êtes enchanté de faire sa connaissance 5. au revoir 6. que vous êtes étudiant 7. que vous êtes français 8. bonjour 9. votre adresse 10. que vous avez la clé de votre chambre 11. que vous l'attendez depuis trois jours 12. que vous n'êtes pas parisien

# GRAMMAIRE

## I PASSÉ COMPOSÉ OF INTRANSITIVE VERBS

Intransitive verbs of motion and those which describe a change of condition use **être** as the auxiliary verb when forming the **passé composé** and other compound tenses. The past participles of these verbs agree in number and gender with the subject. Common verbs of this type are listed in the following chart:

| | | |
|---|---|---|
| *to go* | aller | **allé** |
| *to arrive* | arriver | **arrivé** |
| *to go down* | descendre | **descendu** |
| *to enter* | entrer | **entré** |
| *to go up* | monter | **monté** |
| *to die* | mourir | **mort** |
| *to be born* | naître | **né** |
| *to leave* | partir | **parti** |
| *to remain* | rester | **resté** |
| *to go out* | sortir | **sorti** |
| *to fall* | tomber | **tombé** |
| *to come* (*to return, to become*) | venir (revenir, devenir) | **venu** (**revenu, devenu**) |

Study the following conjugation of **venir**, a verb in this category, paying special attention to the agreement of the past participle:

*passé composé of* **venir**—*to come*
(I came, have come, did come, etc.)

| | |
|---|---|
| **je suis venu**[1] | **nous sommes venus**[1] |
| **tu es venu**[1] | **vous êtes venus**[1] |
| **il est venu** | **ils sont venus** |
| **elle est venue** | **elles sont venues** |

In summary, the rules for the agreement of the past participle in the **passé composé** and other compound tenses are:

1) *With verbs that are conjugated with* **avoir** *as the auxiliary verb, the past participle agrees with the preceding direct object:*

**Je les ai vus.** — I saw them.

[1]It is possible that the person or persons referred to by the pronouns **je, tu, nous,** and **vous** are women; in such cases, the past participle will agree accordingly: **je suis venue, tu es venue, nous sommes venues, vous êtes venue(s).** Also see footnote 1 of Lesson 8.

Combien de **biftecks** as-tu **mangés?** — How many steaks did you eat?

Je n'aime pas **les romans** qu'elle a **lus.** — I don't like the novels she read.

2) *With reflexive verbs conjugated with* **être** *as the auxiliary verb, the past participle agrees with the preceding direct object:*

Elle s'est **sentie** dépaysée. — She felt strange. (**se** is a direct object here)

*But:*

Elle s'est **lavé** les mains. — She washed her hands. (**se** is an indirect object here; **les mains** is the direct object)

3) *With intransitive verbs of motion and change of condition conjugated with* **être** *as the auxiliary verb, the past participle agrees with the subject:*

**Elle** est **allée** à Paris. — She went to Paris.

**Ils** sont **entrés** dans le restaurant. — They entered the restaurant.

**Exercice 1.** *Dites en français:*

1. Jean-Paul and Anne arrived at Notre-Dame.
2. She hurried up.
3. Did she come to Paris with you?
4. Why did she sell them to her?
5. There are Marie and Anne. Did you see them?
6. When did you come here, Anne?
7. How many friends did you find?
8. We remained in our room.
9. She entered the cathedral.
10. We went with them.

## II RELATIVE PRONOUNS (les pronoms relatifs)

Relative pronouns are so called because they relate or refer back to a person or thing previously mentioned in the sentence. Study the following examples carefully, noting the form and meaning of the relative pronouns:

C'est nous **qui** avons dit cela. — It is we (we are the ones) *who* said that.

| | |
|---|---|
| Anne aime les arbres **qui** sont rouges en automne. | Anne likes the trees *that* (*which*) are red in autumn. |
| La femme **que** j'ai vue est ici. | The woman (*whom*) I saw is here. |
| Je n'aime pas les romans **qu'**elle a lus. | I don't like the novels (*that, which*) she read. |

What is the subject form of the relative pronoun? the direct object form? As you can see from the last two examples, it is not always necessary to express the relative pronoun in English, but in French, it must always be used. Notice that the relative pronoun is either the subject or the object of the verb which follows it and that it conveys the gender and number of its antecedent.

Sometimes the antecedent of the relative pronoun is either vague or unexpressed, or it is an idea rather than a single word. In such cases, French uses two special forms of the relative pronoun. Study the following examples:

| | |
|---|---|
| C'est justement **ce qui** m'a le plus frappé. | That's exactly *what* struck me the most. |
| **Ce que** je vous dis va peut-être vous décourager. | *What* I'm telling you is perhaps going to discourage you. |
| Tout le monde parle français à Genève, **ce qui** m'a beaucoup frappé. | Everyone speaks French in Geneva, *which* really struck me. |

What is the difference between **ce qui** and **ce que**? Which is the subject form? Which is the direct object form?

These compound forms of the relative pronoun are also used to express the English *what* when it implies *that which.* Study the following examples:

| | |
|---|---|
| Je sais **ce que** vous allez dire. | I know *what* you are going to say. |
| Elle n'aime pas **ce que** j'ai fait. | She doesn't like *what* I did. |
| Je me demande **ce qui** vous intéresse. | I wonder *what* interests you. |

The following chart summarizes the uses of relative pronouns:

| | *Definite antecedents* | *Indefinite antecedents; what (that which)* |
|---|---|---|
| *Subject of verb* | **qui** | **ce qui** |
| | C'est Étienne **qui** l'a dit. | **Ce qui** m'intéresse, c'est le français. |
| *Object of verb* | **que** | **ce que** |
| | Voilà la jeune fille **que** j'aime. | Je sais **ce que** tu fais. |

**Exercice 2.** *Remplacez le pronom relatif signalé entre parenthèses par l'équivalent français:*

1. (*who, what*) Voyez-vous l'homme ______ lui a demandé ______ il a fait?
2. (*whom, what*) Non, mais l'homme ______ j'ai vu m'a donné ______ j'ai voulu.
3. (*who; that*) C'est lui ______ aime Anne; c'est Anne ______ il aime.
4. (*what*) Dis-moi ______ tu fais!
5. (*what*) En automne, il fait beau à Paris; c'est ______ m'a frappé.
6. (*what*) Ne dis pas à Anne ______ je viens de te dire!
7. (*that*) Voici le restaurant ______ j'aime.
8. (*who*) Pourquoi aimez-vous cette jeune fille ______ ne vous aime pas?

**Exercice 3.** *Remplacez le pronom relatif signalé entre parenthèses par l'équivalent français:*

1. (*who*) Ce sont eux ______ sont arrivés.
2. (*what*) ______ je veux dire, c'est que Jean-Paul est mon copain.
3. (*what*) Il va faire ______ tu veux.
4. (*what*) Je ne sais pas ______ vous avez dit.
5. (*what*) Fais ______ tu veux!
6. (*what*) Elle sait ______ m'intéresse.
7. (*which, what*) Les arbres ______ sont rouges, sont ______ Anne aime le plus.
8. (*that*) Ce sont eux ______ tu as vus.

## III COMPARISON OF ADJECTIVES AND ADVERBS (la comparaison des adjectifs et des adverbes)

Study the following sentences carefully to determine how the comparative of the French adjective is formed:

| | |
|---|---|
| Il fait **beau.** | The weather is *fine.* |
| Il fait **plus beau.** | The weather is *better.* |
| Il fait **moins** beau. | The weather is *worse.* |
| Ici il fait **plus beau qu'**à New York. | The weather is *better* here *than* in New York. |
| À Paris il fait **aussi beau qu'**à San Francisco. | The weather is *as good* in Paris *as* in San Francisco. |
| Jean-Paul est **grand.** | Jean-Paul is *tall.* |
| Jean-Paul est **plus grand qu'**Étienne. | Jean-Paul is *taller* than Étienne. |
| Étienne est **moins grand que** Jean-Paul. | Étienne is *less tall (shorter) than* Jean-Paul. |
| Jean-Paul est **aussi grand que** son frère. | Jean-Paul is *as tall as* his brother. |

How is *as ... as* expressed in French? How is it used? How is **que** translated when used with **plus** or **moins**?

The same expressions are used to give the comparative forms of the adverb:

| | |
|---|---|
| Il pleut **souvent.** | It rains *often.* |
| Il pleut **plus souvent** à New York **qu'**à Paris. | It rains *more often* in New York *than* in Paris. |
| Il pleut **moins souvent** à Paris **qu'**à New York. | It rains *less often* in Paris *than* in New York. |
| Il pleut **aussi souvent** à Paris **qu'**à San Francisco. | It rains *as often* in Paris *as* in San Francisco. |

1) *A few adjectives do not form their comparatives by using* **plus:**

| | | | |
|---|---|---|---|
| **bon** | *good* | **meilleur** | *better* |
| **mauvais** | *bad* | **pire** | *worse* |

C'est un **bon** garçon.

C'est un **meilleur** garçon que Jacques.

2) *Some adverbs also have separate comparative forms:*

**bien** *well*

**mieux** *better*

Marie parle **bien.**

Marie parle **mieux** que moi.

3) *With numbers, use* **de** *instead of* **que** *to express* ***more than*** *or* ***fewer than:*** (Notice that this is not a comparison but an expression of quantity.)

| | |
|---|---|
| **Plus de** deux livres. | *More than* two books. |
| **Moins de** vingt portes. | *Fewer than* twenty doors. |

**Exercice 4.** *Remplacez les expressions signalées entre parenthèses par l'équivalent français:*

1. (*taller than*) Marie est ______ sa soeur.
2. (*shorter than*) Anne est ______ Marie.
3. (*better than*) Marie parle français ______ Étienne.
4. (*less than five*) Jean-Paul a ______ copains.
5. (*a better boy than*) Le petit Antoine est ______ Richard.
6. (*more beautiful*) Elle est ______ que sa soeur.
7. (*as handsome as*) Je crois qu'il est ______ toi.
8. (*oftener*) Pleut-il ______ à Paris ou à Londres?

## IV VERBS FOR SPECIAL STUDY: VENIR AND TENIR

Study the present tense of the verbs **venir** and **tenir**, paying special attention to their stems:

*present tense of* **venir**—*to come*

(I come, am coming, do come, etc.)

| | |
|---|---|
| **je viens** | **nous venons** |
| **tu viens** | **vous venez** |
| **il vient** | **ils viennent** |

*present tense of* **tenir**—*to hold*

(I hold, am holding, do hold, etc.)

| | |
|---|---|
| **je tiens** | **nous tenons** |
| **tu tiens** | **vous tenez** |
| **il tient** | **ils tiennent** |

What are the stems of **venir** and **tenir**? Notice that the *-n* is doubled in the third person plural form. Why?

Study the **passé composé** of these verbs:

| | |
|---|---|
| **je suis venu** | *I came, I have come, I did come* |
| **j'ai tenu** | *I held, I have held, I did hold* |

The compounds of these verbs (e.g., **devenir**, *to become*; **revenir**, *to return*; **contenir**, *to contain*, etc.) follow the same pattern of conjugation. In compound tenses, **venir** and its compounds are conjugated with **être** as the auxiliary verb; **tenir** and its compounds are conjugated with **avoir.**

**EXERCICES**

**A.** *Remplacez les expressions signalées entre parenthèses par l'équivalent français:*

1. (*got up*) Elles ______ à huit heures ce matin.
2. (*Didn't we go to bed*) ______ à sept heures et demie?
3. (*entered*) Tu ______ dans la salle à manger.
4. (*what I asked him*) Paul n'a pas fait ______ de faire.
5. (*who*) C'est un de mes copains ______ vous a parlé.
6. (*more absent-minded than I*) Il est ______.
7. (*have not noticed them*) Je ______ à l'université.
8. (*I come*) ______ de San Francisco.
9. (*which I have never visited*) C'est une ville ______.
10. (*What, what*) ______ vous intéresse n'est pas ______ je fais.
11. (*did Anne and Marie go*) Pourquoi ______ à Marseille?
12. (*bought herself*) Elle ______ du vin.
13. (*the weather is better*) Aujourd'hui ______ que la semaine passée.
14. (*which*) Il va neiger, ______ ne me plaît pas.
15. (*more than*) Jean-Paul me décourage ______ Étienne.

**B.** *Dites en français:*

—I like Paris better than Le Havre.
—Come now! Didn't you feel strange when you arrived here, Anne?
—Yes, but I like Paris now. The weather is better here than in New York.
—What you say is perhaps true, but it usually rains quite often in November.

—That doesn't discourage me. It rains often in New York, too.

—It will snow in December, and the trees, which now are red and yellow, are going to be brown and grey.

—That's sad. Trees are much prettier when they are red and yellow. Do you like autumn better than winter, Étienne?

—It's all the same to me. Each season has its beautiful days.

## VOCABULAIRE

**alors** then
(un) **arbre** tree
**aussi** as, so
(un) **automne** autumn
**autre** other; **un autre** another
**beau** (**bel**), **belle**; *pl.* **beaux**, **belles** beautiful, handsome
**bleu** blue
**brun** brown
**ce**: **ce qui** that which, what
(la) **chance** chance, luck; **avoir de la chance** to be lucky
**chaque** each
**chaud** hot; **il fait chaud** it (the weather) is hot
(le) **ciel** sky
(la) **couleur** color
(le) **courage** courage
**davantage** more
**décourager** to discourage
**dépaysé** out of place; **se sentir dépaysé** to feel strange
**dire**: **c'est-à-dire** that is to say, namely; **dites** (**dis**) **donc!** look here! I say!
(un) **été** summer
(la) **feuille** leaf
**frapper** to strike
**froid** cold; **il fait froid** it (the weather) is cold
**gris** grey
(une) **habitude** habit, custom; **d'habitude** usually
(un) **hiver** winter
**jaune** yellow
**justement** exactly, precisely
(le) **mois** month
**neiger** to snow
**neuvième** ninth
**noir** black
(le) **novembre** November
(un) **octobre** October
**optimiste** optimistic
**perdre** to lose
**peut-être** perhaps
**plaire**: **plaire à** to please
**pleuvoir** to rain; **il pleut** it rains, it is raining
**plus**: **plus de** (+ *noun*) no more (*implies negation*); more
**presque** almost
(le) **printemps** spring
**rouge** red
(la) **saison** season
(la) **salle**: **salle à manger** dining room

**sans** without; **sans blague!** really! no kidding!
**sentir** to feel
**seulement** only
**souvent** often
(le) **temps: quel temps fait-il?** what's the weather like?
**terriblement** frightfully
**tomber** to fall
**triste** sad
**vert** green
(la) **ville** city
**voir: voyons!** come now!

## EXERCICES STRUCTURAUX

**A.** *Mettez les phrases suivantes au passé composé:*

1. Étienne appelle le garçon.
   Étienne a appelé le garçon.
2. Je mange beaucoup trop.
   J'ai mangé beaucoup trop.
3. Je parle souvent de Jacques.
   J'ai souvent parlé de Jacques.
4. Je demeure à Paris.
   J'ai demeuré à Paris.
5. Tu trouves la fiche.
   Tu as trouvé la fiche.
6. J'arrive en retard.
   Je suis arrivé en retard.
7. Je reste chez moi.
   Je suis resté chez moi.
8. Nous montons nous coucher à dix heures.
   Nous sommes montés nous coucher à dix heures.
9. J'entre dans la cathédrale.
   Je suis entré dans la cathédrale.
10. Anne tient la carte.
    Anne a tenu la carte.
11. Elles descendent nous voir.
    Elles sont descendues nous voir.
12. Allez-vous souvent chez elles?
    Êtes-vous souvent allé chez elles?
13. Tu te lèves très tôt.
    Tu t'es levé très tôt.

14. Je reste chez moi.
    Je suis resté chez moi.
15. Anne va à New York.
    Anne est allée à New York.

**B.** *Dans les exercices suivants employez* ***qui*** *pour combiner les deux phrases; suivez cet exemple:* ***Voilà la rue. La rue est longue./Voilà la rue qui est longue.***

1. Voyez-vous l'homme? L'homme lui a demandé cela.
    Voyez-vous l'homme qui lui a demandé cela?
2. C'est lui. Il aime Anne.
    C'est lui qui aime Anne.
3. Vous aimez cette jeune fille. Cette jeune fille ne vous aime pas.
    Vous aimez cette jeune fille qui ne vous aime pas.
4. Ce sont eux. Ils sont arrivés.
    Ce sont eux qui sont arrivés.
5. C'est un de mes copains. Il nous a parlé.
    C'est un de mes copains qui nous a parlé.
6. Anne aime le restaurant. Le restaurant est dans la rue de la Huchette.
    Anne aime le restaurant qui est dans la rue de la Huchette.
7. Voilà la rue. La rue est longue.
    Voilà la rue qui est longue.
8. Anne aime les légumes. Les légumes sont bon marché.
    Anne aime les légumes qui sont bon marché.
9. Anne aime les saisons. Les saisons sont belles.
    Anne aime les saisons qui sont belles.
10. Il ne voit pas les arbres. Les arbres sont jaunes.
    Il ne voit pas les arbres qui sont jaunes.

**C.** *Dans les exercices suivants employez* ***que*** *pour combiner les deux phrases:*

1. C'est Anne. Il aime Anne.
    C'est Anne qu'il aime.
2. Ce sont eux. Tu les as vus.
    Ce sont eux que tu as vus.

3. C'est un de mes copains. Tu le vois.
   C'est un de mes copains que tu vois.
4. Voilà la ville. Je ne l'ai jamais visitée.
   Voilà la ville que je n'ai jamais visitée.
5. Voilà la rue. Anne regarde la rue.
   Voilà la rue qu'Anne regarde.
6. Nous avons vu la jeune fille. Jean-Paul aime la jeune fille.
   Nous avons vu la jeune fille que Jean-Paul aime.
7. J'ai ici un livre. Nous lisons le livre.
   J'ai ici un livre que nous lisons.
8. Le français est une langue. Je veux parler français.
   Le français est une langue que je veux parler.
9. Voilà l'hôtelière. Vous avez vu l'hôtelière.
   Voilà l'hôtelière que vous avez vue.
10. C'est l'hôtel. J'aime l'hôtel.
    C'est l'hôtel que j'aime.

**D.** *Dans les exercices suivants employez* ***que*** *ou* ***qui*** *pour combiner les deux phrases:*

1. C'est Anne. Il aime Anne.
   C'est Anne qu'il aime.
2. C'est lui. Il aime Anne.
   C'est lui qui aime Anne.
3. Voilà la rue. Anne regarde la rue.
   Voilà la rue qu'Anne regarde.
4. Il n'aime pas les arbres. Les arbres sont jaunes.
   Il n'aime pas les arbres qui sont jaunes.
5. Voyez-vous l'homme? Il lui a demandé cela.
   Voyez-vous l'homme qui lui a demandé cela?
6. C'est l'hôtel. Elle habite l'hôtel.
   C'est l'hôtel qu'elle habite.
7. C'est elle. Elle aime Étienne.
   C'est elle qui aime Étienne.
8. Voilà l'hôtelière. J'aime l'hôtelière.
   Voilà l'hôtelière que j'aime.
9. Le français est une langue. Je veux parler français.
   Le français est une langue que je veux parler.

10. Tu aimes cette jeune fille. Cette jeune fille ne t'aime pas.
    Tu aimes cette jeune fille qui ne t'aime pas.
11. Ce sont eux. Ils sont arrivés.
    Ce sont eux qui sont arrivés.
12. C'est mon copain. Il nous a parlé.
    C'est mon copain qui nous a parlé.
13. Elle a parlé à la jeune fille. Étienne aime la jeune fille.
    Elle a parlé à la jeune fille qu'Étienne aime.
14. Paris est une ville. J'ai visité Paris.
    Paris est une ville que j'ai visitée.
15. Voilà la rue. La rue est longue.
    Voilà la rue qui est longue.

**E.** *Dans les phrases suivantes mettez les adjectifs et les adverbes à la forme comparative:*

1. San Francisco est une belle ville.
   San Francisco est une plus belle ville.
2. Anne est jolie.
   Anne est plus jolie.
3. Les arbres sont verts à New York.
   Les arbres sont plus verts à New York.
4. Il pleut souvent à Paris.
   Il pleut plus souvent à Paris.
5. Elle voit bien.
   Elle voit mieux.
6. Ce repas est bon.
   Ce repas est meilleur.
7. Cet arbre est blanc.
   Cet arbre est plus blanc.
8. Jean-Paul est grand.
   Jean-Paul est plus grand.
9. J'aime bien Paris.
   J'aime mieux Paris.
10. Milwaukee est une grande ville.
    Milwaukee est une plus grande ville.

**F.** *Modifiez les phrases suivantes selon cet exemple:* ***Il fait plus beau à New York qu'à Paris./Mais non. Il fait moins beau à New York qu'à Paris.***

1. Anne est plus jolie que Marie.
   Mais non. Anne est moins jolie que Marie.
2. Il pleut plus souvent ici qu'à Paris.
   Mais non. Il pleut moins souvent ici qu'à Paris.
3. Cet arbre est plus grand que celui-là.
   Mais non. Cet arbre est moins grand que celui-là.
4. Paris est plus grand que New York.
   Mais non. Paris est moins grand que New York.
5. Ce livre-ci est plus intéressant que celui-là.
   Mais non. Ce livre-ci est moins intéressant que celui-là.
6. Il fait plus beau à Marseille qu'à Paris.
   Mais non. Il fait moins beau à Marseille qu'à Paris.
7. Jean-Paul nous décourage plus qu'Étienne.
   Mais non. Jean-Paul nous décourage moins qu'Étienne.
8. Marie est plus belle qu'Anne.
   Mais non. Marie est moins belle qu'Anne.
9. Il neige plus souvent à Paris qu'à Londres.
   Mais non. Il neige moins souvent à Paris qu'à Londres.
10. Jacques est plus intéressant que lui.
   Mais non. Jacques est moins intéressant que lui.

# DIXIÈME LEÇON

## CONVERSATION: LE MYSTÈRE DU FOULARD

| | |
|---|---|
| *Anne* | Mais, où est mon foulard? |
| *Étienne* | Je ne savais pas que vous aviez un foulard. |
| *Anne* | Je l'avais ici tout à l'heure. Ne l'avez-vous pas vu, Jean-Paul? |
| *Jean-Paul* | Non. Où est-ce que vous l'avez mis? |
| *Anne* | Avant de quitter le restaurant, je l'ai mis dans la poche de mon manteau. |
| *Étienne* | Êtes-vous sûre? Regardez dans votre sac! Il est peut-être là. |
| *Anne* | Mais prenez-le et regardez vous-même! Il n'est pas là, je vous assure. |
| *Jean-Paul* | Et je ne le vois pas par terre. Êtes-vous certaine que vous l'aviez quand vous avez quitté l'hôtel? |
| *Anne* | Bien sûr, je suis certaine. C'est mon meilleur foulard—un beau foulard violet et jaune. |
| *Étienne (à un passant)* | Pardon, Monsieur, Avez-vous vu, par hasard, un foulard violet? |
| *Le Passant* | Un foulard? Voyons. En effet, Monsieur, je viens d'en voir un il y a deux minutes. |

| | |
|---|---|
| *Étienne* | Mais je vous en prie, Monsieur, dites-nous où vous l'avez vu. |
| *Le Passant* | C'était là-bas, près du pont. Deux petits chiens blancs jouaient avec un foulard. Je regrette de vous le dire, Monsieur, mais ils l'ont déchiré. |
| *Anne* | Ah! Ça c'est vraiment dommage. Mais, je peux toujours en acheter un autre. |

**QUESTIONNAIRE**

*Répondez en français par des phrases complètes:*

1. Où est le foulard? 2. Où était le foulard tout à l'heure? 3. Est-ce que Jean-Paul a vu le foulard? 4. Où est-ce qu'Anne l'avait mis? 5. Est-ce que le foulard d'Anne est dans son sac? 6. Qui regarde dans le sac? 7. Est-ce qu'Étienne le voit dans le sac? 8. Est-ce que le foulard est par terre? 9. Est-ce qu'Anne l'avait quand elle a quitté l'hôtel? 10. Est-ce que c'est un bon foulard? 11. De quelle couleur est le foulard? 12. Est-ce que le passant l'a vu? 13. Quand est-ce qu'il l'a vu? 14. Où est-ce qu'il l'a vu? 15. Est-ce qu'un passant l'avait? 16. Combien de chiens jouaient avec le foulard? 17. Est-ce que le passant est triste? Pourquoi? 18. Est-ce qu'Anne aime son foulard? 19. Qu'est-ce que les chiens ont fait avec le foulard? 20. De quelle couleur sont les chiens? 21. Est-ce qu'ils sont énormes? 22. Pourquoi est-ce dommage? 23. Qu'est-ce qu'Anne va faire maintenant?

*Demandez à un autre étudiant:*

1. où est sa chambre 2. si sa chambre est grande 3. si sa chambre est jolie 4. s'il y a de la place dans sa chambre 5. si son lit est confortable 6. s'il y a assez de place pour se mettre à son aise 7. s'il y a une chaise et une table dans sa chambre 8. s'il y a une bonne vue de la rue 9. s'il est amusant de regarder passer les gens 10. si la salle de bains est loin d'ici 11. s'il veut s'asseoir à cette table 12. s'il voit quelque chose qui l'intéresse 13. s'il a mangé 14. ce qu'il veut comme légume 15. ce qu'il veut comme viande

*Dites à un autre étudiant:*

1. que votre chambre est grande 2. que votre chambre est à gauche 3. que votre chambre est jolie 4. que vous avez assez de place dans votre chambre pour vous mettre à votre aise 5. que votre fauteuil est près de la fenêtre

6. que la salle de bains est à droite 7. que vous êtes en bas jusqu'à dix heures 8. que c'est un plaisir de le revoir 9. que vous avez faim 10. que vous voulez voir la carte 11. que vous voulez du bifteck 12. que le repas est bon marché

## I THE IMPERFECT TENSE (l'imparfait)

### • Meaning and function

Up until now, the only French past tense studied has been the **passé composé**, which is used to express a single, completed past action. In this lesson's conversation, another French past tense form is introduced: the imperfect tense, which is used to describe one of the following:

1) *a state of mind or of knowledge in the past*:

| | |
|---|---|
| **Je ne savais pas.** | *I didn't know.* |

2) *a repeated past action*:

| | |
|---|---|
| Il **achetait** un journal tous les jours. | *He used to buy (would buy, kept on buying)* a newspaper every day. |

3) *continued possession in the past*:

| | |
|---|---|
| ...**vous aviez** un foulard | ...*you had* a scarf |

4) *continual state of being in the past*:

| | |
|---|---|
| **C'était** là-bas, près du pont. | *It was* over there, near the bridge. |

5) *the time expressed by the past progressive tense in English*:

| | |
|---|---|
| Il **lisait** quand je suis arrivé. | *He was reading* when I arrived. |

### • Formation

Nearly every verb in the French language forms the imperfect tense by adding a set of imperfect endings to a stem formed by dropping the first person plural ending of the present tense (**-ons**):

| | |
|---|---|
| nous donnons | **donn-** |
| nous finissons | **finiss-** |
| nous avons | **av-** |
| nous voyons | **voy-** |

To this stem, add the following endings:

| | *singular* | *plural* |
|---|---|---|
| *first person* | -ais | -ions |
| *second person* | -ais | -iez |
| *third person* | -ait | -aient |

Study the following conjugation of **donner**, conjugated in the imperfect tense:

*imperfect tense of* **donner**—*to give*
(I used to give, was giving, etc.)

| | |
|---|---|
| **je donnais** | **nous donnions** |
| **tu donnais** | **vous donniez** |
| **il donnait** | **ils donnaient** |

Since impersonal verbs, such as **falloir** *(to be necessary)*, are conjugated only in the third person singular, they have only one imperfect form. To obtain the stem of the imperfect, drop the infinitive ending: **falloir, fall-; *il fallait.***

The conjugation of **être** in the imperfect tense does not follow the normal pattern, and should be memorized:

*imperfect tense of* **être**—*to be*
(I used to be, I was, etc.)

| | |
|---|---|
| **j'étais** | **nous étions** |
| **tu étais** | **vous étiez** |
| **il était** | **ils étaient** |

**Exercice 1.** *Mettez les verbes suivants à l'imparfait:*

| | | | |
|---|---|---|---|
| 1. | je vais | 10. | il neige |
| 2. | elle s'appelle | 11. | nous attendons |
| 3. | tu as | 12. | vous étudiez |
| 4. | nous parlons | 13. | ils s'en vont |
| 5. | vous venez | 14. | tu arrives |
| 6. | il voit | 15. | il remplit |
| 7. | elles finissent | 16. | ils ont |
| 8. | je compte | 17. | nous entrons |
| 9. | ils sont | 18. | savez-vous |

| | | | |
|---|---|---|---|
| 19. | tu ne désires pas | 25. | il lit |
| 20. | nous prenons | 26. | elle se lève |
| 21. | vous pouvez | 27. | il la décourage |
| 22. | ils tiennent | 28. | vous dites |
| 23. | je sais | 29. | ils font |
| 24. | nous nous en souvenons | 30. | il y a |

- **Imperfect tense of manger and commencer**

As you saw in section V of Lesson 4, verbs ending in **-cer** and **-ger** make certain spelling changes in their conjugations. Study the following conjugations in the imperfect tense of **manger** and **commencer,** two verbs in this category:

*imperfect tense of* **manger**—*to eat*
(I used to eat, was eating, etc.)

| | |
|---|---|
| **je mangeais** | **nous mangions** |
| **tu mangeais** | **vous mangiez** |
| **il mangeait** | **ils mangeaient** |

*imperfect tense of* **commencer**—*to begin*
(I used to begin, was beginning, etc.)

| | |
|---|---|
| **je commençais** | **nous commencions** |
| **tu commençais** | **vous commenciez** |
| **il commençait** | **ils commençaient** |

When is the *g* softened by an *e*, or the *c* softened by a cedilla? Why?

**Exercice 2.** *Dans les phrases suivantes, mettez les verbes en italique à l'imparfait ou au passé composé, selon le sens:*

Anne *perd* son foulard. Jean-Paul ne le *voit* pas quand il *sort* de la boutique. Elle *pense* qu'Étienne l'*a* dans sa poche. Ce foulard *est* violet et jaune et Anne *dit* qu'il *est* joli. Étienne ne *peut* pas croire cela, mais il ne le *dit* pas. Si Anne *sait* ce que *pense* son ami! Des chiens le *mangent* quand ils *jouent* avec le foulard. Ils le *déchirent.* Anne *achète* ce foulard au grand magasin. Elle l'*aime* bien, mais puisque deux petits chiens en *font* un chiffon (*rag*), il n'y *a* pas grand'chose à faire; elle *s'en va* avec Étienne et Jean-Paul, qui *veulent* se promener près du Louvre.

## II THE PLUPERFECT TENSE (le plus-que-parfait)

Study the following conjugation carefully, noting the form and meaning of the pluperfect tense in French:

*pluperfect tense of* **voir**—*to see*

| | | | |
|---|---|---|---|
| **j'avais vu** | *I had seen* | **nous avions vu** | *we had seen* |
| **tu avais vu** | *you had seen* | **vous aviez vu** | *you had seen* |
| **il avait vu** | *he had seen* | **ils avaient vu** | *they had seen* |

How is the pluperfect tense formed in French? How is it translated?

As in other compound tenses, certain verbs form the **plus-que-parfait** with **être** as the auxiliary verb.

| | |
|---|---|
| **J'étais venu.** | *I had come.* |
| **Elles s'étaient levées.** | *They had gotten up.* |

**Exercice 3.** *Mettez au plus-que-parfait les verbes suivants:*

1. il croit
2. elle vient
3. nous prenons
4. tu vois
5. ils sont
6. elles s'en vont
7. vous dites
8. elle peut
9. je suis
10. vous voulez
11. ils ne savent pas
12. nous tenons

**Exercice 4.** *Mettez au plus-que-parfait les verbes suivants:*

1. lisez-vous
2. nous commençons
3. ils s'appellent
4. elles montent
5. je fais
6. vois-tu
7. nous venons
8. nous mangeons
9. nous nous promenons
10. il devient

The following chart shows the time relationship among the tenses studied thus far.

The imperfect tense (**l'imparfait**) is represented by a series of dashes; it may express either a continual state of being or habitual action in the past; or, it may act as a setting within which individual actions take place.

The **passé composé** is represented by a single *x*; it expresses a single, completed past action or a state of being seen in a single moment.

The pluperfect (**le plus-que-parfait**) is represented by a single *x*; it expresses a completed past action which took place before another past action.

The present tense (**le présent**) is represented by a series of dashes; it expresses action going on at the present time.

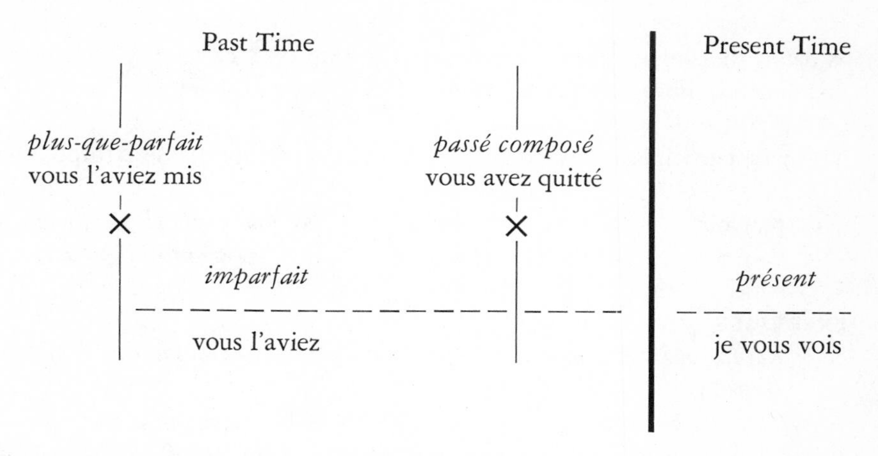


Pay special attention to the relationship between the **imparfait** and the **passé composé**: **vous l'aviez** is the state of continual action which acts as a setting to the single, completed action expressed by **vous avez quitté**.

**Vous l'aviez** quand **vous avez quitté** l'hôtel.

## III VERBS FOR SPECIAL STUDY: POUVOIR AND VOULOIR

Note the similarity of conjugation in the following verbs, **pouvoir** and **vouloir**:

*present tense of* **pouvoir**—*to be able*
(I can, am able, etc.)

| | |
|---|---|
| **je peux** | **nous pouvons** |
| **tu peux** | **vous pouvez** |
| **il peut** | **ils peuvent** |

*present tense of* **vouloir**—*to want*
(I want, do want, etc.)

| | |
|---|---|
| **je veux** | **nous voulons** |
| **tu veux** | **vous voulez** |
| **il veut** | **ils veulent** |

In the present indicative, **pouvoir** and **vouloir** substitute *x* for *s* in the first and second person singular endings; they are the only commonly used verbs that make this substitution.

What is the singular stem of **pouvoir**? of **vouloir**? Note that both **pouvoir** and **vouloir** have two plural stems.

The past participles of these verbs (shown here in the **passé composé**) are:

| | | | |
|---|---|---|---|
| pouvoir | **j'ai pu** | *I could, I was able* | (at a single, completed |
| vouloir | **j'ai voulu** | *I wanted* | moment in the past) |

**EXERCICES**

**A.** *Remplacez les expressions signalées entre parenthèses par l'équivalent français:*

1. *(saw)* Marie ______ Étienne il y a deux semaines.
2. *(saw him, was entering)* Elle ______ quand il ______ dans un restaurant.
3. *(would eat)* C'est un restaurant où il ______ souvent.
4. *(often ate)* Elle y ______.
5. *(passed, called her)* Comme Anne ______ près de sa table, Étienne ______.
6. *(had gotten up)* Il ______.
7. *(was)* Anne ______ contente de le voir.
8. *(wanted to eat, didn't have any money)* Elle ______ mais ______.
9. *(She had just spent)* ______ beaucoup d'argent.
10. *(had torn, liked)* Deux petits chiens ______ le foulard qu'elle ______.
11. *(had cost)* Celui-ci lui ______ 7 *F.*
12. *(It was a pity)* ______!
13. *(was not)* Mais Étienne, lui, ______ riche.
14. *(wanted, he didn't order any)* Il ______ du vin mais ______.

**B.** *Dites en français:*

—Hello, Anne. I haven't seen you for a week.

—That's because I've been reading Balzac's novels since Monday.

—No fooling. Had you ever read any of his novels before (**auparavant**)?

—Yes, I had read *Eugénie Grandet,* a book which I found very interesting.

—I used to read Balzac a lot. But I don't like his books any more.

—Why? Have you read too many novels?

—No. It's just that he doesn't interest me any more—and besides, I don't read as many books these days. I don't know why I used to study so much.

—What? I was beginning to think that you were a good student! You yourself told me that you couldn't go to bed without reading at least one book.

—Yes, I used to do that, but I don't do it any more.

—That's too bad!

## VOCABULAIRE

**assurer** to assure
**avoir: y avoir** to be; **il y a** ago
**blanc, blanche** white
**ça** that
**car** for, because
**certain** certain
(le) **chien** dog
**croire** to believe
**déchirer** to tear
**dixième** tenth
(le) **dommage** damage; **c'est dommage** it's too bad, it's a pity
(un) **effet** effect, result; **en effet** as a matter of fact, indeed
**énorme** enormous
(le) **foulard** scarf
(le) **hasard: par hasard** by chance
(une) **heure: tout à l'heure** a little while ago; in a little while
**jouer** to play
**là: là-bas** over there
(le) **manteau** coat
**meilleur** best
**monter** to go up
(le) **mystère** mystery
(le) **passant** passer-by
(la) **poche** pocket
(le) **pont** bridge
**prier** to pray, to ask, to beg; **je vous (en) prie** please
**puisque** since
**quitter** to leave

**regretter** to regret
**remplacer** to replace
**riche** rich
(le) **sac** sack, bag
**sortir** to go out
**sûr** sure; **bien sûr** of course
(la) **terre** earth; **par terre** on the ground
**violet, violette** violet, purple
**vous: vous-même** yourself

## EXERCICES STRUCTURAUX

**A.** *Dans les phrases suivantes mettez les verbes à l'imparfait:*

1. Nous donnons le livre à cet étudiant-là.
   Nous donnions le livre à cet étudiant-là.
2. Anne entre dans la chambre.
   Anne entrait dans la chambre.
3. Tu comptes rester.
   Tu comptais rester.
4. Les chiens jouent avec le foulard.
   Les chiens jouaient avec le foulard.
5. Elle parle français.
   Elle parlait français.
6. Anne se lave les mains.
   Anne se lavait les mains.
7. Je remplis la fiche.
   Je remplissais la fiche.
8. Je finis son livre.
   Je finissais son livre.
9. Ils vendent des journaux.
   Ils vendaient des journaux.
10. Elle croit Étienne.
    Elle croyait Étienne.
11. Vois-tu mon ami?
    Voyais-tu mon ami?
12. Votre chambre est grande.
    Votre chambre était grande.
13. J'ai faim.
    J'avais faim.

14. Il faut se promener.
    Il fallait se promener.
15. Anne perd son argent.
    Anne perdait son argent.
16. Les garçons en veulent.
    Les garçons en voulaient.
17. Elle n'y va pas avant midi.
    Elle n'y allait pas avant midi.
18. Nous avons faim.
    Nous avions faim.
19. Elles font cela souvent.
    Elles faisaient cela souvent.
20. Anne voit son amie.
    Anne voyait son amie.

**B.** *Mettez les phrases suivantes au pluriel:*

1. Tu voyais la rue.
   Vous voyiez la rue.
2. Il remplissait la fiche.
   Ils remplissaient la fiche.
3. Tu disais cela.
   Vous disiez cela.
4. Je vendais des journaux.
   Nous vendions des journaux.
5. Elle y allait souvent.
   Elles y allaient souvent.
6. J'étais à Paris.
   Nous étions à Paris.
7. Tu jouais avec le foulard.
   Vous jouiez avec le foulard.
8. Je voyais la rue.
   Nous voyions la rue.
9. Il était à New York.
   Ils étaient à New York.
10. Elle voulait du café.
    Elles voulaient du café.

**C.** *Mettez les phrases suivantes au singulier:*

1. Vous vouliez du café.
   Tu voulais du café.
2. Ils étaient à New York.
   Il était à New York.
3. Nous vendions des journaux.
   Je vendais des journaux.
4. Vous étiez à Paris.
   Tu étais à Paris.
5. Ils jouaient avec le foulard.
   Il jouait avec le foulard.
6. Nous y allions souvent.
   J'y allais souvent.
7. Elles vendaient des journaux.
   Elle vendait des journaux.
8. Ils voyaient la rue.
   Il voyait la rue.
9. Nous finissions la conversation.
   Je finissais la conversation.
10. Vous disiez cela.
    Tu disais cela.

**D.** *Mettez les phrases suivantes au plus-que-parfait:*

1. Pourquoi as-tu dit cela?
   Pourquoi avais-tu dit cela?
2. Il n'est pas encore venu.
   Il n'était pas encore venu.
3. Anne s'est lavé les mains.
   Anne s'était lavé les mains.
4. Étienne ne m'a pas parlé.
   Étienne ne m'avait pas parlé.
5. Vous avez vendu des poires.
   Vous aviez vendu des poires.
6. Nous avons pris du café avant de nous promener.
   Nous avions pris du café avant de nous promener.

7. Ils nous ont donné une clé.
   Ils nous avaient donné une clé.
8. Je suis venu, et je l'ai vu.
   J'étais venu, et je l'avais vu.
9. Elles sont allées.
   Elles étaient allées.
10. Il n'a pas lu Flaubert.
    Il n'avait pas lu Flaubert.

**E.** *Commencez chaque phrase par le mot donné entre parenthèses:*

1. Je viens des États-Unis. *(ces garçons . . .)*
   Ces garçons viennent des États-Unis. *(ma mère . . .)*
   Ma mère vient des États-Unis. *(tu . . .)*
   Tu viens des États-Unis. *(nous . . .)*
   Nous venons des États-Unis. *(vous . . .)*
   Vous venez des États-Unis. *(Jean-Paul . . .)*
   Jean-Paul vient des États-Unis. *(leurs mères . . .)*
   Leurs mères viennent des États-Unis. *(je . . .)*
   Je viens des États-Unis. *(tu . . .)*
   Tu viens des États-Unis.

2. Je suis venu vous dire bonjour. *(nous . . .)*
   Nous sommes venus vous dire bonjour. *(il . . .)*
   Il est venu vous dire bonjour. *(ma mère . . .)*
   Ma mère est venue vous dire bonjour. *(ces garçons . . .)*
   Ces garçons sont venus vous dire bonjour. *(nous . . .)*
   Nous sommes venus vous dire bonjour. *(Jean-Paul . . .)*
   Jean-Paul est venu vous dire bonjour. *(ces garçons . . .)*
   Ces garçons sont venus vous dire bonjour. *(je . . .)*
   Je suis venu vous dire bonjour. *(leurs mères . . .)*
   Leurs mères sont venues vous dire bonjour.

3. Je ne viens pas des États-Unis. *(il . . .)*
   Il ne vient pas des États-Unis. *(tu . . .)*
   Tu ne viens pas des États-Unis. *(leurs mères . . .)*
   Leurs mères ne viennent pas des États-Unis. *(Jean-Paul . . .)*
   Jean-Paul ne vient pas des États-Unis. *(vous . . .)*

Vous ne venez pas des États-Unis. *(nous . . .)*
Nous ne venons pas des États-Unis. *(ma mère . . .)*
Ma mère ne vient pas des États-Unis. *(ces garçons . . .)*
Ces garçons ne viennent pas des États-Unis. *(je . . .)*
Je ne viens pas des États-Unis.

4. Je prends un café. *(ces garçons . . .)*
Ces garçons prennent un café. *(ma mère . . .)*
Ma mère prend un café. *(tu . . .)*
Tu prends un café. *(nous . . .)*
Nous prenons un café. *(vous . . .)*
Vous prenez un café. *(Jean-Paul . . .)*
Jean-Paul prend un café. *(leurs mères . . .)*
Leurs mères prennent un café. *(je . . .)*
Je prends un café. *(tu . . .)*
Tu prends un café.

5. J'ai pris le livre. *(ces garçons . . .)*
Ces garçons ont pris le livre. *(tu . . .)*
Tu as pris le livre. *(ma mère . . .)*
Ma mère a pris le livre. *(vous . . .)*
Vous avez pris le livre. *(nous . . .)*
Nous avons pris le livre. *(leurs mères . . .)*
Leurs mères ont pris le livre. *(Jean-Paul . . .)*
Jean-Paul a pris le livre. *(je . . .)*
J'ai pris le livre. *(tu . . .)*
Tu as pris le livre.

6. Je ne prends pas un café. *(ces garçons . . .)*
Ces garçons ne prennent pas un café. *(ma mère . . .)*
Ma mère ne prend pas un café. *(tu . . .)*
Tu ne prends pas un café. *(nous . . .)*
Nous ne prenons pas un café. *(vous . . .)*
Vous ne prenez pas un café. *(Jean-Paul . . .)*
Jean-Paul ne prend pas un café. *(leurs mères . . .)*
Leurs mères ne prennent pas un café. *(je . . .)*
Je ne prends pas un café. *(tu . . .)*
Tu ne prends pas un café.

7. Je peux faire une promenade aujourd'hui. *(tu . . .)*
Tu peux faire une promenade aujourd'hui. *(leurs mères . . .)*
Leurs mères peuvent faire une promenade aujourd'hui. *(Jean-Paul . . .)*
Jean-Paul peut faire une promenade aujourd'hui. *(vous . . .)*
Vous pouvez faire une promenade aujourd'hui. *(nous . . .)*
Nous pouvons faire une promenade aujourd'hui. *(tu . . .)*
Tu peux faire une promenade aujourd'hui. *(ces garçons . . .)*
Ces garçons peuvent faire une promenade aujourd'hui. *(ma mère . . .)*
Ma mère peut faire une promenade aujourd'hui. *(je . . .)*
Je peux faire une promenade aujourd'hui.

8. J'ai pu le voir. *(ces garçons . . .)*
Ces garçons ont pu le voir. *(ma mère . . .)*
Ma mère a pu le voir. *(tu . . .)*
Tu as pu le voir. *(nous . . .)*
Nous avons pu le voir. *(vous . . .)*
Vous avez pu le voir. *(Jean-Paul . . .)*
Jean-Paul a pu le voir. *(leurs mères . . .)*
Leurs mères ont pu le voir. *(je . . .)*
J'ai pu le voir. *(tu . . .)*
Tu as pu le voir.

9. Je ne peux pas faire une promenade. *(Jean-Paul . . .)*
Jean-Paul ne peut pas faire une promenade. *(tu . . .)*
Tu ne peux pas faire une promenade. *(leurs mères . . .)*
Leurs mères ne peuvent pas faire une promenade. *(vous . . .)*
Vous ne pouvez pas faire une promenade. *(nous . . .)*
Nous ne pouvons pas faire une promenade. *(ces garçons . . .)*
Ces garçons ne peuvent pas faire une promenade. *(je . . .)*
Je ne peux pas faire une promenade. *(tu . . .)*
Tu ne peux pas faire une promenade. *(ma mère . . .)*
Ma mère ne peut pas faire une promenade.

10. Je veux sortir. *(ces garçons . . .)*
Ces garçons veulent sortir. *(ma mère . . .)*
Ma mère veut sortir. *(tu . . .)*

Tu veux sortir. *(nous . . .)*
Nous voulons sortir. *(vous . . .)*
Vous voulez sortir. *(Jean-Paul . . .)*
Jean-Paul veut sortir. *(leurs mères . . .)*
Leurs mères veulent sortir. *(je . . .)*
Je veux sortir. *(tu . . .)*
Tu veux sortir.

11. J'ai voulu faire une promenade. *(ces garçons . . .)*
Ces garçons ont voulu faire une promenade. *(ma mère . . .)*
Ma mère a voulu faire une promenade. *(tu . . .)*
Tu as voulu faire une promenade. *(nous . . .)*
Nous avons voulu faire une promenade. *(vous . . .)*
Vous avez voulu faire une promenade. *(Jean-Paul . . .)*
Jean-Paul a voulu faire une promenade. *(leurs mères . . .)*
Leurs mères ont voulu faire une promenade. *(je . . .)*
J'ai voulu faire une promenade. *(tu . . .)*
Tu as voulu faire une promenade.

12. Je ne veux pas sortir. *(Jean-Paul . . .)*
Jean-Paul ne veut pas sortir. *(leurs mères . . .)*
Leurs mères ne veulent pas sortir. *(tu . . .)*
Tu ne veux pas sortir. *(vous . . .)*
Vous ne voulez pas sortir. *(nous . . .)*
Nous ne voulons pas sortir. *(ma mère . . .)*
Ma mère ne veut pas sortir. *(ces garçons . . .)*
Ces garçons ne veulent pas sortir. *(tu . . .)*
Tu ne veux pas sortir. *(je . . .)*
Je ne veux pas sortir.

| *CHANSON D'AUTOMNE* | **chanson**, *song* |
|---|---|
| Les sanglots longs | **sanglot**, *sob* |
| Des violons | **violon**, *violin* |
| De l'automne | |
| Blessent mon coeur | **blesser**, *to wound* |
| D'une langueur | **langueur**, *languor* |
| Monotone. | **monotone**, *monotonous* |

| | |
|---|---|
| Tout suffoquant | **suffoquer,** *to suffocate* |
| Et blême, quand | **blême,** *pale* |
| Sonne l'heure, | |
| Je me souviens | **se souvenir de,** *to remember* |
| Des jours anciens | **jours anciens,** *days gone by* |
| Et je pleure. | **pleurer,** *to weep* |
| | |
| Et je m'en vais | |
| Au vent mauvais | **vent mauvais,** *ill wind* |
| Qui m'emporte | **emporter,** *to carry off* |
| Deçà, delà, | **deçà, delà;** *hither and yon* |
| Pareil à la | **pareil à,** *like* |
| Feuille morte. | **morte,** *fallen, dead* |

*—Paul Verlaine*
*(1844-1896)*

# ONZIÈME LEÇON

## CONVERSATION: AU MAGASIN

| | |
|---|---|
| *Anne* | Je peux toujours acheter un autre foulard. |
| *Étienne* | Pourquoi n'allons-nous pas en acheter un tout de suite? |
| *Jean-Paul* | En effet, quand je vous ai rencontrés tout à l'heure, j'allais au magasin. J'ai des mouchoirs et des gants à acheter. |
| *Anne* | Eh bien, si ça vous va, nous pouvons tous y aller ensemble. |
| *Jean-Paul* | Volontiers! |

* * * * * *

| | |
|---|---|
| *La Vendeuse* | Mademoiselle désire? |
| *Anne* | Est-ce que je peux voir vos foulards? |
| *La Vendeuse* | Certainement, Mademoiselle. Par ici. La semaine dernière nous avions un assez grand choix de foulards, mais tout le monde est venu en acheter pendant le week-end. Nous n'avons que ceux-ci. |
| *Anne* | Je n'aime pas du tout ces couleurs-là. Je vais en acheter un plus tard. |
| *La Vendeuse* | Est-ce que Mademoiselle désire autre chose? Une robe, une jupe, un corsage ou un sweater? |
| *Anne* | Merci. Pas aujourd'hui. |

*Jean-Paul* Je veux quelques mouchoirs, Mademoiselle.

*La Vendeuse* Allez de l'autre côté du magasin, Monsieur; les complets, les pantalons, les vestons et les manteaux sont à gauche. Les chemises, les chaussettes, les mouchoirs, les souliers et les cravates sont à côté.

*Jean-Paul* Merci bien, Mademoiselle.

*La Vendeuse* De rien, Monsieur.

**QUESTIONNAIRE**

*Répondez en français par des phrases complètes:*

1. Où alliez-vous tout à l'heure? 2. Qu'est-ce que vous avez à acheter? 3. Pouvons-nous aller ensemble? 4. Est-ce que cela vous va? 5. Est-ce que vous voulez voir des sweaters? 6. Est-ce qu'il y a un grand choix de foulards? 7. Quand est-ce que tout le monde les a achetés? 8. Qu'est-ce que tout le monde a fait pendant le week-end? 9. Aimez-vous ces foulards-ci? 10. Est-ce que vous désirez autre chose? 11. Quand est-ce que vous allez acheter un mouchoir? 12. Voulez-vous quelques mouchoirs? 13. Où sont les mouchoirs? 14. Où sont les complets, les pantalons, les vestons et les manteaux? 15. Où sont les chaussettes, les mouchoirs et les souliers?

*De quelle couleur est (sont):*

1. le sweater de la jeune fille à côté de vous? 2. votre robe? 3. votre jupe? 4. vos pantalons? 5. votre mouchoir? 6. votre chemise? 7. vos souliers? 8. votre sweater? 9. votre corsage? 10. votre veston? 11. vos chaussettes? 12. vos gants?

*Demandez à un autre étudiant:*

1. s'il est prêt à commander 2. ce qu'il veut manger 3. ce qu'il veut comme dessert 4. s'il veut une poire 5. s'il veut autre chose 6. s'il est content d'un repas assez simple chez lui 7. s'il mange beaucoup trop chez lui 8. s'il veut du café 9. ce qu'il veut dans son café 10. s'il veut de la crème et du sucre dans son café 11. s'il veut l'addition 12. ce qu'il y a sur l'addition 13. combien coûte le repas 14. si le repas est cher 15. s'il veut se promener 16. ce qu'on achète au bureau de poste 17. ce qu'on achète à la papeterie 18. où on achète un journal

*Dites à un autre étudiant:*
1. ce que vous voulez manger 2. ce que vous avez comme dessert 3. que vous ne voulez pas de dessert 4. que vous ne pouvez pas manger autant que lui 5. qu'ici on mange beaucoup de choses mais en petite quantité 6. que chez lui on mange peu de choses mais en grande quantité 7. que vous êtes content d'un repas assez simple 8. ce qu'il y a sur l'addition 9. quel temps il fait 10. que vous voulez vous promener 11. pourquoi il faut aller au bureau de tabac 12. ce qu'on achète à la papeterie 13. que tout cela est bien compliqué

# GRAMMAIRE

## I TOUT: ADJECTIVE AND PRONOUN

### • The adjective tout

Study the following examples, paying special attention to the form and meaning of the adjective **tout:**

| | |
|---|---|
| As-tu mangé **tout** le pain? | Did you eat *all (of)* the bread? |
| **Tous** mes fils sont venus. | *All (of)* my sons came. |
| Elle connaît **toute** la classe. | She knows the *whole* class *(all of* the class). |
| Ils marchent plus vite que **toutes** ces femmes. | They walk faster than *all (of)* these women. |

What is the plural form of **tout**? of **toute**? Note that **tout** (and its variations) may be followed by the definite article, a possessive adjective, or a demonstrative adjective.

### • The pronoun tout

Study the following examples, paying special attention to the form and meaning of the pronoun expression **tout:**

| | |
|---|---|
| Il nous a **tous**[1] vus. | He saw *all of* us. |
| Nous vous la rendons **toute.** | We are returning *all of* it to you. |
| Il les a **toutes** vues. | He saw *all of* them. |

[1]When **tous** is used as a pronoun, the *-s* is pronounced; when it is an adjective, the *-s* is silent.

Note that when **tout** plus a personal pronoun is the object of a verb, the personal pronoun precedes the conjugated verb and the pronoun **tout** immediately follows it. This order is changed when **tout** is the object of a preposition:

| | |
|---|---|
| Je leur ai parlé à **tous.** | I spoke to *all of* them. |

Here, **tous** is the object of the preposition à.

**Tout** may also be used when *all of* is used as the subject of a sentence:

| | |
|---|---|
| Nous pouvons **tous** aller ensemble. | *All of* us can go together. (We can *all* go together.) |
| Elles ont **toutes** faim. | *All of* them are hungry. (They are *all* hungry.) |

Where is **tout** placed when it is used as a subject pronoun?

- **Comparison of TOUT uses**

| | |
|---|---|
| **Tous** les garçons sont venus. *adj.* | *All (of)* the boys have come. |
| Ils sont **tous** venus. *pron.* | *All of* them have come. |
| Il a vu **toutes** les villes. *adj.* | He saw *all (of)* the cities. |
| Il les a **toutes** vues. *pron.* | He saw *all* of them. |

**Exercice 1.** *Dites en français:*

1. Are all the gloves green?
2. All of them are not violet.
3. I want to see all of your scarves.
4. All of us want to buy something.
5. He told all of us that she was coming.
6. I lost all my handkerchiefs.
7. All of our dresses have already been sold.
8. I did not find it in the whole store.
9. All (of) the suits are on the left.
10. Look at all her shoes!

## II SPECIAL CONSTRUCTION USING MÊME

Study the following chart, noting the form and meaning of **même**:

| *singular* | | *plural* | |
|---|---|---|---|
| **moi-même** | *myself* | **nous-mêmes** | *ourselves* |
| **toi-même** | *yourself* | **vous-mêmes**[2] | *yourselves* |
| **lui-même** | *himself* | **eux-mêmes** | *themselves* |
| **elle-même** | *herself* | **elles-mêmes** | *themselves* |
| **soi-même** | *oneself* | | |

What form of the pronoun is used in connection with **même**? Do not confuse these intensive pronouns with the reflexive pronouns. Study the following sentences and their translations:

| | |
|---|---|
| Il se disait que Paris était une belle ville. | He was saying *to himself* that Paris was a beautiful city. |
| Il disait cela **lui-même**. | He was saying that *himself.* |

The **même** construction is a stressed form of a personal pronoun, generally referring to the subject of a sentence, and usually falling at the end of a sentence or phrase. It may also be placed at the beginning or elsewhere in the sentence, depending on the effect desired:

| | |
|---|---|
| **Lui-même**, il disait que Paris était une belle ville. | He *himself* used to say that Paris was a beautiful city. |
| Il disait **lui-même** que Paris était une belle ville. | He used to say *himself* that Paris was a beautiful city. |

**Exercice 2.** *Dites en français:*

1. Don't look at all of them!
2. All of the girls have arrived.
3. See for yourself.
4. I have spoken to all of them.
5. You told me that yourself.
6. I like all of your shirts.
7. He spoke to himself.

[2]When **vous** refers to only one person, **même** is singular: **vous-même,** *yourself.*

8. All the sweaters are of the same color as the skirts.
9. I didn't buy all of them.
10. She had done it herself.

### III EXPRESSIONS CONSTRUCTED WITH AVOIR

You have used some expressions using **avoir** in previous lessons. For example:

| | |
|---|---|
| **Vous avez raison.** | *You're right.* |
| **J'ai faim.** | *I'm hungry.* |

Here is a more complete list of such expressions:

| | |
|---|---|
| **avoir raison** | *to be right* |
| **avoir tort** | *to be wrong* |
| **avoir faim** | *to be hungry* |
| **avoir soif** | *to be thirsty* |
| **avoir chaud** | *to be hot (warm)* |
| **avoir froid** | *to be cold* |

*With* ***chaud*** *or* ***froid,*** ***avoir*** *is used when referring to animate beings:*

| | |
|---|---|
| **Elle avait chaud.** | *She was warm.* |

*When referring to inanimate things,* ***être*** *is used:*

| | |
|---|---|
| Le café **est chaud.** | The coffee *is hot.* |

*When referring to weather,* ***faire*** *is used:*

| | |
|---|---|
| **Il fait chaud** aujourd'hui. | *It is hot (warm)* today. |

Note that all the English equivalents of these expressions are constructed with *to be.*

**Exercice 3.** *Dites en français:*

1. Is it cold today?
2. Marie and Anne were not right.
3. Are you hungry?
4. They were cold.
5. It is warm today.
6. Weren't all of them hungry?

7. No, but they were thirsty.
8. Aren't you warm?
9. I was wrong and you were right.
10. Is that water cold?

## IV MONTHS OF THE YEAR

The months of the year are:

| | |
|---|---|
| **janvier** | *January* |
| **février** | *February* |
| **mars** | *March* |
| **avril** | *April* |
| **mai** | *May* |
| **juin** | *June* |
| **juillet** | *July* |
| **août** | *August* |
| **septembre** | *September* |
| **octobre** | *October* |
| **novembre** | *November* |
| **décembre** | *December* |

Note that the months are not usually capitalized in French.

## V VERBS FOR SPECIAL STUDY: CONNAÎTRE AND METTRE

Study the following conjugation of **connaître** in the present tense:

*present tense of* **connaître**—*to know, be acquainted {familiar} with*
(I know, do know, am acquainted with, etc.)

| | |
|---|---|
| **je connais** | **nous connaissons** |
| **tu connais** | **vous connaissez** |
| **il connaît** | **ils connaissent** |

What is the singular stem of **connaître**? the plural stem? Notice that the third person singular form has a circumflex: **il connaît**. The compound tenses of **connaître** are formed as follows:

| | | |
|---|---|---|
| *passé composé* | **j'ai connu** | *I knew, have known, did know* |
| *pluperfect* | **j'avais connu** | *I had known* |

Study the following conjugation of **mettre** in the present tense:

*present tense of* **mettre**—*to put, to place*

(I put or place, do put or place, am putting or placing, etc.)

| | |
|---|---|
| **je mets** | **nous mettons** |
| **tu mets** | **vous mettez** |
| **il met** | **ils mettent** |

What is the singular stem of **mettre**? the plural stem? The compound tenses of **mettre** are formed as follows:

| | | |
|---|---|---|
| *passé composé* | **j'ai mis** | *I put, have put, did put* |
| *pluperfect* | **j'avais mis** | *I had put* |

**EXERCICES**

**A.** *Dites en français:*

1. All of them are hungry.
2. The whole hotel is green and grey.
3. They themselves have never visited Paris.
4. All of her brothers were eating in that restaurant.
5. Has she seen all of your dresses?
6. No, she hasn't seen them all.
7. What are all those boys doing?
8. Look at them! They are eating the whole meal!
9. You were right.
10. The girl told me herself that she was thirsty.
11. She was speaking to all of them.
12. All of these shoes are too small.
13. When did you buy all of them?
14. They bought all of those coats.
15. I like them all.
16. We ourselves said that.
17. Did you see all of them?
18. Look at all of them yourself.

**B.** *Dites en français:*

—Are you hungry, Étienne?

—Yes, but I don't have any money. I've spent (**dépenser**) all of it.

—But Jean-Paul is going to buy you a meal. He said that himself.
—Is Anne right, Jean-Paul?
—Well . . . let's say that she's not wrong.
—Before eating, I want to buy some handkerchiefs and a sweater.
—There's a store over there. Let's go to that one.
—Do you plan to be there a long time, Anne?
—No, I don't think so.
—Good. Étienne and I are going to take a walk and then we can meet (**retrouver**) you in the restaurant at twelve-thirty.
—Fine. See you later.

## VOCABULAIRE

**aller** to suit
(un) **août** August
**avoir: avoir à** to have [got] to
(la) **chaussette** sock
(la) **chemise** shirt
(le) **choix** choice
(le) **complet** suit
**connaître** to know; to be familiar or acquainted with
(le) **corsage** blouse
(le) **côté** side; **à côté de** *(qqch., qqn)* beside, next to *(sth., s.o.)*
(la) **cravate** necktie
(le) **décembre** December
**dernier, dernière** last
(le) **février** February
(le) **gant** glove
(le) **janvier** January
(le) **juillet** July
(le) **juin** June
(la) **jupe** skirt
(le) **magasin** store; **grand magasin** department store
(le) **mai** May
(le) **mars** March
(le) **monde** world; **tout le monde** everybody
(le) **mouchoir** handkerchief
**onzième** eleventh
(le) **pantalon** (a pair of) trousers
**par: par ici** this way; **par là** that way
**pendant** during
**quelque** some, any; **quelques** a few
**rencontrer** to meet
(la) **robe** dress
(le) **septembre** September
(le) **soulier** shoe
**suite: tout de suite** right away
(le) **sweater** sweater
**tard** late
(la) **vendeuse** saleswoman
(le) **veston** suit
**volontiers** gladly, willingly
(le) **week-end** week-end

## EXERCICES STRUCTURAUX

**A.** *Dans les phrases suivantes mettez le verbe au passé composé; suivez cet exemple:* ***Je les vois tous./Je les ai tous vus.***

1. Elle les vend toutes aujourd'hui.
   Elle les a toutes vendues aujourd'hui.
2. Ils ont tous soif.
   Ils ont tous eu soif.
3. Nous les voyons toutes.
   Nous les avons toutes vues.
4. Ils viennent tous.
   Ils sont tous venus.
5. Ils sont tous ici.
   Ils ont tous été ici.
6. Elles vont toutes au cinéma.
   Elles sont toutes allées au cinéma.
7. Je les achète toutes.
   Je les ai toutes achetées.
8. Je les vois tous.
   Je les ai tous vus.
9. Ils sont tous en ville.
   Ils ont tous été en ville.
10. Marie les aime tous.
    Marie les a tous aimés.

**B.** *Dans les phrases suivantes remplacez l'adjectif* ***tout*** *par le pronom* ***tout****; suivez cet exemple:* ***Tous les étudiants sont venus./Ils sont tous venus.***

1. J'ai vu toutes les jeunes filles.
   Je les ai toutes vues.
2. Est-ce qu'elle a vu toutes les adresses?
   Est-ce qu'elle les a toutes vues?
3. A-t-elle vu toutes les hôtelières?
   Les a-t-elle toutes vues?
4. Ils ont vu toutes les chambres.
   Ils les ont toutes vues.

5. Elle a vendu toutes ses robes.
   Elle les a toutes vendues.
6. Ils ont lu tous les livres.
   Ils les ont tous lus.
7. Marie aime tous les garçons.
   Marie les aime tous.
8. Ils ont acheté tous les complets.
   Ils les ont tous achetés.
9. Toutes les chemises sont trop petites.
   Elles sont toutes trop petites.
10. Toutes les robes sont de la même couleur que les chemises.
    Elles sont toutes de la même couleur que les chemises.
11. Tous les hôtels sont près d'ici.
    Ils sont tous près d'ici.
12. Tous les livres sont ici.
    Ils sont tous ici.
13. Tous mes amis n'ont pas tort.
    Ils n'ont pas tous tort.
14. Est-ce que tous les arbres sont verts?
    Est-ce qu'ils sont tous verts?
15. Est-ce que tous les garçons n'avaient pas faim?
    Est-ce qu'ils n'avaient pas tous faim?
16. Ils ont lu tous les livres.
    Ils les ont tous lus.
17. A-t-elle vu toutes les hôtelières?
    Les a-t-elle toutes vues?
18. Tous les hôtels sont près d'ici.
    Ils sont tous près d'ici.
19. Toutes les cravates sont ici.
    Elles sont toutes ici.
20. Ils ont vu toutes les chambres.
    Ils les ont toutes vues.
21. Marie a aimé tous les livres.
    Marie les a tous aimés.
22. Tous les garçons ont soif.
    Ils ont tous soif.
23. Tous mes amis viennent.
    Ils viennent tous.

24. Toutes les jeunes filles sont ici.
Elles sont toutes ici.
25. Je vends tous mes livres aujourd'hui.
Je les vends tous aujourd'hui.

**C.** *Dans les phrases suivantes renforcez les pronoms par* ***même*** *et le pronom disjonctif; suivez cet exemple:* ***J'ai fait cela. / J'ai fait cela moi-même.***

1. Elles l'ont dit.
Elles l'ont dit elles-mêmes.
2. Ils m'ont vu.
Ils m'ont vu eux-mêmes.
3. Tu l'as voulu.
Tu l'as voulu toi-même.
4. Nous nous étions promenés.
Nous nous étions promenés nous-mêmes.
5. Vous aviez froid.
Vous aviez froid vous-même.
6. J'ai lu ces lettres.
J'ai lu ces lettres moi-même.
7. Elle a acheté le café.
Elle a acheté le café elle-même.
8. Ils ne l'ont pas trouvé.
Ils ne l'ont pas trouvé eux-mêmes.
9. Elle ne l'avait pas vu.
Elle ne l'avait pas vu elle-même.
10. Nous n'avions pas chaud.
Nous n'avions pas chaud nous-mêmes.

**D.** *Commencez chaque phrase par le mot donné entre parenthèses:*

1. Je connais bien ce garçon. *(nous . . .)*
Nous connaissons bien ce garçon. *(Marie . . .)*
Marie connaît bien ce garçon. *(Marie et Anne . . .)*
Marie et Anne connaissent bien ce garçon. *(je . . .)*
Je connais bien ce garçon. *(il . . .)*
Il connaît bien ce garçon. *(tu . . .)*
Tu connais bien ce garçon. *(vous . . .)*

Vous connaissez bien ce garçon. *(Henri et Jean-Paul . . .)*
Henri et Jean-Paul connaissent bien ce garçon. *(Henri . . .)*
Henri connaît bien ce garçon.

2. J'ai connu ce garçon. *(nous . . .)*
Nous avons connu ce garçon. *(Marie . . .)*
Marie a connu ce garçon. *(Marie et Anne . . .)*
Marie et Anne ont connu ce garçon. *(je . . .)*
J'ai connu ce garçon. *(il . . .)*
Il a connu ce garçon. *(tu . . .)*
Tu as connu ce garçon. *(vous . . .)*
Vous avez connu ce garçon. *(Henri et Jean-Paul . . .)*
Henri et Jean-Paul ont connu ce garçon. *(Henri . . .)*
Henri a connu ce garçon.

3. Je mets la tasse de café sur la table. *(nous . . .)*
Nous mettons la tasse de café sur la table. *(Marie . . .)*
Marie met la tasse de café sur la table. *(Marie et Anne . . .)*
Marie et Anne mettent la tasse de café sur la table. *(je . . .)*
Je mets la tasse de café sur la table. *(il . . .)*
Il met la tasse de café sur la table. *(tu . . .)*
Tu mets la tasse de café sur la table. *(vous . . .)*
Vous mettez la tasse de café sur la table. *(Henri et Jean-Paul . . .)*
Henri et Jean-Paul mettent la tasse de café sur la table. *(Henri . . .)*
Henri met la tasse de café sur la table.

4. J'ai mis le fauteuil dans la chambre. *(nous . . .)*
Nous avons mis le fauteuil dans la chambre. *(Marie . . .)*
Marie a mis le fauteuil dans la chambre. *(Marie et Anne . . .)*
Marie et Anne ont mis le fauteuil dans la chambre. *(je . . .)*
J'ai mis le fauteuil dans la chambre. *(il . . .)*
Il a mis le fauteuil dans la chambre. *(tu . . .)*
Tu as mis le fauteuil dans la chambre. *(vous . . .)*
Vous avez mis le fauteuil dans la chambre. *(Henri et Jean-Paul . . .)*
Henri et Jean-Paul ont mis le fauteuil dans la chambre. *(Henri . . .)*
Henri a mis le fauteuil dans la chambre.

PONT DU CARROUSEL
QUAI VOLTAIRE
QUAI MALAQUAIS
RUE BONAPARTE
PONT DES ARTS
QUAI DU LOUVRE
PALAIS DU LOUVRE
Cour du Louvre
Colonnade du Louvre
RUE DE RIVOLI
R. DE MARENGO
TEMPLE DE L'ORATOIRE
R. de l'Oratoire
RUE J.J. ROUSSEAU
RUE DU LOUVRE
RUE DE LA MONNAIE
Magasins Samaritaine
PONT NEUF
Square du Vert Galant
QUAI DE CONTI
RUE GUÉNÉGAUD
RUE DE NEVERS
RUE DAUPHINE
RUE MAZARINE
RUE DE SEINE
GERMAIN
RUE DE TOURNON
RUE DE L'ODÉON
RUE DANTON
QUAI DES GRANDS AUGUSTINS
QUAI DES ORFÈVRES
RUE DE HARLAY
QUAI DE L'HORLOGE
ILE
PALAIS DE JUSTICE
PONT AU CHANGE
BOUL^D DU PALAIS
QUAI DE LA MÉGISSERIE
AVENUE VICTORIA
PLACE DU CHÂTELET
PONT NOTRE-DAME
QUAI DE GESVRES
DE LA
CITÉ
HÔTEL DIEU
RUE DE LUTÈCE
RUE DE LA CITÉ
PONT D'ARCOLE
PONT S^T MICHEL
Place S^t Michel
SAINT MICHEL
BOULEVARD
QUAI S^T MICHEL
QUAI DU MARCHÉ NEUF
PETIT PONT
PARVIS N.D.
NOTRE-DAME
P^T AU DOUBLE
QUAI DE MONTEBELLO
RUE LAGRANGE
PONT DE L'ARCHEVÊCHÉ
QUAI DE L'ARCHEVÊCHÉ
QUAI AUX FLEURS
PONT S^T LOUIS
SQUARE DE L'ARCHEVÊCHÉ
SAINT JACQUES
RUE DANTE
BOULEV^D
SOUFFLOT
RUE MONSIEUR LE PRINCE
SORBONNE
Place du Panthéon
HALLES

# DOUZIÈME LEÇON

## CONVERSATION: LA PROMENADE

| | |
|---|---|
| *Jean-Paul* | Voulez-vous faire une promenade dans les environs de Paris? |
| *Anne* | Cela dépend. Quand voulez-vous y aller? |
| *Étienne* | Quand vous voudrez. Le château de Sceaux n'est pas loin. Nous pourrons prendre le métro et être là-bas avant une heure. |
| *Anne* | Je ne connais pas le château de Sceaux. Est-ce un château ancien? |
| *Jean-Paul* | Pas trop. Il a été construit au XVII$^{e}$ siècle. La duchesse du Maine l'a rendu célèbre au XVIII$^{e}$ siècle. |
| *Anne* | Construit au XVII$^{e}$ siècle! Mais cela semble vieux pour nous. À cette date il y avait très peu d'habitants aux États-Unis. |
| *Étienne* | Avez-vous aux États-Unis des bâtiments aussi vieux que les nôtres? |
| *Anne* | Je ne sais pas, mais il y en a peut-être quelques-uns en Floride. La ville de Saint-Augustine a été fondée en 1565. |
| *Jean-Paul* | C'est déjà assez vieux. Mais je pense tout de même que vous trouverez Sceaux intéressant. Il y a un beau parc, un étang et un jardin magnifique. |

*Anne* Quand irons-nous le voir?

*Étienne* Samedi, si vous voulez.

*Anne* D'accord. Allons-y samedi! Quand j'écrirai à ma mère, j'aurai vu quelque chose de différent. Elle en sera bien contente et se rendra compte que je ne suis pas toujours enfermée à la maison.

**QUESTIONNAIRE**

*Répondez en français par des phrases complètes:*

1. Voulez-vous faire un petit tour dans les environs de Paris? 2. Quand voulez-vous y aller? 3. Où est le château de Sceaux? 4. Comment peut-on y aller? 5. Connaissez-vous le château de Sceaux? 6. Est-ce un château ancien? 7. Quand est-ce que le château a été construit? 8. Qui l'a rendu célèbre? 9. Est-ce que Sceaux semble vieux pour les Américains? 10. Y avait-il beaucoup d'habitants aux États-Unis au XVIIIe siècle? 11. Y a-t-il aux États-Unis des bâtiments aussi vieux que ceux de la France? 12. Y en a-t-il en Floride? 13. Où se trouve la ville de Saint-Augustine? 14. Quand est-ce que Saint-Augustine a été fondée? 15. Qu'est-ce qu'il y a à Sceaux? 16. Quand irons-nous à Sceaux? 17. Quand vous écrirez à votre mère, qu'est-ce que vous aurez vu? 18. Est-ce que votre mère sera contente? 19. Pourquoi votre mère sera-t-elle contente?

*Demandez à un autre étudiant:*

1. où il veut aller 2. s'il a visité le Louvre 3. s'il a vu la cathédrale 4. si sa serviette devient trop lourde 5. comment il trouve Flaubert 6. s'il lit toujours beaucoup de romans 7. s'il a fait une étude sur Flaubert 8. comment il va 9. pourquoi vous ne le voyez plus ces jours-ci 10. de vous présenter à son amie 11. s'il suit des cours à l'université 12. s'il va à l'université tous les jours à huit heures 13. s'il se lève aussi tôt que vous 14. à quelle heure il se lève 15. à quelle heure il s'est levé ce matin 16. quand il va à l'université

*Dites à un autre étudiant:*

1. que vous n'avez pas vu grand-chose depuis votre arrivée 2. que votre hôtel se trouve tout près de la cathédrale 3. que vous avez lu deux romans de Flaubert l'année passée 4. que vous êtes devant Notre-Dame 5. que les

romans de Flaubert vous intéressent beaucoup 6. que vous étudiez tout le temps 7. que vous préparez vos examens 8. qu'il a oublié de vous présenter à son amie 9. que vous devenez de plus en plus distrait 10. que vous venez des États-Unis 11. que la cathédrale est vraiment impressionnante 12. que vous ne vous couchez jamais avant minuit

# GRAMMAIRE

## I FUTURE TENSE (le futur)

### • Formation and meaning

Study the following sentences, noting the formation and meaning of the future tense in French:

| | |
|---|---|
| Quand **vous voudrez.** | When(ever) *you want.* |
| **Nous pourrons** prendre le métro. | *We'll be able* to take the subway. |
| **Vous trouverez** que Sceaux est intéressant. | *You will find* that Sceaux is interesting. |
| Quand **irons-nous** le voir? | When *will we go* to see it? |
| **Elle** en **sera** bien contente. | *She will be* very happy about it. |

Most French verbs form the future tense by adding to the infinitive the following endings:

| | *singular* | *plural* |
|---|---|---|
| *first person* | **-ai** | **-ons** |
| *second person* | **-as** | **-ez** |
| *third person* | **-a** | **-ont** |

Where have you seen these forms before? Which of them do not correspond exactly to the present tense of **avoir**?

Study the following verbs which are conjugated in the future tense:

*future tense of* **trouver**—*to find*
(I shall or will find, you will find, etc.)

| | |
|---|---|
| **je trouverai** | **nous trouverons** |
| **tu trouveras** | **vous trouverez** |
| **il trouvera** | **ils trouveront** |

*future tense of* **finir**—*to finish*
(I shall or will finish, you will finish, etc.)

| | |
|---|---|
| **je finirai** | **nous finirons** |
| **tu finiras** | **vous finirez** |
| **il finira** | **ils finiront** |

*future tense of* **prendre**—*to take*
(I shall or will take, you will take, etc.)

| | |
|---|---|
| **je prendrai** | **nous prendrons** |
| **tu prendras** | **vous prendrez** |
| **il prendra** | **ils prendront** |

Notice that verbs such as **prendre** (verbs whose infinitives end in *-re*) drop the final *-e* in forming the future stem. For example: **écrire: j'écrirai; rendre: elle rendra.** Verbs whose stems do not conform to the general rule given earlier will be studied in section III of this lesson.

• **Usage**

The future tense in French expresses future time, just as the future tense in English does:

**J'écrirai** à ma mère. — *I shall write* to my mother.

In addition, the future tense in French is used to express an idea which implies future time. English often uses the present tense to express this concept (the future idea is understood), as may be seen in the following examples:

| | |
|---|---|
| Quand **voudrez-vous** partir? | When *do you want* to leave? |
| Quand **vous voudrez.** | Whenever *you wish.* |

The future tense is also used in clauses beginning with **dès que** or **aussitôt que** (*as soon as*), **lorsque** or **quand** (*when*), and **tant que** (*as long as*), which suggest *future* action.[1] Study the following examples to establish this principle firmly in mind:

**Aussitôt que *je parlerai,*** vous me reconnaîtrez. — *As soon as* ***I speak,*** you will recognize me.

[1]The use of the future tense will be studied further in Lesson 15, in connection with **si** clauses.

| | |
|---|---|
| Vous me le direz **dès que** ***j'arriverai.*** | You'll say it to me *as soon as* ***I arrive.*** |
| Il le fera **tant que** ***nous voudrons.*** | He'll do it *as long as* ***we want.*** |
| Elles iront à Paris **lorsqu'*****elles seront*** en France. | They'll go to Paris *when* ***they are*** in France. |
| **Quand** ***j'écrirai*** à ma mère, je lui dirai cela. | *When* ***I write*** to my mother, I'll tell her that. |
| Va chercher Anne **aussitôt que** ***tu pourras!*** | Go (and) get Anne *as soon as* ***you can.*** |

**Exercice 1.** *Mettez au futur les verbes suivants:*

| | | |
|---|---|---|
| 1. il donne | 6. tu vends | 11. elle entre |
| 2. il neige | 7. remplit-elle | 12. je sonne |
| 3. nous mangeons | 8. ils n'écrivent pas | 13. regarde-t-il |
| 4. nous sortons | 9. vous désirez | 14. elle arrive |
| 5. elle prend | 10. je pars | 15. je connais |

## II FUTURE PERFECT TENSE (le futur antérieur)

The future perfect tense is used in French, as in English, to express an action which has not yet taken place or been completed, but will have taken place or been completed before a future time. Study the following sentences, noting the formation and meaning of the future perfect tense in French:

| | |
|---|---|
| Quand j'écrirai à ma mère, **j'aurai vu** quelque chose de différent. | When I write to my mother, *I will have seen* something different. |
| Quand **vous aurez fini** vos devoirs, faites ce que vous voudrez! | When *you have finished* your homework, do what you wish. |

This tense is composed of the future tense of the auxiliary verb and the past participle of the main verb.

Note the future perfect tense form of verbs which use **être** as the auxiliary:

| | |
|---|---|
| **Elle sera arrivée.** | *She will have arrived.* |
| **Nous nous serons levés.** | *We will have gotten up.* |

**Exercice 2.** *Mettez au futur antérieur les verbes suivants:*

| | | | | | |
|---|---|---|---|---|---|
| 1. | il donne | 6. | tu vends | 11. | elle entre |
| 2. | il neige | 7. | remplit-elle | 12. | je sonne |
| 3. | nous mangeons | 8. | ils n'écrivent pas | 13. | regarde-t-il |
| 4. | nous sortons | 9. | vous désirez | 14. | elle arrive |
| 5. | elle prend | 10. | je pars | 15. | je connais |

## III VERBS FOR SPECIAL STUDY: FUTURE STEMS

There are some verbs whose future stems are not determined by the general rule given earlier. The following list gives several of these verbs which were included in the conversation. Notice that although the stems do not conform to the future tense rule, the future tense endings remain the same.

| | |
|---|---|
| **vous voudrez** | *you will want* |
| **nous pourrons** | *we shall (will) be able* |
| **nous irons** | *we shall (will) go* |
| **j'aurai** | *I shall (will) have* |
| **elle sera** | *she will be* |

This more complete listing of verbs with irregular future stems should be memorized:

| *infinitive* | *future stem* |
|---|---|
| aller | **ir-** (**j'irai,** *etc.*) |
| avoir | **aur-** (**j'aurai,** *etc.*) |
| être | **ser-** (**je serai,** *etc.*) |
| faire | **fer-** (**je ferai,** *etc.*) |
| falloir | **faudr-** (**il faudra**) |
| pleuvoir | **pleuvr-** (**il pleuvra**) |
| pouvoir | **pourr-** (**je pourrai,** *etc.*) |
| savoir | **saur-** (**je saurai,** *etc.*) |
| tenir | **tiendr-** (**je tiendrai,** *etc.*) |
| venir | **viendr-** (**je viendrai,** *etc.*) |
| voir | **verr-** (**je verrai,** *etc.*) |
| vouloir | **voudr-** (**je voudrai,** *etc.*) |

Note the spelling change made in the future stem of the following verbs:

| | |
|---|---|
| **Nous appellerons** le garçon. | *We will call* the boy. |
| **Vous vous lèverez** à six heures. | *You will get up* at six o'clock. |
| **Il achètera** des poires. | *He will buy* some pears. |

**Exercice 3.** *Dites en français:*

1. They will see.
2. You will go.
3. I'll do it.
4. Jean will not sell the armchair.
5. Will she write to her mother?
6. Anne will not buy the scarf.
7. Paul will come to Paris.
8. Before visiting France, she will have seen the United States.
9. Where will you be?
10. I'll stay in St. Augustine.

**Exercice 4.** *Dites en français:*

1. There will be many people in 1999.
2. Will they speak French?
3. Won't they speak French?
4. Anne will see you when she fills out this card.
5. As soon as you have done that, come here.
6. The weather will be beautiful tomorrow.

## IV PREPOSITIONS WITH CITIES AND COUNTRIES

- **Cities**

1) *"In" or "to" a city is expressed in French by à:*

| | |
|---|---|
| à Paris | *in* Paris |
| à New York | *to* New York |

2) *"From" a city is expressed in French by* **de:**

| | |
|---|---|
| **de** Saint-Augustine | *from* St. Augustine |
| de Sceaux | *from* Sceaux |

What happens in the following cases?

| | |
|---|---|
| **Le Havre** est une ville de France. | *Le Havre* is a French city. |
| Je vais **au Havre.** | I am going *to Le Havre.* |
| Je viens **du Havre.** | I am coming *from Le Havre.* |

**• Countries and provinces**

All countries ending in *-e* are feminine, except le **Mexique** (*Mexico*).

1) *With feminine countries, "in," "to," and "into" are expressed in French by **en**:*

| | | | |
|---|---|---|---|
| **en** France | *to* France | **en** Russie | *in* Russia |
| **en** Italy | *into* Italy | **en** Chine | *in* China |
| **en** Angleterre | *to* England | | |

*With masculine countries, "in," "to," and "into" are expressed in French by **à** plus the definite article:*

| | |
|---|---|
| **aux** États-Unis | *in* the United States |
| **au** Canada | *to* Canada |
| **au** Mexique | *into* Mexico |

2) *With feminine countries, "from" is expressed by **de** (**d'**):*

| | |
|---|---|
| **de** France | *from* France |
| **d'**Italie | *from* Italy |
| **d'**Angleterre | *from* England |

*With masculine countries, "from" is expressed by **de** plus the definite article:*

| | | | |
|---|---|---|---|
| **du** Canada | *from* Canada | **du** Portugal | *from* Portugal |
| **du** Mexique | *from* Mexico | **du** Japon | *from* Japan |

**EXERCICES**

**A.** *Dites en français:*

1. They are going to France and Canada.
2. Will you be in Paris or Le Havre?
3. We will meet you in St. Louis.
4. New York is not in England, but in the United States.
5. She lives in France, near Italy.
6. Will you write to me in Mexico?
7. She is not coming from Le Havre, but from St. Augustine, which is in Florida.
8. They are coming from France and Canada.
9. We are returning in several days from Mexico.
10. He will be in Canada during the month of February and will write to you from there.

**B.** *Dites en français:*

—When are you going back (**rentrer**) to the United States, Anne?

—I'll leave from Le Havre next month. I have to write my father and tell him to meet me in New York.

—You certainly will have a great deal to tell your friends.

—Yes, I will regret leaving Paris. I have seen so many things in France.

—Will you visit Italy before returning?

—Yes, and I'll go to England, too. Have you ever visited London (**Londres**)?

—I was there last year. It's a nice city, but in the winter the weather is worse there than in Paris.

—Really?

—You'll see that I'm right when you go there.

—I will write you a letter from London.

—Good! I'll be waiting for it.

## VOCABULAIRE

(un) **abord** access, approach; **d'abord** at first
accord: **d'accord** O.K.! agreed!
**ancien, ancienne** ancient
(une) **Angleterre** England
(le) **bâtiment** building
(le) **Canada** Canada
**célèbre** famous
(le) **château** castle
(la) **Chine** China
**construire** to construct; *p.p.* **construit**
**décider** to decide
**dépendre** to depend
**dès que** as soon as
**détester** to detest
**différent** different
**douzième** twelfth
(la) **duchesse** duchess
**écrire** to write
**enfermer** to shut up, to shut in
(les) **environs** *m.pl.* vicinity
(un) **étang** pond
**étonner** to astonish
**fermer** to close
(la) **Floride** Florida
**fonder** to found
(la) **France** France
(un) **habitant** inhabitant
(une) **heure**: **de bonne heure** early
(une) **Italie** Italy
(le) **Japon** Japan
(le) **jardin** garden
**lorsque** when
**magnifique** magnificent
(le) **matin** morning
**même** same; **tout de même** all the same
(le) **métro** subway

(le) **Mexique** Mexico
(un) **oeil** *pl.* **yeux** eye
(le) **parc** park
(le) **Portugal** Portugal
(la) **promenade** walk, drive; **faire une promenade** to take a walk
**quelques-uns, quelques-unes** a few, some
**rendre: se rendre compte de** (*qqch.*) to realize (*sth.*)
(la) **Russie** Russia
(le) **samedi** Saturday
**sembler** to seem
**tant** so much; **tant que** as long as
(le) **tour** turn; walk, stroll; **faire un petit tour** to go for a stroll
**vieux (vieil), vieille** old
**vouloir: vouloir dire** to mean

## EXERCICES STRUCTURAUX

**A.** *Mettez les phrases suivantes au pluriel:*

1. Tu auras un livre.
   Vous aurez un livre.
2. Il voudra du vin.
   Ils voudront du vin.
3. Il verra les États-Unis.
   Ils verront les États-Unis.
4. Je viendrai à dix heures.
   Nous viendrons à dix heures.
5. Tu sauras parler français.
   Vous saurez parler français.
6. Elle fera une promenade.
   Elles feront une promenade.
7. Je serai dans la rue.
   Nous serons dans la rue.
8. Tu auras une bonne table.
   Vous aurez une bonne table.
9. Il ira à Paris.
   Ils iront à Paris.
10. Tu pourras faire une promenade.
    Vous pourrez faire une promenade.
11. J'aurai les livres.
    Nous aurons les livres.

12. Il sera en face de l'hôtel.
    Ils seront en face de l'hôtel.
13. Je ferai le travail.
    Nous ferons le travail.
14. Elle saura beaucoup de choses.
    Elles sauront beaucoup de choses.
15. Tu écriras avec un stylo.
    Vous écrirez avec un stylo.

**B.** *Mettez les phrases suivantes au singulier:*

1. Vous écrirez souvent.
   Tu écriras souvent.
2. Elles sauront beaucoup de choses.
   Elle saura beaucoup de choses.
3. Nous ferons le travail.
   Je ferai le travail.
4. Ils seront en face de l'hôtel.
   Il sera en face de l'hôtel.
5. Nous aurons les livres.
   J'aurai les livres.
6. Vous pourrez faire une promenade.
   Tu pourras faire une promenade.
7. Ils iront à Paris.
   Il ira à Paris.
8. Vous aurez une bonne table.
   Tu auras une bonne table.
9. Nous serons dans la rue.
   Je serai dans la rue.
10. Elles feront une promenade.
    Elle fera une promenade.
11. Vous saurez parler français.
    Tu sauras parler français.
12. Vous viendrez à dix heures.
    Tu viendras à dix heures.
13. Nous verrons les États-Unis.
    Je verrai les États-Unis.

14. Elles voudront du vin.
    Elle voudra du vin.
15. Vous aurez un livre.
    Tu auras un livre.

C. *Mettez les phrases suivantes au futur:*

1. Elle s'appelle Anne.
   Elle s'appellera Anne.
2. Elle se lave à dix heures.
   Elle se lavera à dix heures.
3. Je parle français.
   Je parlerai français.
4. Anne dit beaucoup de choses à sa mère.
   Anne dira beaucoup de choses à sa mère.
5. Il fait une promenade.
   Il fera une promenade.
6. Les garçons vendent des journaux.
   Les garçons vendront des journaux.
7. Je vois des gens dans la rue.
   Je verrai des gens dans la rue.
8. Elle veut acheter des timbres.
   Elle voudra acheter des timbres.
9. Je ne suis pas à San Francisco.
   Je ne serai pas à San Francisco.
10. Tu trouves la fiche.
    Tu trouveras la fiche.
11. Nous remplissons le livre.
    Nous remplirons le livre.
12. Je prends mon café.
    Je prendrai mon café.
13. Je vais à Berkeley.
    J'irai à Berkeley.
14. J'ai beaucoup de légumes.
    J'aurai beaucoup de légumes.
15. Nous pouvons faire cela.
    Nous pourrons faire cela.

16. Vous savez beaucoup de choses.
    Vous saurez beaucoup de choses.
17. Venez-vous me voir?
    Viendrez-vous me voir?
18. Ils achètent des timbres tous les jours.
    Ils achèteront des timbres tous les jours.
19. Je fais une promenade.
    Je ferai une promenade.
20. Il pleut souvent en hiver.
    Il pleuvra souvent en hiver.

**D.** *Employez **je vais** avec le nom donné du pays ou de la ville; suivez cet exemple: **Paris / Je vais à Paris.***

1. États-Unis
   Je vais aux États-Unis.
2. France
   Je vais en France.
3. New York
   Je vais à New York.
4. Canada
   Je vais au Canada.
5. Le Havre
   Je vais au Havre.
6. Italie
   Je vais en Italie.
7. Angleterre
   Je vais en Angleterre.
8. Portugal
   Je vais au Portugal.
9. France
   Je vais en France.
10. États-Unis
    Je vais aux États-Unis.

**E.** *Employez **Anne et Marie viennent** avec le nom donné du pays ou de la ville; suivez cet exemple: **Paris / Anne et Marie viennent de Paris.***

1. Portugal
   Anne et Marie viennent du Portugal.
2. France
   Anne et Marie viennent de France.
3. États-Unis
   Anne et Marie viennent des États-Unis.
4. Angleterre
   Anne et Marie viennent d'Angleterre.
5. Italie
   Anne et Marie viennent d'Italie.

6. France
    Anne et Marie viennent de France.
7. New York
    Anne et Marie viennent de New York.
8. États-Unis
    Anne et Marie viennent des États-Unis.
9. Le Havre
    Anne et Marie viennent du Havre.
10. Canada
    Anne et Marie viennent du Canada.

**F.** *Mettez les phrases suivantes au futur:*

1. Je vais à New York quand je suis aux États-Unis.
    J'irai à New York quand je serai aux États-Unis.
2. Je vous aime tant que vous m'aimez.
    Je vous aimerai tant que vous m'aimerez.
3. Je ferme la porte aussitôt que vous sortez.
    Je fermerai la porte aussitôt que vous sortirez.
4. Lorsque je vais en ville, je fais des courses.
    Lorsque j'irai en ville, je ferai des courses.
5. Je vous aime tant que vous m'aimez.
    Je vous aimerai tant que vous m'aimerez.
6. Aussitôt que je me lève je me lave.
    Aussitôt que je me lèverai je me laverai.
7. Quand j'écris à ma mère je lui dis cela.
    Quand j'écrirai à ma mère je lui dirai cela.

## DEUXIÈME RÉVISION

**A.** *Dites en français:*

—Is that package too heavy for you? If it bothers you, give it to me.
—No, it's all right—don't take it.
—Were you coming from the store?
—Yes, and now we're going to the post office. Do you want to go with us (**nous accompagner**)?

—No, thank you. But we can meet (**nous retrouver**) for coffee later on.
—Fine! What time is it now?
—Ten minutes to three. I'll meet you at four in that little restaurant which is not far from here—you know, the one that is near Notre-Dame.
—O.K.! We'll see you later.

**B.** *Dites en français:*
—Jean-Paul and Étienne are becoming more and more absent-minded.
—What did they forget this time?
—They were talking so much (**tellement**) when I saw them yesterday that they forgot to introduce me to their friend, Louise.
—How are those two? I haven't seen them since last week.
—They're fine, but they have been studying a lot.
—Are they preparing their examinations?
—Yes, and I certainly hope (**j'espère bien**) that they will do well.

**C.** *Remplacez les mots en italique par des pronoms convenables, en faisant les changements nécessaires:*

1. Donnez-moi *le livre!*
2. Donnez *le livre à Marie!*
3. Ne donnez pas *la cravate à Jacques!*
4. *Marie et Anne* ont déchiré *les fiches.*
5. Vendez *du café à Jean-Paul!*
6. *Ces jeunes filles-ci* sont américaines.
7. *Cette serviette-ci* est plus jolie que *la serviette* d'Étienne.
8. J'ai lu beaucoup *de romans,* mais je n'ai pas lu *ces romans-là* depuis longtemps.
9. Elle a tant *d'amies,* mais elle aime *ces amies-ci* mieux que *ces amies-là.*
10. *Il* (stressed) m'a dit cela.
11. Il l'a dit à *Jeanne et Marie* (stressed).
12. *Toutes les jeunes filles* sont jolies.
13. Il a vu *tous nos copains.*
14. Il a dit bonjour *à tous les étudiants.*
15. Elle connaît *toute la classe.*
16. As-tu mangé *tout ton repas?*
17. On a vendu *tous les gants.*

**D.** *Mettez au passé composé ou à l'imparfait (selon le sens) les verbes en italique:*

Jean-Paul et Anne *se demandent* s'il *faut* acheter un foulard. Il *fait* froid à Paris en octobre et puisque Jean-Paul n'en *a* pas un et parce qu'il n'*aime* pas avoir froid, il *décide* d'en acheter un tout de suite. Ils *vont* d'abord à un grand magasin, mais ils ne *trouvent* pas ce qu'ils *veulent.* Quand ils *voient* cela, ils *disent* à la vendeuse qu'ils *vont* revenir plus tard.

**E.** *Faites l'accord du participe passé:*

1. Elle s'est levé _______ à huit heures.
2. Jean-Paul et Anne sont parti _______ de bonne heure.
3. Voilà les livres qu'ils ont acheté _______.
4. Voici la maison que Théodore s'est acheté _______.
5. La porte est fermé _______.
6. Marie s'est lavé _______.
7. Jacques s'est lavé _______ les mains.
8. Elle nous a appelé _______.
9. Je t'ai aimé _______ l'année passée, mais je te déteste maintenant, Marie.
10. Où sont les romans que vous m'aviez donné _______?

**F.** *Remplacez le pronom relatif signalé entre parenthèses par l'équivalent français:*

1. (*what*) Voici _______ il m'a donné.
2. (*What*) _______ m'a le plus frappé c'est qu'il est énorme.
3. (*whom*) C'est Marie _______ j'ai vue chez toi, pas Jeanne.
4. (*who*) C'est elle _______ m'a dit bonjour.
5. (*what*) Dites-lui _______ vous voulez!
6. (*whom; which*) Le passant _______ j'ai vu dans la rue avait les yeux rouges, _______ m'a beaucoup étonné.

## EXERCICES STRUCTURAUX

**A.** *Dans les phrases suivantes mettez le verbe* **être** *au passé composé:*

1. La jeune fille est frappée par son ami.

   La jeune fille a été frappée par son ami.

2. Le pain est coupé par l'hôtelière.
   Le pain a été coupé par l'hôtelière.
3. Le garçon est frappé par son frère.
   Le garçon a été frappé par son frère.
4. Anne est invitée à dîner par Jean-Paul.
   Anne a été invitée à dîner par Jean-Paul.
5. Les journaux sont vendus par les garçons.
   Les journaux ont été vendus par les garçons.

**B.** *Dans les phrases suivantes remplacez tous les noms par la forme convenable du pronom:*

1. Vendons le livre à Étienne!
   Vendons-le-lui!
2. Va à Paris!
   Vas-y!
3. Mangeons du bifteck!
   Mangeons-en!
4. Vendons trois livres à Anne!
   Vendons-lui-en trois!
5. Rendez la clé à l'hôtelière!
   Rendez-la-lui!

**C.** *Mettez les phrases suivantes au passé composé:*

1. Nous allons à Paris.
   Nous sommes allés à Paris.
2. Marie reste chez elle.
   Marie est restée chez elle.
3. Je me lève à six heures.
   Je me suis levé à six heures.
4. Anne vend le livre.
   Anne a vendu le livre.
5. Elle arrive en retard.
   Elle est arrivée en retard.

**D.** *Mettez les phrases suivantes à l'imparfait:*

1. Marie aime Étienne.
   Marie aimait Étienne.
2. Nous avons faim.
   Nous avions faim.
3. Vois-tu ton ami?
   Voyais-tu ton ami?
4. Anne se lave les mains.
   Anne se lavait les mains.
5. Tu comptes rester.
   Tu comptais rester.

**E.** *Commencez chaque phrase par le mot donné entre parenthèses:*

1. Nous savons la leçon. *(tu ...)*
   Tu sais la leçon. *(nous ...)*
   Nous savons la leçon. *(Anne ...)*
   Anne sait la leçon. *(vous ...)*
   Vous savez la leçon.

2. Jacques lit le livre. *(tu ...)*
   Tu lis le livre. *(nous ...)*
   Nous lisons le livre. *(vous ...)*
   Vous lisez le livre. *(il ...)*
   Il lit le livre.

3. Marie connaît Jacques. *(tu ...)*
   Tu connais Jacques. *(nous ...)*
   Nous connaissons Jacques. *(Anne ...)*
   Anne connaît Jacques. *(vous ...)*
   Vous connaissez Jacques.

4. Il veut un café. *(tu ...)*
   Tu veux un café. *(vous ...)*
   Vous voulez un café. *(Henri et Jacques ...)*
   Henri et Jacques veulent un café. *(Henri ...)*
   Henri veut un café.

5. Marie peut faire cela. *(nous . . .)*
   Nous pouvons faire cela. *(Marie . . .)*
   Marie peut faire cela. *(Marie et Anne . . .)*
   Marie et Anne peuvent faire cela. *(je . . .)*
   Je peux faire cela.

6. Il vient d'arriver. *(tu . . .)*
   Tu viens d'arriver. *(vous . . .)*
   Vous venez d'arriver. *(Henri et Jean-Paul . . .)*
   Henri et Jean-Paul viennent d'arriver. *(Henri . . .)*
   Henri vient d'arriver.

7. Je me lève à six heures. *(nous . . .)*
   Nous nous levons à six heures. *(il . . .)*
   Il se lève à six heures. *(Marie . . .)*
   Marie se lève à six heures. *(je . . .)*
   Je me lève à six heures.

8. Tu as mis le livre sur la table. *(Marie et Anne . . .)*
   Marie et Anne ont mis le livre sur la table. *(il . . .)*
   Il a mis le livre sur la table. *(nous . . .)*
   Nous avons mis le livre sur la table. *(Henri et Jacques . . .)*
   Henri et Jacques ont mis le livre sur la table.

9. J'ai pris le café. *(tu . . .)*
   Tu as pris le café. *(Marie . . .)*
   Marie a pris le café. *(Marie et Anne . . .)*
   Marie et Anne ont pris le café. *(vous . . .)*
   Vous avez pris le café.

10. Nous avons voulu parler. *(je . . .)*
    J'ai voulu parler. *(il . . .)*
    Il a voulu parler. *(Henri et Étienne . . .)*
    Henri et Étienne ont voulu parler. *(tu . . .)*
    Tu as voulu parler.

# TREIZIÈME LEÇON

## ⁂ CONVERSATION: LE SYSTÈME UNIVERSITAIRE

*Anne* Quelle sorte d'examen préparez-vous, Jean-Paul?

*Jean-Paul* En ce moment, je prépare mon examen d'anatomie —j'étudie la médecine.

*Anne* Cela doit être difficile.

*Jean-Paul* Un peu. Il faut savoir par coeur tous les muscles, les nerfs, les vaisseaux sanguins et un tas d'autres choses.

*Anne* Est-ce que les dentistes et les oculistes suivent tous ces cours?

*Jean-Paul* Oui, c'est seulement après ces cours qu'ils commencent à se spécialiser.

*Anne* Qu'est-ce qu'ils font alors?

*Jean-Paul* Chacun suit un cours qui aboutit au diplôme de sa spécialité. Les dentistes étudient surtout la tête, la bouche, le nez, les dents, les oreilles, le menton, les lèvres et ainsi de suite.

*Anne* Et les oculistes?

*Jean-Paul* Ils s'occupent des yeux surtout, et de tout ce qui se rattache à l'oeil.

*Anne* Quelle spécialisation allez-vous suivre?

*Jean-Paul* Je veux me faire médecin ordinaire, c'est-à-dire, je vais faire un peu de tout. Lorsque j'aurai fini je connaîtrai le corps entier: les poumons, l'estomac et les autres organes; le bras, le pied, la jambe, la peau, les cheveux—tout, jusqu'au petit doigt.

*Anne* Mais, c'est effrayant!

**QUESTIONNAIRE**

*Répondez en français par des phrases complètes:*

1. Quelle sorte d'examen préparez-vous? 2. Qu'est-ce que vous étudiez? 3. Qu'est-ce que vous étudiez en ce moment? 4. Est-ce que cela est difficile? 5. Qu'est-ce qu'il faut savoir par coeur? 6. Est-ce que les dentistes suivent le cours d'anatomie? 7. Est-ce que les oculistes le suivent aussi? 8. Quand est-ce qu'ils commencent à se spécialiser? 9. Qu'est-ce qu'ils font alors? 10. Qu'est-ce que les dentistes étudient surtout? 11. Qu'est-ce que les oculistes étudient surtout? 12. Quelle spécialisation allez-vous suivre? 13. Qu'est-ce que le médecin ordinaire fait? 14. Est-ce que le médecin ordinaire connaît tout? 15. Combien de jambes avez-vous? 16. Combien de pieds avez-vous? 17. Combien de têtes avez-vous? combien d'yeux? combien de lèvres? 18. Combien de mentons avez-vous? combien de dents? combien d'oreilles? 19. Combien de doigts avez-vous? combien de bouches? combien de bras? 20. Combien d'estomacs avez-vous? combien de cheveux?

*Demandez à un autre étudiant:*

1. comment il trouve Paris 2. si Paris lui plaît 3. s'il fait toujours aussi beau 4. s'il pleut d'habitude au mois d'octobre 5. s'il fait beau à New York en automne 6. quel temps il fait en hiver 7. quel temps il fait en été 8. quel temps il fait au printemps 9. si toutes les saisons sont belles à Paris 10. où est son foulard 11. s'il a mis son foulard dans la poche de son manteau 12. s'il peut en acheter un autre

*Dites à un autre étudiant:*

1. que vous aimez bien Paris 2. que vous vous êtes senti un peu dépaysé à votre arrivée 3. qu'il a eu de la chance 4. de ne pas vous décourager 5. quelle est la couleur du ciel et des arbres 6. que ce qu'il vient de vous dire ne vous décourage pas 7. que vous êtes terriblement optimiste 8. que vous avez mis votre foulard dans la poche de votre manteau 9. que vous êtes certain que vous aviez votre foulard 10. que vous venez de voir le foulard il y a deux minutes

## GRAMMAIRE

### I INTERROGATIVE PRONOUNS (les pronoms interrogatifs)

#### • The interrogative pronoun "what"

In Lesson 2, *what* was introduced as an interrogative adjective:

| | |
|---|---|
| **Quelle** est votre nationalité? | *What* is your nationality? |
| **Quel** hôtel habitez-vous? | *What* hotel do you live in? |

In this lesson, *what* is introduced as an interrogative pronoun. Study the following sentences carefully, noting the form and meaning of the French equivalents of *what*:

| | |
|---|---|
| **Qu'est-ce qui** est arrivé? | *What* happened? |
| **Que** faites-vous ces jours-ci? | *What* are you doing these days? |
| **Qu'est-ce que** vous faites maintenant? | *What* are you doing now? |
| Sur **quoi** écrivez-vous? | *What* are you writing on? (On *what* are you writing?) |

How is *what* expressed in French when it is the subject? Notice that when *what* is the object of the verb, the French interrogative pronoun has two forms. How do they differ in use?

The form **quoi** was introduced in Lesson 8 as a stressed form of **que**. Notice that here **quoi** is used as an object of a preposition; it always refers to things rather than animate beings.

#### • The interrogative pronouns "who" and "whom"

Study the following examples, noting the use of the interrogative pronoun **qui**:

| | |
|---|---|
| **Qui** veut du café? | *Who* wants coffee? |
| **Qui** avez-vous vu? | *Whom* did you see? |
| À **qui** parle-t-il? | *Who* is he speaking to? (To *whom* is he speaking?) |

In interrogative sentences, **qui** is used either as a subject (*who*) or as an object of a verb or preposition (*whom,* or informally, *who*).

**Exercice 1.** *Remplacez le pronom interrogatif signalé entre parenthèses par l'équivalent français:*

1. (*whom*) Pour _______ faites-vous cela?
2. (*what*) _______ voulez-vous dire?
3. (*what*) _______ vous voulez dire?
4. (*what*) _______ vous fait dire cela?
5. (*who*) _______ ont-ils vu?
6. (*who*) _______ est venu voir Marie?
7. (*who*) _______ ont-ils frappé?
8. (*what*) _______ ils font alors?
9. (*what*) De _______ parlez-vous?
10. (*what*) _______ font les oculistes?

## II THE INDEFINITE ADJECTIVE QUELQUES

Study the following sentences, noting the form and meaning of the indefinite adjective **quelques**:

| | |
|---|---|
| Il a suivi **quelques** cours d'anatomie. | He took *some* anatomy courses. |
| J'ai visité **quelques** universités. | I have visited *a few* universities. |

**Quelques** does not mean *some* in the same way that a partitive expression does. **Quelques** refers to a *specific* (but unexpressed) *number*, whereas the partitive expresses an indefinite part or portion of something. Study the following examples, noting the difference in usage between the partitive **des** and the indefinite article **quelques**:

| | |
|---|---|
| Je veux **des** pommes frites. | I want *some* french fries. (I want french fries.) |
| Je veux **quelques** pommes frites. | I want *some* french fries. (I want *a few* french fries.) |

Note that the partitive expresses the French plural of *a* while **quelques** expresses the French plural of *one.*

**Exercice 2.** *Remplacez les expressions signalées entre parenthèses par l'équivalent français:*

1. (*some*) Jean-Paul prépare _______ examens.
2. (*some, all of the, all of the*) Il a suivi _______ cours où on a étudié _______ muscles et _______ organes du corps humain.

3. (*some*) ______ étudiants connaissent tout, mais ils doivent tous beaucoup étudier.
4. (*a few*) ______ professeurs lui plaisent, mais pas tous.
5. (*some, some*) Voilà ______ garçons qui parlent de la circulation et _____ jeunes filles qui discutent les maladies du coeur.

### III VERBS FOR SPECIAL STUDY: DEVOIR

Study the following conjugation of **devoir**:

*present tense of* **devoir**—*to have to, must*
(I have to, I must, etc.... when used with an infinitive)

| | |
|---|---|
| **je dois** étudier | **nous devons** étudier |
| **tu dois** étudier | **vous devez** étudier |
| **il doit** étudier | **ils doivent** étudier |

What is the singular stem of **devoir**? Notice that there are two plural stems. How is the imperfect tense of **devoir** formed?

The future stem of **devoir** is **devr-**: **Je devrai** y aller (*I shall have to* go there).

The **passé composé** of **devoir** is formed as follows:

| | |
|---|---|
| Il ***a dû*** quitter Paris. | He *had to* leave Paris. |
| | He *must have* left Paris. |

Notice that the circumflex (^) distinguishes the past participle **dû** from the partitive **du**. When the past participle agrees with a masculine plural or feminine noun, it drops its accent: **dus, due, dues**.

As you can see from the above example, *must have* is rendered in French by the **passé composé** of **devoir**; it is simply the past tense of *must:*

| | |
|---|---|
| Il ***doit*** quitter Paris. | He *must* leave Paris. |
| Il ***a dû*** quitter Paris. | He *must have* left Paris. |

When **devoir** is used without an infinitive, it means *to owe*:

| | |
|---|---|
| **Je dois** trois dollars à Jean. | *I owe* John $3.00. |
| **Je devais** trois dollars à Jean. | *I owed* John $3.00. |
| **J'avais dû** trois dollars à Jean. | *I had owed* John $3.00. |

**EXERCICES**

**A.** *Remplacez les expressions signalées entre parenthèses par l'équivalent français:*

1. (*what*) ______ se trouve sur la table?
2. (*what*) ______ est votre profession?
3. (*of what*) ______ parle-t-il?
4. (*who*) ______ l'a fait?
5. (*what*) ______ ont-ils acheté?
6. (*whom*) ______ voulez-vous voir?
7. (*what*) ______ils ont vu?
8. (*for whom*) ______ le faites-vous?
9. (*what*) ______ hôtel habitez-vous?
10. (*some*) ______ étudiants vous attendent.
11. (*some*) Donnez-moi ______ haricots verts!
12. (*some*) J'aime ______ arbres, mais je ne les aime pas tous.
13. (*who, must have*) ______ était ce garçon qui ______ faire cela?
14. (*what do you have to*) ______ étudier ce soir?
15. (*some*) Je dois lire ______ journaux.

**B.** *Dites en français:*

—What do you have to study, Étienne?

—Not much. I had to buy a few books yesterday and I'll read them this week. Are you studying for any exams?

—Only one. I'm going to Jean-Paul's house tomorrow and we're going to study for the exam together.

—But Jean-Paul has to work tomorrow!

—Who told you that?

—He told me that himself.

—He must have forgotten that we intended to study together. He really is absent-minded!

# VOCABULAIRE

**aboutir** (*à qqch.*) to lead (*to sth.*), to end (*at, in sth.*)

**ainsi** thus; **ainsi de suite** and so on

(une) **anatomie** anatomy

**après** after

(la) **bouche** mouth

(le) **bras** arm

**chacun, chacune** each

(les) **cheveux** *m.pl.* hair(s)

(la) **circulation** circulation
(le) **coeur** heart
(le) **corps** body
(la) **dent** tooth
(le) **dentiste** dentist
**difficile** difficult
(le) **diplôme** diploma
**discuter** to discuss
(le) **doigt** finger
**effrayant** frightening
(un) **entier** whole, entirety; **en entier** in full
(un) **estomac** stomach
**se faire** to become, to be
**humain** *adj.* human
(la) **jambe** leg
(la) **lèvre** lip
(la) **maladie** illness, disease
(le) **médecin** doctor, physician; **médecin ordinaire** general practitioner
(la) **médecine** medicine
(le) **menton** chin
(le) **moment** moment
(le) **muscle** muscle
(le) **nerf** nerve
(le) **nez** nose
**occuper** to occupy; **s'occuper de** to be interested in, to be concerned with
(un) **oculiste** oculist
(une) **oreille** ear
(un) **organe** organ
(la) **peau** skin
(le) **pied** foot
(le) **poumon** lung
(le) **professeur** teacher, professor
**rattacher** to fasten together; **se rattacher à** to be connected with
(la) **sorte** sort
(la) **spécialisation** specialization
**spécialiser** to specialize; **se spécialiser (dans)** to specialize (in)
(la) **spécialité** specialty
**surtout** especially
(le) **système** system
(le) **tas** heap
(la) **tête** head
**treizième** thirteenth
**universitaire** *adj.* university
(le) **vaisseau** vessel; **vaisseaux sanguins** blood vessels

# EXERCICES STRUCTURAUX

**A.** *Mettez les phrases suivantes à la forme interrogative en employant le pronom interrogatif; suivez ces exemples: (1)* ***Marie est ici. / Qui est ici? (2) La lettre vient d'arriver. / Qu'est-ce qui vient d'arriver?***

1. Jacques fait des courses.
   Qui fait des courses?
2. Marie est ici.
   Qui est ici?

3. Jean-Paul est sorti avec Anne.
   Qui est sorti avec Anne?
4. L'hôtelière est dans l'hôtel.
   Qui est dans l'hôtel?
5. Ma mère me fait dire cela.
   Qui me fait dire cela?
6. Mes livres se trouvent sur la table.
   Qu'est-ce qui se trouve sur la table?
7. La porte est ouverte.
   Qu'est-ce qui est ouverte?
8. La cathédrale se trouve près de l'épicerie.
   Qu'est-ce qui se trouve près de l'épicerie?
9. La lettre vient d'arriver.
   Qu'est-ce qui vient d'arriver?
10. Le journal a été vendu par le garçon.
    Qu'est-ce qui a été vendu par le garçon?
11. Marie est ici.
    Qui est ici?
12. Le journal a été vendu par le garçon.
    Qu'est-ce qui a été vendu par le garçon?
13. Jacques a fait des courses.
    Qui a fait des courses?
14. Jean-Paul est sorti avec Anne.
    Qui est sorti avec Anne?
15. La lettre vient d'arriver.
    Qu'est-ce qui vient d'arriver?

**B.** *Mettez les phrases suivantes à la forme interrogative en employant le pronom interrogatif; suivez ces exemples:* ***(1) Il a vu Jean-Paul. / Qui a-t-il vu? (2) Elle fait des courses. / Qu'est-ce qu'elle fait?***

1. Il a visité le Louvre.
   Qu'est-ce qu'il a visité?
2. Elle a vu la cathédrale.
   Qu'est-ce qu'elle a vu?
3. Elle a trouvé la clé.
   Qu'est-ce qu'elle a trouvé?
4. Il a acheté un livre.
   Qu'est-ce qu'il a acheté?

5. Elle a perdu son foulard.
 Qu'est-ce qu'elle a perdu?
6. Elle aime bien Paris.
 Qu'est-ce qu'elle aime bien?
7. Il aime mieux New York.
 Qu'est-ce qu'il aime mieux?
8. Il leur a donné l'addition.
 Qu'est-ce qu'il leur a donné?
9. Il connaît Marie.
 Qui connaît-il?
10. Elle a vu Jacques dans la chambre.
 Qui a-t-elle vu dans la chambre?
11. Elle a frappé l'hôtelière.
 Qui a-t-elle frappé?
12. Il a acheté un livre.
 Qu'est-ce qu'il a acheté?
13. Ils ont vu Marie au château.
 Qui ont-ils vu au château?
14. Elles connaissent ma soeur.
 Qui connaissent-elles?
15. Elles ont trouvé Marie dans la chambre.
 Qui ont-elles trouvé dans la chambre?
16. Elle a vu la cathédrale.
 Qu'est-ce qu'elle a vu?
17. Elles connaissent ma soeur.
 Qui connaissent-elles?
18. Il a visité le Louvre.
 Qu'est-ce qu'il a visité?
19. Elles ont trouvé Marie dans la chambre.
 Qui ont-elles trouvé dans la chambre?
20. Elle a trouvé la clé.
 Qu'est-ce qu'elle a trouvé?

**C.** *Mettez les phrases suivantes à la forme interrogative en employant le pronom interrogatif; suivez ces exemples: (1)* ***Elle a parlé à Jacques. / À qui a-t-elle parlé? (2) Il parle de New York. / De quoi parle-t-il?***

1. Il a trouvé la clé sur le lit.
 Sur quoi a-t-il trouvé la clé?

2. Elle a mis le livre dans son paquet.
   Dans quoi a-t-elle mis le livre?
3. Ils nous ont parlé de la cathédrale.
   De quoi nous ont-ils parlé?
4. Ils nous ont parlé de New York.
   De quoi nous ont-ils parlé?
5. Elle a mis le livre dans son paquet.
   Dans quoi a-t-elle mis le livre?
6. Il a trouvé la clé sur le lit.
   Sur quoi a-t-il trouvé la clé?
7. Ils ont dit bonjour à leur ami.
   À qui ont-ils dit bonjour?
8. Elle a parlé à Jean-Paul.
   À qui a-t-elle parlé?
9. Elle est allée à la cathédrale avec Henri.
   Avec qui est-elle allée à la cathédrale?
10. Il a lu ce roman chez Henri.
    Chez qui a-t-il lu ce roman?
11. Ils ont dit bonjour à leur ami.
    À qui ont-ils dit bonjour?
12. Elle a parlé à Jean-Paul.
    À qui a-t-elle parlé?
13. Il a lu ce roman chez Henri.
    Chez qui a-t-il lu ce roman?
14. Ils ont dit bonjour à leur ami.
    À qui ont-ils dit bonjour?
15. Elle est allée à la cathédrale avec Henri.
    Avec qui est-elle allée à la cathédrale?

**D.** *Mettez les phrases suivantes à la forme interrogative et remplacez le nom propre par le pronom interrogatif; suivez ces exemples: (1)* ***Marie est ici.*** */* ***Qui est ici?*** *(2)* ***Il connaît Marie.*** */* ***Qui connaît-il?***

1. Jacques fait des courses.
   Qui fait des courses?
2. Marie est ici.
   Qui est ici?
3. Jean-Paul est sorti avec elle.
   Qui est sorti avec elle?

4. Anne lui a dit cela.
   Qui lui a dit cela?
5. Henri est dans la chambre.
   Qui est dans la chambre?
6. Il connaît Marie.
   Qui connaît-il?
7. Ils ont vu Jacques dans la chambre.
   Qui ont-ils vu dans la chambre?
8. Elle a frappé Marie.
   Qui a-t-elle frappé?
9. Marie est ici.
   Qui est ici?
10. Ils connaissent Étienne.
    Qui connaissent-ils?
11. Elle a parlé à Jean-Paul.
    À qui a-t-elle parlé?
12. Anne lui a dit cela.
    Qui lui a dit cela?
13. Elle est allée au Louvre avec Henri.
    Avec qui est-elle allée au Louvre?
14. Ils ont dit bonjour à Étienne.
    À qui ont-ils dit bonjour?
15. Ils ont trouvé le chien chez Jacques.
    Chez qui ont-ils trouvé le chien?
16. Il connaît Marie.
    Qui connaît-il?
17. Jacques fait des courses.
    Qui fait des courses?
18. Henri est dans la chambre.
    Qui est dans la chambre?
19. Marie est ici.
    Qui est ici?
20. Anne lui a dit cela.
    Qui lui a dit cela?

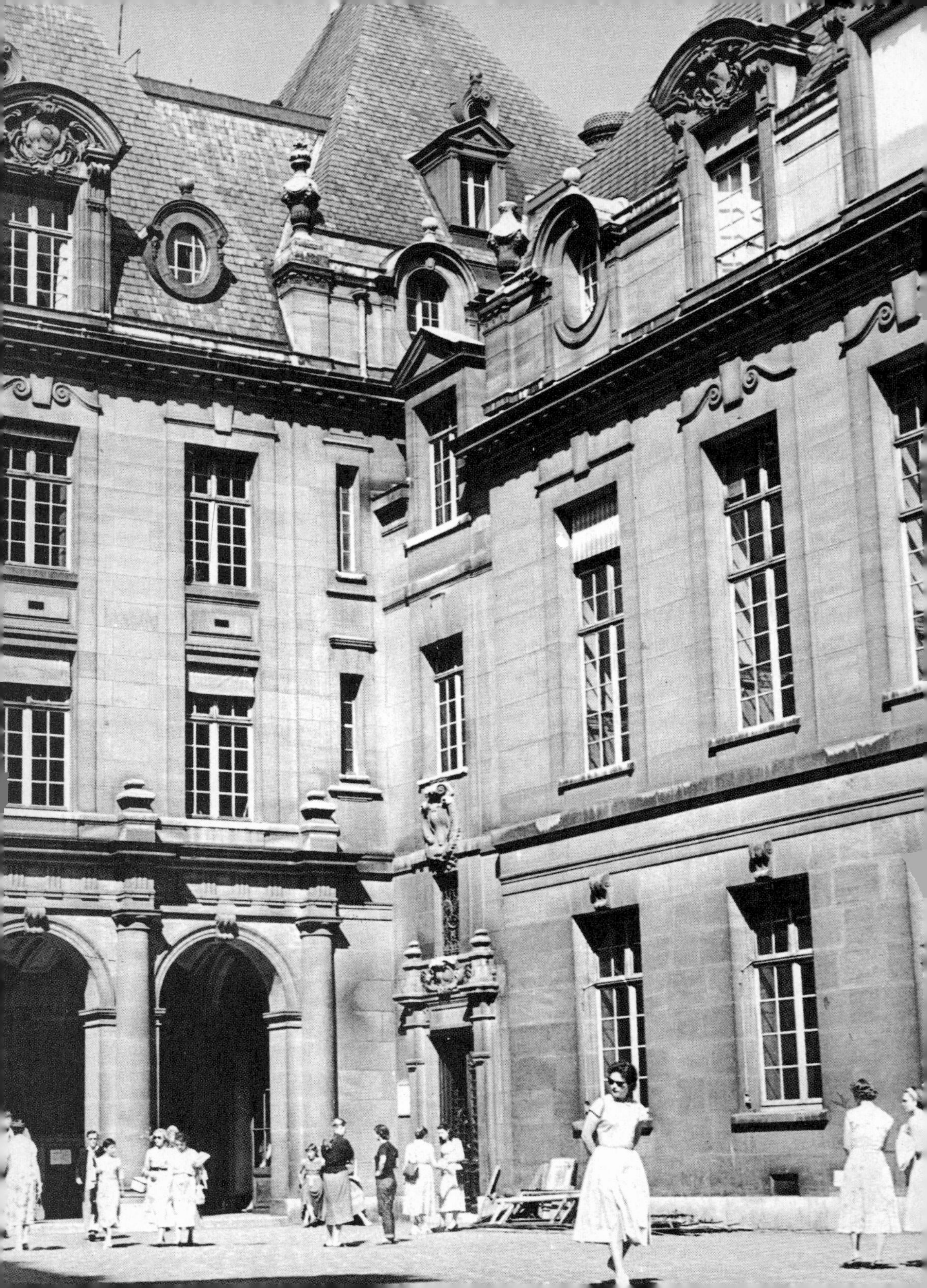

# QUATORZIÈME LEÇON

## ❋ CONVERSATION: LE SYSTÈME UNIVERSITAIRE (suite)

*Jean-Paul* — Pourquoi me posez-vous tant de questions? Vous intéressez-vous à la médecine?

*Anne* — Aucunement. Je suis des cours de littérature. Je remarque cependant que votre système d'enseignement est assez différent du nôtre.

*Jean-Paul* — Comment cela?

*Anne* — La plus grande différence est que nous ne commençons à nous spécialiser qu'après deux ans à l'université.

*Jean-Paul* — Mais qu'est-ce que vous faites pendant vos deux premières années?

*Anne* — Nous suivons des cours assez divers. Dans le domaine de la science nous pouvons étudier la chimie ou la physique.

*Jean-Paul* — Et des cours d'histoire?

*Anne* — Oui, on en suit aussi. Moi, par exemple, j'ai dû en suivre deux: l'histoire de l'Europe occidentale et l'histoire des États-Unis.

*Jean-Paul* — Et quels autres cours l'étudiant américain doit-il suivre?

*Anne* — Il y a des cours de culture générale. Quelques-uns suivent des cours de musique, d'art et de littérature.

*Jean-Paul* Et est-ce que vous étudiez la géographie et les mathématiques?

*Anne* Je n'ai pas trop étudié les mathématiques. J'ai suivi un cours de géographie générale.

*Jean-Paul* Y a-t-il des cours spécialisés de géographie?

*Anne* Oui, il y a des cours sur l'Asie, l'Afrique, l'Amérique du Sud et l'Antarctique. Et ces cours se rattachent à d'autres dans d'autres départements —par exemple, les départements de géologie et de botanique.

*Jean-Paul* Je ne savais pas qu'il y avait une si grande différence entre votre système et le nôtre.

**QUESTIONNAIRE**

*Répondez en français par des phrases complètes:*

1. Vous intéressez-vous à la médecine? 2. Quelle sorte de cours suivez-vous? 3. Quelle est la plus grande différence entre le système d'enseignement américain et le système français? 4. Qu'est-ce que vous faites pendant vos deux premières années? 5. Qu'est-ce que vous pouvez étudier comme science? 6. Suivez-vous des cours d'histoire? 7. Quelle sorte de cours d'histoire avez-vous suivie? 8. Quels autres cours est-ce que l'étudiant doit suivre? 9. Donnez le nom de quelques cours de culture générale. 10. Est-ce que vous étudiez la géographie? 11. Étudiez-vous les mathématiques? 12. Avez-vous suivi un cours de géographie générale? 13. Y a-t-il des cours spécialisés de géographie? 14. Quels sont les cours spécialisés de géographie? 15. À quels départements est-ce que les cours de géographie se rattachent? 16. Saviez-vous qu'il y avait une différence entre le système d'enseignement américain et le système français?

*Demandez à un autre étudiant:*

1. pourquoi il ne va pas acheter un foulard 2. ce qu'il veut acheter 3. si vous pouvez voir ses foulards et ses sweaters 4. s'il désire autre chose 5. où se trouvent les complets, les vestons et les pantalons 6. où se trouvent les chemises et les souliers 7. la couleur de son sweater 8. la couleur de sa

chemise 9. s'il veut faire une promenade dans les environs de Paris 10. quand il voudra y aller 11. s'il connaît le château de Sceaux 12. si Sceaux est un château ancien 13. s'il y avait beaucoup d'habitants aux États-Unis au XVIIIe siècle 14. quand il va à Sceaux 15. si sa mère se rendra compte qu'il n'est pas toujours enfermé à la maison

*Dites à un autre étudiant:*
1. que si ça lui va, vous pouvez tous aller ensemble 2. que la semaine dernière vous en aviez un assez grand choix 3. que vous voulez quelques mouchoirs 4. d'aller à l'autre côté du magasin 5. que les chemises et les souliers sont à côté 6. que vous pourrez prendre le métro et être là-bas avant une heure 7. que le château de Sceaux a été construit au XVIIe siècle 8. qui l'a rendu célèbre 9. quand la ville de Saint-Augustine a été fondée 10. qu'il y a un beau parc, un étang et un jardin magnifique à Sceaux 11. que vous aimerez bien aller à Sceaux samedi 12. que vous vous rendez compte qu'il n'est pas toujours enfermé à la maison

# GRAMMAIRE

### I POSSESSIVE PRONOUNS (les pronoms possessifs)
Study the following examples carefully, noting the form and meaning of the possessive pronouns in French:

*singular noun*

| | | | |
|---|---|---|---|
| Ce chapeau est | **le mien.**<br>**le tien.**<br>**le sien.** | This hat is | *mine.*<br>*yours.*<br>*his, hers, its.* |
| Cette maison est | **la mienne.**<br>**la tienne.**<br>**la sienne.** | This house is | *mine.*<br>*yours.*<br>*his, hers, its.* |
| Ce chapeau est | **le nôtre.**<br>**le vôtre.**<br>**le leur.** | This hat is | *ours.*<br>*yours.*<br>*theirs.* |
| Cette maison est | **la nôtre.**<br>**la vôtre.**<br>**la leur.** | This house is | *ours.*<br>*yours.*<br>*theirs.* |

*plural noun*

| | | | |
|---|---|---|---|
| Ces chapeaux sont | **les miens.**<br>**les tiens.**<br>**les siens.** | These hats are | *mine.*<br>*yours.*<br>*his, hers, its.* |
| Ces maisons sont | **les miennes.**<br>**les tiennes.**<br>**les siennes.** | These houses are | *mine.*<br>*yours.*<br>*his, hers, its.* |
| Ces chapeaux sont | **les nôtres.**<br>**les vôtres.**<br>**les leurs.** | These hats are | *ours.*<br>*yours.*<br>*theirs.* |
| Ces maisons sont | **les nôtres.**<br>**les vôtres.**<br>**les leurs.** | These houses are | *ours.*<br>*yours.*<br>*theirs.* |

The rules for contraction with the definite article still apply:

| | |
|---|---|
| Je vais parler à son père, et ***au vôtre*** aussi. | I am going to speak to his father, and *to yours*, too. |
| Nous parlons de ton livre, pas ***du sien***. | We are speaking about your book, not *about his*. |

The possessive pronouns (like all pronouns) take the gender and number of the noun they replace, not the gender of the possessor as in English.

| | |
|---|---|
| **Cette maison** est ***la tienne.*** | *That house* is ***yours.*** |
| **Ces chapeaux** sont ***les tiens.*** | *These hats* are ***yours.*** |
| **Cette maison** est ***la sienne.*** | *This house* is ***hers (his).*** |
| **Ces chapeaux** sont ***les siens.*** | *These hats* are ***hers (his).*** |

If the gender of the possessor is not clearly indicated by the context, **à** plus the disjunctive pronoun may be added to the possessive pronoun; or, the possessive adjective may be used, with **à lui, à elle,** etc., added to the noun:

| | |
|---|---|
| J'ai trouvé mon livre, mais je n'ai pas encore trouvé **le sien** ***à elle.*** | I found my book, but I haven't found ***hers*** yet. |
| J'ai trouvé mon livre, mais je n'ai pas encore trouvé **son livre** ***à elle.*** | I found my book, but I haven't found *her* book yet. |

**Exercice 1.** *Remplacez les mots entre parenthèses par la forme convenable du pronom possessif:*

1. (*yours; theirs*) Voyez ces robes: elles ne sont pas _______; elles sont _______.
2. (*his*) Toutes ces maisons sont _______.
3. (*ours, yours*) _______ est plus joli que _______.
4. (*yours*) Jean-Paul, regarde ce livre; est-ce _______? (*hers*) Non, c'est _______.
5. (*his, mine*) Est-ce que _______ est aussi grand que _______?
6. (*hers*) De tous les foulards, pourquoi voulez-vous _______?
7. (*ours*) Je préfère _______.
8. (*theirs*) Vos robes sont vertes; _______ sont rouges.
9. (*hers*) Elle a pris mon café; je vais prendre _______.
10. (*yours*) Notre système est moins compliqué que _______.
11. (*ours*) Votre université n'est pas meilleure que _______.
12. (*theirs*) Est-ce que vous aimez mon château mieux que _______?
13. (*theirs*) J'aimerai construire une maison comme _______.
14. (*mine, his*) _______ est plus belle que _______.

## II THE INDEFINITE PRONOUN QUELQU'UN

Study the following examples carefully, noting the form and meaning of the French indefinite pronoun **quelqu'un**:

| | |
|---|---|
| **Quelqu'un**[1] a parlé. | *Somebody* spoke. |
| **Quelques-uns** suivent des cours de musique. | *Some* take music courses. |
| **Quelques-unes** suivent des cours de musique. | *Some* take music courses. |

When used as a subject pronoun, **quelqu'un** is much more restrictive than the indefinite pronoun **on**:

| | |
|---|---|
| **On frappe** à la porte. | *Someone is knocking* on the door. (i.e., the door is being knocked on) |
| **Quelqu'un frappe** à la porte. | *Someone is knocking* on the door. (i.e., someone is at the door) |

[1]The form **quelqu'une** is never used, since there is no reason for ascribing the feminine gender to a person indefinite enough to be called *someone.* Note, however, when we use *some* in the plural sense, we are referring to actual persons or things; and the pronoun, therefore, has number and gender.

| | |
|---|---|
| **On a dit** cela. | That *was said.* |
| **Quelqu'un a dit** cela. | *Somebody said* that. |

**Quelqu'un** may also be used as the object of a preposition or of a verb:

| | |
|---|---|
| Il parlait à **quelqu'un.** | He was speaking to *someone.* |
| J'ai vu **quelqu'un** qui parlait. | I saw *someone* who was speaking. |
| Avez-vous des foulards jaunes? | Do you have any yellow scarves? |
| Oui, j'en ai **quelques-uns.** | Yes, I have *some* (*a few*). |

Note that when **quelques-uns** or **quelques-unes** is the object of the verb and stands alone in the predicate, it is an expression of quantity and requires **en** before the verb.

**Exercice 2.** *Remplacez les mots entre parenthèses par la forme convenable de **quelqu'un** ou par **on**, selon le cas:*

1. (*they are speaking*) _______ dans la salle.
2. (*someone*) Qui est-ce? C'est _______ que je connais.
3. (*some*) Regardez ces jeunes filles-là; _______ portent des robes rouges tandis que d'autres portent des jupes vertes.
4. (*some*) _______ étudient; d'autres ne font rien.
5. (*someone*) _______ vous attend à Sceaux.
6. (*someone*) Avez-vous vu _______?
7. (*some*) Il y a beaucoup d'étudiants ici. _______ préparent des examens, mais d'autres vont au cinéma.

### III DATES

Study the following examples, paying special attention to the translations of the French expressions:

| | |
|---|---|
| **Je vous verrai le onze octobre.** | I'll see you October 11 (October eleventh). |
| **C'est aujourd'hui le premier mai.** | Today is May 1 (May first). |
| **Il l'a fait le trois juillet.** | He did it on July 3 (July third). |

How is the date expressed in French? How does one say *on* (such and such a day) in French? Is the ordinal number ever used (that is, do the French say *first, second, third,* etc.)?

Study the following examples, noting the French expressions for years:

| | |
|---|---|
| le 20 juin 622 | le vingt juin six cent vingt-deux |
| le 12 octobre 1492 | le douze octobre quatorze cent quatre-vingt-douze |
| le 7 décembre 1941 | le sept décembre dix-neuf cent quarante et un (*or:* le sept décembre mil neuf cent quarante et un) |

The years from 1700 to the present may be expressed in either of two ways as the last example above shows. Notice that in French, the equivalent of *hundred* must always be expressed:

| | |
|---|---|
| **dix-neuf *cent* quarante et un** | *nineteen forty-one* (or, literally, *nineteen **hundred** [and] forty-one*) |

**Exerçice 3.** *Lisez à haute voix les dates suivantes:*

1. February 2, 1964
2. on December 25, 1348
3. September 1, 1889
4. March 4, 793
5. on August 11, 1674
6. July 4, 1776
7. January 6, 1295

## IV VERBS FOR SPECIAL STUDY: SUIVRE

Study the following conjugation of **suivre** in the present tense:

*present tense of* **suivre**—*to follow*
(I follow, am following, do follow, etc.)

| | |
|---|---|
| **je suis** | **nous suivons** |
| **tu suis** | **vous suivez** |
| **il suit** | **ils suivent** |

What is the singular stem of **suivre**? the plural stem? the imperfect stem? Conjugate **suivre** in the imperfect tense.

The compound tenses of **suivre** are formed as follows:

| | | |
|---|---|---|
| passé composé | **j'ai suivi** | *I followed* |
| pluperfect | **elle avait suivi** | *she had followed* |
| future perfect | **nous aurons suivi** | *we will have followed* |

### EXERCICES

**A.** *Remplacez les mots en italique par la forme convenable du pronom possessif:*

1. Les cours que nous suivons ne sont pas les mêmes que *ceux qu'ils suivent, eux.*
2. *La table d'Étienne* n'est pas grande.
3. Habitez-vous *son hôtel*?
4. Votre chambre est moins petite que *ma chambre.*
5. Je te dis que mes amis français boivent plus que *tes amis*!
6. Ne me posez plus de questions; répondez *à mes questions*!
7. Je parlais des robes de Marie, non pas *de tes robes.*
8. Je vois que ses pieds sont plus grands que *vos pieds.*
9. *Notre université* est un lieu de travail sérieux.
10. Avez-vous regardé *sa tête*?

**B.** *Dites en français:*

—Do you want to take a walk, Anne?
—Yes, but I must be in my room before five-thirty, since I expect someone at that time.
—Fine. Is this "someone" a friend of Étienne's, by chance?
—No, she's one of my American friends. Étienne's friends are all French.
—Are yours all Americans?
—No, some are French, like you and Étienne. Many of my French friends are students.
—Have you noticed that French students read a lot of books?
—Yes, and I've also noticed that the books are never theirs.
—That's because French textbooks (**manuels**) are too expensive and students can't buy all the books they have to read.

—What a shame.
—Yet it's true (**vrai**). But that's life (**c'est la vie**)!

## VOCABULAIRE

(une) **Afrique** Africa
(une) **Amérique** America
**Amérique du Sud** South America
(un) **an** year
(un) **Antarctique** Antarctica; the Antarctic
(un) **art** art
(une) **Asie** Asia
**aucunement** not at all; in no way
**boire** to drink
(la) **botanique** botany
**cependant** nevertheless
(la) **chimie** chemistry
(le) **cinéma** movies
**comment: comment cela?** how so?
(la) **culture** culture
(le) **département** department
(la) **différence** difference
**divers** varied, diverse
(le) **domaine** field, domain
(un) **enseignement** teaching, education
**entre** between, among
(une) **Europe** Europe
(un) **exemple** example; **par exemple** for example
(la) **fleur** flower
(le) **fruit** fruit
**général** general
(la) **géographie** geography
(la) **géologie** geology
(une) **histoire** history; story
**intéresser: s'intéresser à** to be interested in
**le leur, la leur; les leurs** theirs
(le) **lieu** place
(la) **littérature** literature
(les) **mathématiques** *f.pl.* mathematics
**le mien, la mienne; les miens, les miennes** mine
(la) **musique** music
(le) **nom** name
**le nôtre, la nôtre; les nôtres** ours
**occidental** western
(la) **physique** physics
**porter** to wear
**quatorzième** fourteenth
**quelqu'un** someone
(la) **question** question; **poser une question** to ask a question
**répondre** to answer
(la) **science** science
**sérieux, sérieuse** serious
**le sien, la sienne; les siens, les siennes** his, hers, its
**tandis que** whereas, while
**le tien, la tienne; les tiens, les tiennes** yours
(le) **travail** work
**le vôtre, la vôtre; les vôtres** yours

## ❋ EXERCICES STRUCTURAUX

**A.** *Dans les phrases suivantes remplacez l'adjectif possessif et le nom par la forme convenable du pronom possessif; suivez cet exemple:* ***Mes robes sont jaunes./Les miennes sont jaunes.***

1. Leurs livres sont nouveaux.
   Les leurs sont nouveaux.
2. Nos cours sont faciles.
   Les nôtres sont faciles.
3. Ton père est français.
   Le tien est français.
4. Mon père est français.
   Le mien est français.
5. Sa tasse est pleine de café.
   La sienne est pleine de café.
6. Votre maison n'est pas grande.
   La vôtre n'est pas grande.
7. Je donnerai les livres à mes frères.
   Je donnerai les livres aux miens.
8. Ses chaises sont confortables.
   Les siennes sont confortables.
9. Notre université a beaucoup d'étudiants.
   La nôtre a beaucoup d'étudiants.
10. Son père est anglais.
    Le sien est anglais.

**B.** *Traduisez les dates suivantes; suivez cet exemple:* ***1900/dix-neuf cent***

1. 1964
   dix-neuf cent soixante-quatre
2. 1878
   dix-huit cent soixante-dix-huit
3. 1789
   dix-sept cent quatre-vingt-neuf
4. 1693
   seize cent quatre-vingt-treize
5. 1555
   quinze cent cinquante-cinq

6. 1492
   quatorze cent quatre-vingt-douze
7. 1324
   treize cent vingt-quatre
8. 1939
   dix-neuf cent trente-neuf
9. 1812
   dix-huit cent douze
10. 1240
   douze cent quarante

**C.** *Traduisez les dates suivantes; suivez cet exemple:* ***1900 / mil neuf cent***

1. 1740
   mil sept cent quarante
2. 1812
   mil huit cent douze
3. 1939
   mil neuf cent trente-neuf
4. 1824
   mil huit cent vingt-quatre
5. 1892
   mil huit cent quatre-vingt-douze
6. 1755
   mil sept cent cinquante-cinq
7. 1899
   mil huit cent quatre-vingt-dix-neuf
8. 1789
   mil sept cent quatre-vingt-neuf
9. 1880
   mil huit cent quatre-vingts
10. 1964
   mil neuf cent soixante-quatre

**D.** *Traduisez les dates suivantes; suivez cet exemple:* ***September 15, 1964 / le quinze septembre dix-neuf cent soixante-quatre***

1. December 25, 1242
   le vingt-cinq décembre douze cent quarante-deux

2. October 12, 1492
    le douze octobre quatorze cent quatre-vingt-douze
3. November 22, 1677
    le vingt-deux novembre seize cent soixante-dix-sept
4. July 4, 1935
    le quatre juillet dix-neuf cent trente-cinq
5. August 10, 1718
    le dix août dix-sept cent dix-huit
6. September 22, 1336
    le vingt-deux septembre treize cent trente-six
7. June 21, 1555
    le vingt et un juin quinze cent cinquante-cinq
8. April 1, 1984
    le premier avril dix-neuf cent quatre-vingt-quatre
9. May 2, 1844
    le deux mai dix-huit cent quarante-quatre
10. January 1, 1106
    le premier janvier onze cent six

*QU'EN AVEZ-VOUS FAIT*

Vous aviez mon coeur,
Moi, j'avais le vôtre:
Un coeur pour un coeur;
Bonheur pour bonheur!

Le vôtre est rendu,
Je n'en ai plus d'autre,
Le vôtre est rendu
Le mien est perdu!

La feuille et la fleur — **feuille**, *leaf;* **fleur**, *flower*
Et le fruit lui-même,
La feuille et la fleur,
L'encens, la couleur: — **encens**, *incense*

Qu'en avez-vous fait,
Mon maître suprême? — **maître**, *master;* **suprême**, *supreme*
Qu'en avez-vous fait,
De ce doux bienfait?

Comme un pauvre enfant, — **enfant**, *child*
Quitté par sa mère,
Comme un pauvre enfant
Que rien ne défend, — **défendre**, *to defend, to protect*

Vous me laissez là,
Dans ma vie amère; — **amer**, *bitter*
Vous me laissez là
Et Dieu voit cela! — **Dieu**, *God*

Savez-vous qu'un jour
L'homme est seul au monde?
Savez-vous qu'un jour
Il revoit l'amour?

Vous appellerez,
Sans qu'on vous réponde; — **Sans qu'on vous réponde,** *without being answered*
Vous appellerez,
Et vous songerez! . . . — **songer**, *to dream*

Vous viendrez rêvant — **rêvant**, *dreaming*
Sonner à ma porte;
Ami comme avant,
Vous viendrez rêvant.

Et l'on vous dira:
«Personne! . . . elle est morte!» — **mort**, *dead*
On vous le dira:
Mais qui vous plaindra? — **plaindre**, *to pity*

*—Marceline Desbordes-Valmore*
*(1786-1859)*

M
METRO

# QUINZIÈME LEÇON

## CONVERSATION: LE SYSTÈME UNIVERSITAIRE (fin)

| | |
|---|---|
| *Jean-Paul* | Avec tant de travail, vous ne deviez pas avoir beaucoup de temps pour vous spécialiser. |
| *Anne* | On se spécialise après l'université. Ceux qui s'intéressent aux lois et qui voudraient se faire avocats iraient à la Faculté de Droit. |
| *Jean-Paul* | Et ceux qui voudraient se faire médecins? |
| *Anne* | S'ils voulaient se faire médecins, ils iraient à la Faculté de Médecine. |
| *Jean-Paul* | Et les musiciens? |
| *Anne* | Ils étudieraient à la Faculté de Musique où ils suivraient des cours de théorie et de composition et où ils pourraient se spécialiser davantage. Ils suivraient par exemple des cours de piano, de violon, de violoncelle, de flûte et de clarinette. |
| *Jean-Paul* | Ce n'est pas du tout comme chez nous. D'habitude les étudiants de musique n'ont rien à faire avec l'université. |
| *Anne* | Je l'ai remarqué. Toutes vos facultés se trouvent dans une partie différente de la ville tandis que chez nous, toutes sont ensemble. |
| *Jean-Paul* | Cela est bien bizarre. |

| | |
|---|---|
| *Anne* | Pas du tout. Il y a aussi des avantages que vous n'avez pas en France. Comme tous les étudiants se trouvent au même endroit, il y a plus de contact entre eux que chez vous. Ils peuvent se retrouver facilement n'importe où sur le campus, ou bien, ils peuvent se voir souvent au restaurant universitaire. |
| *Jean-Paul* | Je n'ai pas encore bien compris. Cela a l'air très compliqué. Il faudra me l'expliquer encore un autre jour. Maintenant, je dois me sauver. À samedi. |
| *Anne* | D'accord. À samedi. |

**QUESTIONNAIRE**

*Répondez en français par des phrases complètes:*

1. Est-ce que vous faisiez beaucoup de choses l'année passée? 2. Avez-vous beaucoup de temps pour vous spécialiser? 3. Quand se spécialise-t-on en Amérique? 4. Où iraient ceux qui voudraient se faire avocats? 5. Où vont ceux qui s'intéressent à la médecine? 6. Où vont les musiciens? 7. Quels cours suivent-ils à la Faculté de Musique? 8. Combien d'instruments connaissez-vous? 9. Que font les étudiants en musique en France? 10. Où se trouvent les différentes facultés en France? 11. Où se trouvent-elles aux États-Unis? 12. Quels avantages y a-t-il dans le système américain? 13. Où est-ce qu'il y a beaucoup de contact entre les étudiants? 14. Où est-ce que les étudiants se retrouvent? 15. Où est le restaurant universitaire? 16. Avez-vous tout compris? 17. Quel système est le plus compliqué? 18. Pourquoi est-ce qu'il y a plus de contact entre les étudiants américains? 19. Qu'est-ce que les étudiants américains font au restaurant universitaire?

# GRAMMAIRE

## I TENSES OF THE CONDITIONAL MOOD

### • The conditional (le conditionnel)

Study the following examples carefully, noting the formation and meaning of the conditional tense in French:

**Et ceux qui *voudraient* se faire médecins?**

And those who *would want* to become doctors?

**Ils *iraient* à la Faculté de Médecine.**

They *would go* to the Medical School.

**S'ils s'intéressaient à la musique, ils *iraient* à la Faculté de Musique.**

If they were interested in music, they *would go* to the School of Music.

**Ils *étudieraient* à la Faculté de Musique, où ils *suivraient* des cours de théorie et où ils *pourraient* se spécialiser davantage.**

They *would study* at the School of Music, where they *would take* courses in theory and where they *would be able* to (where *they could*) specialize further.

The italicized words are all in the conditional tense. How is the conditional formed? How do you obtain its stem?

The conditional is usually translated as *would* in English. As you saw in Lesson 10, *would* can also be used to express *used to*.

Study the following verbs, conjugated in the conditional tense:

*conditional tense of* **parler**—*to speak*
(I would speak, you would speak, he would speak, etc.)

| | |
|---|---|
| **je parler*ais*** | **nous parler*ions*** |
| **tu parler*ais*** | **vous parler*iez*** |
| **il parler*ait*** | **ils parler*aient*** |

*conditional tense of* **vendre**—*to sell*
(I would sell, you would sell, he would sell, etc.)

| | |
|---|---|
| **je vendr*ais*** | **nous vendr*ions*** |
| **tu vendr*ais*** | **vous vendr*iez*** |
| **il vendr*ait*** | **ils vendr*aient*** |

*conditional tense of* **être**—*to be*
(I would be, you would be, he would be, etc.)

| | |
|---|---|
| **je ser*ais*** | **nous ser*ions*** |
| **tu ser*ais*** | **vous ser*iez*** |
| **il ser*ait*** | **ils ser*aient*** |

*conditional tense of* **avoir**—*to have*
(I would have, you would have, he would have, etc.)

| | |
|---|---|
| **j'aur*ais*** | **nous aur*ions*** |
| **tu aur*ais*** | **vous aur*iez*** |
| **il aur*ait*** | **ils aur*aient*** |

**Exercice 1.** *Mettez les verbes suivants au conditionnel:*

| | |
|---|---|
| 1. elle laisse | 10. elle sait |
| 2. il fait | 11. je parle |
| 3. nous devons | 12. elles finissent |
| 4. ils tiennent | 13. y a-t-il |
| 5. je m'en vais | 14. je vois |
| 6. tu es | 15. vous vous appelez |
| 7. tu peux | 16. ils partent |
| 8. il faut | 17. elles viennent |
| 9. nous suivons | 18. j'ai |

• **The conditional perfect (le conditionnel passé)**

Study the following examples, noting the formation and meaning of the conditional perfect tense in French:

| | |
|---|---|
| **j'aurais vu** | *I would have seen* |
| **il aurait parlé** | *he would have spoken* |
| | |
| **vous seriez venu** | *you would have come* |
| **elles se seraient levées** | *they would have gotten up* |

**Exercice 2.** *Mettez les verbes suivants au passé du conditionnel:*

| | |
|---|---|
| 1. elle laisse | 10. elle sait |
| 2. il fait | 11. je parle |
| 3. nous devons | 12. elles finissent |
| 4. ils tiennent | 13. y a-t-il |
| 5. je m'en vais | 14. je vois |
| 6. tu es | 15. vous vous appelez |
| 7. tu peux | 16. ils partent |
| 8. il faut | 17. elles viennent |
| 9. nous suivons | 18. j'ai |

- **Uses of the conditional tenses**

The conditional is used to express the concept of "future in the past":

| | |
|---|---|
| Elle a dit que sa fille **viendrait.** | She said that her daughter *would come.* |
| Nous avons cru qu'il le **ferait.** | We believed that he *would do* it. |

Notice that although the main verb is in a past tense, the subordinate clause conveys the idea of future time.

The conditional is also used in the main clause of contrary-to-fact sentences:

| | |
|---|---|
| S'ils voulaient le faire, ils **suivraient** des cours de théorie. | If they wanted to do so, they *would take* courses in theory. |
| Si vous demandiez cela, il ne vous **répondrait** pas. | If you asked that, he *would* not *answer* you. |
| Je ne vous **croirais** pas, même si vous aviez raison. | I *would* not *believe* you even if you were right. |

In what tense is the verb in the **si** clause? Notice that these sentences present a condition which does not exist—a contrary-to-fact or hypothetical situation. In these sentences, the concept stated is merely an assumption, not a fact; in such cases, the main clause of the sentence takes the conditional tense.

Study the following sentences, observing the relationship of tenses between the verbs of the **si** clause and those of the main clause:

| | |
|---|---|
| S'il vous **voit**, il vous ***parlera.*** | If he *sees* you, he ***will speak*** to you. |
| S'il vous **voyait**, il vous ***parlerait.*** | If he *saw* you, he ***would speak*** to you. |
| S'il vous **avait vu,** il vous ***aurait parlé.*** | If he *had seen* you, he ***would have spoken*** to you. |

After studying the following chart, which shows the sequence pattern of verb tenses in si constructions, reread the sentences above, applying the rules of the chart to them.

| *tense of **si** clause* | *tense of main clause* |
|---|---|
| present | future |
| imperfect | conditional |
| pluperfect | conditional perfect |

**Exercice 3.** *Remplacez l'expression signalée entre parenthèses par l'équivalent français:*

1. (*did, would see*) Si vous le _______, je ne vous _______ plus.
2. (*would see, had to*) Elles me _______ si elles _______ le faire.
3. (*would study, would give*) Nous _______ si vous nous _______ les livres que nous demandons.
4. (*would have bought, had had*) Tu _______ le foulard si tu _______ l'argent.
5. (*go, will look for*) Si je _______ à Paris, je _______ ton ami.
6. (*could, would you go*) Si vous _______ aller à Paris, y _______?
7. (*will be able, have*) Nous _______ visiter le Louvre si nous _______ le temps.
8. (*would have forgotten, had not read*) Ils _______ la leçon s'ils _______ tous les livres.
9. (*had studied, would have gone*) Si les jeunes filles _______, elles _______ à l'université.
10. (*did not study, would not be*) Si vous _______, vous _______ dans cette classe.

## II INTERROGATIVE WORD ORDER WHEN SUBJECT IS A NOUN

Note the word order in the following questions, in which the subject of the sentence is a noun:

| | |
|---|---|
| **Quels autres cours l'étudiant doit-il suivre?** | *What other courses must the student take?* |
| **Pourquoi les jeunes filles aiment-elles les sports?** | *Why do the girls like sports?* |
| **Anne connaît-elle Paris?** | *Does Anne know Paris?* |
| **Étienne et Jean-Paul vous ont-ils souvent écrit?** | *Have Étienne and Jean-Paul written you often?* |

When a noun is the subject of an interrogative sentence, the usual word order is:

noun . . . verb . . . subject pronoun

Repeat the preceding examples to yourself to establish this pattern in your mind. Note that the subject pronoun takes the number and gender of the noun subject.

As you may have noticed in some of the preceding **questionnaires**, the above word order is not always followed. Study the following questions, in which the noun subject follows the verb, as in English:

| | |
|---|---|
| **Où vont les musiciens?** | *Where do the musicians go?* |
| **Que font les étudiants en musique?** | *What do the music students do?* |
| **Combien coûte le bifteck?** | *How much does the steak cost?* |

In questions beginning with **où, que,** or **combien,** the word order is:

verb . . . subject

**Exercice 4.** *Mettez les phrases suivantes à la forme interrogative:*

1. Les jeunes filles vendent des journaux.
2. Les jeunes filles ne vendent pas de journaux.
3. Étienne a dit cela.
4. Étienne n'a pas dit cela.
5. Étienne l'a dit.
6. Étienne ne l'a pas dit.
7. Anne et Jean-Paul se parlent souvent.
8. Jean-Paul aurait parlé si elle était venue.

## III VERBS FOR SPECIAL STUDY: CONDITIONAL TENSE OF DEVOIR

Like all verbs, **devoir** forms its conditional tense by adding the imperfect tense endings to the future tense stem:

| | |
|---|---|
| je devr**ais** | nous devr**ions** |
| tu devr**ais** | vous devr**iez** |
| il devr**ait** | ils devr**aient** |

The conditional of **devoir** expresses *should* or *ought to* in the sense of duty to oneself, or moral obligation.

| | |
|---|---|
| ***Vous devriez*** faire votre travail avant d'aller au théâtre. | *You ought to* do your work before going to the theater. |
| ***Il devrait*** parler à Anne. | *He should* speak to Anne. |
| ***Nous aurions dû*** vous croire. | *We should have* believed you. |
| ***Elles auraient dû*** acheter un journal. | *They ought to have* bought a newspaper. |

Pay special attention to the last sentence above. Notice that in the English construction, it is the verb ***to buy*** which is put into the compound form *(They ought to **have bought**)*, while in the French construction, it is the verb ***devoir*** which takes the compound form *(Elles **auraient dû** acheter)*.

**EXERCICES**

**A.** *Dites en français:*

1. If she came, I would be happy.
2. If Anne would come, I would be happy.
3. Where are the students going?
4. Who said that?
5. They would have studied if they were students.
6. What would she have said if she had known that you were not French?
7. What courses should we take?
8. What do music students do at the university?
9. What would Anne say if she saw that?
10. Would you want to eat three potatoes?

**B.** *Dites en français:*

—Are you waiting for Marie?

—Yes. She said that she would be here at four-thirty. She should arrive soon (**bientôt**).

—It's four forty-five now—she should have arrived already.

—She told me that she had to buy some books for her music class. Perhaps she went to the bookstore (**librairie**).

—I didn't know that Marie studied music.

—Yes, she is a piano student at the School of Music. There are many fine professors there.

—I agree. If I were to study music, I would certainly go there, too.

## VOCABULAIRE

(un) **avantage** advantage
(un) **avocat** lawyer
**avoir: avoir l'air** to seem
**bizarre** peculiar
(le) **campus** campus
(la) **clarinette** clarinet
(la) **composition** composition
**comprendre** to understand
(le) **contact** contact
(le) **droit** law
**encore** again
(un) **endroit** place
**expliquer** to explain
**facilement** easily
(la) **faculté** faculty, school, department; **Faculté de Médecine** Medical School, School of Medicine
(la) **flûte** flute
(un) **instrument** instrument
(la) **loi** law
(le) **musicien** musician
**ou: ou bien** or else
**où: n'importe où** anywhere
(la) **partie** part
(le) **piano** piano
**quinzième** fifteenth
**retrouver** to find again, to rediscover; **se retrouver** to meet again
**sauver** to save; **se sauver** to run off
(la) **théorie** theory
(le) **violon** violin
(le) **violoncelle** cello

## EXERCICES STRUCTURAUX

**A.** *Mettez les phrases suivantes au conditionnel:*

1. Elle s'appelle Anne.
   Elle s'appellerait Anne.
2. Je parle français.
   Je parlerais français.
3. Anne dit beaucoup de choses à sa mère.
   Anne dirait beaucoup de choses à sa mère.
4. Les garçons vendent des journaux.
   Les garçons vendraient des journaux.

5. Il fait une promenade.
   Il ferait une promenade.
6. Je vois des gens dans la rue.
   Je verrais des gens dans la rue.
7. Elle veut acheter des timbres.
   Elle voudrait acheter des timbres.
8. Je ne suis pas à San Francisco.
   Je ne serais pas à San Francisco.

**B.** *Combinez les phrases suivantes en mettant* ***si*** *devant la première et en mettant le verbe de la deuxième au futur; suivez cet exemple:* ***Elle s'en va. Je suis triste./ Si elle s'en va, je serai triste.***

1. Vous le faites. Il ne vous voit plus.
   Si vous le faites, il ne vous verra plus.
2. Tu as de l'argent. Tu achètes un foulard.
   Si tu as de l'argent, tu achèteras un foulard.
3. Il va à Paris. Il cherche ton ami.
   S'il va à Paris, il cherchera ton ami.
4. Elles ont raison. Je les crois.
   Si elles ont raison, je les croirai.
5. Elle vient. Je suis content.
   Si elle vient, je serai content.

**C.** *Combinez les phrases suivantes en mettant* ***si*** *devant la première et en mettant les verbes convenables à l'imparfait et au conditionnel; suivez cet exemple:* ***Elle s'en va. Je suis triste./ Si elle s'en allait, je serais triste.***

1. Nous étudions. Nous avons de bonnes notes.
   Si nous étudlions, nous aurions de bonnes notes.
2. Tu as de l'argent. Tu achètes un foulard.
   Si tu avais de l'argent, tu achèterais un foulard.
3. Il va à Paris. Il cherche ton ami.
   S'il allait à Paris, il chercherait ton ami.
4. Ils ont le temps. Ils peuvent visiter le Louvre.
   S'ils avaient le temps, ils pourraient visiter le Louvre.

5. Elle vient. Je suis content.
   Si elle venait, je serais content.

**D.** *Combinez les phrases suivantes en mettant* **si** *devant la première et en mettant les verbes convenables au plus-que-parfait et au conditionnel passé; suivez cet exemple:* ***Elle s'en va. Je suis triste./Si elle s'en était allée, j'aurais été triste.***

1. Vous le faites. Il ne vous voit plus.
   Si vous l'aviez fait, il ne vous aurait plus vu.
2. Nous étudions. Nous avons de bonnes notes.
   Si nous avions étudié, nous aurions eu de bonnes notes.
3. Tu as de l'argent. Tu achètes un foulard.
   Si tu avais eu de l'argent, tu aurais acheté un foulard.
4. Ils ont le temps. Ils peuvent visiter le Louvre.
   S'ils avaient eu le temps, ils auraient pu visiter le Louvre.
5. Elles ont raison. Je les crois.
   Si elles avaient eu raison, je les aurais crues.

**E.** *Mettez les phrases suivantes à la forme interrogative:*

1. Étienne est sorti.
   Étienne est-il sorti?
2. Anne a dit cela.
   Anne a-t-elle dit cela?
3. Étienne ne l'a pas dit.
   Étienne ne l'a-t-il pas dit?
4. Les garçons se sont promenés.
   Les garçons se sont-ils promenés?
5. Jean-Paul ne parlera plus.
   Jean-Paul ne parlera-t-il plus?
6. Ma mère t'a vu.
   Ma mère t'a-t-elle vu?
7. Anne serait allée à Paris.
   Anne serait-elle allée à Paris?
8. Le garçon finira la leçon.
   Le garçon finira-t-il la leçon?

VENDREDI 14 JUIN 1963

Bureaux à 20 heures

SOIRÉE

Rideau à 2

# RUY BLAS

Drame en CINQ actes, en vers, de **Victor HUGO**
Décors de Mlle Lila de NOBILI et de M. Renzo MONGIARDINO
Costumes de Mlle Lila de NOBILI
Mise en scène de M. Raymond ROULEAU

MM. **André FALCON**, *Ruy Blas* - **Jean PIAT**, *Don César de Bazan* - **Jean MARCHAT**, *Don Sallu*
**Maurice PORTERAT**, *Montazgo* - **Louis EYMOND**, *Covadenga* - **MARCO-BÉHAR**, *Gudiel, un*
**François VIBERT**, *le Comte de Camporeal, le Marquis de Santa Cruz* - **Jean-Louis JEMMA**, *le Comte*
**Jean-Claude ARNAUD**, *le Laquais* - **Daniel LECOURTOIS**, *Don Guritan* - **Alain FEYDEAU**, *le Mar*
**Simon EINE**, *l'Alcade* - **Denis SAVIGNAT**, *le Marquis Del Basto* - **Maurice GERMAIN**, *Don Anto*
Mmes **Claude WINTER**, *la Reine* - **Suzanne NIVETTE**, *la Duchesse d'Albuquerque*
**Régine BLAËSS**, *Casilda* - **Anne-Marie MAILFER**, *une Duègne*

Élèves du Conservatoire : MM. Jean Allain, *un Huissier* - Yan Brian, *Manuel Arias, un Alguazil*
Michel Duchaussoy, *un Alguazil* - Jacques Lorcey, *un Alguazil*
avec : MM. Bigonet - Lacoste - Barcourt - Horn - Rudel

LE SPECTACLE SERA TERMINÉ VERS 23 H. 45

SAMEDI 15 JUIN 1963

Bureaux à 20 h. 30

SOIRÉE

Rideau à 2

# LE BOURGEOIS GENTILHOMME

Comédie-Ballet en CINQ actes, en prose, de **MOLIÈRE**

1.0

Décor et costumes de Mme Suzanne L.

Musique de LULLI

MM. **Louis SEIGNER**, *M. Jourdain* - **Jean PIAT**, *Covielle* - **Jacques EYSER**, *Maître d'armes*
**Georges DESCRIÈRES**, *Dorante* - **Jacques SEREYS**, *Maître à danser*
**Jean-Paul ROUSSILLON**, *Maître tailleur* - **Henri ROLLAN**, *Maître de philosophie*
**Bernard DHÉRAN**, *Maître de musique* - **Louis EYMOND**, *1er Laquais*
**Jean-Louis JEMMA**, *Cléonte* - **Alain FEYDEAU**, *un Garçon tailleur*
Mmes **Andrée de CHAUVERON**, *Mme Jourdain* - **Hélène PERDRIÈRE**, *Dorimène*
**Catherine SAMIE**, *Nicole* - **Michèle ANDRÉ**, *Lucile*

Élève du Conservatoire : M. Yan Brian, *2e Laquais*

*CHANT* : MM. Jean Cussac - Michel Lecoq - Mlles Michèle Raynaud - Simone Peyb
*DANSES* : Mlles Achille - Bouffet - Cayré - Desmorillons - Dorsay - Le Breton - Janotta -
*DIVERTISSEMENT* réglé par Mme Léone Mail, de l'Opéra

*Directeur de la Musique : M. Marcel LANDOWSKI*

LE SPECTACLE SERA TERMINÉ VERS 23 H. 30

DIMANCHE 16 JUIN 1963

Rideau à 14

MATINÉE

Bureaux à 14 heures

5

pr.

# SEIZIÈME LEÇON

## CONVERSATION: UNE SOIRÉE À LA COMÉDIE-FRANÇAISE

Anne a décidé de profiter d'un soir libre pour aller à la Comédie-Française avec son amie, Marie. Puisqu'elle ne voulait pas assister à une représentation trop sérieuse, elle a décidé de ne pas voir de tragédie ce soir-là, mais plutôt de voir une pièce assez amusante de Molière, *Le Bourgeois gentilhomme.* On lui avait dit qu'il y aurait de la musique, un ballet et beaucoup d'effets scéniques; et même si elle ne comprenait pas la pièce (la rapidité du débit des acteurs de la Comédie-Française est bien connue), elle pourrait du moins s'en faire une bonne idée d'après ce qu'elle verrait. Elle est arrivée au théâtre de bonne heure pour trouver une bonne place, et elle est tout de suite allée au guichet.

*La Caissière* — Mademoiselle désire?

*Anne* — Deux places, s'il vous plaît. Combien coûtent les billets?

*La Caissière* — Cela dépend, Mademoiselle. Les places de loge coûtent 6 *F*, les fauteuils d'orchestre 17 *F* et les places d'amphithéâtre 1,20 *F.*

*Anne* — Quelles sont les meilleures?

*La Caissière* — Vous serez plus à l'aise dans les fauteuils d'orchestre mais cela ne veut pas dire que vous verrez mieux. Les places d'amphithéâtre ne sont pas confortables mais on voit aussi bien qu'ailleurs et on entend tout parfaitement.

| | |
|---|---|
| *Anne* | Eh bien! Je pense que je prendrai deux places d'amphithéâtre *(se tournant vers son amie)*—si cela te va, Marie. |
| *Marie* | Cela m'est tout à fait égal. |
| *La Caissière* | Voici les billets, Mademoiselle, et voici votre monnaie. |
| *Anne* | Merci bien, Mademoiselle. Tiens, Marie, prends le tien et entrons! |

**QUESTIONNAIRE**

*Répondez en français par des phrases complètes:*

1. Qu'est-ce qu'Anne a décidé de faire? 2. Où voulait-elle aller? 3. Pourquoi ne voulait-elle pas voir de tragédie? 4. Est-ce que *Le Bourgeois gentilhomme* est une pièce sérieuse? 5. Qui a écrit *Le Bourgeois gentilhomme?* 6. La pièce est-elle intéressante? 7. Est-ce que les acteurs de la Comédie-Française parlent avec rapidité? 8. Quand est-ce qu'Anne est arrivée au théâtre? 9. Qu'a-t-elle fait tout de suite après son arrivée? 10. Pourquoi est-elle allée au guichet? 11. Combien de places a-t-elle demandées à la caissière? 12. Combien coûtent les billets? 13. Combien coûtent les places de loge? 14. Quelles sont les meilleures places? 15. Quelles places sont les moins confortables? 16. Est-ce qu'on entend bien des places d'amphithéâtre?

## GRAMMAIRE

### I NEGATION (la négation)

• **ne . . . pas, ne . . . plus, ne . . . jamais, ne . . . que**

As you have seen in previous lessons, verbs are made negative by using the expressions **ne . . . pas** (*not*), **ne . . . plus** (*any more, no longer*), **ne . . . jamais** (*never*), and **ne . . . que** (*only*):

| | |
|---|---|
| Il ***ne*** le voit ***pas***. | He does*n't* see it. |
| Il ***ne*** l'a ***pas*** vu. | He did*n't* see it. |
| ***Ne*** l'a-t-il ***pas*** vu? | Did*n't* he see it? |

| | |
|---|---|
| Elle ***ne*** parle ***jamais.*** | She *never* speaks. |
| Elle ***n'***a ***jamais*** parlé. | She *never* spoke. |
| ***Ne*** parle-t-elle ***jamais?*** | Does*n't* she *ever* speak? |
| | |
| Vous ***ne*** venez ***plus.*** | You do*n't* come *any more.* |
| Vous ***n'***êtes ***plus*** venu. | You did*n't* come *any more.* |
| | |
| Il ***ne*** voit ***que*** Marie. | He sees *only* Marie. |
| Il ***n'***a vu ***que*** Marie. | He saw *only* Marie. |
| Il ***n'***a vu Marie ***qu'***une fois. | He saw Marie *only* once. |

In sentences where the verb is in a simple tense, what is the position of **ne**? of **pas**? of **jamais**? of **plus**? What is the position of these expressions with compound tenses? Note that **ne** always goes before the conjugated form of the verb and is separated from it only by the object pronouns. Note, also, that **que** is always placed just before the word or group of words that it modifies. In questions, what is the proper position of these negative expressions?

Study the examples once more, after reviewing the sections on negative expressions in Lessons 1, 5, and 8.

- **rien, personne**

The pronouns **rien** and **personne** deserve special attention. Study the following sentences carefully, noting their form and translation:

1) *when used as subject of a verb:*

| | |
|---|---|
| ***Personne n'***arrive. | *No one* is arriving. |
| ***Personne n'***est arrivé. | *No one* has arrived. |
| | |
| ***Rien ne*** se passe. | *Nothing* is happening. |
| ***Rien ne*** s'est passé. | *Nothing* happened. |

What is the position of **personne** and **rien** when they are subjects of the verb? Where does **ne** go?

2) *when used as object of a verb:*

| | |
|---|---|
| Je ***ne*** vois ***personne.*** | I do*n't* see *anyone.* (I see *no one.*) |
| Je ***n'***ai vu ***personne.*** | I did*n't* see *anyone.* (I saw *no one.*) |
| Je ***ne*** veux voir ***personne.*** | I do*n't* want to see *anyone.* |

| | |
|---|---|
| Je ***ne*** vois ***rien.*** | I see *nothing.* (I do*n't* see *anything.*) |
| Je ***n'***ai ***rien*** vu. | I saw *nothing.* (I did*n't* see *anything.*) |
| Je ***ne*** veux ***rien*** voir. | I do*n't* want to see *anything.* |

Where does **personne** go when it is the object of a verb in a simple tense? Where does it go if the verb is in a compound tense? When **rien** is the object, what is its position if the verb is in a simple tense? in a compound tense? Where does **ne** go?

3) *when used as object of a preposition:*

| | |
|---|---|
| Il ***ne*** parle de ***personne.*** | He is*n't* speaking of *anyone.* (He is speaking of *no one.*) |
| Il ***n'***a parlé de ***personne.*** | He spoke of *no one.* (He did*n't* speak of *anyone.*) |
| Elle ***ne*** pense à ***rien.*** | She is thinking of *nothing.* (She is*n't* thinking of *anything.*) |
| Elle ***n'***a pensé à ***rien.*** | She thought about *nothing.* (She did*n't* think of *anything.*) |

What is the position of **personne** and **rien** when they are objects of prepositions?

• **ni . . . ni**

Study the following examples carefully, noting the form and translation of the italicized expressions:

| | |
|---|---|
| ***Ni*** Étienne ***ni*** Anne ***ne*** parlent italien. | *Neither* Étienne *nor* Anne speaks Italian. |
| ***Ni*** lui ***ni*** elle ***ne*** l'ont vu. | *Neither* he *nor* she saw it. |
| Je ***n'***ai vu ***ni*** lui ***ni*** elle. | I saw *neither* him *nor* her. |
| Jean-Paul ***n'***a ***ni*** amis ***ni*** argent. | Jean-Paul has *neither* friends *nor* money. |
| Elle ***ne*** parle ***ni*** à Jean ***ni*** à Paul. | She is speaking to *neither* John *nor* Paul. (She is speaking *neither* to John *nor* to Paul.) |

Where does **ne** go? When **ni . . . ni** modify the subject, what is their position? What is the position of **ni . . . ni** when used to modify a direct object? an indirect object? Notice that when **ni . . . ni** modify the subject, the French verb is always in the plural.

Study the following examples, noting that the partitive is not expressed with **ni . . . ni**:

| | |
|---|---|
| Il veut des légumes et de la viande. | He wants vegetables and meat. |
| Il ***ne*** veut ***ni*** légumes ***ni*** viande. | He wants *neither* vegetables *nor* meat. |

Notice that when **ne** is used in connection with **personne**, **rien**, and **ni . . . ni**, the word **pas** is never used.

- **Position of negative expressions with infinitives**

Study the following examples, noting the form and translation of the italicized expressions:

| | |
|---|---|
| Elle a décidé de ***ne pas*** voir de tragédie. | She decided *not* to see a tragedy. |
| Elle a décidé de ***ne plus*** le faire. | She decided *not* to do it *any more.* |
| Elle a décidé de ***ne jamais*** y aller. | She decided *never* to go there. |

Where does the negative expression go in relation to an infinitive? Where does it go when the infinitive has a direct object pronoun?

**Exercice 1.** *Insérez dans les phrases suivantes l'élément négatif signalé entre parenthèses, en faisant les changements nécessaires:*

1. (*ne . . . jamais*) Il a fait cela.
2. (*ne . . . pas*) Pourquoi l'a-t-il vendu?
3. (*ne . . . plus; ne . . . pas*) Je voudrais vous voir si vous me parliez.
4. (*ne . . . que*) Elle verra Louis.
5. (*ne . . . rien*) Veut-elle acheter?
6. (*ne . . . ni . . . ni*) Elles aiment les étudiants et les professeurs.

7. (*ne . . . ni . . . ni*) Des pommes frites et des haricots verts étaient sur la table.
8. (*ne . . . personne*) Marie cherchera si tu vas la voir.

**Exercice 2.** *Dites en français:*

1. She will never come.
2. We didn't speak to anyone.
3. I didn't say anything and no one saw me.
4. I'll ask you not to speak.
5. Why isn't Pierre saying anything?
6. Didn't you love anyone last year?

## II ADDITIONAL USES OF CE

In Lesson 7, you were introduced to one use of the pronoun ce—as the subject of être, in place of ceci or cela.[1] Review that section carefully, and then study the following examples, noting the additional uses and various translations of ce:

- **Ce as the subject of être**

| | | |
|---|---|---|
| 1) | Qui aimes-tu? *Ce* n'est pas moi! | Whom do you love? *It* isn't I! |
| | *C'*est lui. | He's *the one*. (*It* is he.) |
| | *C'*est nous que vous voyez. | We're *the ones* you see. (*It* is we whom you see.) |
| | *Ce* sont eux qui arrivent. | They are *the ones* who are arriving. |
| | *Ce* sont elles qui le feront. | They are *the ones* who will do it. (*It* is they who will do it.) |
| 2) | *C'*est Marie qui est jolie. | Marie is *the one* who is pretty. (*It'*s Marie who is pretty.) |
| | *C'*est Marie et moi qui sommes ici. | *It'*s Marie and I who are here. |
| | *Ce* sont Marie et Jean-Paul qui s'aiment. | Marie and Jean-Paul are *the ones* who love each other. |

[1]Except when ceci or cela is stressed.

3) *C'est* un Américain. — *He* is an American.
*Ce* sont des Anglaises. — *They* are Englishwomen.
*C'est* le foulard qu'elle préfère. — *That* is the scarf she prefers. (*It* is the scarf she prefers.)

**Ce** is used as the subject of **être** when the word following **être** is:

1) a stressed form of the pronoun,
2) a proper noun, or
3) a modified noun.

**• Exceptions**

Some expressions do not follow the above rule and, therefore, should be memorized:

| | |
|---|---|
| **C'est ça. (C'est cela.)** | *That's it.* |
| **Ça m'est égal. (Cela m'est égal.)** | *It's all the same to me.* |
| **Ça va.** | *That's all right. (That's O.K.)* |

**Exercice 3.** *Dites en français:*

1. That's Marie!
2. Is it Pierre?
3. Aren't we the ones who are right?
4. It's you who are wrong.
5. Is it he?
6. That's it.
7. It was I.
8. It's all the same to me.
9. They are my friends.
10. They are good seats.

## III VERBS FOR SPECIAL STUDY: PLEUVOIR—SYNOPSIS OF TENSES

In Lesson 9, you learned the present tense of **pleuvoir** (*to rain*). Here, **pleuvoir** is conjugated in all the tenses studied thus far:

| | | |
|---|---|---|
| présent | **Il pleut aujourd'hui.** | *It is raining today.* |
| passé composé | **Il a plu hier.** | *It rained yesterday.* |
| imparfait | **Il pleuvait hier.** | *It was raining yesterday.* |
| plus-que-parfait | **Il avait plu.** | *It had rained.* |
| futur | **Il pleuvra demain.** | *It will rain tomorrow.* |
| futur antérieur | **Il aura plu avant 6 heures.** | *It will have rained by 6 o'clock.* |
| conditionnel | **Il pleuvrait . . .** | *It would rain . . .* |
| conditionnel passé | **Il aurait plu . . .** | *It would have rained . . .* |

Remember that **pleuvoir** usually is conjugated only in the third person singular.

**EXERCICES**

A. *Remplacez les expressions signalées entre parenthèses par l'équivalent français:*

1. (*to anyone*) Je n'ai pas dit cela ______.
2. (*is it*) Qui ______?
3. (*it would rain, loved me no more*) Chérie, ______ tous les jours si tu ______.
4. (*Neither Molière nor Racine*) ______ l'intéressent.
5. (*any longer*) Voulez-vous me voir ______?
6. (*No one*) ______ achète des billets.
7. (*He's the one*) ______ qui l'a dit.
8. (*nothing*) A-t-il pris ______?
9. (*It*) ______ ne va pas.
10. (*He never*) ______ y est allé.

**B.** *Dites en français:*

—Why did Marie decide not to come this evening?
—She has never liked serious plays.
—What? No one ever told me that.
—Yet it's true. She likes neither Racine nor Molière.
—Well, it's all the same to me. Almost all their plays are interesting.
—Ah, look over there. Isn't that Marie?
—Yes, it's she. Marie! What a surprise (**Quelle surprise**)! What are you doing here at the Comédie-Française?

—Why, I'm going to attend the play, of course.
—I'll never understand women!

## VOCABULAIRE

(un) **acteur** actor
(un) **amphithéâtre** amphitheater
**après: d'après** from, according to
**assister (à)** to attend
(le) **ballet** ballet
(le) **billet** ticket
(la) **caissière** cashier
**chéri** dear, darling
(le) **débit** delivery
**décider** (*de faire qqch.*) to decide (*to do sth.*)
(un) **effet: effet scénique** stage effect
**entendre** to hear
**être: être à l'aise** to be comfortable
**faire: se faire une idée (de)** to get an idea (of, about)
(le) **fauteuil: fauteuil d'orchestre** orchestra seat
(le) **guichet** ticket-window
**moins: du moins** at least
(la) **monnaie** change
(un) **orchestre** orchestra
**parfaitement** perfectly
**penser (à)** to think (of, about)
(la) **pièce** play
(la) **place** seat; **place de loge** box seat
**plutôt** rather
**profiter (de)** to take advantage (of)
(la) **rapidité** rapidity
(la) **représentation** performance
**seizième** sixteenth
(la) **soirée** evening
(le) **théâtre** theater
**tournant** turning
**tourner** to turn
(la) **tragédie** tragedy
**vers** toward

## EXERCICES STRUCTURAUX

A. *Dans les phrases suivantes, remplacez* ***quelqu'un*** *et* ***quelque chose*** *par* ***ne . . . personne*** *et* ***ne . . . rien;*** *suivez ces exemples: (1)* ***Je vois quelqu'un. / Je ne vois personne.*** *(2)* ***Je vois quelque chose. / Je ne vois rien.***

1. J'ai vu quelque chose.
   Je n'ai rien vu.

2. As-tu vu quelque chose?
   N'as-tu rien vu?
3. Marie pense à quelqu'un.
   Marie ne pense à personne.
4. As-tu vu quelqu'un?
   N'as-tu vu personne?
5. Ils veulent voir quelqu'un.
   Ils ne veulent voir personne.
6. Ils veulent voir quelque chose.
   Ils ne veulent rien voir.
7. Je parlerai de quelqu'un.
   Je ne parlerai de personne.
8. Veut-elle acheter quelque chose?
   Ne veut-elle rien acheter?

**B.** *Mettez l'expression **ni . . . ni** dans les phrases suivantes; suivez cet exemple:* ***Je veux du sucre et de la crème. / Je ne veux ni sucre ni crème.***

1. J'ai vu Marie et Anne.
   Je n'ai vu ni Marie ni Anne.
2. Lui et elle m'ont vu.
   Ni lui ni elle ne m'ont vu.
3. J'ai vu ta soeur et toi au théâtre.
   Je n'ai vu ni ta soeur ni toi au théâtre.
4. Je veux du sucre et de la crème.
   Je ne veux ni sucre ni crème.
5. Nous parlons à Jean et à Paul.
   Nous ne parlons ni à Jean ni à Paul.

**C.** *Insérez dans les phrases suivantes l'élément négatif, en faisant les changements nécessaires; suivez ces exemples:* ***Elle parle à Henri. (. . . ne . . . pas . . .) / Elle ne parle pas à Henri. (. . . que . . .) / Elle ne parle qu'à Henri.***

1. J'ai vu Marie. *(. . . ne . . . pas . . .)*
   Je n'ai pas vu Marie. *(. . . plus . . .)*

Je n'ai plus vu Marie. *(...jamais...)*
Je n'ai jamais vu Marie. *(...que...)*
Je n'ai vu que Marie.

2. Elle parle à Henri. *(...ne...pas...)*
Elle ne parle pas à Henri. *(...plus...)*
Elle ne parle plus à Henri. *(...jamais...)*
Elle ne parle jamais à Henri. *(...que...)*
Elle ne parle qu'à Henri.

3. Vous êtes venu nous voir. *(...ne...pas...)*
Vous n'êtes pas venu nous voir. *(...plus...)*
Vous n'êtes plus venu nous voir. *(...jamais...)*
Vous n'êtes jamais venu nous voir.

4. Elle est sortie. *(...ne...pas...)*
Elle n'est pas sortie. *(...plus...)*
Elle n'est plus sortie. *(...jamais...)*
Elle n'est jamais sortie.

5. Marie dit bonjour à Roger. *(...ne...pas...)*
Marie ne dit pas bonjour à Roger. *(...plus...)*
Marie ne dit plus bonjour à Roger. *(...jamais...)*
Marie ne dit jamais bonjour à Roger.

**D.** *Dans les phrases suivantes, remplacez les mots convenables par les mots donnés entre parenthèses; suivez ces exemples:* ***Quelle sorte de livre préparez-vous? (... Marie ...) / Quelle sorte de livre Marie prépare-t-elle? (... finir ...) / Quelle sorte de livre Marie finit-elle? (... roman ...) / Quelle sorte de roman Marie finit-elle?***

1. Quelle sorte de livre préparez-vous? *(...examen...)*
Quelle sorte d'examen préparez-vous? *(...Jacques...)*
Quelle sorte d'examen Jacques prépare-t-il? *(...cours...)*
Quelle sorte de cours Jacques prépare-t-il? *(...suivre...)*
Quelle sorte de cours Jacques suit-il?

2. Vous intéressez-vous à la médecine? *(... musique)*
Vous intéressez-vous à la musique? *(Marie ...)*
Marie s'intéresse-t-elle à la musique? *(... aimer ...)*
Marie aime-t-elle la musique? *(... histoire)*
Marie aime-t-elle l'histoire?

3. Nous pouvons étudier la chimie. *(... physique)*
Nous pouvons étudier la physique. *(Jean-Paul ...)*
Jean-Paul peut étudier la physique. *(... aimer ...)*
Jean-Paul aime étudier la physique. *(... les cours de mathématiques)*
Jean-Paul aime étudier les cours de mathématiques.

4. Vous ne devez pas avoir beaucoup de temps. *(nous ...)*
Nous ne devons pas avoir beaucoup de temps. *(... livres)*
Nous ne devons pas avoir beaucoup de livres. *(Jacques ...)*
Jacques ne doit pas avoir beaucoup de livres. *(... lire ...)*
Jacques ne doit pas lire beaucoup de livres.

5. Tous les étudiants se trouvent au même endroit. *(quelques ...)*
Quelques étudiants se trouvent au même endroit. *(... jeunes filles ...)*
Quelques jeunes filles se trouvent au même endroit. *(... rester ...)*
Quelques jeunes filles restent au même endroit. *(... hôtel)*
Quelques jeunes filles restent au même hôtel.

6. Je n'ai pas encore bien compris la leçon. *(nous ...)*
Nous n'avons pas encore bien compris la leçon. *(... lire ...)*
Nous n'avons pas encore bien lu la leçon. *(... livre)*
Nous n'avons pas encore bien lu le livre. *(... étudier ...)*
Nous n'avons pas encore bien étudié le livre.

7. Il y a des avantages que vous n'avez pas aux États-Unis. *(... France)*
Il y a des avantages que vous n'avez pas en France. *(... nous ...)*
Il y a des avantages que nous n'avons pas en France. *(... légumes ...)*
Il y a des légumes que nous n'avons pas en France. *(... Canada)*
Il y a des légumes que nous n'avons pas au Canada.

8. Vous serez plus à l'aise dans les fauteuils d'orchestre. *(nous ...)*
   Nous serons plus à l'aise dans les fauteuils d'orchestre. *(... moins ...)*
   Nous serons moins à l'aise dans les fauteuils d'orchestre. *(... places de loge)*
   Nous serons moins à l'aise dans les places de loge. *(elle ...)*
   Elle sera moins à l'aise dans les places de loge.

9. Les acteurs de la Comédie-Française sont bien connus. *(... Hollywood ...)*
   Les acteurs de Hollywood sont bien connus. *(les tragédies ...)*
   Les tragédies de Hollywood sont bien connues. *(... mal ...)*
   Les tragédies de Hollywood sont mal connues. *(... peu ...)*
   Les tragédies de Hollywood sont peu connues.

# DIX-SEPTIÈME LEÇON

## CONVERSATION: AU CHÂTEAU

Enfin Anne allait visiter le château de Sceaux dont elle avait tant entendu parler. Deux samedis de suite il a plu dans la région parisienne et on a dû remettre l'excursion à un moment où il ferait beau. Pour le voyage, Jean-Paul a loué une petite voiture, car il a trouvé que pour quatre personnes le voyage serait beaucoup trop difficile en métro. Ils risqueraient, en effet, de se perdre en route; et une fois arrivés, il leur faudrait faire un trajet à pied de la gare jusqu'au château. Jean-Paul a renoncé aussi à prendre son scooter et celui d'Étienne parce que les voyages en scooter ne sont pas trop confortables et d'ailleurs, ils ne réussiraient pas à se parler à cause du bruit du moteur.

Jean-Paul et Étienne ont retrouvé les jeunes filles à huit heures et ils se sont mis en route—Jean-Paul conduisant, Anne à son côté et Étienne et Marie assis à l'arrière.

| | |
|---|---|
| *Anne* | Quelle jolie voiture, Jean-Paul! Est-ce qu'elle est à vous? |
| *Jean-Paul* | Non, je l'ai louée. |
| *Anne* | C'est quelle marque? |
| *Jean-Paul* | C'est une Dauphine, toute neuve, que j'ai louée à un prix très intéressant. Comment la trouvez-vous? |
| *Anne* | Charmante. Vos usines fabriquent de belles autos. Les couleurs de l'extérieur et de l'intérieur se complètent merveilleusement. |
| *Jean-Paul* | Vous ne la trouvez pas trop petite? Après les grandes voitures américaines auxquelles vous êtes habituée? |

| | |
|---|---|
| *Anne* | Pas du tout. Et tous les conforts y sont. |
| *Jean-Paul* | Pour ça, vous avez bien raison. Le chauffage marche bien et il y a un poste de T.S.F. |
| *Anne* | Comment appelez-vous les choses avec lesquelles on essuie les pare-brise? |
| *Jean-Paul* | Des essuie-glaces. Ils marchent bien aussi. Et je ne sais pas si vous vous en êtes aperçue, mais le moteur est à l'arrière. C'est le coffre qui est à l'avant. |

**QUESTIONNAIRE**

*Répondez en français par des phrases complètes:*

1. Qu'est-ce qu'Anne allait faire enfin? 2. Quel temps faisait-il à Paris quand ils voulaient faire leur voyage? 3. Pourquoi ont-ils remis leur voyage à plus tard? 4. Qu'a fait Jean-Paul pour le voyage? 5. Où avait-il loué la voiture? 6. Pourquoi le voyage en métro aurait-il été trop difficile? 7. S'ils faisaient le voyage en métro, qu'est-ce qu'il leur faudrait faire une fois arrivés au château? 8. Qui a un scooter? 9. Pourquoi ne prennent-ils pas les scooters? 10. À quelle heure Jean-Paul et Étienne ont-ils retrouvé les jeunes filles? 11. Qui conduisait la voiture? 12. Où Anne était-elle assise? 13. Qui était à l'arrière? 14. Quelle marque de voiture Jean-Paul a-t-il louée? 15. Combien a-t-il payé? 16. Comment Anne trouve-t-elle la voiture? 17. Est-ce qu'Anne la trouve trop petite? 18. Comment sont les couleurs? 19. Quels conforts y a-t-il dans la voiture? 20. Comment appelle-t-on les choses avec lesquelles on essuie les pare-brise? 21. Qu'est-ce qu'il y a à l'arrière? 22. Qu'est-ce qu'il y a à l'avant?

# GRAMMAIRE

## I RELATIVE PRONOUNS (les pronoms relatifs)

### • qui, que, ce qui, ce que

In Lesson 9, you were introduced to the relative pronouns **qui**, **que**, **ce qui**, and **ce que**. This section will summarize their uses:

1) *as subject of verb:*

| | |
|---|---|
| Voilà l'homme ***qui*** l'a fait. | There is the man *who* did it. |
| Voilà la voiture ***qui*** est à Jean. | There is the car *that* is John's. (There is John's car.) |
| Je ne vois pas ***ce qui*** est difficile. | I don't see *what* is difficult. |

2) *as object of verb:*

| | |
|---|---|
| Voilà l'homme ***que*** j'ai vu. | There is the man (*whom*) I saw. |
| Voilà la voiture ***que*** je veux acheter. | There is the car *that* I want to buy. |
| Je ne vois pas ***ce que*** tu trouves difficile. | I don't see *what* you find difficult. |

When the relative pronoun refers to a definite antecedent, **qui** is the subject form, and **que**, the object form. When the relative pronoun refers to an indefinite antecedent or to an entire sentence or idea, **ce qui** is the subject form, and **ce que**, the object form.

- **The relative pronoun as the object of a preposition**

In French, as in English, a relative pronoun used as the object of a preposition distinguishes between persons (*whom*) and things (*which*). Study the following examples carefully, noting the form and meaning of these relative pronouns:

**Voilà l'homme à *qui* tu as parlé.**
*There is the man you spoke to (to **whom** you spoke).*

**C'est la femme avec *qui* je suis allé à Paris.**
*She's the lady I went to Paris with (with **whom** I went to Paris).*

**Connaissez-vous le petit café près *duquel* j'habite?**
*Do you know the little café near **which** I live?*

**J'ai trouvé le stylo avec *lequel* j'écris.**
*I found the pen that I write with (with **which** I write).*

**Est-ce la maison dans *laquelle* ils ont trouvé tant d'argent?**
*Is that the house in **which** they found so much money?*

**Les voitures américaines *auxquelles* elle est habituée sont grandes.**
*The American cars **which** she is accustomed to (to **which** she is accustomed) are big.*

What is the form of the relative pronoun when it is the object of a preposition referring to a person? when it is the object of a preposition referring to a thing?

Notice that the forms **lequel**, **lesquels**, and **lesquelles** contract with the prepositions **à** and **de**:

| | | |
|---|---|---|
| qui | **à qui, de qui, avec qui,** etc. | *to, of, with whom* |
| lequel | **auquel, duquel, avec lequel,** etc. | *to, of, with which* |
| laquelle | **à laquelle, de laquelle, avec laquelle,** etc. | *to, of, with which* |
| lesquels | **auxquels, desquels, avec lesquels,** etc. | *to, of, with which* |
| lesquelles | **auxquelles, desquelles, avec lesquelles,** etc. | *to, of, with which* |

**Exercice 1.** *Remplacez les expressions signalées entre parenthèses par l'équivalent français, en employant la forme convenable du pronom relatif:*

1. (*you were speaking to*) Où est la femme ______?
2. (*near which, of whom*) Elle est dans le restaurant ______ vous voyez l'homme ______ nous parlions hier.
3. (*on which*) Voilà la fiche ______ il faut écrire votre nom.
4. (*for whom*) Marie est une jeune fille ______ je ferais tout.
5. (*on which*) Il n'aime pas la table de travail ______ se trouvent toutes tes lettres.
6. (*to which*) Je préfère les scooters ______ je suis habitué.
7. (*which*) Elle a continué à parler, ______ ne nous a pas étonnés.
8. (*whom*) Est-ce Jean-Paul ______ tu aimes?
9. (*Of whom*) ______ pensez-vous?
10. (*to which*) La France est un pays ______ je veux tant aller.
11. (*What, in which*) ______ je ne comprends pas, c'est que Marie est assise dans la voiture ______ il n'y a pas de moteur.
12. (*with which*) Ils aiment les repas français ______ on prend du vin.

The following chart summarizes the relative pronouns learned up to this point:

| | *persons* | *things* | *indefinite* |
|---|---|---|---|
| *subject of verb* | **qui** | **qui** | **ce qui** |
| *object of verb* | **que** | **que** | **ce que** |
| *object of preposition* | **qui** | **lequel**<br>**laquelle**<br>**lesquels**<br>**lesquelles** | |

• **dont**

The forms **de qui**, **duquel**, **de laquelle**, etc., are usually replaced by the special form **dont**, which can refer to both persons and things. Study the following sentences, noting the use of **dont** and its English equivalents:

| | |
|---|---|
| Jean-Paul est l'étudiant ***dont*** j'ai parlé. | Jean-Paul is the student *of whom* I spoke (*whom* I spoke about). |
| Ce sont eux ***dont*** les livres sont sur la table. | They're the ones *whose* books are on the table. |
| C'est la jeune fille ***dont*** je connais la soeur. | That's the girl *whose* sister I know. |
| Où est la femme ***dont*** vous admirez le foulard? | Where is the woman *whose* scarf you admire? |

Look at the last two examples again. Notice that in clauses introduced by **dont**, the word order is:

subject . . . verb . . . object

There is one type of construction in which **dont** cannot replace **de qui**, **duquel**, etc. Study the following examples and try to determine that construction:

| | |
|---|---|
| Elle aime le jeune homme dans la voiture ***de qui*** elle est allée à Paris. | She loves the young man in *whose* car she went to Paris. |
| C'est un vin sur la qualité ***duquel*** vous pouvez compter. | It's a wine on the quality *of which* (on *whose* quality) you can count. |

The complete form (**de qui**, etc.) must be used when the word modified by *whose* or *of which* is the object of a preposition:

| | |
|---|---|
| dans la voiture ***de qui*** | in *whose* car |
| sur la qualité ***duquel*** | on *whose* quality |

In summary, *of whom*, *of which*, and *whose* are usually expressed in French by **dont**; but, if the noun they modify is the object of a preposition, **de qui** is used for persons, and **duquel, de laquelle**, etc., is used for things. **Lequel** can also be used to refer to persons when it follows a preposition.

As a rule of thumb, remember that **dont** *cannot* be used when you see the following word order in English:

preposition . . . whose . . . noun

- **où**

The word **où**, used as an adverb in previous lessons, may also be used as a relative pronoun. Study the following sentences, paying special attention to **où** and its translations:

| | |
|---|---|
| Voici le restaurant ***où*** je prends le dîner. | Here is the restaurant *where* (*in which*) I dine. |
| On avait dû remettre l'excursion à un moment ***où*** il ferait beau. | They had to put off the trip until a time *when* (*during which*) the weather would be good. |
| C'est son fauteuil favori, ***où*** il s'endort en étudiant. | It's his favorite chair, *where* (*on which*) he falls asleep while studying. |

**Où** is used as a relative pronoun in time expressions and in expressions of position and location; it replaces a preposition such as **pendant**, **sur**, or **dans** and the pronoun.

**Exercice 2.** *Remplacez les mots entre parenthèses par l'équivalent français, en employant la forme convenable du pronom relatif:*

1. (*of which*) Où se trouve ce château ______ j'ai tant entendu parler?
2. (*whose trees*) Il se trouve près de la forêt ______ sont grands.
3. (*when*) C'était la saison ______ tout le monde aime vivre!
4. (*whose brother is my friend*) Connaît-elle la jeune fille ______?
5. (*whose car you bought*) Elles ont vu la femme ______.

6. (*where, in which*) Sur la table ______ il avait mis ses clés, j'ai vu un livre ______ étaient écrites les adresses de ses amis.
7. (*in whose class*) Ah! C'est le professeur ______ on étudie les mathématiques.
8. (*whose books you have in your room*) L'étudiant ______ est gentil.
9. (*in which*) Il m'a montré une rue ______ se trouvaient beaucoup d'hôtels.
10. (*on whom*) C'est un homme ______ vous pouvez compter.
11. (*near whose door*) Tu m'avais parlé d'un restaurant ______ se trouve une petite table à deux.
12. (*in which*) Ils n'ont pas trouvé le musée ______ l'on peut voir la statue de La Fayette.
13. (*whose son Anne loves*) J'ai rencontré le médecin ______.
14. (*where*) Les musiciens iront à la salle de concert ______ ils joueront du piano et du violon.
15. (*to whose sister I was speaking*) C'est elle ______.

## II VERBS FOR SPECIAL STUDY: ÊTRE À

The most common French expression for *to belong to* is **être à**. Study the following examples, paying careful attention to the italicized expressions:

| | |
|---|---|
| Ce livre ***est à moi.*** | This book *belongs to me.* (This book *is mine.*) |
| Ce livre ***est à Jean-Paul.*** | This book *belongs to Jean-Paul.* (This book *is Jean-Paul's.*) |
| Ces livres ***sont à Anne.*** | These books *belong to Anne.* (These books *are Anne's.*) |
| Ces livres ***sont à elle.*** | These books *belong to her.* (These books *are hers.*) |

With **être à**, the stressed form of the pronoun is more commonly used to indicate possession. With verbs other than **être à**, the possessive pronoun is used. It is not incorrect to say «ce livre est le mien,» but this expression implies "this book belongs to me, not to anyone else."

Special care should be taken when translating English questions into French questions using **être à**; the English may be misleading:

**À qui est ce livre?** *Whose book is this?*

### EXERCICES

**A.** *Remplacez les expressions signalées entre parenthèses par l'équivalent français, en employant la forme convenable du pronom relatif:*

1. (*of whom*) Qui est la femme ______ tu parles?
2. (*whom, whose brother*) C'est la femme ______ tu as vue hier soir chez ______ tu m'avais emmener.
3. (*which, to which*) Je ne me rappelle plus son nom: il y a des noms français ______ je ne peux pas prononcer et ______ je ne m'habituerai jamais.
4. (*whose friend; about whom*) C'est donc la femme ______ tu connais ______; c'est Mme Desqueyroux ______ je parle.
5. Ah, oui! (*at the moment when, whose name I forget*) Je commençais à lui parler ______ tu m'as présenté à sa soeur ______.
6. Tu ne te rappelles jamais rien. (*to whom*) Comment s'appelle donc la jeune fille ______ tu parles maintenant?
7. (*which*) Eh bien, tu t'appelles . . . mais je ne connais pas ton nom, ______ ne me plaît pas!
8. (*who*) Tu devrais aller voir le Professeur Leroux ______ est un expert en matière de mémoire.

**B.** *Dites en français:*

—Hi, Étienne! Whose car is this? Is it your brother's?
—No, it's mine. I just bought it this morning. Where are you going, Anne? Would you like a ride?
—Why, thank you. I was just going to Mary's house.
—How do you like the Dauphine, Anne?
—It's beautiful. And these little cars are so comfortable!
—Well, it's better than my old scooter, which had no trunk.
—And, whose windshield had no wipers. Remember?
—I remember it only too well. I could never drive when it was raining!

## VOCABULAIRE

**apercevoir: s'apercevoir de** to notice *p.p.* **aperçu**
**arrière** back; **à l'arrière** in the back
**asseoir** to seat *p.p.* **assis**
**auquel, à laquelle;** *pl.* **auxquels, auxquelles** to whom, to which

(une) **auto** automobile
**avant: à l'avant** in front
**brillant** brilliant
(le) **bruit** noise
**cause: à cause de** on account of
**charmant** charming
(le) **chauffage** heating system
(le) **coffre** trunk
**compléter** to complement, to complete
**conduire** to drive
**conduisant** driving
(le) **confort** comfort
**dix-septième** seventeenth
**dont** of which, of whom, whose
**duquel, de laquelle**; *pl.* **desquels, desquelles** of whom, of which, whose
**enfin** finally, at last
(un) **essuie-glace** windshield wiper
**essuyer** to wipe
(une) **excursion** excursion, trip
(un) **expert** expert
(un) **extérieur** outside
**fabriquer** to manufacture
(la) **femme** woman
(la) **fois** time; **une fois** once
(la) **forêt** forest
(la) **gare** railroad station
**intéressant** reasonable, attractive (*ref. to price*)
(un) **intérieur** inside
**jouer** (*d'un instrument*) to play (*an instrument*)
**lequel, laquelle**; *pl.* **lesquels, lesquelles** who, whom, which
**louer** to rent
**marcher** to walk; to work, to function
(la) **marque** brand, make
(la) **matière** matter, subject
(la) **mémoire** memory
**merveilleusement** marvelously
**mettre: se mettre (à)** to begin (to); **se mettre en route** to start on one's way
**montrer** to show
(le) **moteur** motor
(le) **musée** museum
**neuf, neuve** new, brand-new
(le) **pare-brise** (*invariable*) windshield
**payer** to pay (for)
(le) **pays** country
(la) **personne** person
**pied: à pied** on foot
(le) **poste de T.S.F. (télégraphie sans fil)** radio
(le) **prix** price
**prononcer** to pronounce
**rappeler** to call again; **se rappeler** to recall, to remember
(la) **région** region
**remettre** to postpone, to put off
**renoncer (à)** to give up
**réussir (à)** to succeed (in)
**risquer** to risk
(la) **route** road, route; **en route** on the way
(la) **salle: salle de concert** concert hall
(le) **scooter** motor scooter
(la) **statue** statue

**suite: de suite** in succession
(la) **table: table à deux** table for two
(le) **trajet** length of travel
(une) **usine** factory
**vivre** to live
(la) **voiture** car
(le) **voyage** trip

## EXERCICES STRUCTURAUX

**A.** *Combinez les phrases suivantes en employant la forme convenable de* ***qui, dont*** *ou* ***lequel;*** *suivez cet exemple:* ***J'ai vu la jeune fille. Tu es sorti avec la jeune fille. / J'ai vu la jeune fille avec qui tu es sorti.***

1. Voici la rue. Nous parlions de la rue.
   Voici la rue dont nous parlions.
2. Voilà la porte. Nous entrons par la porte.
   Voilà la porte par laquelle nous entrons.
3. Voici le roman. Je pense au roman.
   Voici le roman auquel je pense.
4. C'est la jeune fille. Je suis sorti avec la jeune fille.
   C'est la jeune fille avec qui je suis sorti.
5. Voilà l'homme. Tu as parlé à l'homme.
   Voilà l'homme à qui tu as parlé.
6. Voilà le café. J'habite près du café.
   Voilà le café près duquel j'habite.
7. Ce sont les voitures américaines. Tu es habitué aux voitures américaines.
   Ce sont les voitures américaines auxquelles tu es habitué.
8. Cherchez la femme! Je suis venu avec la femme.
   Cherchez la femme avec qui je suis venu!
9. Voilà la fiche. Il faut écrire votre nom sur la fiche.
   Voilà la fiche sur laquelle il faut écrire votre nom.
10. Elle connaît la jeune fille. Le frère de la jeune fille est mon ami.
    Elle connaît la jeune fille dont le frère est mon ami.

**B.** *Dans les phrases suivantes, remplacez les mots convenables par les mots donnés entre parenthèses; suivez ces exemples:* ***Je pourrais seulement entendre le français. (. . . anglais) / Je pourrais seulement entendre l'anglais. (. . . du moins. . .) / Je pourrais du moins entendre l'anglais.***

1. Prends le billet et entre! *(prenons . . .)*
   Prenons le billet et entrons! *(. . . le paquet . . .)*
   Prenons le paquet et entrons! *(prenez . . .)*
   Prenez le paquet et entrez! *(. . . s'en aller . . .)*
   Prenez le paquet et allez-vous-en!

2. Elle pourrait du moins entendre le français. *(je . . .)*
   Je pourrais du moins entendre le français. *(. . . seulement . . .)*
   Je pourrais seulement entendre le français. *(. . . anglais)*
   Je pourrais seulement entendre l'anglais. *(nous . . .)*
   Nous pourrions seulement entendre l'anglais.

3. Pour le voyage, Jean-Paul a loué une petite voiture. *(. . . trouver . . .)*
   Pour le voyage, Jean-Paul a trouvé une petite voiture. *(. . . grand . . .)*
   Pour le voyage, Jean-Paul a trouvé une grande voiture. *(à son arrivée . . .)*
   À son arrivée, Jean-Paul a trouvé une grande voiture. *(. . . voir . . .)*
   À son arrivée, Jean-Paul a vu une grande voiture.

4. Comment appelez-vous les choses avec lesquelles on essuie les pare-brise? *(. . . la chose . . .)*
   Comment appelez-vous la chose avec laquelle on essuie les pare-brise? *(. . . s'appeler . . .)*
   Comment s'appelle la chose avec laquelle on essuie les pare-brise? *(. . . l'objet . . .)*
   Comment s'appelle l'objet avec lequel on essuie les pare-brise? *(. . . les objets . . .)*
   Comment s'appellent les objets avec lesquels on essuie les pare-brise?

**C.** *Commencez les phrases suivantes par le mot donné entre parenthèses:*

1. Marie est allée au théâtre. *(nous . . .)*
   Nous sommes allés au théâtre. *(vous . . .)*
   Vous êtes allé au théâtre. *(je . . .)*
   Je suis allé au théâtre. *(Henri et Anne . . .)*
   Henri et Anne sont allés au théâtre.

2. Je connais cette histoire. *(nous . . .)*
   Nous connaissons cette histoire. *(Hélène . . .)*

Hélène connaît cette histoire. *(vous ...)*
Vous connaissez cette histoire. *(tu ...)*
Tu connais cette histoire.

3. Nous n'avons pas suivi cette route. *(Marie ...)*
Marie n'a pas suivi cette route. *(Jacques et Henri ...)*
Jacques et Henri n'ont pas suivi cette route. *(tu ...)*
Tu n'as pas suivi cette route. *(il ...)*
Il n'a pas suivi cette route.

4. Marie aurait de l'argent. *(nous ...)*
Nous aurions de l'argent. *(vous ...)*
Vous auriez de l'argent. *(tu ...)*
Tu aurais de l'argent. *(Jean-Paul ...)*
Jean-Paul aurait de l'argent.

**D.** *Traduisez les phrases suivantes; suivez cet exemple:* ***He should be at home. / Il devrait être à la maison.***

1. He should be at home.
Il devrait être à la maison.
2. He must be at home.
Il doit être à la maison.
3. He must have been at home.
Il a dû être à la maison.
4. He should be at home.
Il devrait être à la maison.
5. He ought to be at home.
Il devrait être à la maison.
6. He must be at home.
Il doit être à la maison.
7. He had to be at home.
Il a dû être à la maison.
8. We should study.
Nous devrions étudier.
9. We must study.
Nous devons étudier.

10. We must have studied.
    Nous avons dû étudier.
11. We had to study.
    Nous avons dû étudier.
12. We ought to study.
    Nous devrions étudier.
13. We must study.
    Nous devons étudier.
14. We have to study.
    Nous devons étudier.
15. We should study.
    Nous devrions étudier.

## *IL PLEURE DANS MON COEUR*

| | |
|---|---|
| Il pleure dans mon coeur | **pleurer,** *to weep* |
| Comme il pleut sur la ville, | |
| Quelle est cette langueur | **langueur,** *languor* |
| Qui pénètre mon coeur? | **pénétrer,** *to penetrate* |
| | |
| Ô bruit doux de la pluie | **doux,** *sweet*; **pluie,** *rain* |
| Par terre et sur les toits! | **toit,** *roof, roof-top* |
| Pour un coeur qui s'ennuie, | **s'ennuyer,** *to be bored* |
| Ô le chant de la pluie! | **chant,** *song* |
| | |
| Il pleure sans raison | |
| Dans ce coeur qui s'écoeure! | **écoeurer,** *to dishearten* |
| Quoi! nulle trahison? | **nulle trahison,** *no betrayal* |
| Ce deuil est sans raison. | **deuil,** *mourning* |
| | |
| C'est bien la pire peine | **la pire peine,** *the worst torment* |
| De ne savoir pourquoi, | |
| Sans amour et sans haine, | **amour,** *love*; **haine,** *hatred* |
| Mon coeur a tant de peine. | |

*—Paul Verlaine*

# DIX-HUITIÈME LEÇON

## CONVERSATION: AU CHÂTEAU (fin)

Pour sortir de la ville, Jean-Paul a voulu suivre la route la plus directe, mais Anne (qui est toujours prête à voir quelque chose de nouveau) lui a fait prendre une route sinon directe, du moins plus intéressante. Jean-Paul trouvait que c'était assez drôle d'aller au nord quand Sceaux se trouve au sud de Paris mais il comprenait assez bien les jeunes filles pour juger inutile de lui faire remarquer que ce n'était pas la meilleure route. Il a donc suivi ses indications, et enfin ils sont arrivés hors de la ville.

Tout à coup la voiture a commencé à faire des bruits assez bizarres et juste au moment où il a semblé qu'elle allait s'arrêter complètement, Étienne a vu une station-service et l'a fait remarquer à Jean-Paul. Celui-ci y est entré et comme ils arrivaient devant les pompes le moteur s'est arrêté pour de bon. Jean-Paul a cherché le mécanicien, l'a enfin trouvé, et ils ont commencé à faire le tour de la voiture.

| | |
|---|---|
| *Le Mécanicien* | Mais voyons, Monsieur, expliquez-moi un peu plus clairement ce qui s'est passé! |
| *Jean-Paul* | Mais je vous l'ai déjà dit, Monsieur. À un kilomètre d'ici la voiture s'est mise à tousser et nous avons eu le bonheur de vous trouver. |
| *Le Mécanicien* | Eh bien... voyons un peu. Comment sont vos bougies? |
| *Jean-Paul* | Toutes neuves. |
| *Le Mécanicien (qui regarde le moteur)* | Vous avez raison, Monsieur, mais elles sont peut-être encrassées et devraient être nettoyées. Mais tiens! J'ai déjà deviné ce que c'est. |
| *Jean-Paul* | Est-ce le carburateur? |

| | |
|---|---|
| *Le Mécanicien* | Je ne crois pas. |
| *Jean-Paul* | Les freins? |
| *Le Mécanicien* | Non plus. |
| *Jean-Paul* | Les pneus? |
| *Le Mécanicien* | Voyons, Monsieur, soyez sérieux! |
| *Jean-Paul* | L'huile? |
| *Le Mécanicien* | Non, Monsieur, j'ai déjà vérifié le niveau et vous en avez assez. |
| *Jean-Paul* | Mais, dites-moi donc ce que c'est! |
| *Le Mécanicien* | Eh bien, Monsieur, si vous insistez, voilà. Vous n'avez plus d'essence! |

**QUESTIONNAIRE**

*Répondez en français par des phrases complètes:*

1. Quelle route Jean-Paul a-t-il voulu suivre? 2. Quelle route Anne lui fait-elle suivre? 3. Pourquoi Anne veut-elle suivre une autre route? 4. Quelle est la route qu'ils décident de prendre? 5. Qu'est-ce que Jean-Paul trouvait assez drôle? 6. Que fait la voiture une fois hors de la ville? 7. Quelle sorte de bruit fait la voiture? 8. Que voit Étienne? 9. La fait-il remarquer à Jean-Paul? 10. Que fait le moteur? 11. Qui est-ce que Jean-Paul cherche? 12. Expliquez clairement ce qui s'est passé. 13. Comment sont les bougies? 14. Que devrait-on faire aux bougies? 15. Est-ce le carburateur qui ne marche pas? 16. Comment sont les freins?

# GRAMMAIRE

## I GENDER OF ADJECTIVES (genre des adjectifs)

Throughout the book, we have seen that adjectives must assume the gender and number of the nouns they modify. In most cases, this means adding an

*-e* to the masculine singular to form the feminine singular, and adding an *-s* to the singular form to obtain the plural form:

| | |
|---|---|
| Peter est **américain.** | Louise est **américaine.** |
| Ils sont **américains.** | Elles sont **américaines.** |

In a few cases, the masculine singular and masculine plural forms are identical:

| | |
|---|---|
| Étienne est **français.** | Étienne et Paul sont **français.** |
| Il est **vieux.** | Ils sont **vieux.** |

When are the masculine singular and masculine plural forms of the adjective identical?

There are a few adjectives whose masculine and feminine forms are identical:

| | |
|---|---|
| un **autre** hôtel | une **autre** chaise |
| d'**autres** hôtels | d'**autres** chaises |
| le train **rapide** | la voiture **rapide** |

When are the masculine and feminine forms of adjectives identical?

In the following groups of adjectives, what is the peculiarity in the construction of the feminine form?

| | |
|---|---|
| **quel** hôtel? | **quelle** adresse? |
| **quels** hôtels? | **quelles** adresses? |
| un **bon** travail | une **bonne** table |
| de **bons** travaux | de **bonnes** tables |
| un hôtel **parisien** | une épicerie **parisienne** |
| des hôtels **parisiens** | des épiceries **parisiennes** |
| un château **ancien** | une ville **ancienne** |
| des châteaux **anciens** | des villes **anciennes** |

Why is the final *-n* or *-l* doubled in these examples? This same type of spelling change was pointed out in Lesson 8, in connection with the conjugations of **appeler** and **se lever.**

The following adjectives also require a spelling change in the feminine form:

| | |
|---|---|
| mon **cher** ami | ma **chère** amie |
| mes **chers** amis | mes **chères** amies |
| le **premier** cours | la **première** semaine |
| les **premiers** cours | les **premières** semaines |

The feminine form of these adjectives requires a grave accent in order to conform to the change in pronunciation.

Certain adjectives change the last consonant of the masculine when they form their feminine:

| | |
|---|---|
| un étudiant **heureux**[1] | une étudiante **heureuse** |
| des étudiants **heureux** | des étudiantes **heureuses** |
| le scooter **neuf** | la Dauphine **neuve** |
| les scooters **neufs** | les Dauphines **neuves** |

When the modified noun is feminine, what happens to the final *-x* of **heureux** (and all adjectives ending in *-eux* except **vieux**)? to the final *-f* of **neuf** and similar adjectives?

For some adjectives, you must learn two masculine forms. These adjectives are sometimes called *irregular*, since the feminine form is based on the less common of two masculine forms. Memorize the following adjectives and the rules for using each form:

| *singular* | *plural* | *singular* | *plural* |
|---|---|---|---|
| un **beau** garçon | de **beaux** garçons | **beau** | **beaux** |
| un **bel** homme | de **beaux** hommes | **bel** | |
| une **belle** femme | de **belles** femmes | **belle** | **belles** |
| un **nouveau** Parisien | de **nouveaux** Parisiens | **nouveau** | **nouveaux** |
| un **nouvel** Américain | de **nouveaux** Américains | **nouvel** | |
| une **nouvelle** Parisienne | de **nouvelles** Parisiennes | **nouvelle** | **nouvelles** |

[1]As with **français** and **vieux**, the masculine singular and masculine plural forms of **heureux** are identical.

| | | | |
|---|---|---|---|
| ce garçon | ces garçons | ce | ces |
| cet homme | ces hommes | **cet** | |
| cette femme | ces femmes | cette | ces |
| le **vieux** Parisien | les **vieux** Parisiens | **vieux** | **vieux** |
| le **vieil** Américain | les **vieux** Américains | **vieil** | |
| la **vieille** Parisienne | les **vieilles** Parisiennes | **vieille** | **vieilles** |

From which form is the feminine singular derived? the masculine plural? Have you noticed any similarity among these adjectives?

If you study the examples carefully, you will see that these adjectives have a special masculine form used only before a noun or adjective beginning with a vowel or mute *h*. For example: **ce garçon** but ***cet autre*** **garçon.**

**Exercice 1.** *Dites en français:*

1. this book
2. that window
3. a young lady
4. a young man
5. the new cars
6. the brand-new cars
7. old friends
8. the ancient castle
9. old friends *(m.)*
10. this American *(m.)*
11. a reasonable price
12. good quality
13. a new friend *(m.)*
14. the ancient street
15. the handsome student
16. good windshield wipers
17. that other boy
18. a happy student
19. What hotel?
20. He is old.
21. my dear friends
22. old cities
23. other chairs
24. rapid cars
25. good works

## II ADVERBS (les adverbes)

### • Use of adverbs

An adverb usually modifies a verb, but it can also modify an adjective or another adverb:

| | |
|---|---|
| Il l'a **bien** fait. | He did it *well.* |
| Elle est **bien** malheureuse. | She is *very* unhappy. |
| Tu l'as fait **bien** mieux que moi. | You did it *much* better than I. |

What does **bien** modify in the first sentence? in the second? in the third?

As you learned in Lesson 9, the comparative form of the adverb is obtained by putting **plus** or **moins** before the adverb:

| | |
|---|---|
| **plus** souvent | *more* often |
| **moins** souvent | *less* often |

**• Formation of adverbs**

Many adverbs, such as **bien, mieux, déjà, très, maintenant, aujourd'hui, vite,** etc., are not derived from adjectives. A few have the same form as adjectives:

| | |
|---|---|
| Elle lui parle ***bas.*** | She is speaking *softly* to him. |
| Il parle ***haut.*** | He is speaking *loudly.* |

But most adverbs are derived from adjectives:

| *adjective* | *adverb* | |
|---|---|---|
| autre | **autrement** | *otherwise* |
| beau (bel), belle | **bellement** | *beautifully, handsomely* |
| certain, certaine | **certainement** | *certainly* |
| dernier, dernière | **dernièrement** | *lastly, lately* |
| heureux, heureuse | **heureusement** | *happily* |
| rapide | **rapidement** | *rapidly* |
| séparé | **séparément** | *separately* |
| vrai | **vraiment** | *truly* |

What is the French ending that corresponds to the English *-ly?* Is this ending ever added to the masculine form of an adjective? When? Is it ever added to the feminine form of an adjective? When?

**• Position of adverbs**

Study the following examples carefully, paying close attention to the position of the French adverbs, and also to the English translations:

| *in simple tenses* | |
|---|---|
| Je vais ***souvent*** à Paris. | I *often* go to Paris. |
| Il étudie ***bien.*** | He studies *well.* |
| Elle traverse ***vite*** la rue. | She crosses the street *quickly.* |

*in compound tenses*

| | |
|---|---|
| Je suis ***déjà*** allé à Paris. | I have *already* gone to Paris. |
| Il a ***bien*** étudié. | He studied *well.* |
| Elle a ***vite*** traversé la rue. | She crossed the street *quickly.* |
| Ils ont parlé ***rapidement.*** | They spoke *rapidly.* |
| ***Heureusement***, elle est allée à Ploërmel. | *Happily*, she went to Ploërmel. |

In simple tenses, an adverb usually follows immediately after the verb. In compound tenses, short adverbs often immediately follow the conjugated verb; long adverbs either immediately follow the past participle or are placed at the beginning or end of the sentence.

Adverbs of time can be placed nearly anywhere in a sentence *except* directly in front of a conjugated verb or between the auxiliary and past participle in compound tenses:

| | |
|---|---|
| Il m'a dit ***hier*** de m'en aller. | He told me to go away *yesterday.* |
| ***Hier*** il m'a dit de m'en aller. | *Yesterday* he told me to go away. |
| Il m'a dit de m'en aller ***ce matin.*** | He told me to go away *this morning.* |

**Exercice 2.** *Insérez dans les phrases suivantes l'équivalent français de l'adverbe signalé entre parenthèses:*

1. (*often*) Je le voyais à Marseille.
2. (*already*) Je t'ai dit que Lyon est plus grand que Le Havre.
3. (*newly purchased*) Où sont les livres?
4. (*beautifully*) Marie est habillée.
5. (*truly*) Je te le répète.
6. (*unfortunately*) Elle est tombée amoureuse de Jean-Paul.
7. (*comfortably*) Marie est installée chez elle.
8. (*quickly*) J'y arriverai avec toute la famille.
9. (*entirely*) A-t-il rempli la carafe?
10. (*certainly*) Elle est plus heureuse maintenant que l'année passé.

### III VERBS FOR SPECIAL STUDY: FAIRE FAIRE (the causative use of faire)

Study the following examples, noting the italicized expressions:

| | |
|---|---|
| Anne lui ***fait prendre*** une route. | Anne *makes* him *take* a road. |
| Il la ***fait remarquer*** à Jean-Paul. | He *makes* Jean-Paul *notice* it. |
| Le professeur lui ***fait faire*** une étude sur Gide. | The teacher *has* him *do* a study on Gide. |

In this construction, **faire** can take either a direct or an indirect object. Whatever the English equivalent of the expression may be, the infinitive of the verb dependent on a form of **faire** (above, **prendre**, **remarquer**, and **faire**) is always placed immediately after **faire**. All pronoun objects immediately precede this form of **faire**.

Study the following sentences, paying careful attention to the italicized expressions, and noting that the French expression may have more than one English equivalent:

| | |
|---|---|
| Il fait lire *le roman.* | He is having *the novel* read. |
| Il *le* fait lire. | He is having *it* read. |
| Il fait lire ***Étienne.*** | He is making ***Étienne*** read. |
| Il ***le*** fait lire. | He is making ***him*** read. |
| Il fait lire *le roman* ***à Étienne.*** | He is having *the novel* read by ***Étienne.*** (He is making ***Étienne*** read *the novel.*) |
| Il *le* fait lire ***à Étienne.*** | He is having *it* read by ***Étienne.*** (He is making ***Étienne*** read *it.*) |
| Il ***lui*** fait lire *le roman.* | He is making ***him*** read *the novel.* (He is having *the novel* read by ***him.***) |
| Il *le* ***lui*** fait lire. | He is making ***him*** read *it.* (He is having *it* read by ***him.***) |

Notice the position of the object pronouns. When is an indirect object pronoun required?

Notice, too, that when this construction has two direct objects, the object of the verb **faire** becomes indirect. Consequently, in the last series of sentences above, **Étienne** is an indirect object and thus becomes **lui** when put into pronoun form.

Remember that the direct object may be a noun clause (a dependent clause used as a noun):

| | |
|---|---|
| Il serait inutile de *lui* faire remarquer ***que ce n'est pas commode.*** | It would be useless to make *her* notice ***that this is not convenient.*** |

The clause **que ce n'est pas commode** is used as a noun, object of the verb **remarquer**. The indirect object is **lui**.

The past participle does not agree with its preceding direct object in this construction:

| | |
|---|---|
| **Il l'a fait lire.** | *He made her read.* |
| *But:* | |
| **Il l'a vue.** | *He saw her.* |

**Exercice 3.** *Dites en français:*

1. She reads the book.
2. She makes her read the book.
3. She makes her read it.
4. She makes Mary read the book.
5. She has the book read.
6. She has it read.
7. She has the book read by her.
8. She has it read by her sister.
9. She has it read by her.
10. She has her read it.

**Exercice 4.** *Dites en français:*

1. She will make her little sister look at the book.
2. Will she make her look at the book?
3. Will she make her look at it?
4. She won't make her look at it.
5. She will have the book looked at.
6. She is making Anne eat her vegetables.
7. They are making us leave.
8. Her father is having her go to the theater.
9. Make him fill out this card.
10. Make him do it.

**EXERCICES**

**A.** *Remplacez les expressions signalées entre parenthèses par l'équivalent français:*

1. (*The handsome, old, ancient*) _______ étudiant et son _______ ami visitent la ville _______.
2. (*Happily, brand-new*) _______ ils voyagent dans une Dauphine _______.
3. (*Truly, old*) _______, ils vont voir la _______ France.
4. (*French cities; Americans*) Dans beaucoup de _______, on ne voit jamais d'_______.
5. (*already*) Sa soeur a-t-elle _______ vu Carcassone?
6. (*has never seen that city*) Non, elle _______.
7. (*new*) Est-ce que cette route est relativement _______?
8. (*the first road*) Oui, c'est _______ construite en France depuis la présidence du Général de Gaulle.

**B.** *Dites en français:*

—Isn't this a beautiful car! You've certainly chosen a good one, Jean-Paul.

—And fortunately, I bought it at a very reasonable price. Would you like to go for a ride? Where should we go?

—Why not Versailles? It's a beautiful day and we can take a walk in the gardens.

—That's fine with me, but I don't know how to get out of Paris.

—Étienne does. I'll have you follow his directions.

—Good. You know, we're both (**tous deux**) Parisians, but Étienne knows France much better than I. Isn't that right, Étienne?
—That's because I've traveled more than you, Jean-Paul. But since you have a car now, you'll no doubt be traveling a lot yourself.
—Well, let's go to Versailles. Is everyone comfortably seated?
—Yes. Let's get going.
—Good. Oh, I must stop and buy gas (**faire de l'essence**) on the way. Otherwise, we'll never get there!

## ❋ VOCABULAIRE

**accompagner** to accompany
**arrêter** (*qqn*) to stop (*s.o.*); **s'arrêter** to stop (oneself), to come to a stop
**bon**: **pour de bon** in earnest
(le) **bonheur** luck, good fortune, happiness
(la) **bougie** spark plug, candle
(la) **carafe** water bottle, decanter
(le) **carburateur** carburetor
**clairement** clearly
**commode** convenient
**complètement** completely
**deviner** to guess
**direct** direct
(la) **direction** direction
**dix-huitième** eighteenth
**drôle** funny
**encrassé** filthy, dirty
**épouser** to marry
(une) **essence** gasoline
(la) **famille** family
(le) **frein** brake
**habiller** to dress; **s'habiller** to dress oneself, to get dressed
**heureux, heureuse** fortunate, happy
**hors** out, outside; **hors de** outside, out of
(une) **huile** oil
(une) **indication** direction
**inutile** useless
**juger** to judge
**juste** just, exactly; **juste au moment où** just when
(le) **kilomètre** kilometer
**malheureusement** unhappily, unfortunately
(le) **mécanicien** mechanic
(le) **moment**: **au moment où** (at the moment) when
**nettoyer** to clean
(le) **niveau** *pl.* **niveaux** level
(le) **nord** north
**nouveau (nouvel), nouvelle**; *pl.* **nouveaux, nouvelles** new
**passer**: **se passer** to happen
**plus**: **non plus** not either, nor, neither
(le) **pneu** tire

(la) **pompe** pump
(la) **présidence** presidency
**rapide** fast, rapid
**relativement** relatively
**répéter** to repeat
**séparé** separate, distinct
**sinon** if not, otherwise
(la) **station-service** service station
(le) **sud** south
**tomber: tomber amoureux** to fall in love
(le) **tour: faire le tour (de)** to go around
**tousser** to cough
**tout: tout à coup** suddenly
**traverser** to go across
**vérifier** to verify, to check
**vite** fast, quickly
**vrai** true

## EXERCICES STRUCTURAUX

**A.** *Dans les exercices suivants, employez l'adjectif de la première phrase avec le pronom correspondant au sujet féminin de la deuxième; suivez cet exemple:* ***Ton frère est heureux. Et ta soeur? / Elle est heureuse.***

1. Étienne et Paul sont américains. Et les jeunes filles?
   Elles sont américaines.
2. Mon père est vieux. Et votre mère?
   Elle est vieille.
3. Le train est rapide. Et la voiture?
   Elle est rapide.
4. Cet étudiant est heureux. Et cette étudiante?
   Elle est heureuse.
5. Ce scooter est neuf. Et cette voiture?
   Elle est neuve.
6. Ce garçon est beau. Et cette jeune fille?
   Elle est belle.
7. Ce stylo est nouveau. Et cette plume?
   Elle est nouvelle.
8. Votre livre est ancien. Et votre table?
   Elle est ancienne.
9. Ce vin est bon. Et cette leçon?
   Elle est bonne.
10. Ton frère est heureux. Et ta soeur?
    Elle est heureuse.

**B.** *Dans les exercices suivants insérez l'adverbe donné dans la partie la plus convenable de la phrase; suivez cet exemple:* ***Déjà. Je suis allé à Paris. / Je suis déjà allé à Paris.***

1. Vite. Elle traverse la rue.
   Elle traverse vite la rue.
2. Déjà. Je suis allé à Paris.
   Je suis déjà allé à Paris.
3. Certainement. Je ferai mon travail.
   Je ferai certainement mon travail.
4. Aujourd'hui. Je fais mon travail.
   Aujourd'hui, je fais mon travail.
5. Heureusement. Elle a trouvé son frère.
   Heureusement, elle a trouvé son frère.
6. Facilement. Elle l'a fait.
   Elle l'a fait facilement.
7. Souvent. Je suis allé à Paris.
   Je suis souvent allé à Paris.
8. Hier. Je suis allé chez moi.
   Hier, je suis allé chez moi.
9. Demain. Nous irons au cinéma.
   Demain, nous irons au cinéma.
10. Rapidement. Il a dit cela.
    Il a dit cela rapidement.

**C.** *Commencez les phrases suivantes par* ***Jacques et fait****; suivez ces exemples:* ***(1) Marie lit un roman. / Jacques fait lire un roman à Marie. (2) Marie le remarque. / Jacques le fait remarquer à Marie.***

1. Marie mange les légumes.
   Jacques fait manger les légumes à Marie.
2. Marie le remarque.
   Jacques le fait remarquer à Marie.
3. Marie remplit la fiche.
   Jacques fait remplir la fiche à Marie.
4. Marie le fait.
   Jacques le fait faire à Marie.

5. Marie lit un roman.
   Jacques fait lire un roman à Marie.
6. Marie fait un bruit.
   Jacques fait faire un bruit à Marie.
7. Marie regarde le livre.
   Jacques fait regarder le livre à Marie.
8. Marie suit la route directe.
   Jacques fait suivre la route directe à Marie.
9. Marie suit ses indications.
   Jacques fait suivre ses indications à Marie.
10. Marie regarde une station-service.
   Jacques fait regarder une station-service à Marie.

**D.** *Commencez les phrases suivantes par* ***Jacques*** *et* ***a fait;*** *suivez ces exemples: (1)* ***Marie a lu un roman.*** */* ***Jacques a fait lire un roman à Marie.*** *(2)* ***Marie l'a remarqué.*** */* ***Jacques l'a fait remarquer à Marie.***

1. Marie a mangé les légumes.
   Jacques a fait manger les légumes à Marie.
2. Marie l'a remarqué.
   Jacques l'a fait remarquer à Marie.
3. Marie remplit la fiche.
   Jacques a fait remplir la fiche à Marie.
4. Marie l'a fait.
   Jacques l'a fait faire à Marie.
5. Marie a lu un roman.
   Jacques a fait lire un roman à Marie.
6. Marie a fait un bruit.
   Jacques a fait faire un bruit à Marie.
7. Marie a regardé le livre.
   Jacques a fait regarder le livre à Marie.
8. Marie a suivi la route directe.
   Jacques a fait suivre la route directe à Marie.
9. Marie a suivi ses indications.
   Jacques a fait suivre ses indications à Marie.
10. Marie a regardé une station-service.
   Jacques a fait regarder une station-service à Marie.

**E.** *Dans les phrases suivantes, remplacez tous les noms par des pronoms:*

1. Marie fait lire le roman.
   Elle le fait lire.
2. Marie fait lire le roman à Anne.
   Elle le lui fait lire.
3. Marie fait lire ses amis.
   Elle les fait lire.
4. Marie fait lire les romans à ses amis.
   Elle les leur fait lire.
5. Marie fait lire le roman à son ami.
   Elle le lui fait lire.
6. Jacques a fait regarder le livre.
   Il l'a fait regarder.
7. Jacques a fait regarder le livre à Marie et à sa soeur.
   Il le leur a fait regarder.
8. Jacques a fait regarder la chambre à Étienne.
   Il la lui a fait regarder.
9. Jacques a fait regarder Marie et sa soeur.
   Il les a fait regarder.
10. Jacques a fait regarder les chambres à Marie et à sa soeur.
   Il les leur a fait regarder.

## TROISIÈME RÉVISION

**A.** *Remplacez les expressions signalées entre parenthèses par l'équivalent français:*

1. (*Whom*) _______ avez-vous vu hier? (*Someone*) _______ d'intéressant?
2. (*whose brother*) J'ai vu Louise _______ est étudiant en droit.
3. (*who, whom*) C'est lui _______ doit passer ses examens en avril, et _______ l'on croit être brillant.
4. (*has just; which she does not know how; have me see it*) Louise, elle _______ louer une voiture _______ conduire, et je lui ai demandé de _______.
5. (*would know how, would go*) Si elle _______ conduire, elle _______ à Sceaux dimanche.

6. (*has never learned how, I shall have to*) Mais puisqu'elle _______ à conduire, _______ l'accompagner.
7. (*hers*) La voiture n'est pas _______.
8. (*Who, could have, new*) _______ croirait qu'elle _______ acheter une _______ voiture?
9. (*What, is Anne taking*) _______ cours _______ à l'université?
10. (*Her, is making her take*) _______ père _______ des cours de médecine et de littérature.
11. (*That's*) _______ impossible! (*cannot take*) Ici on _______ de cours si différents.
12. (*can an American girl do*) Que _______ en France?
13. (*Some*) _______ Américaines se font médecins.
14. (*handsome student*) En France les jeunes filles veulent toutes épouser un _______.

**B.** *Mettez les phrases suivantes à la forme négative, en employant* ***ne . . . pas, ne . . . jamais, ne . . . personne, ne . . . rien*** *ou* ***ne . . . ni . . . ni,*** *selon le sens:*

1. Elle voit quelqu'un.
2. Elle dit quelque chose.
3. Quelqu'un l'a vue.
4. Elle a dit quelque chose à quelqu'un.
5. Elle parle français.
6. Elle parle souvent français.
7. Elle a souvent parlé français.
8. Lui et elle sont allés à Paris.
9. Ils ont vu des Français et des Anglais.
10. Donne cela à ton frère ou à ta soeur!
11. Quelque chose est arrivé.
12. Il a plu hier.
13. Elle le lui fait remarquer.
14. Il le lui a fait remarquer.
15. Fais-lui parler français!

**C.** *Remplacez les expressions signalées entre parenthèses par l'équivalent français:*

1. (*Who*) _____ a dit cela?
2. (*that*) C'est Marie _______ j'ai vue ce matin.

3. (*whose sister you don't know*) C'est elle ______.
4. (*in which*) C'est le restaurant ______ je l'ai rencontrée.
5. (*when*) Est-ce le jour ______ nous irons à Sceaux?
6. (*with whose brother*) Étienne est le jeune étudiant français ______ il est allé à la Comédie-Française.
7. (*near which*) Voici le petit parc ______ j'habite.
8. (*Who*) ______ vous a fait faire cela?
9. (*Whom*) ______ as-tu fait faire cela?
10. (*that, who*) Voilà la jeune fille ______ j'aime et ______ m'aime.
11. (*of whom*) C'est elle ______ tu parles toujours.
12. (*Whose*) ______ est ce livre?
13. (*Of what*) ______ parle-t-il?
14. (*which*) Voilà les livres ______ tu avais achetés.
15. (*What*) ______ est arrivé?

**D.** *Dites en français:*

1. If Anne speaks, Étienne will go away.
2. If she'll speak of it, he'll go away.
3. Do it when you can.
4. If it were colder, it would rain.
5. We would have to do it if you told us to do it.
6. We would have had to do it if you had told us to do it.
7. She is making him speak French.
8. It is she whom you saw.
9. It belongs to her.
10. It is hers.
11. This car is not mine, it is his.
12. Some students buy their books, and others rent theirs.
13. If he were the one who said that, then I would leave immediately.
14. He did not go there.
15. We saw no one and we did nothing.

## EXERCICES STRUCTURAUX

**A.** *Mettez les phrases suivantes à la forme interrogative en employant le pronom interrogatif; suivez ces exemples: (1)* ***Elle a parlé à Jacques. / À qui a-t-elle parlé? (2) Il parle de New York. / De quoi parle-t-il?***

1. Ils ont dit bonjour à Jacques.
   À qui ont-ils dit bonjour?
2. Il a lu ce roman chez eux.
   Chez qui a-t-il lu ce roman?
3. Il pense à Marie.
   À qui pense-t-il?
4. Il a trouvé le livre sur la table.
   Sur quoi a-t-il trouvé le livre?
5. Nous pensons à vous tous les jours.
   À qui pensons-nous tous les jours?

B. *Traduisez les dates suivantes; suivez cet exemple:* ***December 3, 1582 / le trois décembre quinze cent quatre-vingt-deux***

1. April 30, 1854
   le trente avril dix-huit cent cinquante-quatre
2. January 1, 1698
   le premier janvier seize cent quatre-vingt-dix-huit
3. December 11, 1444
   le onze décembre quatorze cent quarante-quatre
4. February 8, 1789
   le huit février dix-sept cent quatre-vingt-neuf
5. November 22, 1919
   le vingt-deux novembre dix-neuf cent dix-neuf

C. *Mettez les phrases suivantes à la forme interrogative:*

1. Les Américains se sont promenés.
   Les Américains se sont-ils promenés?
2. Anne était allée à New York.
   Anne était-elle allée à New York?
3. Les hôtelières ne vendent pas les journaux.
   Les hôtelières ne vendent-elles pas les journaux?
4. Jean-Paul a dit cela.
   Jean-Paul a-t-il dit cela?
5. Marie est sortie.
   Marie est-elle sortie?

**D.** *Combinez les phrases suivantes en employant la forme convenable de* ***qui, dont*** *ou* ***lequel;*** *suivez cet exemple:* ***Voilà le restaurant. Nous mangeons dans ce restaurant. / Voilà le restaurant dans lequel nous mangeons.***

1. Voilà la fiche. Il faut écrire votre nom sur la fiche.
   Voilà la fiche sur laquelle il faut écrire votre nom.
2. Voilà le restaurant. Nous mangeons dans ce restaurant.
   Voilà le restaurant dans lequel nous mangeons.
3. Voici la rue. Je pense à la rue.
   Voici la rue à laquelle je pense.
4. Je connais l'homme. Tu as parlé de l'homme.
   Je connais l'homme dont tu as parlé.
5. J'ai vu la jeune fille. Tu es sorti avec la jeune fille.
   J'ai vu la jeune fille avec qui tu es sorti.

**E.** *Dans les phrases suivantes, remplacez tous les noms par des pronoms:*

1. Marie fait lire le roman.
   Elle le fait lire.
2. Jacques fait regarder Marie.
   Il la fait regarder.
3. Jacques fait regarder le livre à Marie.
   Il le lui fait regarder.
4. Marie a fait lire ses amis.
   Elle les a fait lire.
5. Jacques a fait regarder Marie et sa soeur.
   Il les a fait regarder.
6. Marie fait lire le roman à ses amis.
   Elle le leur fait lire.
7. Marie a fait lire ses amis.
   Elle les a fait lire.
8. Jacques a fait regarder la chambre à Marie et à sa soeur.
   Il la leur a fait regarder.
9. Marie a fait lire Jacques.
   Elle l'a fait lire.
10. Jacques a fait regarder les chambres à Anne.
    Il les lui a fait regarder.

VAB
rouge baiser brillant
vin de Corse
NICOLAS
NICOLAS
NATIONS
BÉ

# DIX-NEUVIÈME LEÇON

## CONVERSATION: UN DÉPART MOUVEMENTÉ

*Jean-Paul* Pourquoi cette figure d'enterrement?

*Anne* Je viens de recevoir une lettre assez fâcheuse.

*Jean-Paul* J'espère que ce n'est rien de grave.

*Anne* Ce n'est pas ça. Mais je viens d'apprendre que je ne pourrai pas aller à la Côte d'Azur pendant les vacances. Ma mère veut que j'aille à Rennes.

*Jean-Paul* Pourquoi Rennes?

*Anne* C'est que sa famille habite tout près de la ville. On lui a dit qu'on m'attendait pour Noël.

*Jean-Paul* La Bretagne est une province très pittoresque et Rennes n'est pas sans intérêt. Je ne vois pas pourquoi vous êtes si triste.

*Anne* Mais mes parents n'habitent pas à Rennes même. Ils ont une petite ferme à 60 kilomètres de la ville, à Ploërmel. Il est malheureux que je doive m'éloigner de toute civilisation, surtout pendant les vacances.

*Jean-Paul* Si votre mère le veut, il faut le faire. Quand partez-vous?

| | |
|---|---|
| *Anne* | Dimanche matin, et puisqu'il faut que je sois à Rennes avant trois heures, il faut que je parte de bonne heure. |
| *Jean-Paul* | Quel malheur! Vous n'avez vraiment pas de chance. |

C'est justement ce qu'Anne pensait, et ce badinage de Jean-Paul n'ajoutait guère à sa bonne humeur. Ce n'était pas seulement qu'elle n'était pas contente de passer ses vacances en Bretagne (elle aurait mieux aimé aller au sud); c'était surtout qu'elle se croyait un peu persécutée.

D'abord elle avait pensé que comme elle devait aller à l'ouest, elle devrait profiter de son voyage pour se reposer autant que possible. Mais quand elle a su qu'elle devrait se lever de bonne heure et qu'elle ne pourrait pas dormir jusqu'à midi, elle a trouvé que tout commençait mal. Elle voulait prendre le train le plus rapide, mais on lui a dit que toutes les places étaient déjà prises: tout le monde allait en Bretagne pour les vacances, semblait-il. Si elle avait voulu faire son voyage d'une façon bien ordonnée, elle aurait dû retenir sa place longtemps à l'avance. Elle avait l'impression qu'on lui reprochait d'être sans cervelle. Ensuite il y a eu la question de trouver la gare. Elle savait qu'il y avait une Gare de l'Est et une Gare du Nord à Paris ainsi que plusieurs autres gares, mais elle ne pouvait pas trouver de «Gare de l'Ouest». On lui a finalement expliqué qu'il s'aggissait de[1] la Nouvelle Gare Montparnasse et qu'il n'y avait pas de «Gare de l'Ouest». Elle ne savait pas non plus ce qu'elle devait mettre dans sa valise; comme elle ne connaissait pas la Bretagne, elle ne savait pas s'il neigeait là-bas en hiver, ou s'il faisait beau à cause du Gulf Stream.

**QUESTIONNAIRE**

*Répondez en français par des phrases complètes:*

1. Avez-vous une figure d'enterrement? 2. Venez-vous de recevoir quelque chose? 3. Avez-vous reçu une lettre fâcheuse? 4. Qu'est-ce que vous venez d'apprendre? 5. Où vouliez-vous aller pendant les vacances? 6. Où est-ce que votre mère veut que vous alliez? 7. Pourquoi veut-elle que vous alliez à Rennes? 8. Où habite la famille de votre mère? 9. Qui attendait Anne pour Noël? 10. Qu'est-ce que c'est que la Bretagne? 11. Est-ce que Rennes est une ville intéressante? 12. Où habitent les parents d'Anne? 13. Où

[1]il s'agissait de, *it was a question of.* In context, this may be translated as "she was looking for."

est leur petite ferme? 14. Où se trouve Ploërmel? 15. Qu'est-ce qu'Anne trouve malheureux? 16. Pourquoi Anne est-elle triste? 17. Est-ce qu'Anne a de la chance? 18. Quand Anne devra-t-elle se lever? 19. Quel train avait-elle voulu prendre? 20. Pourquoi les places étaient-elles prises? 21. Pourquoi ne pouvait-elle pas prendre le train le plus rapide? 22. Pour avoir une place qu'est-ce qu'il aurait fallu faire? 23. Y a-t-il beaucoup de gares à Paris? 24. Quelle gare est-ce qu'Anne cherchait? 25. Y a-t-il une Gare de l'Ouest à Paris? 26. Qu'est-ce qu'Anne allait mettre dans sa valise? 27. Neige-t-il en Bretagne?

*Demandez à un autre étudiant:*
1. s'il veut acheter un foulard 2. si vous pouvez voir ses foulards et ses sweaters 3. s'il désire une robe 4. s'il désire une jupe 5. s'il désire autre chose 6. où se trouvent les complets et les pantalons 7. où se trouvent les chemises et les souliers 8. s'il veut faire une promenade 9. quand il veut faire une promenade 10. si le château de Sceaux est un château ancien 11. s'il y a aux États-Unis des bâtiments très vieux 12. quand vous irez à Sceaux

*Dites à un autre étudiant:*
1. que vous voulez acheter un foulard 2. que vous pouvez aller au magasin ensemble 3. que vous avez seulement des foulards jaunes 4. que vous allez acheter un foulard plus tard 5. que vous voulez quelques mouchoirs 6. que les manteaux et les vestons sont à gauche 7. que les bas et les mouchoirs sont à côté 8. que le château de Sceaux n'est pas loin 9. que le château de Sceaux a été construit au XVII$^{e}$ siècle 10. que la ville de Saint-Augustine a été fondée en 1565 11. qu'à Sceaux il y a un beau parc et un jardin magnifique 12. que vous irez à Sceaux samedi

# GRAMMAIRE

## I SUBJUNCTIVE MOOD (le subjonctif)

### • General meaning and usage

In the preceding lessons, you have studied verb tenses in the *indicative* mood, which expresses facts:

Je verrai Pierre lundi.
Je sais qu'il s'en est allé.

And verb tenses in the *imperative* mood, which expresses commands:

Allons-nous-en!
Demande-lui de venir!

We are now going to study the *subjunctive* mood, which is used when the speaker wishes to inject a personal tone in his remarks—in other words, when he wishes to express his statements in a subjective manner.

In modern French, the rules for the use of the subjunctive have become codified—that is, the subjunctive is now used in certain clearly defined situations. In this lesson and the next, we will study some of the most important of these constructions.

Before proceeding, it might be well to re-examine some grammatical terminology which will be used in subsequent paragraphs:

A clause is a group of words containing a subject and a predicate. An independent clause makes complete sense by itself:

*The cat is standing on the window sill.*
*Molière wrote* ***Le Bourgeois gentilhomme*** *in 1670.*

If the clause does not make complete sense by itself, it is termed a subordinate clause:

I notice *that the cat is standing on the window sill.*
Did you know *that Molière wrote* ***Le Bourgeois gentilhomme in*** *1670?*

The italicized groups of words in the last two examples are not complete by themselves; they depend upon the rest of the sentence to complete their meaning. Consequently, the subordinate clause is often called a dependent clause.

- **Use of the subjunctive**

The subjunctive is used in a subordinate clause which depends upon:

1) *a verb expressing a desire or command:*

| | |
|---|---|
| Ma mère ***veut*** que j'aille à Rennes. | My mother *wants* me to go to Rennes. |
| Elle ***demande*** qu'il parte. | She *demands* that he leave. |

Verbs in this category include:

| *desire* | *command* |
|---|---|
| **désirer** *(to desire, to want)* | **demander** *(to insist, to demand)* |
| **vouloir** *(to wish, to want)* | **commander** *(to command, to order)* |
| | **ordonner** *(to order, to command)* |

2) *a verb expressing emotion, such as joy, sorrow, regret, fear, or surprise:*

| | |
|---|---|
| Anne ***est contente*** que vous soyez ici. | Anne *is happy* that you are here. |
| ***Je suis désolé*** que Louise soit malade. | *I'm sorry* that Louise is sick. |
| ***Il est malheureux*** que je doive m'éloigner. | *It's a pity* that I have to go away. |

Verbs and expressions in this category include:

| | |
|---|---|
| **être content (que)** | *to be glad {pleased, happy} (that)* |
| **être heureux (que)** | *to be happy {fortunate} (that)* |
| **être désolé (que)** | *to be sorry (that)* |
| **être étonné [surpris] (que)** | *to be surprised (that)* |
| **avoir peur (que)** | *to be afraid (that)* |
| **regretter (que)** | *to be sorry (that)* |
| **c'est dommage (que)** | *it is a pity {it is unfortunate} (that)* |
| **il est malheureux (que)** | *it is unfortunate {it is a pity} (that)* |

Peculiarly, **espérer** *(to hope)* does not imply emotion in French. A subordinate clause dependent on **espérer**, therefore, takes the indicative, not the subjunctive:

J'espère que vous êtes arrivé.
J'espère que vous arriverez bientôt.

3) *one of certain impersonal expressions:*

| | |
|---|---|
| ***Il faut*** que je parte de bonne heure. | I must leave early. (*It is necessary* that I leave early.) |
| ***Il se peut*** que vous ayez raison. | You may be right. (*It may be* that you are right.) |

Expressions in this category include:

| | |
|---|---|
| **il faut (que)** | *it is necessary (that)* |
| **il est nécessaire (que)** | *it is necessary (that)* |
| **il se peut (que)** | *it may be (that)* |
| **il est possible (que)** | *it is possible (that)* |

• **Formation of the present subjunctive**

1) As a general rule, the stem of the present subjunctive is derived by dropping the *-ent* from the third person plural form of the present indicative. To this stem, the following endings are added:

| *singular* | *plural* |
|---|---|
| **-e** | **-ions** |
| **-es** | **-iez** |
| **-e** | **-ent** |

These endings are used to conjugate all verbs in the present subjunctive:

*present subjunctive of* **parler**—*to speak*
(ils parlent; stem: **parl-**)

| | |
|---|---|
| **je parle** | **nous parlions** |
| **tu parles** | **vous parliez** |
| **il parle** | **ils parlent** |

*present subjunctive of* **attendre**—*to wait (for)*
(ils attendent; stem: **attend-**)

| | |
|---|---|
| **j'attende** | **nous attendions** |
| **tu attendes** | **vous attendiez** |
| **il attende** | **ils attendent** |

*present subjunctive of* **remplir**—*to fill*
(ils remplissent; stem: **rempliss-**)

| | |
|---|---|
| **je remplisse** | **nous remplissions** |
| **tu remplisses** | **vous remplissiez** |
| **il remplisse** | **ils remplissent** |

2) Some verbs have two stems, one for the singular and the third person plural forms, and another for the first and second person plural forms:

*present subjunctive of* **venir**—*to come*
(stems: **vienn-, ven-**)

| | |
|---|---|
| **je vienne** | **nous venions** |
| **tu viennes** | **vous veniez** |
| **il vienne** | **ils viennent** |

Similarly, **je tienne, je devienne;** but **nous tenions, nous devenions.**

*present subjunctive of* **devoir**—*to have to, must*
(stems: **doiv-, dev-**)

| | |
|---|---|
| **je doive** | **nous devions** |
| **tu doives** | **vous deviez** |
| **il doive** | **ils doivent** |

*present subjunctive of* **prendre**—*to take*
(stems: **prenn-, pren-**)

| | |
|---|---|
| **je prenne** | **nous prenions** |
| **tu prennes** | **vous preniez** |
| **il prenne** | **ils prennent** |

Similarly, **je m'appelle, je me lève;** but **nous nous appelions, nous nous levions.**

*present subjunctive of* **aller**—*to go*
(stems: **aill-, all-**)

| | |
|---|---|
| **j'aille** | **nous allions** |
| **tu ailles** | **vous alliez** |
| **il aille** | **ils aillent** |

*present subjunctive of* **voir**—*to see*
(ils voient; stems: **voi-**, **voy-**)

| | |
|---|---|
| **je voie** | **nous voyions** |
| **tu voies** | **vous voyiez** |
| **il voie** | **ils voient** |

*present subjunctive of* **vouloir**—*to wish, to want*
(stems: **veuill-**, **voul-**)

| | |
|---|---|
| **je veuille** | **nous voulions** |
| **tu veuilles** | **vous vouliez** |
| **il veuille** | **ils veuillent** |

3) There are a few verbs with present subjunctive stems which cannot be derived by following the above pattern. Among these verbs are:

| *infinitive* | *stem* | *present subjunctive* |
|---|---|---|
| faire | **fass-** | ***je fasse,*** etc. |
| pleuvoir | **pleuv-** | ***il pleuve*** |
| pouvoir | **puiss-** | ***je puisse,*** etc. |
| savoir | **sach-** | ***je sache,*** etc. |

4) It is necessary to study the present subjunctive of **être** and **avoir** separately. Since these verbs function as auxiliaries, it is important to memorize their conjugations:

*present subjunctive of* **être**—*to be*

| | |
|---|---|
| **je sois** | **nous soyons** |
| **tu sois** | **vous soyez** |
| **il soit** | **ils soient** |

*present subjunctive of* **avoir**—*to have*

| | |
|---|---|
| **j'aie** | **nous ayons** |
| **tu aies** | **vous ayez** |
| **il ait** | **ils aient** |

**Exercice 1.** *Mettez les verbes suivants au présent du subjonctif:*

1. il prend
2. nous mangeons
3. elle est
4. vous dites
5. ils vont
6. elles font
7. nous sommes
8. vous faites
9. ils sont
10. ils ont
11. tu peux
12. nous prenons
13. ils mettent
14. je sais
15. vous voyez
16. tu suis
17. elles veulent
18. nous nous promenons
19. il s'en va
20. elle connaît
21. je dis
22. tu lis
23. elle tient
24. vous devenez
25. il y a
26. nous voulons
27. tu fais
28. je dois

**Exercice 2.** *Dites en français:*

1. He told me that you are sick.
2. I'm sorry that you can't meet Anne.
3. I see that it is raining.
4. She was reading that Rennes is in Brittany.
5. It's too bad that she doesn't want to rent a Dauphine.
6. We didn't know that Anne had come.
7. Anne is sad that Jean-Paul is leaving.

8. Are you glad that it is raining?
9. We hope Jean-Paul will come.
10. I demand that you go to Paris.
11. Are you happy that we are leaving?
12. It's unfortunate for you to be here.
13. I'm glad that you know that.
14. She is sad that it is raining.

## II SPECIAL PROBLEMS IN TRANSLATING THE SUBJUNCTIVE

1) ***Vouloir** always requires a subordinate clause in the subjunctive:*[2]

| | |
|---|---|
| Ma mère **veut que j'aille à Rennes.** | My mother *wants me to go to Rennes.* |

Before translating from English to French, you may want to mentally convert the English sentence. For example: *"He wants you to do it"* becomes *"He wants that you do it";* the French equivalent is ***«Il veut que tu le fasses».***

2) ***Demander** can be followed by an infinitive phrase:*

| | |
|---|---|
| Je lui **demande d'aller voir ma tante.** | I'm *asking* him *to go see my aunt.* |

*or by a subjunctive clause:*

| | |
|---|---|
| Je **demande que tu ailles voir ma tante.** | I *demand that you go see my aunt.* |

Notice that **demander** increases in force or intensity when followed by the subjunctive.

3) ***Il faut** can be followed by an infinitive phrase:*

| | |
|---|---|
| **Il vous faut aller à Rennes.** | *You have to go to Rennes.* |
| **Il lui faut le faire.** | *He has to do it.* |

*or by a subjunctive clause:*

| | |
|---|---|
| **Il faut que vous alliez à Rennes.** | *You must go to Rennes.* |
| **Il faut qu'il le fasse.** | *He must do it.* |

[2]Except when the subject of both clauses is the same; in such cases, the infinitive is used: **Je veux y aller** *(I want to go there).*

**Exercice 3.** *Dites en français:*

1. She must go to Rennes tomorrow.
2. Is it necessary for you to say that?
3. I want Jean-Paul to go away.
4. You are asking them to order beefsteak.
5. He wants us to invite Anne to go for a walk.
6. We want Louise to come to Paris.
7. She has to leave before six o'clock.
8. They want us to read this book.
9. Do you want her to fill out the identity card?
10. She is asking them to wash their hands.

## III VERBS FOR SPECIAL STUDY: CERTAIN VERBS ENDING IN -IR

Certain verbs ending in *-ir* are conjugated in a similar pattern, but differ from the model presented for *-ir* verbs in Lesson 2. The main verbs in this category are:

| | |
|---|---|
| **dormir** | *to sleep* |
| **s'endormir** | *to fall asleep* |
| **mentir** | *to lie, to tell a lie* |
| **partir** | *to leave* |
| **sentir** | *to feel, to smell* |
| **servir** | *to serve* |
| **se servir [de]** | *to use* |
| **sortir** | *to go out* |

*present tense of* **dormir**—*to sleep*
(I sleep, am sleeping, do sleep, etc.)

| | |
|---|---|
| **je dors** | **nous dormons** |
| **tu dors** | **vous dormez** |
| **il dort** | **ils dorment** |

*passé composé:* **J'ai dormi** jusqu'à midi.

*present tense of* **servir**—*to serve*
(I serve, am serving, do serve, etc.)

| | |
|---|---|
| **je sers** | **nous servons** |
| **tu sers** | **vous servez** |
| **il sert** | **ils servent** |

*passé composé:* **Elle a servi** le vin.

What is the singular stem of **dormir**? the plural stem? What is the singular stem of **servir**? the plural stem? What is the present subjunctive stem of each verb?

**Sortir** and **partir** are conjugated similarly in the present tense, but form their compound tenses with **être**:

| | |
|---|---|
| **Je suis sorti.** | *I went out.* |
| **Il était parti.** | *He had left.* |

**EXERCICES**

**A.** *Remplacez les expressions signalées entre parenthèses par l'équivalent français:*

1. (*you are wrong*) Je crois que ______.
2. (*you are wrong*) Je suis désolé que ______.
3. (*me to learn that*) Voulez-vous ______?
4. (*We must go*) ______ d'abord à Rennes.
5. (*we leave*) Elle demande que ______ avant midi.
6. (*that is said*) Il semble que ______.
7. (*will not lie to him*) Étienne espère qu'Anne ______.
8. (*that you are going out tonight*) Il est malheureux ______.
9. (*that she wants to leave*) Regrettez-vous ______?
10. (*is coming*) Je suis content qu'il ______.
11. (*They want her to take the train*) ______.
12. (*you can see*) Nous sommes heureux que ______ la soeur de ta mère.
13. (*that you must leave*) Il est malheureux ______.
14. (*serves me wine*) Il faut qu'il ______.
15. (*You must not fall asleep*) ______!

**B.** *Dites en français:*

—You're still going out with me tonight, aren't you?

—I can't; I must take the six o'clock train to Rennes.

—But you told me last week that you would go with me to the Comédie-Française.

—I know (it), but my relatives have just sent me a letter. They want me to spend the Christmas vacation with them.
—What misfortune!
—I agree, but my mother wants me to see them before leaving France, and I have two weeks of vacation now.
—It's a pity that you can't see the play with me—it's really very interesting. Nevertheless, I hope that you have a good vacation in Rennes.

## VOCABULAIRE

**agir** to act, to do; **s'agir de** to be a question of
**aimer: aimer mieux** to prefer
**ainsi: ainsi que** as well as
**ajouter** to add
**apprendre** to learn
(une) **avance** advance; **à l'avance** ahead of time
(le) **badinage** bantering
(la) **Bretagne** Brittany
(la) **cervelle** brain; **sans cervelle** brainless
(la) **civilisation** civilization
(la) **Côte d'Azur** the Riviera
(le) **départ** departure
**dix-neuvième** nineteenth
**dormir** to sleep
**éloigné** distant, far-away
**éloigner** to remove, to take away; **s'éloigner (de)** to go away (from), to withdraw
**ensuite** next
(un) **enterrement** burial
**espérer** to hope
(un) **est** east
**fâcheux, fâcheuse** vexing
(la) **façon** way, manner
(la) **ferme** farm
(la) **figure** face
**finalement** finally
(la) **gare** railroad station
**grave** serious
(le) **Gulf Stream** the Gulf Stream
(une) **humeur** mood, humor
(une) **impression** impression
(un) **intérêt** interest
(le) **malheur** misfortune
**malheureux, malheureuse** unfortunate, unhappy
**mentir** to lie, to tell a lie
**mouvementé** lively, spirited
**ne: ne . . . guère** scarcely
(le) **Noël** Christmas
(le) **nord** north
**ordonné** orderly
(un) **ouest** west
**partir** to leave
**persécuter** to persecute
**pittoresque** picturesque
**plusieurs** several
**possible** possible
(la) **province** province
(la) **question** question

**recevoir** to receive
(se) **reposer** to rest
**reprocher** *(à qqn de faire qqch.)* to reproach *(s.o. for doing sth.)*
**retenir** to secure, to book
**savoir: il a su** he found out, he learned
(le) **train** train
(les) **vacances** *f.pl.* vacation
(la) **valise** suitcase, valise

## EXERCICES STRUCTURAUX

**A.** *Commencez les phrases suivantes par* **il faut que,** *en faisant les changements nécessaires:*

1. Marie parle anglais.
   Il faut que Marie parle anglais.
2. Jacques donne le livre à son cousin.
   Il faut que Jacques donne le livre à son cousin.
3. Nous trouvons le livre.
   Il faut que nous trouvions le livre.
4. Vous décidez de partir.
   Il faut que vous décidiez de partir.
5. Ils assistent à une tragédie.
   Il faut qu'ils assistent à une tragédie.
6. Elles remplissent la fiche.
   Il faut qu'elles remplissent la fiche.
7. Vous attendez la lettre.
   Il faut que vous attendiez la lettre.
8. Elles prennent leur temps.
   Il faut qu'elles prennent leur temps.
9. Il finit sa leçon.
   Il faut qu'il finisse sa leçon.
10. Nous partons de bonne heure.
    Il faut que nous partions de bonne heure.
11. Jacques vend la voiture.
    Il faut que Jacques vende la voiture.
12. Je vais à Rennes.
    Il faut que j'aille à Rennes.
13. Tu viens ici.
    Il faut que tu viennes ici.

14. Elle a beaucoup d'argent.
    Il faut qu'elle ait beaucoup d'argent.
15. Il est malade.
    Il faut qu'il soit malade.
16. Tu fais ton devoir.
    Il faut que tu fasses ton devoir.
17. Il peut marcher.
    Il faut qu'il puisse marcher.
18. Tu sais travailler.
    Il faut que tu saches travailler.
19. Il pleut.
    Il faut qu'il pleuve.
20. Vous dites cela.
    Il faut que vous disiez cela.

**B.** *Commencez les phrases suivantes par* ***je veux que****, en faisant les changements nécessaires:*

1. Ils assistent à une tragédie.
   Je veux qu'ils assistent à une tragédie.
2. Nous partons de bonne heure.
   Je veux que nous partions de bonne heure.
3. Il est malade.
   Je veux qu'il soit malade.
4. Il pleut.
   Je veux qu'il pleuve.
5. Marie parle anglais.
   Je veux que Marie parle anglais.
6. Vous attendez la lettre.
   Je veux que vous attendiez la lettre.
7. Jacques donne le livre à son cousin.
   Je veux que Jacques donne le livre à son cousin.
8. Tu viens ici.
   Je veux que tu viennes ici.
9. Il peut marcher.
   Je veux qu'il puisse marcher.
10. Vous dites cela.
    Je veux que vous disiez cela.

11. Elles prennent leur temps.
    Je veux qu'elles prennent leur temps.
12. Il va à Rennes.
    Je veux qu'il aille à Rennes.
13. Elles remplissent la fiche.
    Je veux qu'elles remplissent la fiche.
14. Nous trouvons le livre.
    Je veux que nous trouvions le livre.
15. Il finit sa leçon.
    Je veux qu'il finisse sa leçon.
16. Tu sais travailler.
    Je veux que tu saches travailler.
17. Elle a beaucoup d'argent.
    Je veux qu'elle ait beaucoup d'argent.
18. Jacques vend la voiture.
    Je veux que Jacques vende la voiture.
19. Vous décidez de partir.
    Je veux que vous décidiez de partir.
20. Tu fais ton devoir.
    Je veux que tu fasses ton devoir.

**C.** *Commencez les phrases suivantes par* ***c'est dommage que****, en faisant les changements nécessaires:*

1. Tu fais ton devoir.
    C'est dommage que tu fasses ton devoir.
2. Il peut marcher.
    C'est dommage qu'il puisse marcher.
3. Tu sais travailler.
    C'est dommage que tu saches travailler.
4. Il pleut.
    C'est dommage qu'il pleuve.
5. Vous dites cela.
    C'est dommage que vous disiez cela.
6. Ils assistent à une tragédie.
    C'est dommage qu'ils assistent à une tragédie.
7. Nous partons de bonne heure.
    C'est dommage que nous partions de bonne heure.

8. Il est malade.
   C'est dommage qu'il soit malade.
9. Il pleut.
   C'est dommage qu'il pleuve.
10. Vous attendez la lettre.
    C'est dommage que vous attendiez la lettre.
11. Jacques donne le livre à son cousin.
    C'est dommage que Jacques donne le livre à son cousin.
12. Tu viens ici.
    C'est dommage que tu viennes ici.
13. Il peut marcher.
    C'est dommage qu'il puisse marcher.
14. Vous dites cela.
    C'est dommage que vous disiez cela.
15. Jacques vend la voiture.
    C'est dommage que Jacques vende la voiture.

# VINGTIÈME LEÇON

## CONVERSATION: LE VOYAGE

Le dimanche fatal est enfin arrivé, et bien qu'Anne ait eu peur de ne pas partir à l'heure, tout s'est bien passé. Elle n'avait même pas sommeil quand elle est arrivée à la Nouvelle Gare Montparnasse. Afin de bien se préparer, elle avait eu soin de lire quelques livres sur la Bretagne (pour qu'elle n'ait pas l'air de ne rien savoir) et, à force de lire, elle est arrivée à désirer vivement connaître ce pays. Le train est parti à l'heure et elle a trouvé un compartiment avec une place libre près de la fenêtre. Par bonheur elle a fait la connaissance d'un jeune matelot breton qui allait à Brest et qui a engagé la conversation. Quand il a appris qu'Anne ne connaissait pas cette partie de la France, il s'est permis de lui parler de tous les endroits qu'ils traversaient. Comme il faisait le voyage assez souvent il connaissait la route presque par coeur; et puisqu'il n'avait rien d'autre à faire, il était content de pouvoir causer avec une jolie jeune fille américaine.

Après une longue explication historique de Versailles, le château célèbre que Louis XIV a fait construire et qui ne se trouve qu'à vingt kilomètres de Paris, il a parlé de toutes les villes et régions qu'ils ont traversées en route: du Perche, région connue pour ses chevaux; du Mans, ville célèbre pour les courses d'autos et pour sa cathédrale gothique; et de Laval avec son vieux château dont le donjon date du XII$^{e}$ siècle. Lorsqu'ils sont arrivés à Vitré, il a à peine eu le temps de signaler le château de M$^{me}$ de Sévigné (écrivain du XVII$^{e}$ siècle) avant de commencer à parler de cette petite ville qui se trouve entre Laval et Rennes et où on peut encore voir des maisons construites au moyen âge et de toutes petites rues étroites de la même époque.

Quoiqu'elle ait beaucoup appris, ce n'est pas sans un soupir de soulagement qu'Anne s'est aperçu qu'elle était enfin à Rennes. À sa descente, elle est allée chercher sa valise et, après avoir donné son billet au contrôleur, elle a quitté la gare.

| | |
|---|---|
| *M. Baragouin* | La voilà! La voilà! Par ici, Anne. |
| *Anne* | Bonjour, mon oncle. |
| *Mme Baragouin* | Laisse-moi t'embrasser! Que je suis contente de te voir! |
| *M. Baragouin* | Mais regarde-moi ça! C'est tout le portrait de sa mère, n'est-ce pas? |
| *Mme Baragouin* | Comment? Mais pas du tout ... mais on pourra parler de ça plus tard. As-tu fait un bon voyage? |
| *Anne* | Oui, j'ai fait un excellent voyage. |
| *M. Baragouin* | Est-ce que tu comptes rester longtemps? |
| *Anne* | Au moins deux ou trois semaines. |
| *M. Baragouin* | Comment trouves-tu Paris? |
| *Anne* | Très intéressant. |
| *M. Baragouin* | Comment se porte ta mère? |
| *Anne* | Elle m'écrit toutes les semaines. Elle se porte toujours bien. |
| *M. Baragouin* | Pourquoi ne nous as-tu pas écrit? |
| *Mme Baragouin* | Voyons! Arrête-toi donc! Donne-lui le temps de reprendre haleine! Jacques est là avec la voiture qui nous attend. Allons-y! |

**QUESTIONNAIRE**

*Répondez en français par des phrases complètes:*

1. Qu'est-ce qui est enfin arrivé? 2. Quand Anne est arrivée à la Nouvelle Gare Montparnasse, avait-elle sommeil? 3. Qu'est-ce qu'Anne a fait pour bien se préparer? 4. Pourquoi Anne a-t-elle lu des livres sur la Bretagne? 5. Est-ce que le train est parti à l'heure? 6. Anne a-t-elle trouvé un compartiment? 7. De qui a-t-elle fait la connaissance? 8. Qu'est-ce que le jeune matelot a fait? 9. De quoi le matelot a-t-il parlé? 10. Qu'est-ce que c'est que Versailles? 11. Qui a fait construire Versailles? 12. Pourquoi le Perche est-il connu? 13. Pourquoi Le Mans est-il célèbre? 14. Qu'est-ce qu'il y a à Vitre? 15. Où est-ce que Mme de Sévigné a habité? 16. Est-ce qu'Anne a appris beaucoup? 17. Qu'est-ce qu'Anne a fait à sa descente? 18. Qu'est-ce qu'elle a fait après avoir donné son billet au contrôleur? 19. Est-ce que M. Baragouin est content de voir Anne? 20. Anne a-t-elle fait un bon voyage? 21. Est-ce qu'elle compte rester longtemps? 22. Comment trouve-t-elle Paris? 23. Comment se porte sa mère? 24. Pourquoi n'a-t-elle pas écrit?

*Demandez à un autre étudiant:*

1. quelle sorte d'examen il prépare 2. si les dentistes et les oculistes suivent beaucoup de cours 3. ce que les dentistes étudient 4. ce que les oculistes étudient 5. ce que les médecins font 6. quelle spécialisation il va suivre 7. si le médecin ordinaire sait tout 8. pourquoi il vous pose tant de questions 9. s'il s'intéresse à la médecine 10. combien de mentons il a 11. ce qu'il fait pendant ses deux premières années à l'université 12. s'il suit des cours d'histoire 13. s'il étudie la géographie et l'histoire 14. s'il y a des cours spécialisés de géographie

*Dites à un autre étudiant:*

1. que vous préparez votre examen d'anatomie 2. que cela doit être difficile 3. que vous voulez être médecin ordinaire 4. que vous connaissez le corps en entier 5. que vous avez deux têtes 6. que vous avez quatre mentons 7. que votre système d'enseignement est assez différent du sien 8. que vous suivez des cours de musique 9. que vous n'avez pas trop étudié les mathématiques 10. que vous avez suivi des cours de géographie générale 11. que vous n'avez pas suivi des cours spécialisés de géographie 12. que ces cours spécialisés se rattachent à d'autres départements

# GRAMMAIRE

## I SUBJUNCTIVE MOOD (le subjonctif) [suite]

**• The perfect subjunctive**

The perfect subjunctive is composed of the auxiliary verb in the subjunctive mood and the past participle:

. . . il ait parlé
. . . nous nous soyons levés
. . . elles soient arrivées

Under most circumstances, the French subjunctive has no tense meaning except in context; it cannot be translated into English by itself.

**• Tense sequence**

Study the following examples carefully, noting the sequence of tenses and also the English translations:

| | |
|---|---|
| **Je suis content qu'il vienne.** | *I'm glad that he is coming (that he will come).* |
| **Je suis content qu'il soit venu.** | *I'm glad (that) he came.* |

In the first sentence, the present subjunctive is used. Which action or state of being takes place first in time: that expressed by **je suis content** or that expressed by **il vienne**?

In the second example, the perfect subjunctive is used. Which action or state of being takes place first in time: that expressed by **je suis content** or that expressed by **il soit venu**?

A careful examination of the preceding sentences shows you that:

1) the *present subjunctive* is used when the action in the subordinate clause does not take place before the action of the main clause; and,

2) the *perfect subjunctive* is used when the action of the subordinate clause has already been completed, or when it precedes the action of the main clause.

These rules are further illustrated by the following examples:

| | |
| --- | --- |
| **Elle aurait voulu que je sois parti.** | *She would have wanted me to leave (to have left).* [preceding action] |
| **Je regrette que vous l'ayez vu.** | *I'm sorry that you saw him.* [completed action] |
| **Elle voulait que je parte.** | *She wanted me to leave.* |
| **Nous regretterions que tu le fasses.** | *We would be sorry if you did it.* |
| **Il faudrait qu'il fasse cela.** | *He would have to do that.* |

In the final three examples above, the action of the subordinate clause does not take place before the action of the main clause.

- **Additional uses of the subjunctive**

The subjunctive is also required after certain conjunctions:

| | | |
| --- | --- | --- |
| **bien que** | *(although)* | After these conjunctions, the perfect subjunctive usually indicates simple past action; this is an exception to the general rule. (See the first sentence of the lecture.) |
| **quoique** | *(although)* | |
| **avant que** | *(before)* | |

**pour que** *(in order that)*
**afin que** *(so that, in order that)*
**de peur que** *(for fear that, lest)*
**sans que** *(without, unless)*

Study the following sentences carefully, noting the application of the preceding rules:

| | |
| --- | --- |
| **Quoique vous l'aimiez, elle ne vous aime pas.** | *Although you love her, she doesn't love you.* |
| **Bien que je vous l'aie dit, vous ne me croyiez pas.** | *Although I told you so, you didn't believe me.* |
| **Elle est partie avant que tu sois arrivé.** | *She left before you arrived.* |

| | |
|---|---|
| **Il l'a fait afin qu'elle l'aime.** | *He did it so that she would love him.* |
| **Il faut parler plus haut, pour qu'on puisse vous entendre.** | *You have to speak louder in order to be heard.* |
| **Je n'en ai rien dit de peur qu'elle soit triste.** | *I said nothing about it for fear that she would be sad.* |
| **Sans que tu ailles avec moi, je ne le ferai pas.** | *I won't do it unless you go with me.* |
| **Il est parti sans qu'elle l'ait vu.** | *He left without her seeing him.* (literally: *without that she had seen him.*) |

Notice that French requires a clause after **sans que**, as the last two examples show.

**Exercice 1.** *Dans les phrases suivantes, remplacez les verbes en italique par la forme convenable du subjonctif:*

1. Bien qu'elle *(arriver)* en retard, Anne ne veut pas qu'on *(croire)* qu'elle *(attendre)* jusqu'au dernier moment avant de sortir de chez elle.
2. Lorsque Marie la *(remarquer)*, elle lui a dit «Je suis contente que tu *(venir)* enfin».
3. Tout le monde te *(attendre)* depuis une demi-heure.
4. Quand est-ce que tu *(partir)*?
5. Anne savait que personne ne s'en irait sans qu'elle *(être)* à la gare, car c'était elle qui avait tous les billets.
6. Mais Marie a beaucoup regretté qu'Anne *(acheter)* les billets, car le train *(partir)* à l'heure sans eux.

**Exercice 2.** *Dites en français:*

1. Was it necessary for them to do it?
2. Yes, I ordered it to be done!
3. We wanted you to have written a letter before leaving.
4. Are you glad that Jean-Paul will be there?
5. I'm sorry that you've never made her acquaintance.
6. She must go away now so that she will not be here when he comes back.
7. Without her leaving, it will be necessary that I tell him not to enter.

### II THE EXPRESSION N'EST-CE PAS?

One French expression which has a great variety of English equivalents is **n'est-ce pas.** Basically, this expression serves to make any statement a question, especially one that almost requires an affirmative answer. Reread the part of this lesson's conversation between M. and M$^{me}$ Baragouin where **n'est-ce pas** is used. Notice that M. Baragouin expects his wife to say **«Oui, parfaitement»** in answer to his query, **«C'est tout le portrait de sa mère, n'est-ce pas?»** He is quite surprised to discover that his wife doesn't agree with him, for he had expected her to do so.

Some of the possible English translations for **n'est-ce pas** are given in the following sentences:

| | |
|---|---|
| Tu vas le faire, ***n'est-ce pas***? | You're going to do it, *aren't you*? |
| Il y est allé, ***n'est-ce pas?*** | He went there, *didn't he*? |
| Elles lisent toutes le russe, ***n'est-ce pas?*** | They all read Russian, *don't they*? |
| Je suis donc le premier, ***n'est-ce pas***? | I'm first then, *am I not*? |

Notice that in English, the italicized expression agrees in number and tense with the main clause, whereas in French, the **n'est-ce pas** expression is invariable.

### III VERBS FOR SPECIAL STUDY: ÉCRIRE

Many forms of the verb **écrire** have been seen in previous lessons; in this section, all these forms are brought together:

*present tense of* ***écrire****—to write*

| | |
|---|---|
| **j'écris** | **nous écrivons** |
| **tu écris** | **vous écrivez** |
| **il écrit** | **ils écrivent** |

*passé composé:* **j'ai écrit**

What is the singular stem of the present indicative? the plural stem? What is the stem of the present subjunctive? of the imperfect? What is the stem of the future? of the conditional?

**EXERCICES**

**A.** *Dites en français:*

1. You're sorry I came, aren't you?
2. Was it necessary that Étienne wait two hours for us?
3. You wanted her to leave, didn't you?
4. His mother ordered him to write her once a week.
5. We'll be going to Canada, won't we?
6. So that she might know something of Brittany, she read three books.
7. You always think you're right, don't you?
8. Without his having done that, I cannot leave for Brittany.
9. That was your uncle, wasn't it?
10. Although he was sad, he tried to appear happy.

**B.** *Dites en français:*

—What does the letter say, Anne?
—It's from my aunt and uncle—they want me to visit them in Brittany.
—Are they the ones who live in a little town near Rennes?
—Yes. Well, since they want me to go to Brittany, we won't be able to visit the Riviera, Hélène. I'm sorry (**être désolé**).
—That's all right. You'll no doubt see many interesting new places in Brittany, and we can put off our trip to the Riviera until April.
—Wait—why don't you come to Rennes, too? I'd be very happy if you could come with me.
—I'd love to do so. But I couldn't do that without your having written to your aunt.
—I'll write to her right away. I'm sure that she'll agree. You really will go, won't you?
—Certainly! I can't think of a better place in which to spend my vacation.
—Wonderful! I'm so glad that you're coming with me!

# VOCABULAIRE

**afin de** in order to
**arranger** to arrange
**bien: bien que** although
**bonheur: par bonheur** fortunately
**breton, bretonne** Breton

8. Elles prennent leur temps.
   Je regrette qu'elles prennent leur temps.
9. Il finit sa leçon.
   Je regrette qu'il finisse sa leçon.
10. Nous partons de bonne heure.
    Je regrette que nous partions de bonne heure.
11. Jacques vend la voiture.
    Je regrette que Jacques vende la voiture.
12. Il va à Rennes.
    Je regrette qu'il aille à Rennes.
13. Tu viens ici.
    Je regrette que tu viennes ici.
14. Elle a beaucoup d'argent.
    Je regrette qu'elle ait beaucoup d'argent.
15. Il est malade.
    Je regrette qu'il soit malade.
16. Tu fais ton devoir.
    Je regrette que tu fasses ton devoir.
17. Il peut marcher.
    Je regrette qu'il puisse marcher.
18. Tu sais travailler.
    Je regrette que tu saches travailler.
19. Vous dites cela.
    Je regrette que vous disiez cela.
20. Il pleut.
    Je regrette qu'il pleuve.

**C.** *Dans les phrases suivantes, remplacez les mots convenables par les mots donnés entre parenthèses; suivez cet exemple:* ***Je suis heureux que vous soyez ici. (... Marie ...) / Je suis heureux que Marie soit ici. (... nous ...) / Je suis heureux que nous soyons ici.***

1. Je suis content que vous ayez de l'argent. *(... Jean-Paul ...)*
   Je suis content que Jean-Paul ait de l'argent. *(... Marie et Anne ...)*
   Je suis content que Marie et Anne aient de l'argent. *(... Étienne ...)*
   Je suis content qu'Étienne ait de l'argent. *(... tu ...)*
   Je suis content que tu aies de l'argent. *(... Étienne et Henri ...)*
   Je suis content qu'Étienne et Henri aient de l'argent.

2. Je suis heureux que vous soyez ici. *(... Jean-Paul ...)*
Je suis heureux que Jean-Paul soit ici. *(... nous ...)*
Je suis heureux que nous soyons ici. *(... tu ...)*
Je suis heureux que tu sois ici. *(... Marie et Anne ...)*
Je suis heureux que Marie et Anne soient ici. *(... vous ...)*
Je suis heureux que vous soyez ici.

3. Je suis étonné que vous y alliez maintenant. *(... Marie et Anne ...)*
Je suis étonné que Marie et Anne y aillent maintenant. *(... Étienne ...)*
Je suis étonné qu'Étienne y aille maintenant. *(... Étienne et Henri ...)*
Je suis étonné qu'Étienne et Henri y aillent maintenant. *(... vous ...)*
Je suis étonné que vous y alliez maintenant. *(... tu ...)*
Je suis étonné que tu y ailles maintenant.

4. J'ai peur que vous le sachiez. *(... Jean-Paul ...)*
J'ai peur que Jean-Paul le sache. *(... nous ...)*
J'ai peur que nous le sachions. *(... tu ...)*
J'ai peur que tu le saches. *(... Étienne et Henri ...)*
J'ai peur qu'Étienne et Henri le sachent. *(... vous ...)*
J'ai peur que vous le sachiez.

5. C'est dommage que vous fassiez cela. *(... tu ...)*
C'est dommage que tu fasses cela. *(... Marie et Anne ...)*
C'est dommage que Marie et Anne fassent cela. *(... vous ...)*
C'est dommage que vous fassiez cela. *(... nous ...)*
C'est dommage que nous fassions cela. *(... tu ...)*
C'est dommage que tu fasses cela.

6. Il est possible que vous vouliez le faire. *(... Jean-Paul ...)*
Il est possible que Jean-Paul veuille le faire. *(... nous ...)*
Il est possible que nous voulions le faire. *(... tu ...)*
Il est possible que tu veuilles le faire. *(... Étienne ...)*
Il est possible qu'Étienne veuille le faire. *(... Étienne et Henri ...)*
Il est possible qu'Étienne et Henri veuillent le faire.

## *LE CIEL EST, PAR-DESSUS LE TOIT . . .*

Le ciel est, par-dessus le toit,
Si bleu, si calme!
Un arbre, par-dessus le toit,
Berce sa palme.

La cloche dans le ciel qu'on voit
Doucement tinte.
Un oiseau sur l'arbre qu'on voit
Chante sa plainte.

Mon Dieu, mon Dieu, la vie est là,
Simple et tranquille.
Cette paisible rumeur-là
Vient de la ville.

—Qu'as-tu fait, ô toi que voilà
Pleurant sans cesse,
Dis, qu'as-tu fait, toi que voilà
De ta jeunesse?

*—Paul Verlaine*

**par-dessus,** *above;* **toit,** *roof*
**berce sa palme,** *rocks its palm-branch*
**cloche,** *bell*
**doucement tinte,** *softly rings*
**oiseau,** *bird*
**chante sa plainte,** *sings its lament*
**Dieu,** *God*
**paisible,** *peaceful;* **rumeur,** *sound*
**sans cesse,** *without cease*
**jeunesse,** *youth*

# VINGT ET UNIÈME LEÇON

## ⁂ LECTURE: LA FERME DE M. BARAGOUIN

Figurez-vous une toute petite ferme située dans un paysage ondulant—de petites collines couvertes d'une légère couche de neige nouvellement tombée, entourée de champs qui brillent au soleil, et le tout traversé par une petite rivière couverte de glace—et vous aurez une bonne idée du paysage qui s'est présenté à Anne à son arrivée. Ici et là elle voyait des arbres qui avaient perdu leurs feuilles depuis longtemps et dont les branches avaient été coupées. Le ciel était bleu et sans nuages, l'air frais et vivifiant. Anne était charmée. Elle se trouvait enfin dans le pays légendaire où autrefois se promenaient le roi Arthur, les chevaliers de la Table Ronde et l'enchanteur Merlin; et maintenant elle comprenait un peu pourquoi ce pays charmant avait donné naissance à tant de légendes merveilleuses.

En route elle avait posé mille questions à son oncle sur le pays. Elle avait voulu savoir si on pouvait toujours voir le «Val sans retour»[1] et si elle pourrait aller à la côte, où, dit-on, un village entier, le village d'Ys, a été englouti autrefois.

La voiture était à peine arrêtée devant la maison que déjà une foule de gens se précipitaient à leur rencontre. Il y avait le grand-père et la grand'mère, beaucoup de cousins et de cousines (dont quelques-uns étaient les enfants de M. Baragouin,[2] et les autres ses neveux et ses nièces). Tous parlaient en même temps.

Avant d'entrer dans le bâtiment principal, Anne a vu la grange où étaient abrités les animaux de la ferme: quelques chevaux, deux vaches, une chèvre, deux moutons et des centaines de poules. Derrière la maison il y avait le petit jardin où au printemps M$^{me}$ Baragouin plantait ses légumes.

[1]Il y a une grande roche dans la rivière qui traverse le «Val sans retour». Si un homme boit à la coupe attachée à cette roche, un orage éclate.
[2]C'est-à-dire, ses fils et ses filles.

La maison, vue du dehors, avait un air assez triste et morne avec ses grandes pierres grises. C'était la première fois qu'Anne était sortie de Paris—à part son voyage à Sceaux—et elle n'avait pas encore eu l'occasion de voir des fermes françaises. Elle s'attendait par conséquent à voir de grandes maisons de bois peintes en blanc et des granges rouges comme la plupart de celles qu'elle avait vues aux États-Unis. On lui a expliqué que les fermes de bois sont assez rares en France: si celles de pierre sont difficiles à chauffer en hiver, elles sont du moins confortables en été.

Passant par la porte principale, Anne est entrée dans le salon qui servait aussi de salle à manger, et elle est allée tout de suite se chauffer près du grand feu qui brûlait dans la cheminée. Elle aurait aimé faire le tour de la maison, voir les chambres et la cuisine, mais ses parents avaient tant de questions à lui poser qu'elle a décidé d'attendre un moment plus calme.

**QUESTIONNAIRE**

*Répondez en français par des phrases complètes:*

A. 1. Quel temps faisait-il quand Anne est arrivée? 2. Où se trouve la ferme de M. Baragouin? 3. Où est la rivière? 4. De quoi cette rivière est-elle couverte? 5. De quoi les collines sont-elles couvertes? 6. Y a-t-il des arbres près de la ferme? 7. Qu'est-ce qu'on avait fait des branches? 8. Pourquoi avait-on coupé les branches? 9. De quelle couleur est le ciel? 10. Qu'est-ce qu'Anne pensait de ce qu'elle voyait? 11. Qui se promenait autrefois dans ce pays? 12. Qui est Merlin? 13. Quelles questions Anne a-t-elle posées à son oncle en route? 14. Qu'est-ce qui traverse le «Val sans retour»? 15. Qu'est-ce qu'il y a près de la rivière? 16. Qu'est-ce qui est attaché à la roche? 17. Qu'est-ce qui se passe quand on boit à la coupe attachée à la roche? 18. Où se trouvait le village d'Ys? 19. Qu'est-ce qui est arrivé au village d'Ys?

B. 20. Qu'est-ce qu'il y a dans la grange? 21. Combien de chevaux y a-t-il? 22. Combien de vaches? 23. Combien de chèvres? 24. Combien de moutons? 25. Combien de poules? 26. Qu'est-ce qui se trouve derrière la maison? 27. À quoi ce jardin sert-il? 28. Où est-ce que M$^{me}$ Baragouin plante ses légumes? 29. Combien de gens sont sortis du bâtiment? 30. Pourquoi la maison a-t-elle l'air triste? 31. Quelle est la plus grande différence entre les fermes françaises et les fermes américaines? 32. Trouve-t-on souvent des maisons de bois en France? 33. Est-ce que les maisons de pierre sont difficiles à chauffer en hiver? 34. Par quelle porte Anne est-elle entrée? 35. Le salon servait de quelle autre salle? 36. Qu'est-ce qu'Anne a fait en entrant? 37. Qu'est-ce qu'Anne aurait voulu faire? 38. Qu'est-ce qui brûlait dans la cheminée? 39. Qu'est-ce qu'elle veut voir? 40. Pourquoi ne peut-elle pas faire le tour de la maison?

*Demandez à un autre étudiant:*
1. s'il faisait beaucoup de choses l'année passée 2. si on a beaucoup de temps pour se spécialiser en Amérique 3. où vont les étudiants qui veulent se faire avocats 4. combien d'instruments il connaît 5. ce que font les étudiants en musique 6. où est le restaurant universitaire 7. où les étudiants se retrouvent aux États-Unis 8. combien coûtent les places de théâtre 9. quelles sont les meilleures places 10. si les places d'amphithéâtre sont confortables 11. qui a écrit *Le Bourgeois gentilhomme*

*Dites à un autre étudiant:*
1. que vous voulez aller au théâtre 2. que vous ne voulez pas voir de tragédie 3. que vous voulez deux places 4. qu'il sera plus à l'aise dans les fauteuils d'orchestre 5. que vous voulez deux places d'amphithéâtre 6. de vous donner la monnaie

# GRAMMAIRE

## I POSITION OF ADJECTIVES

In Lesson 1 we saw that, in French, adjectives usually *follow* the noun:

| | |
|---|---|
| une maison ***parisienne*** | a *Parisian* house |
| des fauteuils ***bruns*** | *brown* armchairs |

Past participles used as adjectives also follow the noun:

| | |
|---|---|
| une ferme ***entourée*** de champs | a farm *surrounded* by fields |
| la porte ***fermée*** | the *closed* door |

Some types of adjectives always *precede* the noun, however. They may be grouped into the following categories:

1) *all definite, indefinite, and partitive articles:*

| | |
|---|---|
| ***un*** homme | *a* man |
| ***la*** fenêtre | *the* window |
| ***des*** livres | books |

2) *demonstrative adjectives:*

| | |
|---|---|
| ***ce*** livre | *this (that)* book |
| ***cette*** hôtelière | *this (that)* hotelkeeper |
| ***ces*** chambres | *these (those)* rooms |

3) *possessive adjectives:*

| | |
|---|---|
| ***mon*** ami | *my* friend |
| ***tes*** parents | *your* relatives |
| ***notre*** voiture | *our* car |
| ***leurs*** enfants | *their* children |

4) *numerical and indefinite adjectives:*

| | |
|---|---|
| ***deux*** fois | *twice, two* times |
| le ***vingtième*** siècle | the *twentieth* century |
| ***plusieurs*** jeunes filles | *several* girls |
| ***quelques*** étudiants | *a few* students |
| *But:* | |
| Louis ***XIV*** | Louis *the Fourteenth* |
| Lisez à la page ***cinquante***! | Read on page *fifty.* |

5) *those adjectives which have two masculine singular forms:*

| | |
|---|---|
| un ***nouvel*** ami | a *new* friend |
| le ***vieux*** professeur | the *old* professor |
| un ***beau*** jour | a *beautiful* day |

6) *a wide group of very common, short adjectives which are usually unstressed:*

| | |
|---|---|
| le ***grand*** homme | the *great (large)* man |
| la ***grosse*** femme | the *heavy (fat)* woman |
| un ***petit*** enfant | a *little (small)* child |
| la ***jeune*** femme | the *young* woman |
| la ***jolie*** Française | the *pretty* French woman |

Among the adjectives in this last category are:

| | |
|---|---|
| autre | joli |
| beau (bel, belle) | mauvais |
| bon (bonne) | méchant |
| ce | nouveau (nouvel, nouvelle) |
| chaque | petit |
| gentil (gentille) | quel |
| grand | vieux (vieil, vieille) |
| gros (grosse) | vilain |
| jeune | |

and the definite, indefinite, and partitive articles.

Certain adjectives change meaning according to their position. In many of these cases, it may help to remember that *when used in the literal sense these adjectives follow the nouns they modify.* Study the following examples carefully, noting the position of the adjectives and their English equivalents:

| | |
|---|---|
| le ***pauvre*** homme | the *poor* man *(unfortunate)* |
| un homme ***pauvre*** | a *poor* man *(without money)* |
| ***certaines*** choses | *certain* things *(several)* |
| des choses ***certaines*** | *certain* things *(beyond doubt)* |
| la ***dernière*** semaine du mois | the *last* week of the month |
| la semaine ***dernière*** | *last* week |
| le ***même*** livre | the *same* book |
| le livre ***même*** | the *very* book |
| un ***méchant*** écrivain | a *bad* writer *(worthless)* |
| un écrivain ***méchant*** | an *ill-natured* writer |
| un ***cher*** enfant | a *dear* child *(beloved)* |
| une robe ***chère*** | a *dear* dress *(expensive)* |

| | |
|---|---|
| un ***brave*** homme | a *good* man |
| un homme ***brave*** | a *brave* man |
| un ***grand*** homme | a *great* man |
| un homme ***grand*** | a *tall* man |
| une ***curieuse*** femme | a *curious* woman *(odd, eccentric, strange)* |
| une femme ***curieuse*** | a *curious* woman *(inquisitive)* |
| une ***ancienne*** histoire | an *old (former)* story |
| l'histoire ***ancienne*** | *ancient* history |

**Exercice 1.** *Dites en français:*

1. green trees
2. that armchair
3. dear friends *(f.)*
4. a great man
5. several girls
6. a blue sky
7. a free seat
8. a few hotels
9. Louis the Fifteenth
10. the nice hotelkeeper
11. an old French wine
12. this tall man
13. an expensive dress
14. this old Parisian
15. a new friend
16. last week
17. that very book
18. two times
19. a few books
20. the same car
21. comfortable scooters
22. the bad writer
23. a calmer moment
24. that very evening
25. the Parisian region
26. the scenic effects
27. a little grey car
28. the same house
29. their tall nephew
30. the fatal Sunday

If the adjective is modified by a short adverb, such as **très, tout, fort, si, plus,** or **moins,** the position of the adjective is not affected:

| | |
|---|---|
| un ***si grand*** homme | *such* a *great* man |
| une ***toute petite*** ferme | a *very small* farm |
| une ***plus jolie*** jeune fille | a *prettier* girl |
| le ***moins bel*** étudiant | the *least handsome* student |

If the adverb is long, however, the adjective must follow the noun:

| | |
|---|---|
| une ferme ***extrêmement petite*** | an *extremely small* farm |
| une jeune fille ***beaucoup plus jolie*** | a *much prettier* girl |

Reread the **lecture** of this lesson and also a few paragraphs from past lessons, paying special attention to the position of the adjectives and noting the application of the preceding rules.

**Exercice 2.** *Dites en français:*

1. a rather amusing play
2. the fortunate hotelkeeper
3. the last week of the month
4. two Saturdays in succession
5. a young Breton sailor
6. a pretty American girl
7. a long historical explanation
8. these beautiful dresses
9. a very amusing little boy
10. a region known for its horses
11. Louis XIV's famous castle
12. an old Gothic cathedral
13. little narrow streets
14. a light layer of snow
15. the charming little cousins
16. the legendary country of King Arthur and the Knights of the Round Table
17. fresh and invigorating air
18. three comfortable Dauphines
19. the principal buildings
20. the pretty, charming little cousins

## II IMPERATIVE FORMS OF AVOIR, ÊTRE, AND SAVOIR

Unlike other verbs which derive their imperatives from the present indicative, **avoir, être,** and **savoir** derive their imperatives from the present subjunctive:

| | | |
|---|---|---|
| Être | ***Sois*** sage! | *Be* good! (familiar) |
| | ***Soyez*** raisonnable! | *Be* reasonable! |
| | ***Soyons*** amis! | *Let's be* friends! |

| | | |
|---|---|---|
| Avoir | N'***aie*** pas peur! | Don't *be* afraid! |
| | ***Ayez*** la bonté de vous asseoir! | Please sit down. |
| | ***Ayons*** raison pour une fois! | *Let's be* right for once. |
| Savoir | ***Sache*** obéir à ton père! | *Learn how* to obey your father. |
| | ***Sachez*** le faire! | *Know how* to do it! |
| | ***Sachons*** reconnaître nos fautes! | *Let's know how* to recognize our mistakes. |

### III VERBS FOR SPECIAL STUDY: OUVRIR

Several forms of the verb **ouvrir** *(to open)* have been seen in previous lessons; in this section, all these forms are brought together. Study the following conjugation of **ouvrir** in the present indicative:

*present tense of* **ouvrir**— *to open*

| | |
|---|---|
| **j'ouvre** | **nous ouvrons** |
| **tu ouvres** | **vous ouvrez** |
| **il ouvre** | **ils ouvrent** |

Notice that **ouvrir** is conjugated like an *-er* verb in the present indicative. What is the stem of the imperfect tense? of the present subjunctive? of the future and conditional tenses?

The compound tenses of **ouvrir** are conjugated with **avoir** as the auxiliary:

***J'ai ouvert*** la porte.
***Il l'avait ouverte.***

Other verbs which are conjugated like **ouvrir**:

| | |
|---|---|
| **couvrir** *(to cover)* | je couvre, j'ai couvert |
| **offrir** *(to offer)* | j'offre, j'ai offert |
| **souffrir** *(to suffer)* | je souffre, j'ai souffert |

#### EXERCICES

**A.** *Dites en français:*

1. the most direct route
2. something new

3. a few big cows
4. a more interesting book
5. rather bizarre sounds
6. the happy little girl
7. my sad niece
8. the absent-minded sailors
9. several other stations
10. a sad and mournful countryside
11. this difficult lesson
12. big Breton barns
13. tall green trees
14. a legendary country

**B.** *Dites en français:*

—Where is your uncle's farm located?
—In Brittany, near Rennes. I spent my Christmas vacation there.
—Brittany is a very picturesque province.
—You're right. The countryside is covered with tall trees and you can see hills and little rivers everywhere (**partout**).
—Someone told me that there are few wooden houses there.
—Yes, that's true. The majority of the houses are built of (**en**) large grey stones.
—I'd like (**je voudrais**) to see Brittany.
—You would like it. It's a beautiful, legendary country.

## VOCABULAIRE

**abriter** to shelter
(un) **air** air, appearance
(un) **animal** *pl.* **animaux** animal
**attacher** to attach
**attendre: s'attendre à** to expect
**autrefois** formerly, in the past
(le) **bois** wood
(la) **bonté** goodness, kindness; **Ayez la bonté de** Please, be so kind as to
(la) **branche** branch
**briller** to shine
**brûler** to burn
**calme** calm
(une) **centaine (de)** about 100; **des centaines de** hundreds of
(le) **champ** field
**charmer** to charm, to bewitch
**chauffer** to heat
(la) **cheminée** fireplace
(le) **chevalier** knight
(la) **chèvre** goat

(la) **colline** hill
**conséquent** consequent; **par conséquent** consequently
(la) **couche** cover, layer
(la) **coupe** cup
(le) **cousin** cousin
**couvert** covered
**couvrir** to cover
(la) **cuisine** kitchen; cooking
(le) **dehors** outside
**derrière** behind
**éclater** to burst
(un) **enchanteur** enchanter
(un) **enfant** child
**engloutir** to swallow up
**entourer** to surround
(le) **feu** fire
**figurer** to figure; **se figurer** to imagine, to picture
(la) **fille** daughter
(le) **fils** son
(la) **foule** crowd
**frais, fraîche** fresh
(la) **glace** ice
(la) **grand'mère** grandmother
(le) **grand-père** grandfather
(la) **grange** barn
**légendaire** legendary
(la) **légende** legend
**léger, légère** light
**merveilleux, merveilleuse** marvelous
**mil, mille** thousand
**morne** bleak, gloomy, dreary
(le) **mouton** sheep
(la) **naissance** birth
(le) **neveu** *pl.* **neveux** nephew
(la) **nièce** niece
(le) **nuage** cloud
(une) **occasion** chance, occasion
**ondulant** undulating
(un) **orage** storm
(la) **part** share (portion); **à part** aside
**passant** passing
(le) **paysage** countryside
**peindre** to paint; *p.p.* **peint**
(la) **pierre** stone
**planter** to plant
(la) **plupart (de)** majority (of)
(la) **porte** door
(la) **poule** chicken
**précipiter** to hurl, to throw; **se précipiter** to rush
**présenter** to present
**principal** *pl.* **principaux** principal
**rare** rare
(le) **retour** return
(la) **rivière** river
(la) **roche** rock
(le) **roi** king
**rond** round
(le) **salon** living room
**servir: servir de** to be used as, to serve as
**situer** to situate, to locate
(le) **soleil** sun
**temps: en même temps** at the same time
**tout: le tout** all, the whole
(la) **vache** cow
(le) **val** valley
(le) **village** village
**vingt et unième** twenty-first
**vivifiant** invigorating
**vivifier** to vivify

## EXERCICES STRUCTURAUX

**A.** *Dans les phrases suivantes, changez la position des adjectifs et des adverbes; suivez ces exemples: (1)* ***Voilà une ferme qui est petite. / Voilà une petite ferme.*** *(2)* ***Je vois un ciel qui est bleu. / Je vois un ciel bleu.***

1. J'ai vu un garçon qui est gros.
   J'ai vu un gros garçon.
2. J'ai vu une ferme qui est blanche.
   J'ai vu une ferme blanche.
3. J'ai vu un enfant qui est petit.
   J'ai vu un petit enfant.
4. Voilà un ciel qui est bleu.
   Voilà un ciel bleu.
5. Je parle des rues qui sont petites et étroites.
   Je parle de petites rues étroites.
6. Voilà des légumes qui sont verts et curieux.
   Voilà de curieux légumes verts.
7. J'ai vu une voiture qui est petite et grise.
   J'ai vu une petite voiture grise.
8. Je parle d'un pays qui est extrêmement petit.
   Je parle d'un pays extrêmement petit.
9. Je parle d'une pièce qui est assez amusante.
   Je parle d'une pièce assez amusante.
10. Je parle d'un moment qui est plus calme.
    Je parle d'un moment plus calme.

**B.** *Dans les phrases suivantes, remplacez les mots convenables par les mots donnés entre parenthèses; suivez cet exemple:* ***J'ai vu un vieil homme. (. . . chemise) / J'ai vu une vieille chemise. (. . . château) / J'ai vu un vieux château.***

1. J'ai vu un bel homme. *(. . . chemise)*
   J'ai vu une belle chemise. *(. . . livre)*
   J'ai vu un beau livre.

2. C'est un petit livre. *(... jeune fille)*
   C'est une petite jeune fille. *(... arbre)*
   C'est un petit arbre.

3. J'ai un gros livre. *(... enfant)*
   J'ai un gros enfant. *(... clé)*
   J'ai une grosse clé.

4. C'est un grand livre. *(... arbre)*
   C'est un grand arbre. *(... jeune fille)*
   C'est une grande jeune fille.

5. C'est un bon garçon. *(... étudiante)*
   C'est une bonne étudiante. *(... hôtelier)*
   C'est un bon hôtelier.

**C.** *Dans les phrases suivantes, insérez les adjectifs donnés entre parenthèses; suivez cet exemple:* ***Voilà la table. (... petite ...) / Voilà la petite table. (... rouge ...) / Voilà la petite table rouge.***

1. J'ai parlé à un garçon. *(... beau ...)*
   J'ai parlé à un beau garçon. *(... français ...)*
   J'ai parlé à un beau garçon français.

2. Voilà la rue. *(... petite ...)*
   Voilà la petite rue. *(... étroite ...)*
   Voilà la petite rue étroite.

3. J'ai vu des effets. *(... scéniques ...)*
   J'ai vu des effets scéniques. *(... très intéressants ...)*
   J'ai vu des effets scéniques très intéressants.

4. Voilà mes cousins. *(... français ...)*
   Voilà mes cousins français. *(... jeunes ...)*
   Voilà mes jeunes cousins français.

5. Regardez le ciel! *(... beau ...)*
Regardez le beau ciel! *(... bleu ...)*
Regardez le beau ciel bleu!

6. Avez-vous vu la ferme? *(... moderne ...)*
Avez-vous vu la ferme moderne? *(... grande ...)*
Avez-vous vu la grande ferme moderne?

7. Voici le garçon. *(... jeune ...)*
Voici le jeune garçon. *(... intelligent ...)*
Voici le jeune garçon intelligent.

8. En voici l'explication. *(... historique ...)*
En voici l'explication historique. *(... longue ...)*
En voici la longue explication historique.

9. Voilà la voiture. *(... petite ...)*
Voilà la petite voiture. *(... grise ...)*
Voilà la petite voiture grise.

**D.** *Dans les exercices suivants, traduisez les mots donnés en anglais et mettez-les dans la phrase; suivez cet exemple:* ***Voilà l'homme. (... unfortunate ...) / Voilà le pauvre homme.***

1. Voilà l'homme. *(... tall ...)*
Voilà l'homme grand.
2. C'est un homme. *(... good ...)*
C'est un brave homme.
3. C'est l'homme que j'ai vu. *(... unfortunate ...)*
C'est le pauvre homme que j'ai vu.
4. C'est l'homme que j'ai vu. *(... poor ...)*
C'est l'homme pauvre que j'ai vu.
5. Il m'a donné le livre. *(... same ...)*
Il m'a donné le même livre.
6. Je connais cet écrivain. *(... worthless ...)*
Je connais ce méchant écrivain.

7. Connaissez-vous cette femme? *(... odd ...)*
   Connaissez-vous cette curieuse femme?
8. Voilà l'homme. *(... great ...)*
   Voilà le grand homme.
9. Vous voilà, ma soeur. *(... dear ...)*
   Vous voilà, ma chère soeur.
10. C'est un homme. *(... brave ...)*
    C'est un homme brave.
11. C'est une robe. *(... expensive ...)*
    C'est une robe chère.
12. Il m'a donné le livre que j'ai vu. *(... the very ...)*
    Il m'a donné le livre même que j'ai vu.
13. Je connais cet écrivain. *(... ill-natured ...)*
    Je connais cet écrivain méchant.
14. Connaissez-vous cette femme? *(... inquisitive ...)*
    Connaissez-vous cette femme curieuse?
15. C'est le livre que j'ai lu. *(... the very ...)*
    C'est le livre même que j'ai lu.

**E.** *Dans les phrases suivantes, mettez à l'impératif les verbes qui sont au futur; suivez cet exemple:* ***Vous serez à l'heure. / Soyez à l'heure!***

1. Tu seras sage.
   Sois sage!
2. Vous serez raisonnable.
   Soyez raisonnable!
3. Nous serons à l'heure.
   Soyons à l'heure!
4. Tu auras un peu de bonté.
   Aie un peu de bonté!
5. Vous aurez la bonté de m'aider.
   Ayez la bonté de m'aider!
6. Nous aurons raison cette fois-ci.
   Ayons raison cette fois-ci!
7. Tu sauras le faire.
   Sache le faire!
8. Nous serons en retard.
   Soyons en retard!

9. Nous aurons raison cette fois-ci.
   Ayons raison cette fois-ci!
10. Nous serons en retard.
   Soyons en retard!
11. Tu seras sage.
   Sois sage!
12. Nous serons à l'heure.
   Soyons à l'heure!
13. Nous saurons le reconnaître.
   Sachons le reconnaître!
14. Vous aurez la bonté de m'aider.
   Ayez la bonté de m'aider!
15. Vous serez raisonnable.
   Soyez raisonnable!

# VINGT-DEUXIÈME LEÇON

## LECTURE: LE REPAS

Ayant décidé avant son voyage d'aider sa tante autant que possible, Anne lui a demandé le soir même de son arrivée ce qu'elle pourrait faire. M^me^ Baragouin a carrément[1] refusé, mais comme Anne insistait, elle l'a laissée mettre la table. D'abord Anne a mis une grande nappe blanche sur la table; puis elle a mis à chaque place une assiette, un verre, une fourchette, une cuiller, un couteau et une serviette. Le repas était simple mais bon: apéritif, hors-d'oeuvre, soupe, viande et légumes, salade, fromage, fruit, pâtisserie, une tasse de café et enfin un petit verre de calvados. La conversation était intéressante et le repas a duré deux heures; mais bien qu'Anne ait eu envie de se reposer, elle a aidé sa tante à faire la vaisselle.

Tout en travaillant, Anne lui a demandé où elle avait appris à faire de si bons repas. Sa tante lui a expliqué qu'elle collectionnait[2] des recettes depuis longtemps et qu'elle lui en donnerait avec plaisir. Le lendemain elle lui en a donné plusieurs; en voici deux des plus intèressantes:

*BOEUF À LA MODE*

**Proportions:** Pour 1 kg 500 g de viande: 150 g de lard,[3] un pied de veau moyen, 250 g de carottes, 24 petits oignons, un litre[4] d'eau, un verre de vin blanc ou rouge, 2 cuillerées de graisse, bouquet garni[5].

**Temps nécessaire:** 4 heures et demie.

Lardez[6] le boeuf, ficelez-le.[7] Chauffez fortement la graisse dans une casserole; faites-y bien colorer le boeuf de tous côtés; égouttez[8] la graisse. Ajoutez le vin; faites bouillir vivement en retournant[9] la viande jusqu'à réduction du vin à une ou deux cuillerées. Ajoutez le pied de veau blanchi,[10] le bouquet garni,

[1]**carrément,** *squarely, bluntly* [2]**collectionner,** *to collect* [3]**le lard,** *pork fat, bacon* [4]**litre,** *equals 1000 cubic centimeters* [5]**bouquet garni,** *bouquet garni (a tied bunch of herbs used for seasoning)* [6]**larder,** *to lard (to insert thin strips of pork fat into the meat to keep it from drying out during cooking)* [7]**ficeler,** *to tie up* [8]**égoutter,** *to drain* [9]**retournant,** *turning over* [10]**blanchi,** *scalded*

sel et poivre, l'eau (qui doit atteindre la hauteur du morceau). Faites prendre ébullition;[11] écumez;[12] couvrez; mettez au four. Comptez 4 heures de petit mijotement[13] ininterrompu.

Au bout de 2 heures, faites colorer les petits oignons à la poêle; en les ajoutant, mettez aussi les carottes, divisées en quartiers. Pour servir, déficelez[14] le boeuf; entourez-le d'oignons, carottes, et, à volonté, du pied de veau coupé en morceaux. Passez et dégraissez un bon verre et demi de jus. Versez sur viande et légumes. Servez.

*SANGLIER*

On apprécie surtout le tout jeune sanglier dont les chairs[15] n'ont besoin que d'une légère marinade de jus de citron, quelques cuillerées de vin blanc et de l'eau-de-vie. Le sanglier adulte ne doit pas dépasser un an. Comme pour le porc, la cuisson du sanglier doit être complète: 20 à 25 minutes de rôtissage par livre.

**QUESTIONNAIRE**

*Répondez en français par des phrases complètes:*

A. 1. Qu'est-ce qu'Anne avait décidé avant son voyage? 2. Qu'a-t-elle demandé à sa tante le soir même de son arrivée? 3. Qu'est-ce que Mme Baragouin a répondu? 4. Qu'est-ce qu'elle l'a laissée faire? 5. Quelle est la première chose qu'Anne a mise sur la table? 6. Qu'a-t-elle mis à chaque place? 7. Quelle sorte de repas Mme Baragouin a-t-elle préparé? 8. Qu'est-ce qu'ils ont mangé? 9. Qu'est-ce qu'ils ont bu? 10. Qu'est-ce que tout le monde a fait pendant le repas? 11. Combien de temps a duré le repas? 12. Qu'est-ce qu'Anne avait envie de faire? 13. Qu'est-ce qu'elle a aidé sa tante à faire après le repas? 14. Qu'est-ce qu'Anne lui a demandé en travaillant? 15. Qu'est-ce que sa tante a répondu?

B. 16. Quelles recettes la tante d'Anne lui a-t-elle données? 17. Qu'est-ce qu'il faut pour le boeuf à la mode? 18. Combien de petits oignons faut-il? 19. Combien de carottes? 20. Combien d'eau faut-il? 21. Quelle sorte de vin faut-il? 22. Combien de graisse? 23. Combien de temps faut-il pour la cuisson? 24. Que fait-on aux petits oignons? 25. Qu'est-ce qu'on fait aux carottes? 26. Combien de jus faut-il? 27. Que fait-on avec le jus? 28. Mangez-vous souvent des carottes? 29. Prenez-vous souvent du sel?

[11]ébullition, *boiling* [12]écumer, *to skim* [13]mijotement, *simmering* [14]déficeler, *to untie*
[15]les chairs, *flesh*

C. 30. Qu'est-ce qu'il faut pour le sanglier? 31. Quelle sorte de sanglier apprécie-t-on surtout? 32. Avez-vous jamais mangé un tout jeune sanglier? 33. Quelle sorte de marinade faut-il pour le sanglier? 34. Quelle âge le sanglier doit-il avoir? 35. Combien de temps faut-il pour la cuisson du sanglier?

*Demandez à un autre étudiant:*

1. pourquoi un voyage de Sceaux à Paris serait difficile en métro 2. s'il a une voiture 3. si la voiture est à lui 4. quelle marque c'est 5. s'il trouve sa voiture trop petite 6. quels conforts il y a dans sa voiture 7. comment il appelle les choses avec lesquelles on essuie les pare-brise 8. quelle route il suit quand il fait un voyage 9. si sa voiture fait des bruits assez bizarres 10. si sa voiture s'arrête souvent 11. combien de bougies il a dans sa voiture 12. si son carburateur marche bien 13. comment sont ses freins 14. combien de pneus une voiture a 15. s'il vérifie souvent le niveau d'huile 16. de vous expliquer plus clairement ce qui se passe

*Dites à un autre étudiant:*

1. que vous avez loué votre voiture à un prix très intéressant 2. où le moteur se trouve dans votre voiture 3. où le coffre se trouve dans votre voiture 4. que ses bougies sont encrassées et devraient être nettoyées 5. que vous avez deviné pourquoi sa voiture ne marche pas

## GRAMMAIRE

### I PRESENT PARTICIPLE (le participe présent)

• **Formation**

The present participle of most French verbs is formed by adding *-ant* to the stem of the imperfect:

| *infinitive* | *imperfect stem* | *present participle* |
|---|---|---|
| finir | finiss- | ***finissant*** (finishing) |
| être | ét- | ***étant*** (being) |
| voir | voy- | ***voyant*** (seeing) |
| parler | parl- | ***parlant*** (speaking) |

Exceptions to this rule are the present participles of **avoir** and **savoir**:

| | | |
|---|---|---|
| avoir | ay- | ***ayant*** (having) |
| savoir | sach- | ***sachant*** (knowing) |

**Exercice 1.** *Donnez le participe présent des verbes suivants:*

| | | | | | |
|---|---|---|---|---|---|
| 1. | remplir | 9. | avoir | 18. | écrire |
| 2. | sortir | 10. | savoir | 19. | dire |
| 3. | quitter | 11. | pouvoir | 20. | venir |
| 4. | croire | 12. | neiger | 21. | recevoir |
| 5. | voir | 13. | faire | 22. | connaître |
| 6. | lire | 14. | aller | 23. | mettre |
| 7. | s'appeler | 15. | se lever | 24. | devoir |
| 8. | manger | 16. | s'endormir | 25. | vouloir |
| | | 17. | apprendre | | |

• **Use**

The present participle in French expresses either action or state of being; it can also be used as an adjective.

When expressing either action or state of being, the present participle and its modifiers make up what is called a participial phrase:

| | |
|---|---|
| ***Ne voyant pas son ami,*** elle s'en est allée toute seule. | *Not seeing her friend,* she went off all alone. |
| ***Étant malade,*** elle n'est pas sortie hier soir. | *Being ill,* she did not go out last night. |

In the preceding examples, **ne voyant pas son ami** and **étant malade** are participial phrases. Does the present participle ever agree with the person it refers to? Where do the negative elements (**ne . . . pas**, etc.) go?

Note that the participial phrase usually refers to the nearest noun or pronoun in the sentence. If the participial phrase refers to the subject of the sentence, and if in context it could also refer to the object, **en** is placed before the present participle for clarification:

| | |
|---|---|
| Je l'ai rencontrée ***sortant*** de l'épicerie. | I met her *going out* of the grocery store. (*going out* may refer to *her,* the object) |
| Je l'ai recontrée ***en sortant*** de l'épicerie. | I met her *going out* of the grocery store. (*going out* must refer to *I,* the subject) |

**En** plus the present participle is also used to express an action which takes place at the same time as the action of the main verb; in such cases **en** means *while*:

| | |
|---|---|
| ***En*** la ***suivant,*** je la regardais curieusement. | *While following* her, I was looking at her curiously. |
| ***En*** les ***ajoutant,*** mettez aussi des carottes. | *While adding* them, put the carrots in too. |
| Tout ***en travaillant,*** Anne lui a demandé... | *While working,* Anne asked her... |

**Exercice 2.** *Combinez les phrases suivantes en remplaçant le sujet et le verbe de la première phrase par le participe présent; suivez cet exemple:* ***Je suis sorti de l'épicerie. J'ai vu deux petits chiens blancs qui déchiraient un foulard./Sortant de l'épicerie, j'ai vu deux petits chiens blancs qui déchiraient un foulard.***

1. Il a acheté un livre. Il a fait sa connaissance.
2. Nous travaillons. Nous gagnons un peu d'argent.
3. Vous avez trois francs. Vous pouvez acheter cela.
4. Elle préparait le repas. Elle continuait à parler.
5. Je t'ai vue. J'ai perdu mon coeur.
6. Je n'avais rien d'autre à faire. Je suis allé à la Côte d'Azur.

The present participle in French (as in English) can also be used as an adjective. When used in this way, it is called a *verbal adjective* (**l'adjectif verbal**).

| | |
|---|---|
| une femme ***intéressante*** | an *interesting* woman |
| des jeunes filles ***charmantes*** | *charming* girls |
| un paysage ***ondulant*** | an *undulating* countryside |

Notice that this form regularly follows the noun it modifies, and agrees with it in number and gender.

## II VERBS FOR SPECIAL STUDY: FALLOIR

### • Form

Since **falloir** has already been used throughout the text, this section will merely review its forms and uses:

**falloir**—*to be necessary, must*

| | | |
|---|---|---|
| *Présent* | ***Il faut*** y aller. | *It is necessary* to go there. |
| *Passé composé* | ***Il a fallu*** y aller. | *It became necessary* to go there. |
| *Imparfait* | ***Il fallait*** y aller. | *It was necessary* to go there. |
| *Futur* | ***Il faudra*** y aller. | *It will be necessary* to go there. |
| *Conditionnel* | ***Il faudrait*** y aller. | *It would be necessary* to go there. |
| *Subjonctif* | Bien qu'***il faille*** y aller... | Although *it is necessary* to go there... |

• **Use**

In the synopsis of tenses above, notice that **il fallait** implies a necessity in the past, but **il a fallu** has a separate, distinct meaning.

The present tense of **falloir** may be translated two ways in English:

**Il faut y aller.** { *It is necessary to go there.* / *One must go there.* }

In the negative, however, only one translation is possible:

**Il ne faut pas y aller.** One must not go there.

To express the idea "*It is not necessary to go there,*" French requires the expression **Il n'est pas nécessaire de . . .**: ***«Il n'est pas nécessaire d'y aller.»***

• **Comparison of falloir and devoir**

**Tu dois le faire.**
**Il te faut le faire.** } *You must do it.*

Although these two French expressions above can be translated identically in English, the idea of *must* or necessity is much stronger with the verb **falloir**.

In general, **devoir** implies an interior, moral obligation—a duty that one owes to oneself. **Falloir** usually implies an exterior obligation—an obligation that is imposed by someone else.

The force of an expression of obligation can be increased by using the subjunctive in the clause following ***falloir.*** For instance:

| | |
|---|---|
| **Tu dois étudier.** | (you owe it to yourself) |
| **Il te faut étudier.** | (exterior obligation, such as the pressure of grades) |
| **Il faut que tu étudies.** | (practically a command) |

Thus, in French, it is possible to express a gradation of necessity or compelling force; this richness of expression is unknown in written English.

**EXERCICES**

**A.** *Remplacez les expressions signalées entre parenthèses par l'équivalent français:*

1. (*were you leaving*) Quand _______?
2. (*without seeing her*) Je suis arrivé _______.
3. (*Looking*) _______ passer les gens, Étienne est entré dans le métro.
4. (*interesting books*) Elle ne lit que _______.
5. (*Seeing, not being able, taking a walk*) _______ qu'elle ne pouvait rien faire, mais _______ rester inactive, elle a fini par _______.
6. (*For having said*) _______ de telles choses, tu n'es plus mon copain.
7. (*Saying*) _______ cela, il s'en est allé.
8. (*Not knowing, was necessary to say*) _______ ce qu'il _______, Anne est restée muette, pour la première fois de sa vie.
9. (*anything interesting*) Ne vois-tu _______?
10. (*the following conversation*) Traduisez en français _______.

**B.** *Dites en français:*

—Must you leave Brittany so soon, Anne?

—Yes, I must return to Paris by Sunday, since my classes at the university begin again on Monday.

—Well, I hope that you have liked the two weeks you have spent with us.

—I certainly have liked them—and each time I use one of your recipes, I shall remember the two weeks that I spent with you.

—Did I give you the recipe for **boeuf à la mode?**

—Yes. I like that one best.

—You should learn to (**apprendre** à) prepare wild boar, too. Although it is rare, it is an excellent dish.

## VOCABULAIRE

**adulte** adult
(un) **âge** age
**aider** *(qqn à faire qqch.)* to help *(s.o. do sth.)*
(un) **apéritif** aperitif (before-dinner drink)
**apprécier** to appreciate
(une) **assiette** plate
**atteindre** to reach
(le) **boeuf** beef; **boeuf à la mode** stewed beef
**bouillir** to boil
(le) **bouquet** bouquet
(le) **bout** end
(le) **calvados** cider brandy
(la) **carotte** carrot
(la) **casserole** pan
(le) **citron** lemon
**colorer** to color
(le) **couteau** knife
(la) **cuiller** spoon
(la) **cuillerée** spoonful
(la) **cuisson** cooking
**dégraisser** to skim
**dépasser** to go beyond
**diviser** to divide
**durer** to last
(une) **eau: eau-de-vie** brandy
(une) **envie** desire, longing; **avoir envie de faire qqch.** to feel like doing sth.
**fort** strong; **fortement** strongly, very much
(le) **four** oven
(la) **fourchette** fork
(la) **graisse** fat, grease
(un) **gramme** *(abbr. g)* gram
(la) **hauteur** height
(un) **hors-d'oeuvre** (invariable) hors d'oeuvre
**inactif, inactive** inactive, idle
**ininterrompu** uninterrupted
(le) **jus** juice, gravy
(le) **kilogramme** *(abbr. kg)* kilogram (2.2 pounds)
**laisser** *(+ inf.)* to let *(do or be done)*
(le) **lendemain** the next day
(le) **litre** liter (1.05 quarts)
(la) **livre** pound
(la) **marinade** marinade
**mettre: mettre la table** to set the table
(le) **morceau** piece
**moyen, moyenne** average
**muet, muette** mute, speechless
(la) **nappe** tablecloth
(un) **oignon** onion
(la) **pâtisserie** pastry; pastry shop
(la) **poêle** frying pan
(le) **poivre** pepper
(la) **proportion** proportion
**puis** then
(le) **quartier** quarter
(la) **recette** recipe
(la) **réduction** reduction
**refuser** *(de faire qqch.)* to refuse *(to do sth.)*
(le) **rôtissage** roasting
(le) **sanglier** wild boar

(le) **sel** salt
(la) **serviette** napkin
**servir** to serve
**si** so
(la) **soupe** soup
(la) **tante** aunt
(la) **tasse** cup
**travailler** to work
(la) **vaisselle** dishes: **faire la vaisselle** to wash the dishes
(le) **verre** glass
**verser** to pour
**vingt-deuxième** twenty-second
**vivement** briskly
(la) **volonté** will; **à volonté** at will, at pleasure

## ꕥ EXERCICES STRUCTURAUX

**A.** *Combinez les phrases suivantes en remplaçant le verbe dans la première phrase par le participe présent; suivez cet exemple:* ***Elle a dit cela. Elle est partie. / En disant cela, elle est partie.***

1. Il sortait de l'épicerie. Il l'a rencontré.
   En sortant de l'épicerie, il l'a rencontré.
2. Il a ajouté des oignons. Il a mis aussi des carottes.
   En ajoutant des oignons, il a mis aussi des carottes.
3. Anne a travaillé. Anne lui a parlé de Paris.
   En travaillant, Anne lui a parlé de Paris.
4. Étienne regardait passer les gens. Étienne est entré dans le métro.
   En regardant passer les gens, Étienne est entré dans le métro.
5. Il a dit cela. Il s'en est allé.
   En disant cela, il s'en est allé.
6. Elle fermait la porte. Elle est partie.
   En fermant la porte, elle est partie.
7. Il faisait son travail. Il a appris beaucoup.
   En faisant son travail, il a appris beaucoup.
8. Nous nous promenions. Nous avons vu beaucoup de choses.
   En nous promenant, nous avons vu beaucoup de choses.
9. Il savait cela. Il a pu répondre aux questions.
   En sachant cela, il a pu répondre aux questions.
10. Elle fermait la porte. Elle a trouvé ses gants.
   En fermant la porte, elle a trouvé ses gants.

**B.** *Dans les phrases suivantes, mettez le verbe* **falloir** *au temps qui est donné entre parenthèses; suivez cet exemple:* ***Il faut partir de bonne heure. (imparfait) / Il fallait partir de bonne heure. (futur) / Il faudra partir de bonne heure.***

1. Il a fallu partir de bonne heure. *(présent)*
   Il faut partir de bonne heure. *(futur)*
   Il faudra partir de bonne heure. *(imparfait)*
   Il fallait partir de bonne heure. *(futur antérieur)*
   Il aura fallu partir de bonne heure. *(passé composé)*
   Il a fallu partir de bonne heure. *(conditionnel passé)*
   Il aurait fallu partir de bonne heure. *(conditionnel)*
   Il faudrait partir de bonne heure.

**C.** *Dans les phrases suivantes, mettez le verbe* **pleuvoir** *au temps qui est donné entre parenthèses; suivez cet exemple:* ***Il pleut toute la journée. (imparfait) / Il pleuvait toute la journée. (futur) / Il pleuvra toute la journée.***

1. Il a plu toute la journée. *(présent)*
   Il pleut toute la journée. *(conditionnel)*
   Il pleuvrait toute la journée. *(imparfait)*
   Il pleuvait toute la journée. *(futur)*
   Il pleuvra toute la journée. *(passé composé)*
   Il a plu toute la journée. *(conditionnel passé)*
   Il aurait plu toute la journée. *(conditionnel)*
   Il pleuvrait toute la journée. *(plus-que-parfait)*
   Il avait plu toute la journée. *(futur antérieur)*
   Il aura plu toute la journée.

**D.** *Dans les phrases suivantes, remplacez les mots convenables par les mots donnés entre parenthèses; suivez cet exemple:* ***Faites bouillir vivement la viande! (... lentement ...) / Faites bouillir lentement la viande! (... couper ...) / Faites couper lentement la viande! (... le pain) / Faites couper lentement le pain!***

1. On apprécie surtout le tout jeune sanglier. *(... rarement ...)*
   On apprécie rarement le tout jeune sanglier. *(... aime ...)*
   On aime rarement le tout jeune sanglier. *(... les chiens)*
   On aime rarement les chiens. *(... souvent ...)*
   On aime souvent les chiens.

2. Derrière la maison il y a un petit jardin. *(... se trouve ...)*
   Derrière la maison se trouve un petit jardin. *(... bizarre ...)*
   Derrière la maison se trouve un jardin bizarre. *(devant ...)*
   Devant la maison se trouve un jardin bizarre. *(... énorme ...)*
   Devant la maison se trouve un jardin énorme.

3. On lui a expliqué que les fermes sont assez rares en France. *(... Canada)*
   On lui a expliqué que les fermes sont assez rares au Canada. *(... châteaux ...)*
   On lui a expliqué que les châteaux sont assez rares au Canada. *(... dit ...)*
   On lui a dit que les châteaux sont assez rares au Canada. *(... à Marie ...)*
   On a dit à Marie que les châteaux sont assez rares au Canada.

4. Il faut que je parte de bonne heure. *(... arrive ...)*
   Il faut que j'arrive de bonne heure. *(je veux ...)*
   Je veux arriver de bonne heure. *(je dois ...)*
   Je dois arriver de bonne heure. *(... à six heures)*
   Je dois arriver à six heures.

5. Il faut que je sois à Rennes avant trois heures. *(... nous ...)*
   Il faut que nous soyons à Rennes avant trois heures. *(... midi ...)*
   Il faut que nous soyons à Rennes avant midi. *(... après ...)*
   Il faut que nous soyons à Rennes après midi. *(je dois ...)*
   Je dois être à Rennes après midi.

6. Marie a trouvé que tout commençait mal. *(... finissait ...)*
   Marie a trouvé que tout finissait mal. *(... rien ...)*
   Marie a trouvé que rien ne finissait mal. *(... bien)*
   Marie a trouvé que rien ne finissait bien. *(... a pensé ...)*
   Marie a pensé que rien ne finissait bien.

7. Connaissez-vous le café près duquel j'habite? *(... l'épicerie ...)*
   Connaissez-vous l'épicerie près de laquelle j'habite? *(... les hôtels ...)*
   Connaissez-vous les hôtels près desquels j'habite? *(... les maisons ...)*
   Connaissez-vous les maisons près desquelles j'habite? *(... le café ...)*
   Connaissez-vous le café près duquel j'habite?

# VINGT-TROISIÈME LEÇON

## ⁂ LECTURE: ANNE ÉCRIT À SA TANTE AUX ÉTATS-UNIS

Ma chère tante,

En ce moment je suis à Ploërmel où je passe de très agréables vacances chez votre soeur et son mari. Vous serez contente d'apprendre que tout le monde ici est en bonne santé.

Je regrette de ne pas avoir écrit plus tôt, mais maman m'a dit qu'elle vous passait mes lettres. J'ai fait tant de choses ici depuis mon arrivée que je ne sais pas où commencer. Le plus facile c'est de commencer au début. À mon arrivée à Paris j'ai trouvé un charmant petit hôtel, l'Hôtel de Normandie, dans la rue de la Huchette, sur la rive gauche, en face d'une épicerie. À côté de l'épicerie il y a une boulangerie et une boucherie; donc, quand j'ai besoin de quelque chose je n'ai pas besoin d'aller trop loin. En cherchant l'hôtel j'ai fait la rencontre d'un jeune Français, Étienne Leblanc, que j'ai vu plusieurs fois après. Un jour, je suis allée avec lui à un restaurant qui est près de mon hôtel; après le repas nous nous sommes dirigés vers la cathédrale, Notre-Dame. Avant d'entrer dans la cathédrale il a rencontré un de ses copains, Jean-Paul Charbonnier, un étudiant en médecine, à qui il m'a présentée. Pendant que nous parlions devant la cathédrale, j'ai remarqué que je n'avais plus le joli foulard que vous m'aviez donné à mon départ des États-Unis. Je pensais que je l'avais mis dans la poche de mon manteau mais quand je l'y ai cherché j'ai trouvé qu'il n'y était plus. Un passant nous a dit qu'il l'avait vu près du pont et que deux petits chiens l'avaient déchiré. Il est inutile de pleurer dans des cas pareils et je suis allée le jour même en chercher un autre. Le grand magasin où je suis allée est pareil à ceux que nous avons chez nous. J'ai regardé ce qu'ils avaient, mais malheureusement tout le monde était venu acheter des foulards pendant le week-end et les couleurs de ceux qui restaient ne me plaisaient pas. Je tenais tant à mon foulard violet et jaune que toutes les autres couleurs me semblaient banales.

J'ai vu Jean-Paul et Étienne assez souvent après cela. J'ai passé des heures avec eux à discuter la différence entre le système d'enseignement français et le système américain. Au début j'ai trouvé le système français compliqué, mais maintenant je m'y suis habituée. Je ne savais pas auparavant que les étudiants en médecine allaient à la Faculté de Médecine, les étudiants en droit à la Faculté de Droit, les étudiants de littérature à la Faculté des Lettres, et que toutes ces facultés ne se trouvaient pas au même endroit, ce qui n'est pas du tout comme chez nous où toutes se trouvent sur un seul campus. À part ces légères différences, il y en a d'autres aussi, par exemple: les étudiants français commencent à se spécialiser à leur arrivée à l'université tandis que chez nous on ne se spécialise qu'après deux années à l'université. Je ne sais pas si tout cela vous intéresse, mais si vous voulez en savoir plus long, dites-le-moi et j'en parlerai dans ma prochaine lettre.

Toutes les saisons sont belles à Paris. Quand je suis arrivée au printemps il faisait beau presque tout le temps. Le ciel était bleu, les arbres verts, les fleurs de toutes les couleurs. L'été a été parfait ainsi que l'automne, bien que nous ayons eu des températures plus basses que d'habitude.

Je suis allée plusieurs fois à la Comédie-Française. Une des pièces que j'ai beaucoup aimées était *Le Bourgeois gentilhomme* de Molière. Les acteurs de la Comédie-Française parlent toujours très vite mais pour cette pièce ce n'est pas trop important puisqu'il y a de la musique, un ballet et beaucoup d'effets scéniques.

On m'avait beaucoup parlé de Sceaux où, dit-on, il y a un beau jardin et un étang; j'avais bien envie d'y aller. Jean-Paul a loué une Dauphine et un beau samedi lui et moi, Étienne et Marie, une jeune fille dont j'ai fait la connaissance à l'université, nous sommes tous partis pour le château. En route, nous avons eu une panne de moteur (nous n'avions plus d'essence) et nous ne sommes jamais arrivés au château, mais nous nous sommes amusés quand même.

Vers Noël, j'ai appris qu'on m'attendait en Bretagne. J'ai honte de le dire, mais d'abord je n'avais aucune envie d'y aller. J'avais eu l'intention de passer mes vacances sur la Côte d'Azur et, à mon avis, passer ces vacances en Bretagne à la campagne, c'était se retirer de toute civilisation. Je me rends compte maintenant que la Bretagne n'est pas du tout comme je l'imaginais.

J'ai eu un peu de difficulté à me trouver une place dans le train. On aurait cru que tout le monde allait en Bretagne pour les vacances, mais après des heures de désespoir j'ai réussi à me procurer un billet. Même aujourd'hui je ne suis pas bien habituée aux chemins de fer français. Le train allait partir de bonne heure et j'avais peur de ne pas pouvoir me lever assez tôt, mais je m'étais trompée encore une fois puisque je me suis levée sans difficulté, je suis arrivée à la gare à l'heure et j'ai trouvé une place sans peine. Dans mon compartiment il y avait un jeune matelot breton qui allait passer ses vacances à Brest. Il a décidé de me parler de toutes les villes que nous traversions. À la longue cela m'a ennuyée un peu, mais j'ai appris des tas de détails historiques que j'aurais ignorés s'il ne m'en avait pas parlé.

M. et M^me^ Baragouin m'attendaient à la gare de Rennes et nous sommes partis tout de suite pour Ploërmel. Le paysage était beaucoup plus pittoresque que je n'aurais cru. Il y avait une légère couche de neige sur les collines, l'air était frais et vivifiant, mon oncle et ma tante extrêmement gentils—bref, c'était parfait. Quand nous sommes arrivés à la maison, tout le monde est sorti nous voir, et quelle foule! Grand-père et grand'mère étaient là ainsi que des cousins partout, et tous voulaient me parler. J'étais un peu fatiguée après mon voyage mais il m'a fallu parler de tout ce que j'avais fait en France depuis mon arrivée. Nous avons fait un repas énorme et je me suis couchée assez tôt. M^me^ Baragouin est une excellente cuisinière, et j'aimerais bien pouvoir faire la cuisine comme elle. Elle m'a donné plusieurs recettes, une pour le boeuf à la mode et une autre pour le sanglier. Celle-ci semble être si délicieuse que j'ai bien envie de l'essayer. Où trouve-t-on des sangliers en Amérique?

Je me repose bien pendant mes vacances. Pendant la journée je fais de petits voyages sur la côte ou je vais visiter de petits villages bretons. Le soir, après le souper, tout le monde s'assied dans la grande salle autour du feu pour parler. Je n'ai aucune envie de partir, mais mes cours vont bientôt commencer et il va falloir que je rentre. Je compte aller à Paris de demain en huit, et vous pouvez m'écrire à mon adresse là-bas.

Dites bien des choses de ma part à mes cousins et à mon oncle. Je vous envoie mille baisers.

*Anne*

**QUESTIONNAIRE**

*Répondez en français par des phrases complètes:*

A. 1. Où est Anne en ce moment? 2. Où passe-t-elle ses vacances? 3. Comment se porte tout le monde à Ploërmel? 4. Pourquoi Anne n'a-t-elle pas écrit plus tôt? 5. Pourquoi Anne ne sait-elle pas où commencer? 6. Qu'est-ce qu'Anne a fait à son arrivée à Paris? 7. Comment s'appelle l'hôtel qu'Anne a trouvé? 8. Où se trouve l'hôtel qu'Anne a trouvé? 9. Qu'est-ce qu'il y a à côté de l'épicerie? 10. De qui a-t-elle fait la rencontre en cherchant l'hôtel? 11. Combien de fois Anne a-t-elle vu Étienne? 12. Où est-elle allée avec lui? 13. Où se trouve le restaurant où ils sont allés? 14. Qu'est-ce qui s'est passé devant Notre-Dame? 15. Qui est Jean-Paul Charbonnier? 16. Qu'est-ce qui est arrivé au foulard d'Anne? 17. Qu'est-ce que le passant a dit? 18. Pourquoi Anne n'a-t-elle pas pleuré quand elle a perdu son foulard? 19. Où est-ce qu'Anne est allée chercher un autre foulard? 20. En a-t-elle acheté un au magasin? 21. Quelle couleur Anne préfère-t-elle?

B. 22. Qu'est-ce qu'Anne et Jean-Paul ont discuté pendant des heures? 23. Est-ce que le système d'enseignement français est compliqué? 24. Où vont les étudiants en droit? 25. les étudiants en médecine? 26. les étudiants de littérature? 27. Quand est-ce que les étudiants français commencent à se spécialiser? 28. Quelle saison est la plus belle à Paris? 29. En quelle saison Anne est-elle arrivée à Paris? 30. De quelle couleur était le ciel à son arrivée? 31. De quelles couleurs étaient les fleurs? 32. Est-ce qu'il faisait chaud? 33. Quelle pièce Anne a-t-elle vu à la Comédie-Française? 34. Qui a écrit *Le Bourgeois gentilhomme*? 35. Est-ce que les acteurs de la Comédie-Française parlent lentement? 36. Qu'est-ce qui se trouve à Sceaux? 37. Pourquoi Anne n'a-t-elle pas vu le château de Sceaux? 38. Pourquoi Anne n'avait-elle pas envie d'aller en Bretagne? 39. Pourquoi Anne a-t-elle eu un peu de difficulté à trouver une place dans le train? 40. Qui était dans le compartiment d'Anne? 41. Qu'a-t-il fait? 42. Qui attendait Anne à la gare de Rennes? 43. Qu'est-ce qu'Anne a pensé du paysage breton? 44. Qu'est-ce que M^me^ Baragouin a donné à Anne? 45. Où trouve-t-on le sanglier en Amérique? 46. Qu'est-ce qu'Anne fait pendant ses vacances? 47. Qu'est-ce qu'Anne compte faire après ses vacances?

*Demandez à un autre étudiant:*

1. pourquoi il a une figure d'enterrement 2. pourquoi il ne veut pas aller en Bretagne 3. s'il fait toujours ce que sa mère veut 4. quand il

partira 5. s'il aime faire ses voyages d'une façon bien ordonnée 6. s'il peut vous donner les noms de quelques gares à Paris 7. s'il neige en Bretagne 8. s'il a sommeil 9. s'il a lu beaucoup de livres sur la Bretagne 10. s'il connaît de jeunes matelots 11. s'il a jamais entendu parler de Versailles 12. s'il a fait un bon voyage 13. s'il compte rester longtemps 14. comment se porte sa mère 15. pourquoi il ne vous a pas écrit

*Dites à un autre étudiant:*

1. que vous venez de recevoir une lettre assez fâcheuse 2. qu'il est malheureux qu'il doive s'éloigner de toute civilisation 3. qu'il faut que vous partiez de bonne heure 4. qu'il devrait se reposer autant que possible 5. le nom du roi qui a fait construire Versailles 6. que le Mans est une ville célèbre pour ses courses d'autos 7. que vous êtes content de le voir

# GRAMMAIRE

## I ORDINAL NUMBERS (nombres ordinaux)

**• Meaning and form**

An ordinal number is one which expresses order in a series. In English, these numbers are: *first, second, third, fourth, fifth,* and so on. As English normally adds *-th* to the cardinal number to form the ordinal number (with the exception of one, two, and three), so French usually adds *-ième* to the last consonant of the cardinal number.

Two exceptions to this general rule are the French words for *first* and *second,* as shown in the following examples:

| | |
|---|---|
| le ***premier*** jour | the *first* day |
| la ***première*** voiture | the *first* car |
| les ***premiers*** jours | the *first* days |
| les ***premières*** voitures | the *first* cars |
| le ***second*** acteur | the *second* actor (of two) |
| la ***seconde*** semaine | the *second* week (of two) |
| le ***deuxième*** acteur | the *second* actor (in a series) |
| la ***deuxième*** semaine | the *second* week (in a series) |

Notice that *first* is expressed in French by ***premier (première)***. *Second* may be expressed either by ***second***[1] or ***deuxième***. Generally, ***second*** is used when speaking of the second of two people or things; ***deuxième*** is used when there are more than two items or persons in the series.

Study the following list of ordinal numbers:

| | | |
|---|---|---|
| **troisième** | ($3^e$) | *third* |
| **quatrième** | ($4^e$) | *fourth* |
| **cinquième** | ($5^e$) | *fifth* |
| **sixième** | ($6^e$) | *sixth* |
| **septième** | ($7^e$) | *seventh* |
| **huitième** | ($8^e$) | *eighth* |
| **neuvième** | ($9^e$) | *ninth* |
| **dixième** | ($10^e$) | *tenth* |
| **onzième** | ($11^e$) | *eleventh* |
| **douzième** | ($12^e$) | *twelfth* |
| **treizième** | ($13^e$) | *thirteenth* |
| **quatorzième** | ($14^e$) | *fourteenth* |
| **quinzième** | ($15^e$) | *fifteenth* |
| **seizième** | ($16^e$) | *sixteenth* |
| **dix-septième** | ($17^e$) | *seventeenth* |
| **dix-huitième** | ($18^e$) | *eighteenth* |
| **dix-neuvième** | ($19^e$) | *nineteenth* |
| **vingtième** | ($20^e$) | *twentieth* |
| **vingt et unième** | ($21^e$) | *twenty-first* |
| **vingt-deuxième** | ($22^e$) | *twenty-second* |
| **trente et unième** | ($31^e$) | *thirty-first* |
| **trente-deuxième** | ($32^e$) | *thirty-second* |
| **soixante et onzième** | ($71^e$) | *seventy-first* |
| **quatre-vingtième** | ($80^e$) | *eightieth* |
| **quatre-vingt-unième** | ($81^e$) | *eighty-first* |
| **quatre-vingt-dix-neuvième** | ($99^e$) | *ninety-ninth* |
| **centième** | ($100^e$) | *hundredth* |
| **cent unième** | ($101^e$) | *hundred first* |
| **millième** | ($1000^e$) | *thousandth* |

[1]The *c* of second is pronounced as a *g*.

What is the peculiarity of the ordinal number for **cinq**? for **neuf**? for **quatre-vingts**? Notice the way in which ordinal numbers are expressed in figures. **Premier** is written 1er; **première,** 1ère.

**• Use of the ordinal numbers**

Study the following examples, paying special attention to the word order:

| | |
|---|---|
| **les trente premiers hommes** | *the first thirty men* |
| **les deux mille premières autos** | *the first two thousand cars* |

Notice that in French the ordinal number follows the cardinal number (an order exactly opposite to that of English).

**Exercice 1.** *Dites en français:*

1. tenth
2. seventeenth
3. four hundred sixth
4. eight thousandth
5. hundred second
6. thirteenth
7. the sixth country
8. the first hundred castles
9. her second daughter
10. his twelfth granddaughter
11. our eighty-first cup of coffee
12. your seventy-first year

## II MATHEMATICAL OPERATIONS

Study the following examples, paying careful attention to the French words denoting mathematical operations:

1) *addition (l'addition):*

2 ***et*** 3 ***font*** 5     2 *plus* 3 *equals* 5

2) *subtraction (la soustraction):*

6 ***moins*** 4 ***font*** 2     6 *minus* 4 *equals* 2

3) *multiplication (la multiplication):*

45 ***fois*** 153 ***font*** 6885     45 *times* 153 *equals* 6885

4) *division (la division):*

9 ***divisé par*** 3 ***fait*** 3 — *9 divided by 3 equals 3*

*Note: to divide something in* ***half*** = **diviser quelque chose en *deux***

5) *fractions (les fractions):*

½ un demi
⅓ un tiers
¼ un quart
¾ trois quarts
⅕ un cinquième
⅗ trois cinquièmes
5/17 cinq dix-septièmes
7⅘ sept et quatre cinquièmes

*Note:* As a noun, the word *half* is **la moitié: Faire *la moitié* de son travail n'est pas assez.**

**Exercice 2.** *Complétez les problèmes suivants:*

1. 1 + 5 =
2. 17 — 5 =
3. 5 × 6 =
4. 30 ÷ 6 =
5. 200 + 600 =
6. 300 — 200 =
7. 6 × 7 =
8. 100 ÷ 20 =
9. 17 + 13 =
10. 30 — 14 =
11. 10 × 6 =
12. 25 ÷ 5 =
13. 202 + 1 =
14. 763 — 3 =
15. 17 × 2 =
16. 36 ÷ 9 =
17. 3 + 49 =
18. 49 — 29 =
19. 18 × 1 =
20. 6 ÷ 4 =
21. 8 + 3⅔ =
22. 63⅕ — 17¾ =
23. 2½ × 8 =
24. 100 ÷ 3 =
25. 5¼ + 9 6/17 =

## III NOUNS OF APPROXIMATE NUMBER

Study the following sentences, paying special attention to the italicized expressions and their translations:

| | |
|---|---|
| Il a ***une dizaine d'***amis. | He has *about ten* friends. |
| Il y a ***une trentaine d'***années... | *About thirty* years ago... |
| ***Une centaine de*** cousins sont arrivés. | *About a hundred* cousins have arrived. |
| Je vois ***des milliers de*** femmes. | I see *thousands of* women. |

The suffix **-aine** is added to multiples of ten and to multiples of one hundred to indicate an approximate number. Notice that for *ten*, the French write **dizaine. Millier** is usually used in the plural.

These nouns of approximate number are used in the expressions *by tens, by thousands*, etc.:

| | |
|---|---|
| **par dizaines** | *by tens* |
| **par milliers** | *by thousands* |

*Note:* the word **douzaine,** although ending in **-aine**, is not a noun of approximate number; rather, it is the exact equivalent of the English word *dozen.*

**Exercice 3.** *Dites en français:*

1. hundreds of people
2. They came by dozens.
3. About ten girls visited thousands of castles.
4. millions of men
5. about twenty goats
6. a dozen eggs
7. about thirty armchairs
8. hundreds of letters

## IV THE ADVERB TOUT

In Lesson 21 you saw that **tout** can be used as an adverb, modifying an adjective. Used in this way, **tout** usually means *very*, but it can also imply *entirely* or *quite:*

| | |
|---|---|
| un ***tout*** jeune sanglier | a *very* young wild boar |
| de ***tout*** petits enfants | *very* little children |

Most adverbs in French are invariable—that is, they never change their form. **Tout**, however, is an exception; it sometimes agrees with the feminine form of an adjective. Study the following examples and try to determine when **tout** (used as an adverb) assumes the form of an adjective and becomes **toute** or **toutes**:

| | |
|---|---|
| une ***tout*** ancienne amie | a *very* old friend |
| elle est ***toute*** petite | she is *very* little |
| elles sont ***toutes*** honteuses | they are *very* ashamed |
| elles étaient ***tout*** heureuses | they were *very* happy |

Read the examples once more, pronouncing them carefully. If the final *-t* of **tout** cannot be pronounced before the feminine form of an adjective (that is, if **tout** does not sound like a feminine word), it must agree as if it were an adjective. In other words, **tout** must agree if it precedes a feminine adjective beginning with a consonant (**toute petite**) or an aspirate *h* (**toutes honteuses**).

**Exercice 4.** *Dites en français:*

1. very little girls
2. entirely white hair
3. She is all alone.
4. a quite ancient castle
5. a very old woman
6. a very big room
7. an entirely yellow car
8. about ten very young boys

## V VERBS FOR SPECIAL STUDY: S'ASSEOIR, VIVRE

### • S'asseoir—to sit down

Study the following conjugation of **s'asseoir** in the present indicative:

*present tense of* **s'asseoir**—*to sit down*
(I sit down, am sitting down, do sit down, etc.)

| | |
|---|---|
| **je m'assieds** | **nous nous asseyons** |
| **tu t'assieds** | **vous vous asseyez** |
| **il s'assied** | **ils s'asseyent** |

What is the singular stem of the present tense? the plural stem? What is the stem of the imperfect? of the present subjunctive?

In the following summary of the stems of **s'asseoir**, notice particularly that the only irregular form of this verb is the future stem:

| | *singular* | *plural* | *stems* |
|---|---|---|---|
| *Présent* | je m'assieds | nous nous asseyons | ***assied-, assey-*** |
| *Passé composé* | je me suis assis | | (suis) ***assis*** |
| *Imparfait* | je m'asseyais | | ***assey-*** |
| *Futur* | je m'assiérai | | ***assiér-*** |
| *Subjonctif* | je m'asseye | | ***assey-*** |

- **Vivre—to live**

Study the following conjugation of **vivre** in the present indicative:

*present tense of* **vivre**—*to live*
(I live, am living, do live, etc.)

| | |
|---|---|
| **je vis** | **nous vivons** |
| **tu vis** | **vous vivez** |
| **il vit** | **ils vivent** |

*passé composé:* **j'ai vécu**
*participe présent:* **vivant**

What is the singular stem of the present tense? the plural stem? What is the stem of the imperfect?

**Vivre** means *to live* in the sense of *to have life*; it should not be confused with **habiter** (*to live* [*in*] or *to inhabit*), nor with **demeurer** (*to live* [*in*] or *to dwell* [*in*]). **Vivre** is often used in exclamations such as ***«Vive le roi!»*** (*"Long live the king!"*).

**EXERCICES**

**A.** *Remplacez les expressions signalées entre parenthèses par l'équivalent français:*

1. (*The first moment, hundreds of relatives*) ______ que j'ai passé en Bretagne, j'ai vu ______.
2. (*some very old aunts and some very young nephews*) Il y avait ______.
3. (*The first two hours*) ______ étaient très difficiles.

4. (*I sat down, the thousands of questions*) ______ pour mieux me reposer, et pour me mettre en état de répondre ______ que tout le monde me posait.
5. (*snowed*) J'ai appris qu'il ______ souvent en Bretagne.
6. (*very light covering of snow*) En hiver le paysage était couvert d'une ______.
7. (*very pleasant woman*) M^me^ Baragouin est une ______ et une bonne cuisinière.
8. (*should be so, scores of people*) Il faut bien qu'elle ______, car elle doit préparer des repas pour ______.

**B.** *Dites en français:*

—Did you enjoy yourself in Brittany, Anne?

—Yes. I didn't speak any English at all while I was there. I had to speak French, because very few of my relatives spoke English.

—Well, that's the best way to learn a language!

—You're right. The only time I had difficulty was the first day when we arrived at my uncle's house in Rennes. Dozens of relatives were waiting for me, and they were all speaking at the same time!

—Did they ask you many questions about the United States?

—Yes. They must have asked me hundreds! My cousin, Jean, asked me many since he plans to spend his vacation in the United States next year.

—That should be interesting. Isn't your brother, Peter, the same age as Jean?

—Yes. He's looking forward to (**s'attendre à**) showing his French cousin all the famous buildings in New York.

—Does Jean speak English?

—Yes, extremely well. But I'm not going to tell Peter that. Since he found out that Jean was coming to visit, he's been studying French two hours a day!

## VOCABULAIRE

**agréable** pleasant
**amuser** to amuse; **s'amuser à** to enjoy oneself
**aucun** any
**auparavant** previously
(un) **avis** opinion; **à mon avis** in my opinion
(le) **baiser** kiss
**banal** commonplace
(la) **boucherie** butcher's shop

(la) **boulangerie** bakery
**bref** in short
(la) **campagne** countryside
(le) **cas** case
(le) **chemin** path, track, way; **chemin de fer** railroad
(la) **côte** coast
(le) **cuisinier**, (la) **cuisinière** cook
(le) **début** beginning
**délicieux, délicieuse** delicious
(le) **désespoir** despair
(le) **détail** detail
(la) **difficulté** difficulty
**dire: dire de la part de qqn** to tell for (from) s.o.
**diriger** to direct; **se diriger (vers)** to head (toward)
**ennuyer** to bore
**envoyer** to send
**essayer** to try
**extrêmement** extremely
**facile** easy
**faire: faire la cuisine** to cook; **faire la rencontre (de)** to meet
**fatigué** tired
**gentil, gentille** nice
(la) **honte** shame; **avoir honte** to be ashamed
**huit** eight; **de . . . en huit** a week from . . .
**ignorer** not to know, to be unaware of
**imaginer** to imagine
**important** important
(une) **intention** intention
**jamais** ever
**lentement** slowly
**longue: à la longue** in the long run
(la) **maman** mama, mom
(le) **mari** husband
(la) **panne** breakdown
**pareil** similar
**parfait** perfect
**partout** everywhere
**pleurer** to cry
**prochain** next
**procurer** to procure
**quand: quand même** all the same
**retirer** to pull out; **se retirer** to withdraw, to retire
(la) **rive** bank *(of a river)*
(la) **santé** health
(le) **souper** supper
(la) **température** temperature
**tenir: tenir à** to value
**tromper** to deceive; **se tromper** to make a mistake
(les) **vacances: passer des vacances** to spend a vacation
**vingt-troisième** twenty-third

## EXERCICES STRUCTURAUX

A. *Dans les phrases suivantes, remplacez les nombres cardinaux par des nombres ordinaux; suivez cet exemple:* ***Ouvrez votre livre à la page dix! / Ouvrez votre livre à la dixième page!***

1. Elle n'a pas encore lu le questionnaire un.
   Elle n'a pas encore lu le premier questionnaire.
2. Qu'avez-vous pensé de l'exemple un?
   Qu'avez-vous pensé du premier exemple?
3. Frappe à la porte vingt et un!
   Frappe à la vingt et unième porte!
4. Répondez à la question sept!
   Répondez à la septième question!
5. Je viens de finir l'exercice douze.
   Je viens de finir le douzième exercice.
6. Étudiez la conversation quatorze!
   Étudiez la quatorzième conversation!

**B.** *Dans les phrases suivantes, remplacez les nombres cardinaux par des noms; suivez cet exemple:* ***J'ai acheté presque dix livres. / J'ai acheté une dizaine de livres.***

1. Tu as dû lire presque cent livres!
   Tu as dû lire une centaine de livres!
2. J'ai acheté presque cinquante mouchoirs.
   J'ai acheté une cinquantaine de mouchoirs.
3. J'ai presque dix stylos.
   J'ai une dizaine de stylos.
4. Ils sont arrivés par dix.
   Ils sont arrivés par dizaines.
5. Il y a presque trente étudiants dans cette classe.
   Il y a une trentaine d'étudiants dans cette classe.
6. J'ai trouvé presque quinze livres dans ma chambre.
   J'ai trouvé une quinzaine de livres dans ma chambre.

**C.** *Dans les phrases suivantes, renforcez l'adjectif par l'adverbe* ***tout:***

1. Elle serait contente de te voir.
   Elle serait toute contente de te voir.
2. Ces hommes-là ont les mains pleines de graisse.
   Ces hommes-là ont les mains toutes pleines de graisse.

3. Elle serait heureuse de te voir.
   Elle serait tout heureuse de te voir.
4. Notre chien est noir et notre chèvre est blanche.
   Notre chien est tout noir et notre chèvre est toute blanche.
5. Si tu m'aimes, tu me rendras heureux.
   Si tu m'aimes, tu me rendras tout heureux.
6. Sa soeur a les cheveux noirs.
   Sa soeur a les cheveux tout noirs.

**D.** *Commencez chaque phrase par le mot donné entre parenthèses:*

1. Je m'assieds dans la salle. *(vous . . .)*
   Vous vous asseyez dans la salle. *(Anne . . .)*
   Anne s'assied dans la salle. *(Marie et Anne . . .)*
   Marie et Anne s'asseyent dans la salle. *(nous . . .)*
   Nous nous asseyons dans la salle. *(tu . . .)*
   Tu t'assieds dans la salle. *(Henri . . .)*
   Henri s'assied dans la salle. *(Henri et Jacques . . .)*
   Henri et Jacques s'asseyent dans la salle. *(je . . .)*
   Je m'assieds dans la salle. *(il . . .)*
   Il s'assied dans la salle.

2. Je m'assiérai dans la salle. *(il . . .)*
   Il s'assiéra dans la salle. *(Henri et Jacques . . .)*
   Henri et Jacques s'assiéront dans la salle. *(nous . . .)*
   Nous nous assiérons dans la salle. *(tu . . .)*
   Tu t'assiéras dans la salle. *(Henri . . .)*
   Henri s'assiéra dans la salle. *(je . . .)*
   Je m'assiérai dans la salle. *(vous . . .)*
   Vous vous assiérez dans la salle. *(Anne . . .)*
   Anne s'assiéra dans la salle. *(Marie et Anne . . .)*
   Marie et Anne s'assiéront dans la salle.

3. Je me suis assis dans la salle. *(il . . .)*
   Il s'est assis dans la salle. *(Henri et Jacques . . .)*
   Henri et Jacques se sont assis dans la salle. *(nous . . .)*

Nous nous sommes assis dans la salle. *(tu . . .)*
Tu t'es assis dans la salle. *(Anne . . .)*
Anne s'est assise dans la salle. *(Henri . . .)*
Henri s'est assis dans la salle. *(vous . . .)*
Vous vous êtes assis dans la salle. *(Marie et Anne . . .)*
Marie et Anne se sont assises dans la salle. *(je . . .)*
Je me suis assis dans la salle.

4. Il faut que je m'asseye dans la salle. *(. . . Henri et Jacques . . .)*
Il faut qu'Henri et Jacques s'asseyent dans la salle. *(. . . tu . . .)*
Il faut que tu t'asseyes dans la salle. *(. . . je . . .)*
Il faut que je m'asseye dans la salle. *(. . . Anne . . .)*
Il faut qu'Anne s'asseye dans la salle. *(. . . il . . .)*
Il faut qu'il s'asseye dans la salle. *(. . . nous . . .)*
Il faut que nous nous asseyions dans la salle. *(. . . Henri . . .)*
Il faut qu'Henri s'asseye dans la salle. *(. . . vous . . .)*
Il faut que vous vous asseyiez dans la salle. *(. . . Marie et Anne . . .)*
Il faut que Marie et Anne s'asseyent dans la salle.

## *L'INVITATION AU VOYAGE*

Mon enfant, ma soeur
Songe à la douceur — **songer,** *to dream;* **douceur,** *sweetness*
D'aller là-bas vivre ensemble!
Aimer à loisir, — **loisir,** *leisure*
Aimer et mourir
Au pays qui te ressemble!
Les soleils mouillés — **mouillé,** *wet*
De ces ciels brouillés — **brouillé,** *misty*
Pour mon esprit ont les charmes
Si mystérieux
De tes traîtres yeux — **traître,** *treacherous*
Brillant à travers leurs larmes. — **larme,** *tear*

Là, tout n'est qu'ordre et beauté,
Luxe, calme et volupté. — **luxe,** *luxury;* **volupté,** *pleasure*

Des meubles luisants,
Polis par les ans,
Décoreraient notre chambre;
Les plus rares fleurs
Mêlant leurs odeurs
Aux vagues senteurs de l'ambre,
Les riches plafonds,
Les miroirs profonds,
La splendeur orientale,
Tout y parlerait
À l'âme en secret
Sa douce langue natale.

Là, tout n'est qu'ordre et beauté,
Luxe, calme et volupté.

Vois sur ces canaux
Dormir ces vaisseaux
Dont l'humeur est vagabonde;
C'est pour assouvir
Ton moindre désir
Qu'ils viennent du bout du monde.
—Les soleils couchants
Revêtent les champs,
Les canaux, la ville entière,
D'hyacinthe et d'or;
Le monde s'endort
Dans une chaude lumière.

Là, tout n'est qu'ordre et beauté,
Luxe, calme et volupté.

—*Charles Baudelaire*
*(1821-1867)*

**meubles**, *furniture;* **luisant**, *shining;* **polis**, *polished*

**mêler**, *to mix*
**senteur**, *aroma;* **ambre**, *amber*
**plafond**, *ceiling*
**miroir**, *mirror*

**âme**, *soul*

**canal**, *canal*

**humeur**, *temperament*
**assouvir**, *to satisfy*
**moindre**, *slightest*

**couchant**, *setting*
**revêtir**, *to clothe*

**or**, *gold*
**s'endormir**, *to fall asleep*
**lumière**, *light*

# VINGT-QUATRIÈME LEÇON

## LECTURE: UN ÉPISODE D'UNE VIEILLE HISTOIRE

Un soir, après le souper, toute la famille Baragouin s'est réunie autour de la cheminée avant que les enfants aillent se coucher. Comme d'habitude, le grand-père a raconté une vieille histoire. Il leur récitait souvent une légende bretonne, mais cette fois-ci c'était un épisode du *Roman de Renart*[1], datant du moyen âge.

«C'était par une nuit claire et étoilée peu avant Noël. L'étang où Ysengrin, affamé, devait pêcher, était si gelé qu'on aurait pu marcher dessus—à l'exception d'un petit trou, tout au milieu de l'étang, qui avait été pratiqué dans la glace pour permettre aux animaux du voisinage de boire.

«Renart arrive sur la scène, l'air triste, mais une lueur de méchanceté brillant dans son oeil. Il regarde Ysengrin, et lui dit d'une voix énergique: —Monsieur, approchez-vous! Nous avons dans cet étang une grande quantité de poissons et tout ce qu'il nous faut pour pêcher. Voulez-vous pêcher?

«Dit Ysengrin, l'éternel convoiteux, —Je veux bien. —Prenez donc cette ficelle, dit Renart, et attachez-la à votre queue! Ysengrin est d'accord, et Renart, prenant une ficelle et l'attachant de son mieux à la queue d'Ysengrin, lui dit: —Restez tranquille maintenant pour que les poissons viennent! Et s'éloignant d'Ysengrin, il va s'asseoir à une certaine distance sous un arbre.

«Voilà donc notre brave loup qui est sur la glace et voilà que petit à petit sa queue s'y trouve complètement prise. Il lui semble cependant qu'à sa queue sont attachés des centaines de poissons. Il appelle aussitôt Renart à son secours, car il voit qu'il se fait jour et bientôt on pourra l'apercevoir. —Renart, dit-il, il y en a trop; j'en ai tant pris que je ne peux pas bouger. Celui-ci, éclatant de rire, lui répond: —Qui tout désire, tout perd.

[1]proper name for **renard** *(fox)*

«Le soleil s'étant levé, voilà qu'arrive M. Constant Desgranches, joyeux et gai, avec tous ses chiens de chasse. Renart l'entend, et se sauve aussitôt, mais Ysengrin est toujours là à tirer sur sa queue qui ne bouge pas, tellement elle est attachée à la glace. Les chiens de M. Desgranches s'aperçoivent du triste état d'Ysengrin et commencent à aboyer. M. Desgranches se met à crier «au loup», et toute sa famille se précipite hors de la maison pour lui porter secours. Voilà notre Ysengrin bien mal à l'aise. M. Desgranches lâche ses chiens sur Ysengrin qui se défend courageusement; il se sert bien de ses dents (que peut-il faire de plus?), mais il aurait bien préféré la paix, surtout quand il voit M. Desgranches qui se rue sur lui, l'épée tirée. Celui-ci lève l'épée, va frapper, perd son équilibre et en tombant manque son coup et sépare la queue du corps du pauvre loup.

«Ysengrin, mis brusquement en liberté, saute par-dessus les chiens qui le poursuivent et s'en va douloureusement en disant adieu à sa queue, jusqu'à la forêt où il s'échappe. Là, maudissant Renart, il jure de se venger de lui et de ne plus jamais l'aimer.»

**QUESTIONNAIRE**

*Répondez en français par des phrases complètes:*

1. Où est-ce que toute la famille se réunit après le souper? 2. Que font les enfants après le souper? 3. Qu'est-ce que le grand-père fait? 4. Quelle sorte d'histoire raconte-t-il? 5. De quelle époque date le *Roman de Renart?* 6. En quelle saison l'histoire a-t-elle lieu? 7. Quel temps fait-il? 8. Où est-ce qu'Ysengrin devait pêcher? 9. Qu'y a-t-il au milieu de l'étang? 10. À quoi sert ce trou? 11. Qu'est-ce que Renart propose? 12. Que fait-on avec la ficelle? 13. Qu'est-ce qui arrive à la queue du pauvre Ysengrin? 14. Qu'est-ce qui semble être attaché à la queue? 15. Pourquoi Ysengrin appelle-t-il Renart? 16. Pourquoi Renart dit-il «Qui tout désire, tout perd»? 17. Que fait M. Desgranches au lever du soleil?[2] 18. Qu'est-ce que M. Desgranches a avec lui? 19. Pourquoi Ysengrin ne peut-il pas se sauver quand M. Desgranches arrive avec ses chiens? 20. Que font les chiens de M. Desgranches? 21. À qui M. Desgranches crie-t-il? 22. Quel est l'état d'esprit du loup? 23. Qu'est-ce que M. Desgranches veut faire avec son épée? 24. Réussit-il? 25. Comment Ysengrin est-il mis en liberté? 26. Ysengrin est-il attaché à sa queue? 27. Que pense Ysengrin de son ami le renard?

[2]**au lever du soleil,** *at sunrise*

*Demandez à un autre étudiant:*

1. s'il aime la neige 2. s'il aime les paysages ondulants 3. si tous les arbres perdent leurs feuilles en hiver 4. s'il a entendu parler du roi Arthur 5. s'il sait où les animaux sont abrités 6. combien de cousins il a 7. comment il appelle le père de son cousin 8. quelle est la différence entre les fermes françaises et les fermes américaines 9. pourquoi les maisons de pierre sont difficiles à chauffer en hiver 10. s'il a une cheminée chez lui 11. s'il aide sa mère autant que possible 12. ce que c'est qu'un couteau 13. s'il aime le boeuf à la mode 14. s'il connaît la recette pour le boeuf à la mode 15. s'il mange souvent des oignons

*Dites à un autre étudiant:*

1. que vous aimez que l'air soit frais et vivifiant 2. que vous voulez faire le tour de sa maison 3. que vous avez beaucoup de questions à lui poser 4. que vous voulez mettre la table 5. ce que vous mettez sur la table 6. que vous voulez lui donner des recettes 7. que vous voulez trouver un sanglier

# GRAMMAIRE

## I INTERROGATIVE PRONOUNS WITH ANTECEDENTS

When an interrogative pronoun has a definite antecedent, it is expressed in French by **lequel** (**laquelle**, etc.). This form of the interrogative pronoun agrees in number and gender with its antecedent. Study the following examples carefully, noting the form and meaning of the italicized forms:

| | |
|---|---|
| Je vois deux châteaux. ***Lequel*** voulez-vous visiter? | I see two castles. *Which one* do you want to visit? |
| Il a vendu trois autos. ***Laquelle*** as-tu achetée? | He sold three cars. *Which one* did you buy? |
| Il y a cent livres sur la table. ***Lesquels*** sont à toi? | There are a hundred books on the table. *Which (which ones)* are yours? |
| De ces six maisons, ***lesquelles*** vous plaisent le moins? | Of these six houses, *which (which ones)* please you the least? |

As the object of a preposition, the interrogative pronoun regularly combines with à and de:

| | |
|---|---|
| ***Auxquelles*** de mes amies pensez-vous? | *Which* of my friends are you thinking *of*? |
| ***Duquel*** des hommes a-t-elle parlé? | *Which (one)* of the men did she speak *about*? |
| ***Avec lesquelles*** de ces jeunes filles es-tu allé à Ploërmel? | *With which* of these girls did you go to Ploërmel? |

Although these interrogative pronouns have the same form as some relative pronouns, the interrogative pronoun **duquel** (**de laquelle,** etc.) is never replaced by **dont**; **dont** functions only as a relative pronoun, never as an interrogative pronoun.

**Exercice 1.** *Remplacez les expressions signalées entre parenthèses par la forme convenable du pronom interrogatif:*

1. Jean a visité sept villes. (*Which one*) _______ est sa favorite?
2. (*Which*) _______ de ces jeunes filles sont tes soeurs?
3. Marie a quatre tantes et cinq oncles. (*To which ones*) _______ écrit-elle?
4. (*On which*) _______ de ces chaises veut-il s'asseoir?
5. (*Which*) _______ acteur parle le moins vite?
6. (*Which*) _______ des acteurs de la Comédie-Française parle le moins vite?
7. (*Which*) _______ des Dauphines est à eux?

## II SUPERLATIVES OF ADJECTIVES AND ADVERBS

Throughout the previous lessons you have seen examples of the superlative form of adjectives and adverbs; therefore, this section will consist largely of review material. Study the following examples, noting that these superlative forms closely resemble the comparative forms studied in Lesson 9:

- **Adjectives**

| | |
|---|---|
| le ***grand*** garçon | the *big* boy |
| le ***plus grand*** garçon | the *bigger* boy |
| le ***plus grand*** garçon | the *biggest* boy |

| | |
|---|---|
| le garçon ***intelligent*** | the *intelligent* boy |
| le garçon ***plus intelligent*** | the *more intelligent* boy |
| le garçon ***le plus intelligent*** | the *most intelligent* boy |
| la ***plus jolie*** femme | the *prettiest (prettier)* woman |
| la femme ***la plus légendaire*** | the *most legendary* woman |

How is the superlative form of the adjective formed in French? When is this form identical with the comparative form? Notice that when the adjective follows the noun, the definite article is required for the superlative.

In the following sentences using the superlative, notice that **de** translates *in:*

| | |
|---|---|
| C'est le plus grand garçon ***de*** la classe. | He's the biggest boy *in* the class. |
| Qui est la meilleure femme ***du*** monde? | Who is the best woman *in the* world? |

- **Adverbs**

| | |
|---|---|
| ***souvent*** | *often* |
| ***plus souvent*** | *more often* |
| ***le plus souvent*** | *most often* |
| ***bien*** | *well* |
| ***mieux*** | *better* |
| ***le mieux*** | *best* |
| ***curieusement*** | *curiously* |
| ***plus (moins) curieusement*** | *more (less) curiously* |
| ***le plus (moins) curieusement*** | *most (least) curiously* |

Notice that adverbs, like adjectives, base their superlative form on the comparative.

**Exercice 2.** *Dites en français:*

1. the most beautiful girl in the world
2. the happiest man

3. the greenest trees
4. the most rapid train
5. the oldest man
6. the most ancient castles
7. the littlest cousin
8. the most marvelously pronounced words
9. the saddest face
10. the easiest exercise

## III COMPARISON OF POUVOIR, SAVOIR, AND CONNAÎTRE

### • Expressing shades of meaning

The various concepts contained in the meanings of the two English verbs *to be able* and *to know* are divided among three French verbs: **pouvoir, savoir,** and **connaître.** Study the following definitions carefully:

| | |
|---|---|
| **pouvoir** | to be able, can *(physical capability or permission)* |
| **savoir** | to know how to, can *(learned skill, mental capacity)* |
| **savoir** | to know *(factual knowledge)* |
| **connaître** | to know, to be acquainted (familiar) with |

Study the following examples carefully, noting how the shades of meaning embodied in *to be able* are expressed in French:

### • Pouvoir, savoir

| | |
|---|---|
| **Elle ne peut pas y aller.** | *She cannot go there.* (is physically unable to) |
| **Elle ne sait pas y aller.** | *She cannot go there.* (does not know how to) |
| **Je ne peux pas lire;** il n'y a pas assez de lumière. | *I can't read;* there isn't enough light. |
| **Je ne sais pas lire;** je n'ai jamais appris à le faire. | *I can't read;* I never learned how to (do so). |
| **Il sait nager, mais il ne peut pas le faire;** il s'est cassé le bras. | *He can swim, but he's unable to do so;* he's broken his arm. |

- **Savoir, connaître**

| | |
|---|---|
| **Il ne sait pas comment je m'appelle.** | *He doesn't know my name.* |
| **Il ne me connaît pas.** | *He doesn't know me.* |
| Où est Paul? **Je ne sais pas.** | Where is Paul? *I don't know.* |
| **Connais-tu le château de Sceaux?** | *Do you know the Sceaux castle?* |
| **Non, mais je sais qu'il a un bel étang.** | *No, but I know that it has a beautiful pond.* |

- **Passé composé and imperfect**

In the passé composé, **pouvoir, savoir,** and **connaître** have special meanings:

| | |
|---|---|
| **Elle a pu le faire.** | *It became possible for her to do it. (She found a way to do it.)* |
| **Elle a su le faire.** | *She learned how to do it.* |
| **Elle a su cela hier.** | *She found that out yesterday. (She learned that yesterday.)* |
| **Elle a connu cela hier.** | *She became familiar with that yesterday.* |

To express simple past time with these verbs, use the imperfect tense:

| | |
|---|---|
| **Elle pouvait le faire.** | *She could (was able to) do it.* |
| **Elle savait le faire.** | *She was able (knew how) to do it.* |
| **Elle savait cela hier.** | *She knew that yesterday.* |
| **Elle connaissait cela hier.** | *She knew (was acquainted or familiar with) that yesterday.* |

**Exercice 3.** *Remplacez les expressions signalées entre parenthèses par l'équivalent français:*

1. (*know*) Est-ce que tu la ______?
2. (*know*) Est-ce que tu ______ quelle est la capitale de la France?
3. (*cannot*) Elle ______ jouer du piano.

4. (*knows*) Tout le monde ______ cela.
5. (*don't know*) Je ______ ce qu'il veut.
6. (*knew*) Anne ______ le Quartier Latin.
7. (*didn't know*) Elle ______ à quelle gare il fallait descendre.
8. (*Does Étienne know how to*) ______ conduire?
9. (*Can you read*) ______ là où il y a peu de lumière?

## IV VERBS FOR SPECIAL STUDY: CRAINDRE

Study the following conjugation of **craindre** (*to fear*) in the present indicative:

*present tense of* **craindre**—*to fear*
(I fear, do fear, am fearing, etc.)

| | |
|---|---|
| **je crains** | **nous craignons** |
| **tu crains** | **vous craignez** |
| **il craint** | **ils craignent** |

*passé composé:* **j'ai craint**
*participe présent:* **craignant**

What is the singular stem of the present tense? the plural stem? What is the stem of the imperfect? of the present subjunctive?

Other verbs which are conjugated like **craindre**:

**atteindre** (*to reach*)
**éteindre** (*to put out, to extinguish*)
**peindre** (*to paint*)
**plaindre** (*to pity*)

### EXERCICES

**A.** *Remplacez les mots en italique par la forme convenable du pronom interrogatif:*

1. *Quelle histoire* voulez-vous que le grand-père raconte?
2. *À quel professeur* a-t-il parlé?
3. *Quelles pièces de Molière* as-tu vues?
4. *Quels livres de Camus* Guillaume a-t-il lus?
5. *À quels théâtres* était-elle allée?
6. *Quel étudiant* n'a pas étudié?

**B.** *Remplacez les expressions signalées entre parenthèses par l'équivalent français:*

1. (*the greenest tree*) C'est _______ de toute la France.
2. (*the best of Racine's plays*) On dit que Phèdre est _______.
3. (*the most charming*) Joséphine est _______ de toutes les jeunes filles que je connais.
4. (*Most often, would sing better*) _______, c'est lui qui _______ que Louis.
5. (*The most ancient Breton legends*) _______ datent d'avant la vie du roi Arthur.
6. (*The newest castles, the least interesting*) _______ ne sont pas toujours _______ à voir.
7. (*cannot, can, faster*) Mon petit frère _______ encore lire, bienqu'il _______ marcher _______ que ma mère.
8. (*is not the easiest language in the world*) Il a peur que le français _______ à apprendre.
9. (*early every day, earlier*) Quoique je me lève _______, elle se lève _______ que moi.
10. (*the tallest man, the littlest woman*) Pourquoi _______ aime-t-il presque toujours _______?

**C.** *Dites en français:*

—I don't know which of these books I should read.
—I would choose that short novel by Flaubert.
—Why? Does Flaubert interest you more than other writers?
—Well, I've always liked his works... and besides, I usually read rather short books.
—Well then, I'll read Flaubert, too.
—My youngest brother has just learned how to read. Up to now, my sister Anne always had to read something to him.
—Which one is she? I can't remember her.
—I don't think that you have met her. What a shame! She is the prettiest girl in the family and the most intelligent one, too.
—You must introduce me to her.
—I would be happy to do so. Since Anne is studying at the university, too, we could all meet for coffee one day next week.
—Fine. What courses is Anne taking this year?
—History and art during the day, and two evenings a week, she studies

piano at the School of Music.

—How can she study so much? I only have classes during the day—and still I can't find enough time to do all that I should do!

—I think that Anne knows how to organize (**organiser**) her life better than you!

## VOCABULAIRE

**aboyer** to bark
**adieu** farewell
**affamé** famished
(une) **aise: mal à l'aise** uncomfortable, ill at ease
(un) **ange** angel
**approcher** to approach, to draw near; **s'approcher de** to go near, to approach
**autour (de)** around
(une) **aventure** adventure
**bouger** to move
**brave** brave; good *(before noun)*
**brusquement** abruptly, suddenly
(la) **capitale** capital
(la) **chasse** hunt
**clair** clear
**convoiteux** covetous
(le) **coup** blow
**courageusement** courageously
**courageux, courageuse** courageous
**crier** to scream
**défendre** to defend
**dessus** above, over
(la) **distance** distance
**douloureusement** sorrowfully, painfully
**échapper** to escape
**énergique** energetic
(une) **épée** sword
(un) **épisode** episode
(un) **équilibre** balance
(un) **esprit** spirit
**éternel** eternal
**étoilé** starry
(une) **exception** exception; **à l'exception de** with the exception of
**faire: faire de son mieux** to do one's best
(la) **ficelle** string
**gai** gay
**geler** to freeze
(une) **habitude: comme d'habitude** as usual
(le) **jour: il se fait jour** day is breaking
**joyeux, joyeuse** happy
**jurer** to swear
**lâcher** to set, to release
(la) **liberté** freedom; **mettre en liberté** to set free
(le) **lieu: avoir lieu** to take place
(le) **loup** wolf
(la) **lueur** gleam
(la) **lumière** light
**manquer** to miss
**maudire** to curse
(la) **méchanceté** wickedness

**méchant** naughty, wicked
(le) **milieu** middle
(la) **nuit** night
(la) **paix** peace
**par: par-dessus** over
**pauvre** poor
**pêcher** to fish
**petit: petit à petit** little by little
(le) **poisson** fish
**poursuivre** to pursue
**pourtant** yet, however, nevertheless
**pratiquer** to practice, to use; to cut, to make an opening
**proposer** to propose
(le) **Quartier Latin** Latin Quarter
(la) **queue** tail
**raconter** to tell, to narrate
**réciter** to recite
(le) **renard** fox
**réunir** to join; **se réunir** to meet, to join
**rire** to laugh
**ruer** to kick; **se ruer (sur)** to hurl oneself (at)
**sauter** to jump
(la) **scène** scene
(le) **secours** help, assistance; **porter secours à qqn** to go to s.o.'s aid
**séparer** to separate
**servir: se servir de qqch.** to use, to make use of sth.
**sous** under
**tellement** so
**tirer** to pull
**tranquille** quiet, still
(le) **trou** hole
**venger** to avenge; **se venger de** to take vengeance for, to revenge oneself for
(la) **vie** life
(le) **voisinage** neighborhood
(la) **voix** voice

## EXERCICES STRUCTURAUX

**A.** *Dans les phrases suivantes, remplacez l'adjectif interrogatif par le pronom interrogatif; suivez cet exemple:* ***Quelle jeune fille aimes-tu? / Laquelle aimes-tu?***

1. Quel livre a-t-il lu?
   Lequel a-t-il lu?
2. Quelle porte était ouverte?
   Laquelle était ouverte?
3. De quelle jeune fille a-t-il parlé?
   De laquelle a-t-il parlé?
4. À quel magasin êtes-vous allé?
   Auquel êtes-vous allé?

5. Pour quel garçon a-t-elle acheté ce mouchoir?
   Pour lequel a-t-elle acheté ce mouchoir?
6. À quel enfant avez-vous donné de l'argent?
   Auquel avez-vous donné de l'argent?
7. Par quelle porte êtes-vous entré, Monsieur?
   Par laquelle êtes-vous entré, Monsieur?
8. Quelle hôtelière parisienne connaissez-vous?
   Laquelle connaissez-vous?
9. Quel journal lisez-vous?
   Lequel lisez-vous?
10. Quelle bouteille de vin avez-vous bu?
   Laquelle avez-vous bue?

**B.** *Dans les exercices suivants, mettez l'adjectif au superlatif et finissez la phrase par* ***du monde****; suivez cet exemple:* ***C'est un beau livre. / C'est le plus beau livre du monde.***

1. Voilà un grand arbre.
   Voilà le plus grand arbre du monde.
2. Louise est une belle femme.
   Louise est la plus belle femme du monde.
3. Elle est une bonne étudiante.
   Elle est la meilleure étudiante du monde.
4. Voilà un bon magasin.
   Voilà le meilleur magasin du monde.
5. Il a une petite femme.
   Il a la plus petite femme du monde.
6. Tu es un méchant garçon.
   Tu es le plus méchant garçon du monde.
7. La Chine est un grand pays.
   La Chine est le plus grand pays du monde.
8. M. Smith est un bon professeur.
   M. Smith est le meilleur professeur du monde.
9. Notre-Dame est une belle cathédrale.
   Notre-Dame est la plus belle cathédrale du monde.
10. Paul m'a dit que Flaubert est un bon écrivain.
   Paul m'a dit que Flaubert est le meilleur écrivain du monde.

**C.** *Dans les exercices suivants, mettez l'adverbe au superlatif et finissez la phrase par* ***possible;*** *suivez cet exemple:* ***Marie marche vite. / Marie marche le plus vite possible.***

1. Nous lisons lentement.
   Nous lisons le plus lentement possible.
2. Elle voit bien.
   Elle voit le mieux possible.
3. Nous nous promenons souvent.
   Nous nous promenons le plus souvent possible.
4. Il parle clairement à ses enfants.
   Il parle le plus clairement possible à ses enfants.
5. Va lentement, car elle est malade!
   Va le plus lentement possible, car elle est malade!

**D.** *Dans les phrases suivantes, remplacez les mots convenables par les mots donnés entre parenthèses; suivez cet exemple:* ***Auquel de mes amis pensez-vous? (... mes soeurs ...) / À laquelle de mes soeurs pensez-vous? (... mes livres ...) / Auquel de mes livres pensez-vous?***

1. Auquel de mes amis pensez-vous? *(... les jeunes filles ...)*
   À laquelle des jeunes filles pensez-vous? *(... parlez ...)*
   De laquelle des jeunes filles parlez-vous? *(... les hommes ...)*
   Duquel des hommes parlez-vous? *(... pensez ...)*
   Auquel des hommes pensez-vous?

2. Jacques va au cinéma le plus souvent possible. *(... moins ...)*
   Jacques va au cinéma le moins souvent possible. *(je ...)*
   Je vais au cinéma le moins souvent possible. *(... théâtre ...)*
   Je vais au théâtre le moins souvent possible. *(... campagne ...)*
   Je vais à la campagne le moins souvent possible.

3. J'ai vu de tout petits enfants qui jouaient dans la rue.
   *(... filles ...)*
   J'ai vu de toutes petites filles qui jouaient dans la rue.
   *(... s'amusaient ...)*

J'ai vu de toutes petites filles qui s'amusaient dans la rue.
*(... la salle)*
J'ai vu de toutes petites filles qui s'amusaient dans la salle.
*(je regardais ...)*
Je regardais de toutes petites filles qui s'amusaient dans la salle.

4. Les étudiants français commencent à se spécialiser à leur arrivée.
*(... jeunes filles ...)*
Les jeunes filles françaises commencent à se spécialiser à leur arrivée.
*(... départ)*
Les jeunes filles françaises commencent à se spécialiser à leur départ.
*(... travailler ...)*
Les jeunes filles françaises commencent à travailler à leur départ.
*(... finissent par ...)*
Les jeunes filles françaises finissent par travailler à leur départ.

5. Quand je suis arrivé au printemps il faisait beau. *(... parti ...)*
Quand je suis parti au printemps il faisait beau. *(... hiver ...)*
Quand je suis parti en hiver il faisait beau. *(... froid)*
Quand je suis parti en hiver il faisait froid. *(... automne ...)*
Quand je suis parti en automne il faisait froid.

6. Un passant a vu le beau foulard jaune. *(... robe ...)*
Un passant a vu la belle robe jaune. *(... verte ...)*
Un passant a vu la belle robe verte. *(... le livre ...)*
Un passant a vu le beau livre vert. *(... a vendu ...)*
Un passant a vendu le beau livre vert.

7. Je connais le jeune matelot breton dont vous parlez.
*(... américain ...)*
Je connais le jeune matelot américain dont vous parlez.
*(... fille ...)*
Je connais la jeune fille américaine dont vous parlez.
*(... française ...)*
Je connais la jeune fille française dont vous parlez.
*(je vois ...)*
Je vois la jeune fille française dont vous parlez.

8. Où trouve-t-on des sangliers en Amérique? *(... France)*
Où trouve-t-on des sangliers en France? *(... États-Unis)*
Où trouve-t-on des sangliers aux États-Unis? *(... Canada)*
Où trouve-t-on des sangliers au Canada? *(... New York)*
Où trouve-t-on des sangliers à New York?

## QUATRIÈME RÉVISION

**A.** *Remplacez les expressions signalées entre parenthèses par l'équivalent français:*

1. *(a very little child)* Est-ce que ton frère est ______?
2. *(do you want me to say)* Que ______?
3. *(without his knowing it)* Je suis parti ______.
4. *(Of which one {f.})* ______ parles-tu? *(Of the fifth)* ______ à gauche.
5. *(less attractive than)* Elle est pourtant ______ Odette.
6. *(You're wrong)* ______, c'est un ange!
7. *(know how)* Il faut que vous ______ parler bien le français.
8. *(I'm going out)* ______; veux-tu aller avec moi?
9. *(With which, did you go)* ______ de ces garçons ______ au cinéma?
10. *(Although she is right, will make her say)* ______, je ______ qu'elle a tort.
11. *(Of which one)* ______ de ces jeunes gens parlez-vous?
12. *(that one, the tallest, is not the handsomest)* Je parle de ______, qui est ______, bien qu'il ______.
13. *(the most beautiful girl in the world)* Qui est ______?
14. *(don't you)* Vous croyez que c'est Anne, ______?
15. *(I write her a letter)* Oui. ______ tous les jours.

**B.** *Remplacez les expressions signalées entre parenthèses par l'équivalent français:*

1. *(of which)* Je lui ai demandé ______ de ses professeurs elle pensait.
2. *(the seventieth)* Sur trois cents étudiants, Jules est ______.
3. *(Do you know)* ______ pourquoi vous l'aimez?

4. (*I know, I've known her; more and more beautiful*) Non, mais ______ que depuis que ______, la vie devient ______.
5. (*which*) Anne parle de ses aventures en Bretagne, ______ lui ont beaucoup plu.
6. (*entering*) Elle s'est aperçue de Jean-Paul, ______ dans la salle.
7. (*that*) C'est lui ______ elle avait vu d'abord.
8. (*of her, of whom*) C'était ______ qu'il pensait et ______ il parlait.
9. (*in front of whose house*) Voilà l'homme ______ je suis tombé hier.
10. (*who, sat down*) Pierre, ______ avait dit cela, ______ près de la cheminée.
11. (*What have you done with it*) ______?
12. (*Don't be afraid*) ______! (*Be*) ______ courageuse!
13. (*the tenth time, sit down*) Pour ______ je te dis de ______!
14. (*Can you*) ______ conduire?
15. (*has just eaten*) Il ______ du fromage.

**C.** *Mettez les verbes en italique au temps du passé convenable:*

1. Anne (*partir*) pour la Bretagne pour voir ses parents avant Noël.
2. M. et Mme Baragouin la (*attendre*) à la gare lorsqu'elle (*descendre*) du train.
3. En route, ils lui (*poser*) des milliers de questions.
4. Enfin ils (*arriver*) à la ferme, qui (*se trouver*) à Ploërmel.
5. Pendant la journée, la jeune fille (*faire*) la connaissance d'une bonne dizaine de cousins.
6. Elle (*aider*) sa tante à préparer le repas, et puis (*mettre*) la table.
7. Plus tard, elle (*écouter*) son oncle raconter une histoire.

**D.** *Dites en français:*

—Is the *Roman de Renart* a modern story?
—No, it dates from the middle ages—from the thirteenth century, I think.
—It's quite old, then.
—Yes, but even today, it's interesting.
—Who is Renart?
—He's a wicked animal who always wants to do harm (**du mal**) to his cousin, Ysengrin.
—Ysengrin's the wolf, isn't he? I'm glad that someone does him harm.

—Agreed, but Renart goes a bit too far; he plays tricks on (**jouer des tours à**) all the animals, even on the king, Noble the Lion (**le Lion**).
—Isn't he afraid that someone will take vengeance on him?
—Of course. But he likes to play tricks on everybody so much that he can't stop doing so.
—He must have made more than a century of Frenchmen laugh.
—And he still makes them laugh, even in the twentieth century.

## EXERCICES STRUCTURAUX

**A.** *Commencez chaque phrase par le mot donné entre parenthèses:*

1. Je dors très peu. *(Anne ...)*
Anne dort très peu. *(nous ...)*
Nous dormons très peu. *(Anne et Marie ...)*
Anne et Marie dorment très peu. *(tu ...)*
Tu dors très peu. *(je ...)*
Je dors très peu. *(Henri ...)*
Henri dort très peu. *(tu ...)*
Tu dors très peu.

2. Le garçon sert le repas. *(tu ...)*
Tu sers le repas. *(nous ...)*
Nous servons le repas. *(Anne ...)*
Anne sert le repas. *(Étienne et Jacques ...)*
Étienne et Jacques servent le repas. *(Étienne ...)*
Étienne sert le repas. *(nous ...)*
Nous servons le repas. *(vous ...)*
Vous servez le repas.

3. Je finis le travail. *(nous ...)*
Nous finissons le travail. *(Marie ...)*
Marie finit le travail. *(Marie et Anne ...)*
Marie et Anne finissent le travail. *(je ...)*
Je finis le travail. *(il ...)*
Il finit le travail. *(tu ...)*
Tu finis le travail. *(vous ...)*
Vous finissez le travail.

4. Je remplissais la fiche. *(nous ...)*
   Nous remplissions la fiche. *(Marie ...)*
   Marie remplissait la fiche. *(je ...)*
   Je remplissais la fiche. *(tu ...)*
   Tu remplissais la fiche. *(vous ...)*
   Vous remplissiez la fiche. *(Henri et Jean-Paul ...)*
   Henri et Jean-Paul remplissaient la fiche. *(Henri ...)*
   Henri remplissait la fiche.

5. Je sortais souvent. *(Jean-Paul ...)*
   Jean-Paul sortait souvent. *(nous ...)*
   Nous sortions souvent. *(Marie ...)*
   Marie sortait souvent. *(Anne et Marie ...)*
   Anne et Marie sortaient souvent. *(tu ...)*
   Tu sortais souvent. *(vous ...)*
   Vous sortiez souvent. *(Jacques ...)*
   Jacques sortait souvent.

**B.** *Commencez les phrases suivantes par* **je veux que**, *en faisant les changements nécessaires:*

1. Elles prennent leur temps.
   Je veux qu'elles prennent leur temps.
2. Jacques vend la voiture.
   Je veux que Jacques vende la voiture.
3. Tu sais travailler.
   Je veux que tu saches travailler.
4. Elles sortent de bonne heure.
   Je veux qu'elles sortent de bonne heure.
5. Nous pouvons marcher.
   Je veux que nous puissions marcher.
6. Tu viens ici.
   Je veux que tu viennes ici.
7. Vous dites cela.
   Je veux que vous disiez cela.
8. Vous attendez la lettre.
   Je veux que vous attendiez la lettre.

9. Vous décidez de vous en aller.
    Je veux que vous décidiez de vous en aller.
10. Nous trouvons le livre.
    Je veux que nous trouvions le livre.

**C.** *Commencez les phrases suivantes par* ***il faut que,*** *en faisant les changements nécessaires:*

1. Vous décidez de vous en aller.
    Il faut que vous décidiez de vous en aller.
2. Nous partons de bonne heure.
    Il faut que nous partions de bonne heure.
3. Jacques vend la voiture.
    Il faut que Jacques vende la voiture.
4. Tu viens ici.
    Il faut que tu viennes ici.
5. Nous pouvons marcher.
    Il faut que nous puissions marcher.
6. Elle dit cela.
    Il faut qu'elle dise cela.
7. Elles sortent de bonne heure.
    Il faut qu'elles sortent de bonne heure.
8. Tu sais travailler.
    Il faut que tu saches travailler.
9. Tu fais ton devoir.
    Il faut que tu fasses ton devoir.
10. Marie va à Paris.
    Il faut que Marie aille à Paris.

# APPENDICES

# APPENDIX I: GRAMMATICAL REFERENCE

## PART A: THE VERB

### I: VERB FORMS

#### 1. PRESENT

- **Verbs ending in -er (except aller)**

To form the present tense of all **-er** verbs (except **aller**), determine the stem by dropping **-er** from the infinitive: **parler, parl-;** to this stem add the following endings:

| *singular* | *plural* |
|---|---|
| -e | -ons |
| -es | -ez |
| -e | -ent |

- **All other verbs**

To form the present tense of almost all other verbs, add the following endings to the stems that are given in the conjugation summary:

| | |
|---|---|
| -s | -ons |
| -s | -ez |
| -(t) | -ent |

The *t* of the third person singular is dropped if the stem ends in *-d:* **il prend; il vend.** Also if the stem ends in *-t,* no second *t* is added to third person singular: **il met.**

A few exceptional forms in the singular will be given in the conjugation summary for **pouvoir, valoir, vouloir,** and **vaincre. Avoir, être,** and **aller** will be treated separately.

The plural endings of all verbs are regular, except for the following forms:

| | *1st person* | *2nd person* | *3rd person* |
|---|---|---|---|
| être | nous sommes | vous êtes | ils sont |
| faire | | vous faites | ils font |
| dire | | vous dites | |
| avoir | | | ils ont |
| aller | | | ils vont |

## 2. IMPERFECT

To form the stem of the imperfect tense, drop the **-ons** ending from the first person plural, present indicative: **nous prenons, pren-.** To this stem add the following endings:

| | |
|---|---|
| -ais | -ions |
| -ais | -iez |
| -ait | -aient |

The only exception is **être: j'étais.**

## 3. FUTURE

To the stem, which is usually the infinitive, add the following endings:

| | |
|---|---|
| -ai | -ons |
| -as | -ez |
| -a | -ont |

Infinitives ending in **-re** drop the final *e* before adding the endings.
Example: **prendre: je prendrai.**

Certain verbs have future stems that are not identical with the infinitive *(see Lesson 12)*. These will be noted in the conjugation summary.

## 4. CONDITIONAL

To the future stem add the following endings (which are the same as those for the imperfect):

| | |
|---|---|
| -ais | -ions |
| -ais | -iez |
| -ait | -aient |

## 5. PRESENT SUBJUNCTIVE

To form the present subjunctive stem of most verbs, drop the **-ent** ending from the third person plural, present indicative: **ils finissent: finiss-.** To this stem add the following endings:

| | |
|---|---|
| -e | -ions |
| -es | -iez |
| -e | -ent |

A number of verbs have two stems: one stem for the singular forms and the **ils** form, and another stem for the **nous** and **vous** forms.
Example: **venir, ils viennent: je vienne, tu viennes, il vienne, ils viennent; nous venions, vous veniez.** These stems will be noted in the conjugation summary.

A few verbs have stems that do not conform to these rules.
Example: **vouloir, ils veulent: je veuille, nous voulions,** etc. These verbs will also be noted in the conjugation summary.

Exceptions to the verb *endings* are found in the following forms of **avoir** and **être**: **il ait, nous ayons, vous ayez; je sois, tu sois, il soit, nous soyons, vous soyez.**

### 6. COMPOUND TENSES

Compound tenses are formed by combining the appropriate tense of the auxiliary with the past participle of the verb. The auxiliary for most verbs is **avoir**: **j'ai donné.**

If a verb is reflexive, its auxiliary is always **être**: **je me suis rappelé.** Other verbs that take **être** as the auxiliary are listed in Lesson 9. Also the conjugation summary will indicate where **être** is used as the auxiliary.

### 7. PASSÉ SIMPLE *(not treated in the text)*

French has a verb tense which is used almost exclusively in writing and which is the exact equivalent of the English simple past tense (i.e., *she spoke, we went*). There are two sets of endings for the **passé simple**—one for all **-er** verbs (including **aller**) and another for all other verbs.

- **Verbs ending in -er**

To form the stem, drop the **-er** from the infinitive; then add the following endings:

| | |
|---|---|
| -ai | -âmes |
| -as | -âtes |
| -a | -èrent |

| | | | |
|---|---|---|---|
| je parl**ai** | *I spoke* | nous parl**âmes** | *we spoke* |
| tu parl**as** | *you spoke* | vous parl**âtes** | *you spoke* |
| il parl**a** | *he spoke* | ils parl**èrent** | *they spoke* |
| j'essay**ai** | *I tried* | nous essay**âmes** | *we tried* |
| tu essay**as** | *you tried* | vous essay**âtes** | *you tried* |
| il essay**a** | *he tried* | ils essay**èrent** | *they tried* |

- **All other verbs**

After determining the stem, add the following endings:

| | |
|---|---|
| -s | ^mes |
| -s | ^tes |
| -t | ^rent |

Most **-ir** verbs form the stem by dropping the *r* from the infinitive: **choisir: choisi-; ouvrir: ouvri-.**

For verbs that end in **-re** and that are conjugated like **attendre**, drop the infinitive ending **-re** and add *i* to obtain the stem: **attendre: attendi-; vendre: vendi-; rompre: rompi-.**

Many verbs, however, have stems that defy classification. To form the **passé simple** of these verbs, refer to the conjugation summary.
Examples:

| | | |
|---|---|---|
| **avoir** | eu- | eus, eus, eut, eûmes, eûtes, eurent |
| **être** | fu- | fus, fus, fut, fûmes, fûtes, furent |
| **asseoir** | assi- | assis, assis, assit, assîmes, assîtes, assirent |
| **boire** | bu- | bus, bus, but, bûmes, bûtes, burent |
| **conduire** | conduisi- | conduisis, conduisis, conduisit, conduisîmes, conduisîtes, conduisirent |
| **connaître** | connu- | connus, connus, connut, connûmes, connûtes, connurent |
| **craindre** | craigni- | craignis, craignis, craignit, craignîmes, craignîtes, craignirent |
| **croire** | cru- | crus, crus, crut, crûmes, crûtes, crurent |
| **devoir** | du- | dus, dus, dut, dûmes, dûtes, durent |
| **dire** | di- | dis, dis, dit, dîmes, dîtes, dirent |
| **écrire** | écrivi- | écrivis, écrivis, écrivit, écrivîmes, écrivîtes, écrivirent |
| **faire** | fi- | fis, fis, fit, fîmes, fîtes, firent |
| **falloir** | (fallu-) | il fallut |
| **lire** | lu- | lus, lus, lut, lûmes, lûtes, lurent |
| **maudire** | maudi- | maudis, maudis, maudit, maudîmes, maudîtes, maudirent |
| **mettre** | mi- | mis, mis, mit, mîmes, mîtes, mirent |
| **mourir** | mouru- | mourus, mourus, mourut, mourûmes, mourûtes, moururent |
| **naître** | naqui- | naquis, naquis, naquit, naquîmes, naquîtes, naquirent |
| **plaire** | plu- | plus, plus, plut, plûmes, plûtes, plurent |
| **pleuvoir** | (plu-) | il plut |
| **pouvoir** | pu- | pus, pus, put, pûmes, pûtes, purent |
| **prendre** | pri- | pris, pris, prit, prîmes, prîtes, prirent |
| **recevoir** | reçu- | reçus, reçus, reçut, reçûmes, reçûtes, reçurent |
| **savoir** | su- | sus, sus, sut, sûmes, sûtes, surent |
| **suivre** | suivi- | suivis, suivis, suivit, suivîmes, suivîtes, suivirent |
| **tenir** | tin- | tins, tins, tint, tînmes, tîntes, tinrent |
| **venir** | vin- | vins, vins, vint, vînmes, vîntes, vinrent |
| **vivre** | vécu- | vécus, vécus, vécut, vécûmes, vécûtes, vécurent |
| **voir** | vi- | vis, vis, vit, vîmes, vîtes, virent |
| **vouloir** | voulu- | voulus, voulus, voulut, voulûmes, voulûtes, voulurent |

### 8. PASSÉ ANTÉRIEUR *(not treated in the text)*

The **passé antérieur** is the compound tense of the **passé simple** and is an equivalent of the English pluperfect. It is formed by using the **passé simple** of the auxiliary with the past participle of the main verb:

| | |
|---|---|
| **il eut dit** | *he had said* |
| **ils furent venus** | *they had come* |
| **elles se furent levées** | *they had gotten up* |

## 9. IMPERFECT SUBJUNCTIVE L'imparfait du subjonctif *(not treated in the text)*

The imperfect subjunctive is a tense used in formal style. It is employed when the verb of the principal clause is in a past tense and the action of the subjunctive verb has not taken place yet. It then replaces the present subjunctive:

*informal style:* Je craignais qu'il (ne) vienne.
*formal style:* Je craignais qu'il ne vînt.

*informal style:* J'aurais craint qu'il (ne) vienne.
*formal style:* J'aurais craint qu'il ne vînt.

To form this tense, verbs ending in **-er** (including **aller**) drop the **-er** from the infinitive and add the following endings:

| | |
|---|---|
| -asse | -assions |
| -asses | -assiez |
| -ât | -assent |

Examples:

| | | |
|---|---|---|
| **chanter** | chant- | chantasse, chantasses, chantât, chantassions, chantassiez, chantassent |
| **aller** | all- | allasse, allasses, allât, allassions, allassiez, allassent |

Verbs not ending in **-er** form the imperfect subjunctive by adding the following endings to the stem of the **passé simple:**

| | |
|---|---|
| -sse | -ssions |
| -sses | -ssiez |
| ^t | -ssent |

Examples:

| | | |
|---|---|---|
| **avoir** | eu- | eusse, eusses, eût, eussions, eussiez, eussent |
| **être** | fu- | fusse, fusses, fût, fussions, fussiez, fussent |
| **attendre** | attendi- | attendisse, attendisses, attendît, attendissions, attendissiez, attendissent |
| **craindre** | craigni- | craignisse, craignisses, craignît, craignissions, craignissiez, craignissent |
| **croire** | cru- | crusse, crusses, crût, crussions, crussiez, crussent |
| **dire** | di- | disse, disses, dît, dissions, dissiez, dissent |
| **faire** | fi- | fisse, fisses, fît, fissions, fissiez, fissent |
| **finir** | fini- | finisse, finisses, finît, finissions, finissiez, finissent |
| **mettre** | mi- | misse, misses, mît, missions, missiez, missent |
| **pouvoir** | pu- | pusse, pusses, pût, pussions, pussiez, pussent |
| **prendre** | pri- | prisse, prisses, prît, prissions, prissiez, prissent |
| **savoir** | su- | susse, susses, sût, sussions, sussiez, sussent |
| **sentir** | senti- | sentisse, sentisses, sentît, sentissions, sentissiez, sentissent |

| | | |
|---|---|---|
| **tenir** | tin- | tinsse, tinsses, tînt, tinssions, tinssiez, tinssent |
| **venir** | vin- | vinsse, vinsses, vînt, vinssions, vinssiez, vinssent |

This tense is considered unwieldy by the modern speaker and is therefore used almost exclusively in the third person singular, where the ear cannot distinguish it from the **passé simple.**

### 10. PLUPERFECT SUBJUNCTIVE Le plus-que-parfait du subjonctif *(not treated in the text)*

The pluperfect subjunctive is used in formal style. It is employed when the verb of the principal clause is in a past tense and the action of the subjunctive verb has already taken place. It then replaces the perfect subjunctive:

*informal style:* Je n'imaginais pas qu'il soit venu.
*formal style:* Je n'imaginais pas qu'il fût venu.

*informal style:* Je n'aurais pas imaginé qu'il soit venu.
*formal style:* Je n'aurais pas imaginé qu'il fût venu.

This tense is formed by using the imperfect subjunctive of the auxiliary with the past participle of the main verb:

il eût fait
elle fût sortie
nous nous fussions levés

The pluperfect subjunctive is often used as the equivalent of the past conditional: **Il eût fait cela** can often mean **Il aurait fait cela.**

## II: VERBS ENDING IN -ER THAT HAVE STEM CHANGES

There are three general classes of verbs ending in **-er** that alter their spelling slightly in certain cases:

### 1. VERBS ENDING IN -CER AND -GER

Verbs ending in **-cer** and **-ger** (as **commencer** and **manger**) change the *c* to *ç* and the *g* to *ge* whenever the *c* or *g* is followed by an *a* or an *o*. This is done in order to indicate that the *c* is pronounced like an "s," and that the *g* has a "soft" sound, as in the infinitive of **manger.**

| | |
|---|---|
| nous commençons | nous mangeons |
| je commençais | je mangeais |
| *But:* | |
| nous commencions | nous mangions |
| je commencerai | je mangerai |

## 2. VERBS ENDING IN -YER

Verbs ending in **-yer** (as **essayer, employer,** and **essuyer**) change the *y* to *i* whenever the following syllable is mute:

| | | |
|---|---|---|
| j'essaie | j'emploie | j'essuie |
| ils essaient | ils emploient | ils essuient |
| j'essaierai | j'emploierai | j'essuierai |
| *But:* | | |
| nous essayons | nous employons | nous mangeons |
| j'essayais | j'employais | je mangeais |
| j'ai essayé | j'ai employé | j'ai essuyé |

## 3. VERBS ENDING IN E (CONSONANT) ER

Certain verbs alter the spelling of the last syllable of their stem whenever the final stem consonant is followed by a mute *e*. In some cases, the final stem consonant is doubled, and in other cases, the *e* becomes *è*. There is no difference in the pronunciation of the *e* before the doubled consonant and the *è*: **je gèle, j'appelle.** No rule exists that lets you know whether to double the consonant or to change the *e* to *è*; the change must be memorized with each verb and its derivatives.

Verbs in this category have infinitives ending in *e* (consonant) *er*.
Examples: **appeler, jeter; emmener, lever.**

### • Appeler and jeter

**Appeler** and **jeter** are examples of verbs that double the final stem consonant whenever that consonant is followed by a mute *e*:

| | | | |
|---|---|---|---|
| j'appelle | nous appelons | je jette | nous jetons |
| tu appelles | vous appelez | tu jettes | vous jetez |
| il appelle | ils appellent | il jette | ils jettent |

Accordingly, the consonant is doubled in:

| | | |
|---|---|---|
| j'appellerai | je jetterai | (fut. and cond.: all) |
| j'appelle | je jette | (pres. subj.: sg., 3rd. pers. pl.) |
| *But:* | | |
| j'appelais | je jetais | (imperf.: none) |
| j'appelai | je jetai | (**p. simple:** none) |
| nous appelions | nous jetions | (pres. subj.: not in 1st and 2nd. pers. pl.) |
| j'ai appelé | j'ai jeté | (compound tenses: none) |

Like **appeler: s'appeler, se rappeler**
Like **jeter: rejeter** *(to reject)*

### • Emmener and se lever

**Emmener** and **se lever** are examples of verbs that change the *e* preceding the final stem consonant to *è* whenever that consonant is followed by a mute *e:*

| | | | |
|---|---|---|---|
| j'emmène | nous emmenons | je me lève | nous nous levons |
| tu emmènes | vous emmenez | tu te lèves | vous vous levez |
| il emmène | ils emmènent | il se lève | ils se lèvent |

This *e* becomes *è* in all forms in which **appeler** and **jeter** double the consonant *(see above).*

Like **emmener: se promener, mener** *(to lead, to drive),* **amener** *(to bring along, to take)*
Like **se lever: acheter** (**j'achète,** etc.)

*Note 1:* Verbs that have an *é* before the final stem consonant(s) change the *é* to *è* if the final consonant is not followed by any pronounced syllable.
Example: **espérer: j'esp*è*re,** but **nous espérons;** however, **j'espérer*ai*.**

*Note 2:* Verbs whose stem ends in *é* do not change this *é*.
Example: **agréer** *(to accept, to approve):* **j'agrée, nous agréons.**

## III. SUMMARY OF CONJUGATIONS

### 1. THE EXCEPTIONS: AVOIR, ÊTRE, ALLER

| *inf.* | **avoir** | **être** | **aller** |
|---|---|---|---|
| *pres. part.* | ayant | étant | allant |
| *past part.* | eu | été | allé |
| *imper.* | aie! | sois! | va! |
| | ayez! | soyez! | allez! |
| | ayons! | soyons! | allons! |
| *pres. ind.* | ai | suis | vais |
| | as | es | vas |
| | a | est | va |
| | avons | sommes | allons |
| | avez | êtes | allez |
| | ont | sont | vont |
| *imperf. ind.* | avais | étais | allais |
| *passé comp.* | ai eu | ai été | suis allé |
| *pluperf.* | avais eu | avais été | étais allé |
| *fut.* | aurai | serai | irai |
| *fut. perf.* | aurai eu | aurai été | serai allé |

| | | | |
|---|---|---|---|
| *cond.* | aurais | serais | irais |
| *past cond.* | aurais eu | aurais été | serais allé |
| | | | |
| *pres. subj.* | aie | sois | aille |
| | aies | sois | ailles |
| | ait | soit | aille |
| | ayons | soyons | allions |
| | ayez | soyez | alliez |
| | aient | soient | aillent |
| *perf. subj.* | aie eu | aie été | sois allé |
| | | | |
| *passé simple* | eus | fus | allai |
| | eus | fus | allas |
| | eut | fut | alla |
| | eûmes | fûmes | allâmes |
| | eûtes | fûtes | allâtes |
| | eurent | furent | allèrent |
| *passé ant.* | eus eu | eus été | fus allé |
| *imperf. subj.* | eusse | fusse | allasse |
| | eusses | fusses | allasses |
| | eût | fût | allât |
| | eussions | fussions | allassions |
| | eussiez | fussiez | allassiez |
| | eussent | fussent | allassent |
| *pluperf. subj.* | eusse eu | eusse été | fusse allé |

## 2. CONJUGATION OF VERBS ENDING IN -ER

All **-er** verbs, except **aller,** are conjugated like **parler.**

Note, however, that certain verbs require minor spelling changes *(see section II, p. 398)*, and that the future and conditional stem of **envoyer** is **enverr-: j'enverrai, j'enverrais.** (Like **envoyer: renvoyer**)

The entire conjugation of **-er** verbs is formed of (a) the infinitive, (b) the participles, (c) one stem (infinitive less -er), (d) eight sets of regular endings (participial, imperative, present indicative, imperfect indicative/conditional, future, present subjunctive, **passé simple,** imperfect subjunctive), and (e) the auxiliaries (for the seven compound tenses):

| | | |
|---|---|---|
| *pres. part.* | stem + ending: | parl- + -ant |
| *past part.* | stem + ending: | parl- + -é |
| *imper.* | stem + endings: | parl- + -e! -ez! -ons! |

| | | |
|---|---|---|
| *pres. ind.* | stem + endings: | parl- + -e, -es, -e; -ons, -ez, -ent |
| *imperf.* | stem + endings: | parl- + -ais, -ais, ait; -ions, -iez, -aient |
| *passé comp.* | pres. ind. of auxil. + past part.: | ai (etc.) + parlé |
| *pluperf.* | imperf. ind. of auxil. + past part.: | avais (etc.) + parlé |
| *fut.* | inf. (= fut. stem) + endings: | parler- + -ai, -as, -a; -ons, -ez, -ont |
| *fut. perf.* | fut. of auxil. + past part.: | aurai (etc.) + parlé |
| *cond.* | inf. (= fut. stem) + endings: | parler- + -ais, -ais, ait; -ions, -iez, -aient |
| *past cond.* | cond. of auxil. + past part.: | aurais (etc.) + parlé |
| *pres. subj.* | stem + endings: | parl- + -e, -es, -e; -ions, -iez, -ent |
| *perf. subj.* | pres. subj. of auxil. + past part.: | aie (etc.) + parlé |
| *passé simple* | stem + endings: | parl- + -ai, -as, -a; -âmes, -âtes, -èrent |
| *passé ant.* | **passé simple** of auxil. + past part.: | eus (etc.) + parlé |
| *imperf. subj.* | stem + endings: | parl- + asse, -asses, -ât; -assions, -assiez, -assent |
| *pluperf. subj.* | imperf. subj. of auxil. + past part.: | eusse (etc.) parlé |

### 3. CONJUGATION OF ALL OTHER VERBS

The conjugation of all other verbs is formed with the various stems given in the verb table below, to which regular endings are added as follows:

| | | |
|---|---|---|
| *pres. part.* | pres. pl. stem + | -ant |
| *imper.* | = pres. ind. (2nd pers. sg., 2nd & 1st pers. pl.) | |
| *pres. ind.* | pres. sg. stem + | -s, -s, -(t) *(see rule on p. 393)* |
| | pres. pl. stem + | -ons, -ez, -ent |
| *imperf.* | pres. pl. stem + | -ais, -ais, -ait; -ions, -iez, -aient |
| *passé comp.* | pres. ind. of auxil. + | *past part.* |
| *pluperf.* | imperf. ind. of auxil. + | *past part.* |
| *fut.* | inf. (less final *-e*) (= fut. stem) + | -ai, -as, -a; -ons, -ez, -ont |
| *fut. perf.* | fut. of auxil. + | *past. part.* |
| *cond.* | inf. (less final *-e*) (= fut. stem) + | -ais, -ais, -ait; -ions, -iez, -aient |
| *past cond.* | cond. of auxil. + | *past part.* |

| | | |
|---|---|---|
| *pres. subj.* | stem of 3rd pers. pl., pres. ind. + | -e, -es, -e; -ions, -iez, -ent |
| *perf. subj.* | pres. subj. of auxil. + | *past. part.* |
| *passé simple* | **passé simple** stem + | -s, -s, -t; ^mes, ^tes, -rent |
| *passé ant.* | **passé simple** of auxil. + | *past part.* |
| *imperf. subj.* | **passé simple** stem + | -sse, -sses, ^t; -ssions, -ssiez, -ssent |
| *pluperf. subj.* | imperf. subj. of auxil. + | *past part.* |

Thus the conjugation of all verbs in this group is formed with:

(a) the infinitive (which, when used as fut. stem, drops the final *-e* where it occurs);
(b) the past participle;
(c) four regular stems (pres. ind. sg., pres. ind. pl., 3rd pers. pl. of the pres. ind., **passé simple**);
(d) six sets of regular endings (pres. ind./imper., imperf. ind./cond., fut., pres. subj.; **passé simple,** imperf. subj.) and the pres. part. ending;
(e) the auxiliaries (for the seven compound tenses);

and, occasionally, with additional stems and a few exceptional forms.

The stem column of the following table gives one, two, or three present indicative stems (sometimes identical) and the **passé simple** stem; the last column gives the past participle. In certain cases, the table lists additional stems (for seventeen verbs) or, in the last column, a few exceptional forms (for eight verbs).

All **-ir** verbs used in this text are conjugated like **finir,** unless otherwise noted.
All **-re** verbs used in this text are conjugated like **attendre,** unless otherwise noted.

With the stems and forms of this table and with the above listed endings, all given verbs of this group can be conjugated correctly and in full.

**apercevoir** to notice; **s'apercevoir (de)** to notice, to be aware of
Like **recevoir**

**apprendre** to learn
Like **prendre**

**asseoir** to seat; **s'asseoir** to sit down

| | | |
|---|---|---|
| *pres. ind.* | assied-; assey- | |
| *p. simple* | assi- | |
| *past part.* | | assis |
| *fut.* | assiér- | |

**atteindre** to reach
Like **craindre**

**attendre** to wait, to wait (for)
*pres. ind.* attend-
*p. simple* attendi-
*past part.* attendu
Note: For **il attend,** see page 393.

**boire** to drink
*pres. ind.* boi-; buv-, boiv-
*p. simple* bu-
*past part.* bu
*pres. subj.* (boiv-); buv-, (boiv-)

**bouillir** to boil
*pres. ind.* bou-; bouill-
*p. simple* bouilli-
*past part.* bouilli

**comprendre** to understand, to include
Like **prendre**

**concevoir** to conceive
Like **recevoir**

**conduire** to drive, to lead, to conduct
*pres. ind.* condui-; conduis-
*p. simple* conduisi-
*past part.* conduit
Like **conduire: construire, traduire,** etc.

**connaître** to know, to be familiar or acquainted with
*pres. ind.* connai-; connaiss-
*p. simple* connu-
*past part.* connu
Note: ^ before the *t* of the stem: **il connaît.**
Like **connaître: reconnaître, disparaître,** etc.

**construire** to construct
Like **conduire**

**contenir** to contain
Like **tenir**

**convaincre** to convince, to convict
Like **vaincre**

**courir** to run

| | | |
|---|---|---|
| *pres. ind.* | cour- | |
| *p. simple* | couru- | |
| *past part.* | | couru |
| *fut.* | courr- | |

**couvrir** to cover
Like **ouvrir**

**craindre** to fear, to be afraid of

| | | |
|---|---|---|
| *pres. ind.* | crain-; craign- | |
| *p. simple* | craigni- | |
| *past part.* | | craint |

Like **craindre: plaindre, se plaindre (de); atteindre, éteindre, peindre; joindre.**

**croire** to believe, to think

| | | |
|---|---|---|
| *pres. ind.* | croi-; croy-, (croi-) | |
| *p. simple* | cru- | |
| *past part.* | | cru |
| *pres. subj.* | (croi-); croy-, (croi-) | |

**devenir** to become
Like **venir**

**devoir** to have to, to owe, must

| | | |
|---|---|---|
| *pres. ind.* | doi-; dev-, doiv- | dû |
| *p. simple* | du- | |
| *past part.* | | |
| *pres. subj.* | (doiv-); dev-, (doiv-) | |
| *fut.* | devr- | |

Note: No ^ in past part. forms **dus, due, dues.**

**dire** to say, to tell

| | | |
|---|---|---|
| *pres. ind.* | di-; dis- | *dites* |
| *p. simple* | di- | |
| *past part.* | | dit |

Note: 2nd pers. pl. imper. form: **dites!**

**disparaître** to disappear
Like **connaître**

**dormir** to sleep
Like **sentir**

**écrire** to write
*pres. ind.* écri-; écriv-
*p. simple* écrivi-
*past part.* écrit

**endormir** to put to sleep; **s'endormir** to fall asleep
Like **sentir**

**éteindre** to extinquish
Like **craindre**

**faire** to do, to make
*pres. ind.* fai-; fais- *faites, font*
*p. simple* fi-
*past part.* fait
*pres. subj.* fass-
*fut.* fer-
Note: 2nd pers. pl. imper. form: **faites!**

**falloir** to be necessary
Defective verb; only forms are:
*pres. ind.* il faut
*imperf. ind.* il fallait
*fut.* il faudra
*cond.* il faudrait
*pres. subj.* il faille
*p. simple* il fallut
*imperf. subj.* il fallût
*past part.* fallu
And the corresponding compound forms.

**finir** to finish
*pres. ind.* fini-; finiss-
*p. simple* fini-
*past part.* fini

**joindre** to join, to put together
Like **craindre**

**lire** to read
*pres. ind.* li-; lis-
*p. simple* lu-
*past part.* lu

**maudire** to curse

| | | |
|---|---|---|
| *pres. ind.* | maudi-; maudiss- | |
| *p. simple* | maudi- | |
| *past part.* | | maudit |

**mentir** to (tell a) lie
Like **sentir**

**mettre** to put

| | | |
|---|---|---|
| *pres. ind.* | met-; mett- | |
| *p. simple* | mi- | |
| *past part.* | | mis |

Note: For **il met,** see page 393.
Like **mettre: permettre, promettre, remettre,** etc.

**mourir** to die

| | | |
|---|---|---|
| *pres. ind.* | meur-; mour-, (meur-) | |
| *p. simple* | mouru- | |
| *past part.* | | mort |
| *pres. subj.* | (meur-); mour-, (meur-) | |
| *fut.* | mourr- | |

Note: Conjugated with **être: je suis mort(e).**

**mouvoir** to move

| | | |
|---|---|---|
| *pres. ind.* | meu-; mouv-, meuv- | |
| *p. simple* | mu- | |
| *past part.* | | mû |
| *pres. subj.* | (meuv-); mouv-, (meuv-) | |
| *fut.* | mouvr- | |

Note: No ^ in past part. forms **mus, mue, mues.**

**naître** to be born

| | | |
|---|---|---|
| *pres. ind.* | nai-; naiss- | |
| *p. simple* | naqui- | |
| *past part.* | | né |

Note: ^ before the *t* of the stem: **il naît.** Conjugated with **être: je suis né(e).**

**obtenir** to obtain
Like **tenir**

**offrir** to offer
Like **ouvrir**

**ouvrir** to open

| | | |
|---|---|---|
| *pres. ind.* | ouvr- | *-e, -es, -e; -ons, -ez, -ent* |
| *p. simple* | ouvri- | |
| *past part.* | | ouvert |

Note: 2nd pers. sg. imper. form: **ouvre!**
Like **ouvrir: couvrir, offrir, souffrir,** etc.

**partir** to leave, to depart
Like **sentir.** Conjugated with **être: je suis parti(e).**

**peindre** to paint
Like **craindre**

**permettre** to permit, to allow
Like **mettre**

**plaindre** to pity; **se plaindre (de)** to complain (about)
Like **craindre**

**plaire** to please

| | | |
|---|---|---|
| *pres. ind.* | plai-; plais- | |
| *p. simple* | plu- | |
| *past part.* | | plu |

Note: ˆ before the *t* of the stem: **il plaît.**

**pleuvoir** to rain
Defective verb; usually used in the 3rd person singular only:

| | | |
|---|---|---|
| *pres. ind.* | il pleut | |
| *imperf. ind.* | il pleuvait | |
| *fut.* | il pleuvra | |
| *cond.* | il pleuvrait | |
| *pres. subj.* | il pleuve | |
| *p. simple* | il plut | |
| *imperf. subj.* | il plût | |
| *pres. part.* | | pleuvant |
| *past part.* | | plu |

And the corresponding compound forms.

**poursuivre** to pursue
Like **suivre**

**pouvoir** to be able, can

| | | |
|---|---|---|
| *pres. ind.* | peu-; pouv-, peuv- | *je peux (je puis), tu peux* |
| *p. simple* | pu- | |
| *past part.* | | pu |

| | |
|---|---|
| *pres. subj.* | puiss- |
| *fut.* | pourr- |

**prendre** to take

| | | |
|---|---|---|
| *pres. ind.* | prend-; pren-, prenn- | |
| *p. simple* | pri- | |
| *past part.* | | pris |
| *pres. subj.* | (prenn-); pren-, (prenn-) | |

Like **prendre**: **apprendre, comprendre, reprendre,** etc.

**promettre** to promise
Like **mettre**

**recevoir** to receive

| | | |
|---|---|---|
| *pres. ind.* | reçoi-; recev-, reçoiv- | |
| *p. simple* | reçu- | |
| *past part.* | | reçu |
| *pres. subj.* | (reçoiv-); recev-, (reçoiv-) | |
| *fut.* | recevr- | |

Note: *ç* before *o* and *u*.
Like **recevoir**: **apercevoir, s'apercevoir (de), concevoir,** etc.

**reconnaître** to recognize, to acknowledge
Like **connaître**

**remettre** to put off, to give back, to remit
Like **mettre**

**reprendre** to take back, to take again
Like **prendre**

**retenir** to secure, to book, to retain
Like **tenir**

**revenir** to come back, to return
Like **venir**

**revoir** to see again
Like **voir**

**rire** to laugh

| | | |
|---|---|---|
| *pres. ind.* | ri- | |
| *p. simple* | ri- | |
| *past part.* | | ri |

Like **rire**: **sourire**

**savoir** to know (how), to be able, can

| | | |
|---|---|---|
| *pres. ind.* | sai-; sav- | |
| *p. simple* | su- | |
| *past part.* | | su |
| *pres. subj.* | sach- | |
| *fut.* | saur- | |
| *pres. part.* | | *sachant* |
| *imper.* | | *sache! sachez! sachons!* |

**sentir** to feel, to smell

| | | |
|---|---|---|
| *pres. ind.* | sen-; sent- | |
| *p. simple* | senti- | |
| *past part.* | | senti |

Like **sentir: mentir, dormir, endormir, s'endormir, servir;** and, conjugated with **être: partir, sortir.**

**servir** to serve; **se servir de** to use
Like **sentir**

**sortir** to go out
Like **sentir.** Conjugated with **être: je suis sorti(e).**

**souffrir** to suffer, to bear
Like **ouvrir**

**sourire** to smile
Like **rire**

**se souvenir (de)** to remember
Like **venir**

**suffire** to suffice

| | | |
|---|---|---|
| *pres. ind.* | suffi-; suffis- | |
| *p. simple* | suffi- | |
| *past part.* | | suffi |

**suivre** to follow, to attend or take (a course)

| | | |
|---|---|---|
| *pres. ind.* | sui-; suiv- | |
| *p. simple* | suivi- | |
| *past part.* | | suivi |

Like **suivre: poursuivre**

**taire** to say nothing of, to conceal; **se taire** to be silent

| | | |
|---|---|---|
| *pres. ind.* | tai-; tais- | |
| *p. simple* | tu- | |
| *past part.* | | tu |

**tenir** to hold

| | | |
|---|---|---|
| *pres. ind.* | tien-; ten-, tienn- | |
| *p. simple* | tin- | |
| *past part.* | | tenu |
| *pres. subj.* | (tienn-); ten-, (tienn-) | |
| *fut.* | tiendr- | |

Note the position of ^ in **tînmes, tîntes.**
Like **tenir: contenir, obtenir, retenir,** etc.

**traduire** to translate
Like **conduire**

**vaincre** to conquer, to defeat, to overcome

| | | |
|---|---|---|
| *pres. ind.* | vainc-; vainqu- | *il vainc* |
| *p. simple* | vainqui- | |
| *past part.* | | vaincu |

Like **vaincre: convaincre**

**valoir** to be worth, to deserve

| | | |
|---|---|---|
| *pres. ind.* | vau-; val- | *je vaux, tu vaux* |
| *p. simple* | valu- | |
| *past part.* | | valu |
| *pres. subj.* | vaill-; (val-), (vaill-) | |
| *fut.* | vaudr- | |

**venir** to come

| | | |
|---|---|---|
| *pres. ind.* | vien-; ven-, vienn- | |
| *p. simple* | vin- | |
| *past part.* | | venu |
| *pres. subj.* | (vienn-); ven-, (vienn-) | |
| *fut.* | viendr- | |

Note position of ^ in **vînmes, vîntes.** Conjugated with **être: je suis venu(e).**
Like **venir: devenir, revenir, se souvenir (de).**

**vivre** to live

| | | |
|---|---|---|
| *pres. ind.* | vi-; viv- | |
| *p. simple* | vécu- | |
| *past part.* | | vécu |

**voir** to see

| | | |
|---|---|---|
| *pres. ind.* | voi-; voy-, (voi-) | |
| *p. simple* | vi- | |
| *past part.* | | vu |
| *pres. subj.* | (voi-); voy-, (voi-) | |
| *fut.* | verr- | |

Like **voir: revoir**

**vouloir** to wish, to want

| | | |
|---|---|---|
| *pres. ind.* | veu-; voul-, veul- | *je veux, tu veux* |
| *p. simple* | voulu- | |
| *past part.* | | voulu |
| *pres. subj.* | veuill-; voul-, (veuill-) | |
| *fut.* | voudr- | |
| *imper.* | | *veuille! veuillez!* |

Note: Regular forms of the imperative exist, but are seldom used:
**veux! voulez! voulons!**

## IV: VERB COMPLEMENTS AND THE USE OF PREPOSITIONS

The use of the preposition with certain verb complements (that is, with words that complete the verb, such as direct objects, indirect objects, or infinitives) differs from the English equivalent. In **je veux parler,** for example, *I want* is rendered as **je veux,** without a preposition; but in **je refuse de parler,** *I refuse* is rendered as **je refuse** ***de,*** with a preposition as part of the verb. (Note that in either case **parler** is the equivalent of ***to*** *speak.*) Other difficulties exist for the use of the preposition with direct and indirect objects, in particular when the object is a pronoun: **J'ai payé** ***le repas*** **au garçon** *(I paid the waiter* ***for the meal);*** **je** ***le*** **lui ai payé** *(I paid him* ***for it****).*

The infinitive as complement of a verb deserves special attention. When we introduce an infinitive, the following situations may arise:

(a) The infinitive is used as complement of a verb that is not followed by a preposition; for example: **je peux chanter, je compte rester, je dois y aller.**

(b) The infinitive is used as complement of a verb that is followed by **à: j'arrive** ***à*** **comprendre, je cherche** ***à*** **la connaître, j'apprends** ***à*** **parler.**

(c) The infinitive is used as complement of a verb that is followed by **de: j'ai décidé** ***de*** **le faire; je risque** ***de*** **tomber, je refuse** ***de*** **parler.**

(d) The infinitive is used as complement of a verb for which a combination of any of these possibilities applies; for example, it is equally correct to say **j'aime manger** and **j'aime à manger.** For this small group of verbs, certain differences in meaning, in sound, or simply in usage determine the choice of the preposition.

Since no set of rules exists to determine the use of a preposition with an infinitive as complement, the simplest solution is to memorize, along with the verb, the preposition that is used to introduce an infinitive.

## VERBS THAT USE NO PREPOSITION TO INTRODUCE AN INFINITIVE.

Examples:

| | | |
|---|---|---|
| aimer mieux | entendre | pouvoir |
| aller | envoyer | préférer |
| apercevoir | espérer | regarder |
| compter | faillir | savoir |
| courir | faire | sembler |
| croire | falloir | sentir |
| désirer | s'imaginer | voir |
| devoir | laisser | vouloir |

## VERBS THAT USE À TO INTRODUCE AN INFINITIVE.

Examples:

| | | |
|---|---|---|
| aider à | enseigner à | renoncer à |
| apprendre à | s'habituer à | réussir à |
| arriver à | s'intéresser à | servir à |
| s'attendre à | inviter à | suffire à |
| avoir à | se mettre à | tenir à |
| chercher à | préparer à | travailler à |
| donner à | | |

## VERBS THAT USE DE TO INTRODUCE AN INFINITIVE. (The majority of verbs)

Examples:

| | | |
|---|---|---|
| s'agir de | dire de | prier de |
| s'arrêter de | s'occuper de | refuser de |
| commander de | oublier de | reprocher de |
| convaincre de | parler de | risquer de |
| décider de | permettre de | |

## VERBS THAT HAVE MORE THAN ONE WAY OF INTRODUCING AN INFINITIVE.

(A small group of verbs)

Examples: **aimer, penser; commencer, essayer, demander; venir.**

(a) No preposition or **à**: It is equally correct to say: **j'aime manger** or **j'aime à manger. Penser,** alone, usually expresses hope; **penser à** usually expresses intention; the difference in meaning is slight *(see examples below).*

(b) **à** or **de**: The difference in meaning between **commencer à** and **commencer de** is negligible and our ear must guide us. The ear will also have to choose between **essayer à** and **essayer de,** but **essayer de** is more frequent. **Demander à** is used to ask (permission) to do something; **demander de** is used to ask someone to do something *(see examples below).*

(c) No preposition or **à** or **de**: Note the change in meaning when the verb **venir** is used: **venir faire qqch., venir de faire qqch., venir à faire qqch.,** and **en venir à faire qqch.** *(see examples below).*

## EXAMPLES OF THE USE OF VERB COMPLEMENTS AND PREPOSITIONS

**acheter**

| | |
|---|---|
| _____ **qqch.** *(to buy sth.)* | Étienne achète la viande.<br>Étienne l'achète. |
| _____ **qqch. à qqn** *(to buy sth. from s.o.)* | Il achète la viande au boucher *(butcher).*<br>Il la lui achète. |

**s'agir**

| | |
|---|---|
| _____ **de qqn** *(to be about s.o.)* | Il s'agit d'Anne.<br>Il s'agit d'elle. |
| _____ **de qqch.** *(to be about, to be a question of sth.)* | Il s'agit de café.<br>Il s'agit de cela.<br>Il s'en agit. |
| _____ **de faire qqch.** *(to be a question of doing sth.)* | Il s'agit de travailler.<br>Il s'agit de cela.<br>Il s'en agit. |

**apprendre**

| | |
|---|---|
| _____ **qqch.** *(to learn sth.)* | Il apprend la grammaire. |
| _____ **qqch. à qqn** *(to teach sth. to s.o.)* | Il apprend le français à la classe.<br>Il le lui apprend. |
| _____ **qqch. de qqn** *(to learn sth. from s.o.)* | Anne a appris le français de sa mère.<br>Anne l'a appris d'elle. |
| _____ **à qqn à faire qqch.** *(to teach s.o. to do sth.)* | J'apprends à mon enfant à parler.<br>Je lui apprends à parler. |

**commander**

| | |
|---|---|
| _____ **qqn** *(to order s.o.)* | Il commande le garçon. |
| _____ **qqch. à qqn** *(to order sth. from s.o.)* | Il commande le repas au garçon. |
| _____ **à qqn de faire qqch.** *(to order s.o. to do sth.)* | Il commande au garçon d'apporter le repas. |

**couvrir**

| | |
|---|---|
| _____ **qqch. ou qqn** *(to cover sth. or s.o.)* | Je couvre la table. |
| _____ **qqch. ou qqn de qqch.** *(to cover sth. or s.o. with sth.)* | Je couvre la table d'une nappe. |

**demander**

| | |
|---|---|
| _____ **qqch. à qqn** *(to ask s.o. for sth.)* | Je demande le livre à Marie.<br>Je le lui demande. |
| _____ **à faire qqch.** *(to ask {permission} to do sth.)* | Anne demande à voir le château.<br>Anne demande à le voir. |
| _____ **à qqn de faire qqch.** *(to ask s.o. to do sth.)* | Anne demande à Étienne de conduire.<br>Anne lui demande de conduire. |

**dire**

| | |
|---|---|
| _____ **qqch.** *(to say sth.)* | Il dit qu'il est malade.<br>Il le dit. |
| _____ **qqch. à qqn** *(to say sth. to s.o.)* | Qui t'a dit qu'il était malade?<br>Qui te l'a dit? |
| _____ **qqch. de qqn** *(to say sth. about s.o.)* | Il a dit beaucoup de choses de Marie.<br>Il l'a dit d'elle. |
| _____ **à qqn de faire qqch.** *(to tell s.o. to do sth.)* | J'ai dit à Marie de partir.<br>Je lui ai dit de partir. |

**faire**

| | |
|---|---|
| _____ **qqch.** *(to do sth.)* | Je fais mon devoir.<br>Je le fais. |
| _____ **qqch. de qqch.** *(to do sth. with sth.)* | Que fait-il de mon livre?<br>Qu'en fait-il? |
| _____ **faire qqch.** *(to have sth. done; to cause sth. to be done)* | J'ai fait faire cela.<br>Je l'ai fait faire. |
| _____ **faire qqch. à qqn** *(to cause s.o. to do sth.; to make s.o. do sth.; to cause sth. to be done by s.o.)* | J'ai fait manger le repas aux enfants.<br>Je le leur ai fait manger. |

**laisser**

| | |
|---|---|
| _____ **qqn** *(to leave s.o.)* | Il laisse Marie.<br>Il la laisse. |
| _____ **qqch.** *(to leave sth.)* | Laisse ta lettre ici!<br>Laisse-la ici! |
| _____ **qqch. à qqn** *(to leave sth. to s.o.)* | Il laisse la maison à Jean-Paul.<br>Il la lui laisse. |
| _____ **qqn faire qqch.** *(to let s.o. do sth.)* | Il laisse parler Jean-Paul.<br>Il le laisse parler. |

**s'occuper**

| | |
|---|---|
| _____ **de qqn ou de qqch.** *(to take care of s.o. or sth.)* | Il s'occupe de Marie.<br>Il s'occupe d'elle. |
| _____ **de faire qqch.** *(to take charge of doing sth.)* | Elle s'occupe de faire la vaisselle.<br>Elle s'en occupe. |

**parler**

| | |
|---|---|
| _____ **qqch.** *(to speak sth.)* | Je parle français.<br>Je le parle. |
| _____ **à qqn** *(to speak to s.o.)* | Je parle à Étienne.<br>Je lui parle. |
| _____ **de qqn ou de qqch.** *(to speak about s.o. or sth.)* | Je parle de Marie.<br>Je parle d'elle.<br>Je parle du château.<br>J'en parle. |
| _____ **de faire qqch.** *(to speak of doing sth.)* | Je parle d'aller en France.<br>J'en parle. |

**payer**

| | |
|---|---|
| _____ **qqn** *(to pay s.o.)* | J'ai payé le garçon.<br>Je l'ai payé. |
| _____ **qqch.** *(to pay for sth.)* | J'ai payé le repas.<br>Je l'ai payé. |
| _____ **qqch. à qqn** *(to pay s.o. for sth.)* | J'ai payé le repas au garçon.<br>Je le lui ai payé. |

**penser**

| | |
|---|---|
| _____ **à qqn ou à qqch.** *(to think about s.o. or sth.)* | Je pense à Marie.<br>Je pense à elle.<br>Je pense à son foulard.<br>J'y pense. |
| _____ **de qqn ou de qqch.** *(to think about, to have an opinion about, s.o. or sth.)* | Que penses-tu de mon père?<br>Que penses-tu de lui?<br>Que penses-tu de ma voiture?<br>Qu'en penses-tu? |
| _____ **faire qqch.** *(to hope to do sth.; to intend to do sth.)* | Je pense réussir. |
| _____ **à faire qqch.** *(to intend to do sth.; to think of doing sth.)* | Je pense à le faire demain. |

**prendre**

| | |
|---|---|
| _____ **qqch.** *(to take sth.)* | Moi, je prends du café.<br>Moi, j'en prends. |
| _____ **qqch. à qqn** *(to take sth. from s.o.)* | Je prends le café au garçon.<br>Je le lui prends. |

**prier**

| | |
|---|---|
| _____ **qqn de faire qqch.** *(to ask s.o. to do sth.)* | Je prie Marie de m'accompagner.<br>Je la prie de m'accompagner.<br>Je l'en prie. |

**répondre**

| | |
|---|---|
| —— **à qqn ou à qqch.** *(to answer s.o. or sth.)* | Répondez à la vendeuse!<br>Répondez-lui!<br>Répondez à ma lettre!<br>Répondez-y! |

**reprocher**

| | |
|---|---|
| —— **qqch. à qqn** *(to reproach s.o. for sth.)* | Je reproche cela à Marie.<br>Je le lui reproche. |
| —— **à qqn de faire qqch.** *(to reproach s.o. for doing sth.)* | Je reproche à Marie d'avoir fait cela.<br>Je lui reproche de l'avoir fait. |

**tenir**

| | |
|---|---|
| —— **à qqch.** *(to be fond of, to cherish, to value sth.)* | Je tiens à cette recette.<br>J'y tiens. |
| —— **à faire qqch.** *(to insist on doing sth.; to be bent on doing sth.)* | Je tiens à le faire.<br>J'y tiens. |

**venir**

| | |
|---|---|
| —— **faire qqch.** *(to come to do sth.; to come and do sth.)* | Je viens vous voir. |
| —— **de faire qqch.** *(to have just done sth.)* | Je viens de la faire. |
| —— **à faire qqch.** *(to happen to do sth.; to chance to do sth.)* | Je viens à me le rappeler. |
| **en** —— **à faire qqch.** *(to come to do sth.; to go so far as to do sth.)* | Il en est venu à me maudire. |

# PART B

## 1. DEMONSTRATIVE, INTERROGATIVE, AND RELATIVE ADJECTIVES AND PRONOUNS

**WHO**

qui *(rel. pron.)*

C'est l'homme ***qui*** a dit cela.

qui *(interr. pron.)*

***Qui*** a dit cela?

dont *(rel. pron.)*

Voilà l'homme ***dont*** je parle.

**WHOM** que (*rel. pron.*)
C'est un homme ***que*** je connais.
qui (*rel. pron., object of prep.*)
C'est Jean à ***qui*** je parle.
qui (*interr. pron.*)
***Qui*** connaissez-vous?

**WHICH** qui (*rel. pron., subject of verb*)
Où sont les fleurs ***qui*** sont rouges?
que (*rel. pron., object of verb*)
Où sont les fleurs ***que*** tu vois?
dont (*rel. pron.*)
Où sont les fleurs ***dont*** tu parles?
lequel (*rel. pron., object of prep.*)
Je ne vois pas la porte par ***laquelle*** on y entre.
lequel (*interr. pron. with antecedent*)
***Lequel*** de ces livres avez-vous lu?
quel (*interr. adj.*)
***Quel*** hôtel habitez-vous?

**WHAT** ce qui (*rel. pron., subject of verb*)
***Ce qui*** m'intéresse, c'est ce que tu racontes.
ce que (*rel. pron., object of verb*)
Ce qui m'intéresse, c'est ***ce que*** tu racontes.
ce dont (*rel. pron.*)
Je ne comprends pas ***ce dont*** il parle.
qu'est-ce qui (*interr. pron., subject of verb*)
***Qu'est-ce qui*** a fait ce bruit?
que (*interr. pron., object of verb*)
***Que*** font les musiciens?
quoi (*interr. pron., object of preposition*)
À ***quoi*** pensez-vous?
quel (*interr. adj.*)
***Quel*** hôtel habitez-vous?
qu'est-ce que c'est que (*interr. expression calling for definition*)
***Qu'est-ce que c'est qu'***un métro?

**THAT** qui (*rel. pron., subject of verb*)
C'est cette fleur ***qui*** est rouge.
que (*rel. pron., object of verb*)
Où sont les fleurs ***que*** tu vois?
ce (cet), cette (*demonstr. adj.*)
***Cette*** femme est ma soeur.
ce (*demonstr. pron., subject of être*)
***C'***est une bonne idée.

**cela** *(demonstr. pron. without antecedent)*
   ***Cela*** me plaît.
**celui-là, celle-là** *(demonstr. pron. with antecedent)*
   De ces trois livres, j'ai lu ***celui-là*** hier.
**que** *(subordinating conj.)*
   Il pensait ***que*** vous aviez tort.

## 2. FREQUENTLY USED ADVERBS, CONJUNCTIONS, AND PREPOSITIONS: FRENCH-ENGLISH

| French | English |
|---|---|
| **à** *prep.* | at, to |
| **accord: d'accord** *loc. adv.* | agreed |
| **afin de** *loc. prep.* | in order to, so as to |
| **afin que** *loc. conj. (+ subjunctive)* | in order that, so that |
| **ailleurs** *adv.* | elsewhere |
|   **d'ailleurs** *loc. adv.* |   besides, moreover |
| **après** *prep.* | after *(followed by noun, pronoun, or infinitive)* |
|   **après que** *loc. conj.* |   after *(followed by clause)* |
|   **d'après** *loc. prep.* |   from, according to |
| **arrière: à l'arrière** *loc. adv.* | in the back |
|   **en arrière** *loc. adv.* |   backwards, behind |
| **assez (de)** *adv.* | enough, rather |
| **aussi** *adv.* | also, too, as well |
|   **aussi bien que** *loc. conj.* |   as well as |
| **aussitôt que** *loc. conj.* | as soon as |
| **autrefois** *adv.* | formerly |
| **avant** *adv.* | before (time) *(followed by noun or pronoun)* |
|   **à l'avant** *loc. adv.* |   in the front |
|   **avant de** *loc. prep.* |   before *(followed by infinitive)* |
|   **avant que** *loc. conj. (+ subjunctive)* |   before *(followed by clause)* |
| **avec** *prep.* | with |
| **bien que** *loc. conj. (+ subjunctive)* | although |
| **cause: à cause de** *loc. prep.* | because of, on account of *(followed by noun or pronoun)* |
| **cependant** *conj.* | however, meanwhile |
| **chez** *prep.* | at ____'s, at, to, or in the home (office) of |

| | |
|---|---|
| **comme** *conj.* | as |
| **côté: à côté de** *loc. prep.* | next to, beside |
| | |
| **dans** *prep.* | in, within, into |
| **de** *prep.* | of, from |
| **depuis** *prep.* | from; since *(with present tense)* |
| **depuis que** *loc. conj.* | since *(time expression)* |
| **derrière** *prep.* | behind, in back of *(followed by noun or pronoun)* |
| **dès que** *loc. conj.* | as soon as |
| **devant** *prep.* | before, in front of *(followed by noun or pronoun)* |
| | |
| **en** *prep.* | in, into, to, by, while |
| **encore** *adv.* | yet, still |
| **encore une fois** *adv.* | again |
| **entre** *prep.* | in, between, among |
| | |
| **face: en face de** *loc. prep.* | facing, opposite, across from |
| **force: à force de** *loc. prep.* | by dint of |
| | |
| **jusqu'à ce que** *loc. conj. (+ subjunctive)* | until |
| **justement** *adv.* | precisely |
| | |
| **là** *adv.* | there |
| **là-bas** *adv.* | over there |
| **loin de** *loc. prep.* | far from |
| **lorsque** *conj.* | when |
| | |
| **malgré** *prep.* | in spite of, despite |
| **milieu: au milieu de** *loc. prep.* | in the middle (midst) of |
| **moins: au moins** *loc. adv.* | at least (quantity) |
| **du moins** *loc. adv.* | at least |
| | |
| **nouveau: de nouveau** *loc. adv.* | again, anew |
| | |
| **ou** *conj.* | or |
| **où** *adv.* | where |
| | |
| **par** *prep.* | by, through |
| **parce que** *loc. conj.* | because |
| **parmi** *prep.* | among |
| **partout** *adv.* | everywhere |
| **peine: à peine** *loc. adv.* | scarcely, hardly, barely |
| **pendant que** *loc. conj.* | while *(time expression)* |

| | |
|---|---|
| **plutôt** *adv.* | rather |
| **pour** *prep.* | for, in order to *(often not translated)* |
| **pour que** *loc. conj. (+ subjunctive)* | in order that |
| **pourtant** *conj.* | however, nevertheless |
| **près de** *loc. prep.* | near, nearly |
| **presque** *adv.* | almost, nearly |
| **puisque** *conj.* | since, seeing that |
| **quand** *adv.* | when |
| **quelque part** *loc. adv.* | somewhere |
| **quoique** *conj. (+ subjunctive)* | although, though |
| **sans** *prep.* | without *(followed by noun, pronoun, or infinitive)* |
| **sans que** *loc. conj. (+ subjunctive)* | without *(followed by clause or phrase)* |
| **selon** *prep.* | according to |
| **sous** *prep.* | below, under |
| **suite: de suite** *loc. adv.* | consecutively, in succession, in a row |
| **sur** *prep.* | above, over |
| **surtout** *adv.* | especially |
| **tandis que** *loc. conj.* | whereas |
| **tout à l'heure** *loc. adv.* | in a little while; a little while ago |
| **tout de suite** *loc. adv.* | right away, immediately |
| **travers: à travers** *loc. prep.* | across, through |
| **trop (de)** *adv.* | too much, too many |
| **y** *adv.* | there |

## 3. FREQUENTLY USED ADVERBS, CONJUNCTIONS, AND PREPOSITIONS: ENGLISH-FRENCH

| | |
|---|---|
| **above** | sur *prep.* |
| **according to** | d'après *loc. prep.;* selon *prep.* |
| **account: on account of** | à cause de *(followed by noun or pronoun) loc. prep.* |
| **across** | à travers *loc. prep.* |
| **across from** | en face de *loc. prep.* |
| **after** | après *(followed by noun, pronoun, or infinitive) prep.;* après que *(followed by clause) loc. conj.* |

again — encore une fois *adv.;* de nouveau *loc. adv.*
agreed — d'accord *loc. adv.*
almost — presque *adv.*
also — aussi *adv.*
although — bien que *(+ subjunctive) loc. conj.;* quoique *(+ subjunctive) conj.*
among — parmi *prep.;* entre *prep.*
anew — de nouveau *loc. adv.*
as — comme *conj.*
  as soon as — aussitôt que *loc. conj.;* dès que *loc. conj.*
  as well — aussi *adv.*
  as well as — aussi bien que *loc. conj.*
at — à *prep.*
  at ____'s — chez *prep.*
  at least — au moins *(quantity) loc. adv.;* du moins *loc. adv.*

back: in back of — derrière *prep. (followed by noun or pronoun)*
  in the back — à l'arrière *loc. adv.*
backwards — en arrière *loc. adv.*
barely — à peine *loc. adv.*
because — parce que *(followed by clause) loc. conj.*
  because of — à cause de *(followed by noun or pronoun) loc. prep.*
before — *(time)* avant *(followed by noun or pronoun) adv.;* avant que *(+ subjunctive) loc. conj.; (location)* devant *(followed by noun or pronoun) prep.*
behind — derrière *prep. (followed by noun or pronoun)*
below — sous *prep.*
beside — à côté de *loc. prep.*
besides — d'ailleurs *loc. adv.*
between — entre *prep.*
by — en *prep.;* par *prep.*
  by dint of — à force de *loc. prep.*

consecutively — de suite *loc. adv.*

despite — malgré *prep.*
dint: by dint of — à force de *loc. prep.*

| | |
|---|---|
| **elsewhere** | ailleurs *adv.* |
| **enough** | assez (de) *adv.* |
| **especially** | surtout *adv.* |
| **everywhere** | partout *adv.* |
| **facing** | en face de *loc. prep.* |
| **far from** | loin de *loc. prep.* |
| **for** | pour *prep.* |
| **formerly** | autrefois *adv.* |
| **from** | de *prep.;* depuis *(time) prep.;* d'après *loc. prep.* |
| **front: in front of** | devant *(followed by noun or pronoun) prep.* |
| **in the front** | à l'avant *loc. adv.* |
| **hardly** | à peine *loc. adv.* |
| **however** | pourtant *conj.;* cependant *conj.* |
| **immediately** | tout de suite *loc. adv.* |
| **in** | dans *prep.;* en *prep.;* entre *prep.* |
| **in ____'s** | chez *prep.* |
| **in a little while** | tout à l'heure *loc. adv.* |
| **in a row** | de suite *loc. adv.* |
| **in front of** | devant *prep.* |
| **in the middle (midst) of** | au milieu de *loc. prep.* |
| **in order that** | pour que *(+ subjunctive) loc. conj.;* afin que *(+ subjunctive) loc. conj.* |
| **in spite of** | malgré *prep.* |
| **in succession** | de suite *loc. adv.* |
| **into** | dans *prep.;* en *prep.* |
| **least: at least** | au moins *(quantity) loc. adv.;* du moins *loc. adv.* |
| **meanwhile** | cependant *conj.* |
| **middle: in the middle of** | au milieu de *loc. prep.* |
| **moreover** | d'ailleurs *loc. adv.* |
| **near** | près de *loc. prep.* |
| **nearly** | presque *adv.;* près de *loc. prep.* |
| **nevertheless** | pourtant *conj.* |
| **next to** | à côté de *loc. prep.* |

| | |
|---|---|
| of | de *prep.* |
| on | sur *prep.* |
| on account of | à cause de *(followed by noun or pronoun) loc. prep.* |
| opposite | en face de *loc. prep.* |
| or | ou *conj.* |
| order: in order to | afin de *loc. prep.;* pour *prep.* |
| in order that | afin que *loc. conj. (+ subjunctive);* pour que *(+ subjunctive) loc. conj.* |
| over | sur *prep.;* par-dessus *loc. prep.;* au-dessus *adv.* |
| over there | là-bas *adv.* |
| precisely | justement *adv.* |
| rather | assez *adv.;* plutôt *adv.* |
| right away | tout de suite *loc. adv.* |
| row: in a row | de suite *loc. adv.* |
| scarcely | à peine *loc. adv.* |
| seeing that | puisque *conj.* |
| since | depuis *(with present tense) prep.;* depuis que *(time expression) loc. conj.;* puisque *conj.* |
| so: so as to | afin de *loc. prep.* |
| so that | afin que *(+ subjunctive) loc. conj.* |
| somewhere | quelque part *loc. adv.* |
| soon: as soon as | aussitôt que *loc. conj.;* dès que *loc. conj.* |
| spite: in spite of | malgré *prep.* |
| still | encore *adv.* |
| succession: in succession | de suite *loc. adv.* |
| there | là *adv.;* y *adv.* |
| over there | là-bas *adv.* |
| though | bien que *(+ subjunctive) loc. conj.;* quoique *(+ subjunctive) conj.* |
| through | par *prep.;* à travers *loc. prep.* |
| to | à *prep.;* en *prep.* |
| to ____'s | chez *prep.* |
| too | aussi *adv.* |
| too much, too many | trop (de) *adv.* |
| under | sous *prep.* |
| until | jusqu'à ce que *(+ subjunctive) loc. conj.* |

| | |
|---|---|
| **well: as well** | aussi *adv.* |
| **when** | quand *adv.;* lorsque *conj.* |
| **where** | où *adv.* |
| **whereas** | tandis que *loc. conj.* |
| **while** | en *prep.;* pendant que *(time) loc. conj.* |
| **in a little while, a little while ago** | tout à l'heure *loc. adv.* |
| **with** | avec *prep.* |
| **within** | dans *prep.* |
| **without** | sans *(followed by noun, pronoun, or infinitive) prep.;* sans que *(+ subjunctive) loc. conj.* |
| **yet** | encore *adv.* |

# APPENDIX II: LESSON REFERENCE

## PART A

### TRANSLATIONS OF THE «DITES EN FRANÇAIS» SECTIONS OF EACH LESSON

**LESSON 1 (B) PAGE 13**

—Comment vous appelez-vous, Mademoiselle?
—Je m'appelle Anne Dupont. Et vous?
—John Williams. Enchanté de faire votre connaissance, Anne. Êtes-vous américaine?
—Oui, je suis américaine. Êtes-vous français, John?
—Non, je ne suis pas français. Je viens de New York.
—Mais vous parlez très bien la langue.
—Merci.
—Où est l'Hôtel de Normandie? Est-ce qu'il est près d'ici?
—Non, il est dans la rue de la Huchette, en face d'une épicerie.

**LESSON 2 (E) PAGE 31**

—Comptez-vous rester ici à l'Hôtel de Normandie, Anne?
—Oui, je compte rester ici au moins deux semaines.
—Attendez-vous l'hôtelier?
—Oui. Quelle est sa nationalité? Est-il américain?
—Non, il n'est pas américain; il est français. Depuis quand êtes-vous à Paris, Anne?
—Je suis en France depuis six jours, mais je viens d'arriver à Paris.
—Ah, voici l'hôtelier.
—Bonjour, Monsieur. Je m'appelle Anne Dupont.
—Ah, oui, Mademoiselle Dupont. Enchanté de faire votre connaissance. Votre chambre est libre depuis deux jours. Venez-vous d'arriver?
—Oui. Avez-vous la clé de ma chambre?
—Voici. Tout droit, numéro neuf.
—Merci bien, Monsieur.

**LESSON 3 (C) PAGE 48**

—Bonjour. Avez-vous ma clé?
—Oui, voici.
—Mais, Madame, j'ai besoin de la clé de ma chambre, pas de la clé de l'hôtelier.
—Ah, certainement! Est-ce que votre chambre est au deuxième? Attendez! Voici votre clé.
—Merci.

—Et voici une lettre pour vous. Allez-vous à votre chambre?
—Oui. De ma fenêtre il y a une bonne vue de la rue; je compte regarder passer les gens. C'est très amusant.

**LESSON 4 (B) PAGE 64**

—Bonjour, Marie. Quel plaisir de vous revoir!
—Bonjour, Charles. Attendez-vous depuis longtemps?
—Non, je viens d'arriver. Avez-vous faim? Mangeons dans ce restaurant!
—C'est une excellente idée. J'ai très faim.

* * * * * *

—Nous voici au restaurant. Entrons!
—Il y a tant de gens ici. Voyez-vous une table libre?
—Oui—voici une table et voilà le garçon. Je vais l'appeler. Que voulez-vous, Marie?
—Je ne sais pas. Qu'est-ce que vous allez prendre?
—Je vais prendre des côtelettes de veau, des pommes frites et des haricots verts.
—Eh, bien, je vais prendre un bifteck, des épinards et des pommes frites.
—Bon. Voici le garçon.

**LESSON 5 (B) PAGE 78**

—Voulez-vous du café?
—Oui, prenons-en!
—Voulez-vous du sucre et de la crème?
—Non, je n'en veux pas, merci.
—Que faites-vous aujourd'hui?
—Pas grand-chose.
—Voulez-vous aller à l'épicerie avec moi? J'ai besoin de légumes et de quelque chose pour le dessert.
—Eh bien, si vous insistez. Êtes-vous prêt?
—Oui. Allons-y!

* * * * * *

—Voilà le restaurant *Le Chat qui Pêche.* J'aime y manger le vendredi.
—Mangeons-y vendredi!
—Bien.
—Voici l'épicerie.
—Voyons. J'ai besoin de fromage et...
—Voulez-vous des poires?
—Oui, j'en veux quatre, s'il vous plaît, et des cerises. Je veux aussi des épinards et des haricots verts.
—On mange (vous mangez) trop en France.
—Pas du tout; nous mangeons très peu. Chez vous, on mange (vous mangez) plus que les Français. Chez nous, on mange (nous mangeons) beaucoup de choses mais en petite quantité.
—Vous avez raison.

**LESSON 6 (C) PAGE 94**

—Est-ce que le garçon a l'addition, Étienne?
—Oui. Il va me la donner. Le voyez-vous, Anne?
—Le voilà.
—Garçon, l'addition, s'il vous plaît.
—Voici, Monsieur. Merci.
—Combien coûte le repas, Étienne?
—6,70 *F.*
—Cela n'est pas cher.
—Avez-vous des courses à faire, Anne?
—Oui, je veux acheter des journaux. Allons à une papeterie!
—Vous ne pouvez pas les y acheter. Il faut aller à un bureau de tabac.
—Bien. Êtes-vous prêt?
—Oui, allons-y! Nous pouvons sortir par cette porte—elle est ouverte.

**PREMIÈRE RÉVISION (I) PAGE 99**

Dans la rue de la Huchette à Paris, il y a un petit hôtel, l'Hôtel de Normandie. Il y a dix-sept chambres dans cet hôtel. Anne Dupont y habite; elle est étudiante. Anne est américaine, pas française. Un de ses amis est un étudiant français, Étienne Leblanc. Ils vont à un restaurant le samedi et ils y mangent des côtelettes de porc et des biftecks. Avant de finir leur repas, ils prennent du café. Puis ils vont se promener.

**(II) PAGE 99**

La chambre d'Anne est libre depuis une semaine. C'est un jolie chambre et elle est assez grande. Le lit est confortable et de la fenêtre il y a une bonne vue de la rue. La table et la chaise sont près du lit, et le fauteuil est près de la fenêtre. Anne aime Paris; elle compte y rester vingt et une ou vingt-deux semaines.

**LESSON 7 (D) PAGE 117**

—Que voulez-vous faire?
—Je veux acheter les livres que vous avez achetés l'année passée.
—Je les ai vendus à un hôtelier la semaine passée.
—Alors, vendez-moi ceux-ci!
—Ce sont des romans de Flaubert. Lisez-vous le français?
—Oui, j'ai déjà lu des romans de Proust et de Gide.
—Combien en avez-vous lu?
—J'en ai lu dix.
—Mon amie, Anne, a commencé à lire ces livres l'année passée, mais ils ne l'ont pas intéressée.
—Vraiment? Je sais que je les ai aimés quand je les ai lus.

**LESSON 8** (B) PAGE 132

—Salut, Jean-Paul! Comment vas-tu?
—Pas mal, merci, et toi?
—Ça va. Je veux te présenter à mon amie.
—Comment s'appelle-t-elle?
—Marie Rodin.
—Enchanté de faire votre connaissance, Marie. Êtes-vous à Paris depuis longtemps?
—Non, Jean-Paul. Je viens d'arriver ici.
—Je sais qu'il y a beaucoup de choses à Paris qui vont vous intéresser. Avez-vous visité le Louvre?
—Non, je ne l'ai pas vu, mais je compte y aller demain.
—Avez-vous vu Notre-Dame?
—Ah, oui! Je me suis levée tôt (de bonne heure) ce matin pour y aller. Après cela, Étienne et moi nous avons mangé dans un petit restaurant et puis nous nous sommes promenés jusqu'à deux heures et demie.
—Je vois que vous avez passé une journée intéressante!

**LESSON 9** (B) PAGE 147

—J'aime mieux Paris que Le Havre.
—Voyons! Ne vous êtes-vous pas sentie dépaysée quand vous êtes arrivée ici, Anne?
—Oui, mais Paris me plaît (j'aime Paris) maintenant. Il fait plus beau ici qu'à New York.
—Ce que vous dites est peut-être vrai, mais d'habitude il pleut assez souvent en novembre.
—Cela ne me décourage pas. Il pleut souvent à New York aussi.
—Il va neiger en décembre et les arbres, qui sont maintenant rouges et jaunes, vont être (devenir) bruns et gris.
—C'est triste. Les arbres sont beaucoup plus jolis quand ils sont rouges et jaunes. Aimez-vous l'automne mieux que l'hiver, Étienne? (Aimez-vous mieux l'automne que l'hiver, Étienne?)
—Ça m'est égal. Chaque saison a ses beaux jours.

**LESSON 10** (B) PAGE 163

—Bonjour, Anne! Je ne vous ai pas vue depuis une semaine.
—C'est (parce) que je lis les romans de Balzac depuis lundi.
—Sans blague! Aviez-vous jamais lu de ses romans auparavant?
—Oui, j'avais lu *Eugénie Grandet,* un livre que j'ai trouvé très intéressant.
—Je lisais beaucoup Balzac (souvent). Mais je n'aime plus ses livres.
—Pourquoi? Avez-vous lu trop de romans?
—Non. C'est qu'il ne m'intéresse plus—et d'ailleurs, je ne lis pas autant de livres ces jours-ci. Je ne sais pas pourquoi j'étudiais tant!
—Quoi? Je commençais à penser que vous étiez un bon étudiant! Vous

m'avez dit vous-même que vous ne pouviez pas vous coucher sans lire au moins un livre! (Vous-même vous m'avez dit...)
—Oui, je faisais cela, mais je ne le fais plus.
—C'est dommage!

**LESSON 11 (B) PAGE 180**

—Avez-vous faim, Étienne?
—Oui, mais je n'ai pas d'argent. Je l'ai tout dépensé.
—Mais Jean-Paul va vous payer un repas. Il a dit cela lui-même.
—Est-ce qu'Anne a raison, Jean-Paul?
—Eh bien... disons qu'elle n'a pas tort.
—Avant de manger, je veux acheter des mouchoirs et un sweater.
—Il y a un magasin là-bas. Allons à celui-là!
—Comptez-vous y être longtemps, Anne?
—Non, je ne crois pas.
—Bon. Étienne et moi nous allons nous promener, et puis nous pouvons vous retrouver au restaurant à midi et demi.
—Bien. À tout à l'heure.

**LESSON 12 (B) PAGE 195**

—Quand rentrerez-vous (allez-vous rentrer) aux États-Unis, Anne?
—Je partirai du Havre le mois prochain. Je dois écrire à mon père et lui dire de me rencontrer à New York.
—Vous aurez certainement beaucoup à dire à vos amis.
—Oui, je regretterai de quitter Paris. J'ai vu tant de choses en France.
—Est-ce que vous visiterez l'Italie avant de rentrer?
—Oui, et j'irai aussi en Angleterre. Avez-vous jamais visité Londres?
—J'y étais l'année passée. C'est une jolie ville mais en hiver il y fait moins beau qu'à Paris.
—Vraiment?
—Vous verrez que j'ai raison quand vous irez.
—Je vous écrirai une lettre de Londres.
—Bien. Je l'attendrai.

**DEUXIÈME RÉVISION (A) PAGE 200**

—Est-ce que ce paquet est trop lourd pour vous? S'il vous gêne, donnez-le-moi!
—Non, ça va—ne le prenez pas!
—Veniez-vous du magasin?
—Oui, et maintenant nous allons au bureau de poste. Voulez-vous nous accompagner?
—Non, merci. Mais nous pouvons vous retrouver plus tard pour prendre un café.
—Bon. Quelle heure est-il maintenant?
—Trois heures moins dix. Je vous retrouverai à quatre heures à (dans)

ce petit restaurant qui n'est pas loin d'ici—vous savez, celui qui est près de Notre-Dame.
—D'accord! À tout à l'heure.

**(B) PAGE 201**

—Jean-Paul et Étienne deviennent de plus en plus distraits.
—Qu'est-ce qu'ils ont oublié cette fois-ci?
—Ils parlaient tellement quand je les ai vus hier, qu'ils ont oublié de me présenter à leur amie, Louise.
—Comment vont-ils, ces deux-là? Je ne les ai pas vus depuis la semaine passée.
—Ils vont bien mais ils étudient beaucoup.
—Est-ce qu'ils préparent leurs examens?
—Oui, et j'espère bien qu'ils réussiront.

**LESSON 13 (B) PAGE 212**

—Qu'est-ce que tu dois (as à) étudier, Étienne?
—Pas grand-chose. J'ai dû acheter quelques livres hier, et je les lirai cette semaine. Prépares-tu des examens?
—Un, seulement. J'irai (Je vais) chez Jean-Paul demain, et nous allons étudier ensemble pour l'examen.
—Mais Jean-Paul doit travailler demain!
—Qui t'a dit cela?
—Il m'a dit cela lui-même.
—Il a dû oublier que nous avions comptions étudier ensemble. Il est vraiment distrait, (lui).

**LESSON 14 (B) PAGE 226**

—Voulez-vous vous promener, Anne?
—Oui, mais il me faut être chez moi avant cinq heures et demie, car j'attends quelqu'un à cette heure-là.
—Bon. Est-ce que ce «quelqu'un» est un ami d'Étienne, par hasard?
—Non, c'est une de mes amies américaines. Les amis d'Étienne sont tous français. (Tous les amis d'Étienne sont français.)
—Est-ce que tous les vôtres sont américains? (Est-ce que les vôtres sont tous américains?)
—Non, quelques-uns sont français, comme vous et Étienne. Beaucoup de mes amis français sont étudiants.
—Avez-vous remarqué que les étudiants français lisent beaucoup de livres?
—Oui, et j'ai remarqué aussi que les livres ne sont jamais les leurs.
—C'est que les manuels français coûtent trop cher, et que les étudiants ne peuvent pas acheter tous les livres qu'ils doivent lire.
—Quel dommage!
—Cependant c'est vrai. Mais c'est la vie!

**LESSON 15 (B) PAGE 240**

—Attendez-vous Marie?

—Oui. Elle a dit qu'elle serait ici à quatre heures et demie. Elle doit devrait arriver bientôt.

—Il est maintenant cinq heures moins le quart—elle aurait du déjà arriver.

—Elle m'a dit qu'elle devait acheter des livres pour sa classe de musique. Elle est peut-être allée à la librairie.

—Je ne savais pas que Marie étudiait la musique.

—Oui, elle étudie le piano à la Faculté de Musique. Il y a là beaucoup de bons professeurs.

—Je suis d'accord. Si je devais étudier la musique, j'irais certainement là, moi aussi.

**LESSON 16 (B) PAGE 252**

—Pourquoi Marie a-t-elle décidé de ne pas venir ce soir?

—Elle n'a jamais aimé les pièces sérieuses.

—Comment? Personne ne m'a jamais dit cela.

—C'est pourtant vrai. Elle n'aime ni Racine ni Corneille.

—Eh bien, cela m'est égal. Leurs pièces sont presque toutes intéressantes.

—Ah, regardez là-bas! Est-ce Marie?

—Oui, c'est elle. Marie! Quelle surprise! Que faites-vous ici à la Comédie-Française?

—Mais, je vais assister à la représentation, bien sûr.

—Je ne comprendrai jamais les femmes!

**LESSON 17 (B) PAGE 266**

—Bonjour, Étienne! À qui est cette voiture? Est-ce qu'elle est à votre frère?

—Non, elle est à moi. Je viens de l'acheter ce matin. Où allez-vous, Anne? Voudriez-vous faire une petite promenade (en auto)?

—Ah, merci bien. J'allais justement chez Marie.

—Comment trouvez-vous la Dauphine, Anne?

—Elle est belle. Et ces petites voitures sont si confortables!

—Eh bien, elle est meilleure que mon vieux scooter, qui n'avait pas de coffre.

—Et dont le pare-brise n'avait pas d'essuie-glace. Vous vous rappelez? (Vous rappelez-vous?)

—Je ne me le rappelle que trop bien. Je ne pouvais jamais conduire quand il pleuvait!

**LESSON 18 (B) PAGE 282**

—N'est-ce pas une belle voiture! Vous en avez certainement choisi une bonne, Jean-Paul.

—Et, heureusement, je l'ai achetée à un prix très intéressant. Voudriez-vous faire une promenade (en auto)? Où pourrions-nous aller?
—Pourquoi pas à Versailles? Il fait beau, et nous pourrons nous promener dans les jardins.
—Cela me va bien, mais je ne sais pas sortir de Paris.
—Étienne sait le faire. Je vous ferai suivre ses indications.
—Bon. Vous savez, nous sommes tous deux parisiens, mais Étienne connaît la France beaucoup mieux que moi. N'est-ce pas vrai, Étienne?
—C'est que j'ai beaucoup plus voyagé que toi, Jean-Paul. Mais puisque tu as une voiture maintenant, tu voyageras beaucoup toi-même, sans doute.
—Eh bien, allons à Versailles! Est-ce que tout le monde est confortablement assis?
—Oui. Allons-y!
—Bon. Ah, je devrai (je dois) m'arrêter en route pour acheter de l'essence (faire de l'essence). Autrement (Sans cela), nous n'arriverons jamais!

**LESSON 19 (B) PAGE 304**

—Tu sors toujours avec moi ce soir, n'est-ce pas?
—Je ne peux pas; il faut que je prenne le train de 6 h. pour Rennes.
—Mais tu m'as dit la semaine dernière que tu irais avec moi à la Comédie-Française.
—Je le sais, mais mes parents viennent de m'envoyer une lettre. Ils veulent (demandent) que je passe les vacances de Noël chez eux.
—Quel malheur!
—Je suis d'accord, mais ma mère veut que je les voie avant de quitter la France, et j'ai maintenant deux semaines de vacances.
—C'est dommage que tu ne puisses pas voir la pièce avec moi—elle est vraiment très intéressante. Cependant, j'espère que tu passeras de bonnes vacances à Rennes.

**LESSON 20 (B) PAGE 318**

—Que dit la lettre, Anne?
—Elle vient de mon oncle et de ma tante—ils veulent que je leur rende visite en Bretagne.
—Est-ce que ce sont eux qui habitent une petite ville près de Rennes?
—Oui. Eh bien, puisqu'ils veulent que je vienne en Bretagne, nous ne pourrons pas visiter la Côte d'Azur, Hélène. Je suis désolée.
—Cela n'a pas d'importance. Tu verras sans doute beaucoup d'endroits intéressants en Bretagne, et nous pourrons remettre notre voyage à la Côte d'Azur au mois d'avril.
—Tiens! Pourquoi ne viens-tu pas à Rennes, toi aussi? Je serais bien contente si tu pouvais m'y accompagner (y venir avec moi).
—J'aimerais bien le faire. Mais je ne pourrais pas faire cela sans que tu aies écrit à ta tante.

—Je vais lui écrire tout de suite. Je suis certaine qu'elle sera d'accord. Vraiment, tu viendras, n'est-ce pas?
—Bien sûr! Je ne peux pas penser à un meilleur endroit pour passer mes vacances.
—Excellent! Je suis bien contente que tu viennes avec moi!

**LESSON 21 (B) PAGE 333**

—Où se trouve la ferme de votre oncle?
—En Bretagne, près de Rennes. J'y ai passé mes vacances de Noël.
—La Bretagne est une province très pittoresque.
—Vous avez raison. Le paysage est couvert de grands arbres et on peut voir partout des collines et de petites rivières.
—On m'a dit qu'il y a là-bas peu de maisons de bois.
—Oui, c'est vrai. La plupart des maisons sont en grosses pierres grises.
—Je voudrais voir la Bretagne.
—Vous l'aimeriez. C'est un beau pays légendaire.

**LESSON 22 (B) PAGE 347**

—Faut-il que tu quittes si tôt la Bretagne, Anne?
—Oui, je dois être de retour (je dois rentrer) à Paris avant dimanche, puisque mes cours recommencent lundi à l'université.
—Eh bien, j'espère que tu as aimé les deux semaines que tu as passées chez nous.
—Je les ai certainement aimées et chaque fois que je me servirai d'une de vos recettes, je me rappellerai les deux semaines que j'ai passées chez vous.
—Est-ce que je t'ai donné la recette pour le boeuf à la mode?
—Oui. J'aime celle-là le mieux.
—Tu devrais apprendre à préparer le sanglier, aussi. Bien qu'il soit rare, c'est un plat excellent.

**LESSON 23 (B) PAGE 364**

—Vous êtes-vous bien amusée en Bretagne, Anne?
—Oui. Je n'ai pas parlé anglais du tout pendant que j'y étais. Il me fallait parler français, parce que très peu de mes parents parlaient anglais.
—Bien, c'est la meilleure façon d'apprendre une langue!
—Vous avez raison. La seule fois que j'ai eu de la difficulté, c'était le premier jour, lorsque nous sommes arrivés chez mon oncle à Rennes. Des douzaines de parents m'attendaient, et ils parlaient tous en même temps!
—Est-ce qu'ils vous ont posé beaucoup de questions sur les États-Unis?
—Oui. Ils ont dû m'en poser des centaines! Mon cousin, Jean, m'en a posé beaucoup puisqu'il compte passer ses vacances aux États-Unis l'année prochaine.

—Cela devrait être intéressant. Votre frère, Peter, n'a-t-il pas le même âge que Jean?
—Oui. Il s'attend à faire voir (montrer) à son cousin français tous les célèbres bâtiments de New York.
—Est-ce que Jean parle anglais?
—Oui, extrêmement bien. Mais je ne vais pas dire cela à Peter. Depuis qu'il a su (qu'il a appris) que Jean allait nous rendre visite, il étudie le français deux heures par jour!

**LESSON 24 (C) PAGE 379**

—Je ne sais pas lequel de ces livres je devrais lire.
—Moi, je choisirais ce court roman de Flaubert.
—Pourquoi? Flaubert vous intéresse-t-il plus que les autres écrivains?
—Eh bien, j'ai toujours aimé ses oeuvres (romans) ... et d'ailleurs, je lis d'habitude des livres assez courts.
—Eh bien, je lirai du Flaubert, moi aussi.
—Mon plus jeune frère vient d'apprendre à lire. Jusqu'ici, ma soeur Anne devait toujours lui lire quelque chose.
—Laquelle est-ce? Je ne me souviens pas d'elle (Je ne me la rappelle pas).
—Je ne crois pas que vous ayez fait sa connaissance. C'est dommage! C'est la plus jolie (fille) de la famille... et la plus intelligente, aussi.
—Il faut que vous me présentiez à elle.
—Je serais content de le faire. Comme Anne étudie elle aussi à l'Université, nous pourrions tous nous retrouver un jour de la semaine prochaine pour prendre un café.
—Bon. Quels cours Anne suit-elle cette année?
—Le jour, elle étudie l'histoire et l'art, et elle étudie le piano deux soirs par semaine à la Faculté de Musique.
—Comment peut-elle tant étudier? Moi, je n'ai des classes que le jour— et cependant je ne peux pas trouver assez de temps pour faire tout ce que je devrais faire!
—Je crois qu'Anne sait organiser sa vie mieux que vous!

**QUATRIÈME RÉVISION (D) PAGE 386**

—Est-ce que le *Roman de Renart* est une histoire moderne?
—Non, il date du moyen âge—du treizième siècle, je crois.
—Il est donc assez ancien.
—Oui, mais il est intéressant même aujourd'hui.
—C'est un animal méchant qui veut toujours faire du mal à son cousin, Ysengrin.
—Ysengrin est le loup, n'est-ce pas? Je suis content qu'on lui fasse du mal.
—D'accord, mais Renart va un peu trop loin: il joue des tours à tous les animaux, même au roi, Noble le Lion.

—N'a-t-il pas peur qu'on se venge de lui?
—Bien sûr. Mais il aime tant jouer de méchants tours à tout le monde qu'il ne peut pas s'arrêter de le faire.
—Il a dû faire rire plus d'un siècle de Français.
—Et il les fait rire toujours, même au vingtième siècle.

# PART B

## ANSWERS TO GRAMMATICAL QUESTIONS NOT DIRECTLY ANSWERED IN THE TEXT

**LESSON 4** SECTION IV, PAGE 61

In the first sentence, the definite article is used in the general sense; in the second sentence, it is used in the particular sense.

**LESSON 5** SECTION II, PAGE 74

The *y* is placed before the conjugated form of the verb; it often is translated as *there.*

SECTION VI, PAGE 78

Present indicative stems of **prendre**: singular, **prend-**; plural, **pren-**, **prenn-**.

If the *-n* were not doubled in the third person plural form of **prendre**, the stress would fall on a mute or unpronounced *-e* (**prenent**). Thus, the spelling is altered to conform to the pronunciation.

**LESSON 6** SECTION III, PAGE 92

The past participles used as adjectives are **vendus** in the first sentence and **mise** in the third sentence; they both describe a state or condition.

**LESSON 7** SECTION I, PAGE 109

1) Object pronouns are placed before the conjugated form of the verb (the auxiliary verb): **On *me l'*a déjà dit.**

2) **Ne** is placed before the conjugated form of the verb, **pas** after it: **Je *n'*ai *pas* vu grand-chose.**

SECTION III, PAGE 113

**Ne . . . que** means *only, nothing but,* or *no one else but.* **Ne** is placed before the conjugated form of the verb; **que** is placed just before the word or phrase it modifies.

SECTION IV, PAGE 114
The form of a demonstrative pronoun replacing a masculine singular noun is **celui**; a masculine plural noun, **ceux**; a feminine singular noun, **celle**; a feminine plural noun, **celles.**

SECTION V, PAGE 116
Present indicative stems of **savoir**: singular, **sai-**; plural, **sav-**. Present indicative stems of **lire**: singular, **li-**; plural, **lis-**.

**LESSON 9** SECTION II, PAGE 143
The subject form of the relative pronoun is **qui**; the direct object form is **que.**

SECTION II, PAGE 143
**Ce qui** is the subject form; **ce que** is the direct object form.

SECTION III, PAGE 145
*As . . . as* is expressed in French by **aussi . . . que**. With **plus** and **moins, que** is translated as *than.*

SECTION IV, PAGE 147
Present indicative stems of **venir**: singular, **vien-**; plural, **ven-**, **vienn-**. Present indicative stems of **tenir**: singular, **tien-**; plural, **ten-**, **tienn-**.

Here, as with **prendre** (Lesson 5, section VI, p. 78), the spelling is altered to conform to the pronunciation. If the *-n* were not doubled in the third person plural form, the stress would fall on a mute or unpronounced *-e*: (**vienent, tienent**). This type of spelling change also occurs in such verbs as **appeler** and **lever** (see Lesson 8, section IV, p. 131).

**LESSON 10** SECTION I, PAGE 159
The *g* of **manger** becomes *ge* and the *c* of **commencer** becomes *ç* before endings which begin with *o* (**mangeons, commençons**) or *a* (**mangeais, commençais**). This is done so that the *c* sounds like *"s"* as it does in the infinitive form, and that the *g* also retains the "soft" sound of the infinitive. (Also see Lesson 4, section V, p. 63.)

SECTION II, PAGE 160
The pluperfect tense is composed of the imperfect tense of the auxiliary verb and the past participle of the main verb. For example:

| | |
|---|---|
| ***Il*** lui ***avait parlé*** avant hier. | *He had talked* to him before yesterday. |

| | |
|---|---|
| *Elle* s'en *était* déjà *allée.* | *She had* already *gone* away. |

**LESSON 11** SECTION I, PAGE 175

The plural of the adjective **tout** is **tous**; the plural of **toute** is **toutes**.

SECTION I, PAGE 176

When used in apposition to a subject pronoun, **tout** immediately follows the conjugated form of the verb.

SECTION II, PAGE 177

The stressed form of the pronoun is used with **même**: ***moi*-même**, ***lui*-même**, etc.

SECTION V, PAGE 179

Present indicative stems of **connaître**: singular, **connai-**, **connaît**; plural, **connaiss-**. Present indicative stems of **mettre**: singular, **met-**; plural, **mett-**.

**LESSON 12** SECTION I, PAGE 189

With the exception of **-ons** and **-ez**, these forms correspond to the present indicative form of **avoir**.

SECTION IV, PAGE 193

With cities such as **Le Havre** or **Le Mans**, *à* or *de* contracts with the definite article: ***au*** **Havre**, ***du*** **Mans**.

**LESSON 13** SECTION I, PAGE 209

*"What?"* as the subject is expressed by **qu'est-ce qui**. When *what* is the object of the verb, **que** is used with an inverted subject: ***Que*** **faites-vous?** and **qu'est-ce que** is used without inversion: ***Qu'est-ce que*** **vous faites?** Notice that the latter form is actually a combination of **que** and **est-ce que**.

SECTION III, PAGE 211

Present indicative stems of **devoir**: singular, **doi-**; plural, **dev-**, **doiv-**; imperfect tense stem: **dev-**.

**LESSON 14** SECTION III, PAGE 225

Dates expressed in French follow this formula: **le** (day) (month) (year). The ordinal number is used only to express *first*: **le** ***premier*** **mai** (May *first*).

There is no separate way of saying *on* (such and such a day); simply use the formula for expressing dates: ***le* 6 septembre** (*on* September 6).

SECTION IV, PAGE 226

Present indicative stems of **suivre**: singular, **sui-**; plural, **suiv-**; imperfect stem: **suiv-**.

**LESSON 15** SECTION I, PAGE 235

The conditional tense is formed by adding the endings of the imperfect tense to the stem of the future tense.

SECTION I, PAGE 237

Verbs in the *si* clause are in the imperfect tense when the verb of the main clause is in the conditional.

**LESSON 16** SECTION I, PAGE 247

*ne ... pas, ne ... plus, ne ... jamais, ne ... que*

In simple tenses, **pas**, **plus**, and **jamais** immediately follow the conjugated verb. In compound tenses, **pas**, **plus**, and **jamais** immediately follow the conjugated form of the auxiliary verb.

In questions, **pas**, **plus**, and **jamais** follow the conjugated form of the verb plus the inverted subject pronoun. (**Ne l'a-t-il *pas* vu?**)

SECTION I, PAGE 247

*rien ... personne*

1) When they are subjects of the verb, **rien** and **personne** are placed at the head of the sentence. **Ne** is always placed before the conjugated form of the verb.

SECTION I, PAGE 248

2) As object of the verb in a simple tense, **personne** is placed after the verb; as object of the verb in a compound tense, it follows the past participle. As object of the verb, **rien** follows the conjugated form of the verb in both simple and compound tenses.

3) As objects of a preposition, **personne** and **rien** immediately follow the preposition. (The preposition immediately follows the verb in simple tenses; in compound tenses, it immediately follows the past participle.)

SECTION I, PAGE 249

*ni ... ni*

**Ne** is always placed before the conjugated form of the verb. When **ni ... ni** modify the compound subject, a **ni** is placed before each subject. When **ni . . . ni** modify a compound direct object, a **ni** is placed before each direct object. When **ni . . . ni** modify indirect objects, a **ni** is placed before each preposition.

The negative expression is placed as a unit in front of the infinitive; direct or indirect objects may separate the negative expression from the infinitive.

**LESSON 17** SECTION I, PAGE 262

When it is the object of a preposition referring to a person, the correct form of the relative pronoun is **qui**. When it is the object of a preposition referring to a thing, the correct form of the relative pronoun is **lequel** (**laquelle**, etc.).

**LESSON 18** SECTION I, PAGE 275

The masculine singular and masculine plural forms of adjectives are identical when the singular form ends in *-s* or *-x*.

Masculine and feminine forms of adjectives are identical when the masculine singular form ends in *-e*.

SECTION I, PAGE 276

The feminine singular of all adjectives (except **vieux**) whose masculine singular ends in *-eux*, ends in *-euse*. Similarly, masculine singular adjectives ending in *-f* have feminine singular forms ending in *-ve*.

SECTION I, PAGE 277

The feminine singular of these adjectives is derived from the masculine singular form used before a word beginning with a vowel or a mute *h*. (**bel, belle; cet, cette**)

The masculine plural is derived from the masculine singular form used in all other cases. (**beau, beaux; ce, ces**)

Note the similarity in the feminine singular forms of these adjectives; they always double the consonant of the masculine form: **bel, belle; nouvel, nouvelle; cet, cette; vieil, vieille**. Also note the similarity in the parallel forms of **beau** and **nouveau**.

SECTION II, PAGE 277

In the first sentence, **bien** modifies **a fait**, a verb; in the second, **bien** modifies **malheureuse**, an adjective; in the third, **bien** modifies **mieux**, an adverb.

SECTION II, PAGE 278

The French ending that corresponds to the English *-ly* is ***-ment***. It is added to masculine singular forms of adjectives ending in a vowel (**autre, séparé, vrai**). If the adjective has two masculine singular forms (**beau, nouveau**) or if it ends in a consonant, the ending is added to the feminine form: **belle*ment***, **heureuse*ment***.

SECTION III, PAGE 281

An indirect object is required when **faire** and the infinitive dependent on it both have objects: **Il *le lui* fait voir**. In this case, the object of **faire** is always indirect.

**LESSON 19** SECTION III, PAGE 304

Present indicative stems of **dormir**: **dor-, dorm-**; present subjunctive: **dorm-**. Present indicative stems of **servir**: **ser-, serv-**; present subjunctive: **serv-**.

**LESSON 20** SECTION I, PAGE 314

In the first sentence, **je suis content** takes place at the same time as **il vienne**, or before it. In the second sentence, **il soit venu** takes place before **je suis content**.

SECTION III, PAGE 317

Present indicative stems of **écrire**: singular, **écri-**, plural, **écriv-**; present subjunctive: **écriv-**; imperfect: **écriv-**; future and conditional: **écrir-**; passé composé: **ai écrit**. Notice that all these stems are derived according to previously learned rules.

**LESSON 21** SECTION III, PAGE 332

Imperfect stem of **ouvrir**: **ouvr-**; present subjunctive: **ouvr-**; future and conditional: **ouvrir-**.

**LESSON 22** SECTION I, PAGE 344

The present participle does not agree with the person it refers to. Example: **Marie étant malade,**... etc. The negative elements are placed around the present participle as follows: **ne** before it, **pas** (**plus, jamais, rien, personne**) after it. Example: **Marie *n'*étant *plus* malade,**... etc.

**LESSON 23** SECTION I, PAGE 359

**cinq**: **cinquième** Notice that *u* is added after the *q*.
**neuf**: **neuvième** Notice that the *f* becomes *v*.
**quatre-vingts**: **quatre-vingtième** Notice that the *s* is dropped.

SECTION V, PAGE 362
Present indicative stems of **s'asseoir**: singular, **assied-**, plural, **assey-**; imperfect: **assey-**; present subjunctive: **assey-**.

SECTION V, PAGE 363
Present indicative stems of **vivre**: singular, **vi-**, plural, **viv-**; imperfect: **viv-**.

**LESSON 24** SECTION II, PAGE 375
The superlative form of the adjective is formed by placing **le** (**la, les**) **plus** before the adjective. It is identical with the comparative form when the adjective precedes the noun.

SECTION IV, PAGE 378
Present indicative stems of **craindre**: singular, **crain-**, plural, **craign-**; imperfect: **craign-**; present subjunctive: **craign-**.

# ABBREVIATIONS

| | |
|---|---|
| * *(asterisk)* | aspirate *h* |
| = | equals |
| + | plus |

| | | | |
|---|---|---|---|
| *abbr.* | abbreviation | *m.* | masculine |
| *adj.* | adjective | *n.* | noun |
| *adv.* | adverb, adverbial | *obj.* | object |
| *art.* | article | *part.* | participle |
| *auxil.* | auxiliary verb | *passé ant.* | passé antérieur |
| *cond.* | conditional | *passé comp.* | passé composé |
| *conj.* | conjunction, conjunctive | *perf.* | perfect |
| *def.* | definite | *pers.* | personal |
| *demonstr.* | demonstrative | *pl.* | plural |
| *dir.* | direct | *pluperf.* | pluperfect |
| *exclam.* | exclamation | *poss.* | possessive |
| *f.* | feminine | *p.p.* | past participle |
| *fam.* | familiar | *prep.* | preposition, prepositional |
| *fut.* | future | *pres.* | present |
| *imp.* | imperative | *pron.* | pronoun |
| *imperf.* | imperfect | *p. simple* | passé simple |
| *ind.* | indicative | *qqch.* | quelque chose |
| *indef.* | indefinite | *qqn* | quelqu'un |
| *indir.* | indirect | *ref.* | referring, reference |
| *inf.* | infinitive | *rel.* | relative |
| *interj.* | interjection | *sing.* | singular |
| *interr.* | interrogative | *s.o.* | someone |
| *invar.* | invariable | *sth.* | something |
| *loc.* | locution | *subj.* | subjunctive |

# FRENCH-ENGLISH VOCABULARY

## A

**à** at, to *1*

**abord** *m.* access, approach; **d'____** at first *12*

**aboutir** *(à qqch.)* to lead *(to sth.)*, to end *(at, in sth.) 13*

**aboyer** to bark *24*

**abriter** to shelter *21*

**accompagner** to accompany, to go [come] with s.o. *18*

**accord** *m.* agreement; **être d'____** to agree; **je suis d'____** I agree *8;* **d'____** O.K.! agreed! *12*

**acheter** *(à)* to buy *(from) 6*
**acteur** *m.* actor *16*
**addition** *f.* check, bill *6;* addition *23*
**adieu** farewell *24*
**adjectif** *m.* adjective *1*
**adresse** *f.* address *2*
**adulte** *adj.* adult, grown-up *22*
**adverbe** *m.* adverb *18*
**affamé** famished *24*
**affirmativement** affirmatively *2*
**afin: afin de** *prep.* in order to, so as to *20;* ___ **que** *conj.* in order that, so that *20*
**Afrique** *f.* Africa *14*
**âge** *f.* age *22*
**agir** to act, to do; **s'**___ **de** to be a question of *19*
**agréable** pleasant *23*
**Ah!** Oh! *2*
**aider** *(qqn. à faire qqch.)* to help *(s.o. do sth.) 22*
**ailleurs** elsewhere; **d'**___ besides *4*
**aimer** to love, to like *2;* ___ **mieux** to prefer *19*
**ainsi** thus; ___ **de suite** and so on *13;* ___ **que** as well as *19*
**air** *m.* air, appearance *21;* **avoir l'**___ to seem *15*
**aise** *f.* ease, comfort; **mal à l'**___ uncomfortable, ill at ease *24*
**ajouter** to add *2*
**aller** to go *1;* to suit *11;* **allez-y!** go ahead! *5;* **ça va!** right! agreed!; **comment ça va?** how are things? *8;* **comment vas-tu?** how are you? *8;* **s'en** ___ to go away *6;* **allons-nous-en!** let's get going! *6*
**alors** then *9*
**américain** *adj.* American *1;* **Américain** *m.,* **Américaine** *f.* American *1*
**Amérique** *f.* America *14;* ___ **du Sud** South America *14*
**ami, amie** friend *5*
**amphithéâtre** *m.* amphitheater *16*
**amusant** funny, amusing *3*
**amuser** to amuse *23;* **s'**___ **à** to enjoy oneself *23*
**an** *m.* year *14*
**anatomie** *f.* anatomy *13*
**ancien, ancienne** ancient *12*
**ange** *m.* angel *24*
**anglais** *adj.* English *1*
**anglais** *m.* English (language) *1*
**Anglais** *m.* Englishman; **Anglaise** *f.* Englishwoman, English girl *1*
**Angleterre** *f.* England *12*
**animal;** *pl.* **animaux** *m.* animal *21*
**année** *f.* year; **l'**___ **passée** last year *7*
**Antarctique** *m.* Antarctica, the Antarctic *14*
**antérieur** anterior; **futur** ___ *m.* future perfect (tense) *12*
**août** *m.* August *11*
**apercevoir: s'**___ **de** to notice *17*
**aperçu** *p.p.* of **apercevoir** *17*
**apéritif** *m.* aperitif *(before dinner drink) 22*
**appeler** to call *1;* s'___ to call oneself to be named *1;* **je m'appelle** my name is; **comment vous appelez-vous?** what is your name? *1*
**apprécier** to appreciate *22*
**apprendre** to learn *19*
**approcher** to approach, to draw near; **s'**___ **de** to go near, to approach *24*
**après** after *13;* **d'**___ from, according to *16*
**après-midi** *m.* afternoon *8*
**arbre** *m.* tree *9*
**argent** *m.* money *4*
**arranger** to arrange *20*
**arrêter** *(qqn)* to stop *(s.o.);* **s'**___ to stop (oneself), to come to a stop *18*
**arrière** *m.* back, rear; **à l'**___ in the back *17*
**arrivée** *f.* arrival *7*
**arriver** to arrive *2*
**art** *m.* art *14*
**article** *m.* article *1*
**Asie** *f.* Asia *14*
**asseoir** to seat *17;* **s'**___ to sit down *4;* **asseyez-vous!** sit down! *4*
**assez** rather *5;* ___ **de** enough *3*
**assiette** *f.* plate *22*
**assis** *p.p.* of **asseoir** *17*
**assister (à)** to attend *16*
**assurer** to assure *10*
**attacher** to attach *21*

**atteindre** to reach *22*
**attendre** to wait (for) *2;* **s'____ à** to expect, to look forward to *21*
**aucun** any *23*
**aucunement** not at all; in no way *14*
**aujourd'hui** today; **c'est ____** today is *2*
**auparavant** previously *23*
**auquel, à laquelle;** *pl.* **auxquels, auxquelles** to whom, to which *17*
**aussi** also, too *1;* as, so *9;* **____ . . . que** as . . . as *8*
**aussitôt que** as soon as *12*
**autant** as much, as many *5*
**auto** *f.* automobile *17*
**automne** *m.* autumn *9*
**autour de** around *24*
**autre** other; **un ____** another *9*
**autrefois** formerly, in the past *21*
**avance** *f.* advance; **à l'____** ahead of time *19*
**avant (de)** before *2;* **à l'____** in front *17;* **____ que** *conj.* before *20*
**avantage** *m.* advantage *15*
**avec** with *5*
**aventure** *f.* adventure *24*
**avenue** *f.* avenue *2*
**avis** *m.* opinion; **à mon ____** in my opinion *23*
**avocat** *m.* lawyer *15*
**avoir** to have *1;* **____ faim** to be hungry *4;* **____ de la chance** to be lucky *9;* **____ froid [chaud]** to be cold [warm] *(ref. to animate beings) 11;* **____ raison [tort]** to be right [wrong] *11;* **____ soif** to be thirsty *11;* **____ l'air** to seem *15;* **____ peur** to be afraid *20;* **____ soin** to be careful *20;* **____ sommeil** to be sleepy *20;* **____ honte** to be ashamed *23;* **____ lieu** to take place *24*
**avril** *m.* April *2*

## B

**badinage** *m.* bantering *19*
**bain** *m.* bath; **salle de ____s** *f.* bathroom *3*
**baiser** *m.* kiss *23*
**ballet** *m.* ballet *16*
**banal** commonplace *23*
**bas, basse** low; **en bas** below, downstairs *3*
**bâtiment** *m.* building *12*
**beau (bel), belle;** *pl.* **beaux, belles** beautiful, handsome *9*
**beaucoup** much, many, a great deal *4*
**besoin** *m.* need, requirement; **avoir ____ de** to need *3*
**bien** *adv.* well *1,* fine *2;* very; **eh ____!** well! *4;* **____ que** *conj.* although *20*
**bifteck** *m.* steak *4*
**billet** *m.* ticket *16*
**bizarre** peculiar, strange *15*
**blanc, blanche** white *10*
**blanchi** scalded *22*
**bleu** blue *9*
**boeuf** *m.* beef; **____ à la mode** stewed beef *22*
**boire** to drink *14*
**bois** *m.* wood *21*
**bon, bonne** good *3;* **pour de bon** in earnest *18*
**bonheur** *m.* luck, good fortune, happiness *18;* **par ____** fortunately *20*
**bonjour** hello, good day *2*
**bonté** *f.* goodness, kindness; **ayez la ____ de** please, be so kind as to *21*
**botanique** *f.* botany *14*
**bouche** *f.* mouth *13*
**boucherie** *f.* butcher's shop *23*
**bouger** to move *24*
**bougie** *f.* spark plug, candle *18*
**bouillir** to boil *22*
**boulangerie** *f.* bakery *23*
**bouquet** *m.* bouquet *22;* **____ garni** bouquet garni *(a tied bunch of herbs used for seasoning) 22*
**bout** *m.* end *22*
**boutique** *f.* shop, store *6*
**branche** *f.* branch *21*
**bras** *m.* arm *13*
**brave** good *(when precedes noun) 24*
**bref** in short *23*
**Bretagne** *f.* Brittany *19*
**breton, bretonne** *adj.* Breton *20*

**brillant** brilliant *17*
**briller** to shine *21*
**bruit** *m.* noise *17*
**brûler** to burn *21*
**brun** brown *9*
**brusquement** abruptly, suddenly *24*
**bureau** *m.* bureau, office *6;* ____ **de poste** post office; ____ **de tabac** tobacco shop *6*

## C

**ça** that *10*
**(se) cacher** to hide *8*
**café** *m.* café *17;* coffee *5;* **un** ____ a cup of coffee *10*
**caissière** *f.* cashier *16*
**calme** calm *21*
**calvados** *m.* cider brandy *22*
**campagne***f.* countryside *23*
**campus** *m.* campus *15*
**Canada** *m.* Canada *12*
**capitale** *f.* capital *24*
**car** for, because *10*
**carafe** *f.* water bottle, decanter *18*
**carburateur** carburetor *18*
**cardinal;** *pl.* **cardinaux** cardinal; **nombre** ____ cardinal number *23*
**carotte** *f.* carrot *22*
**carrément** squarely, bluntly *22*
**carte** *f.* card *2;* menu *4*
**cas** *m.* case, matter; **selon le** ____ as the case may be *3*
**casserole** *f.* pan *22*
**cathédrale** *f.* cathedral *7*
**cause** cause, reason; **à** ____ **de** on account of *17*
**causer** to cause, to chat *20*
**ce** *pron.* it; **ce que** that which, what *8;* **ce qui** that which, what *9*
**ce (cet), cette;** *pl.* **ces** *adj.* this, that; these, those *4*
**cela** that *2*
**célèbre** famous *12*
**celui, celle;** *pl.* **ceux, celles** this one, that one, the one; these, those, the ones *7*
**cent** hundred *4*
**centaine** *f.* about a hundred; **des** ____**s de** hundreds of *21*
**cependant** nevertheless, yet *14*
**cerise** *f.* cherry *5*
**certain** certain *10*
**certainement** certainly *3*
**cervelle** *f.* brain; **sans** ____ brainless *19*
**chacun, chacune** *indef. pron.* each (one) *13*
**chair** *f.* flesh; *pl.* ____s flesh *22*
**chaise** *f.* chair *3*
**chambre** *f.* room *2*
**champ** *m.* field *21*
**chance** *f.* chance, luck; **avoir de la** ____ to be lucky *9*
**changement** *m.* change *5*
**chaque** each *3*
**charmant** charming *17*
**charmer** to charm, to bewitch *21*
**chasse** *f.* hunt *24*
**château** *m.* castle *12*
**chaud** hot, warm; **il fait** ____ it *(the weather)* is hot (warm) *9;* **avoir** ____ to be warm *(ref. to animate beings)* *11*
**chauffage** *m.* heating, heating system *17*
**chauffer** to heat *21*
**chaussette** *f.* sock *11*
**chemin** *m.* path, track, way; ____ **de fer** railroad *23*
**cheminée** *f.* fireplace *21*
**chemise** *f.* shirt *11*
**cher, chère** dear, expensive; **coûter cher** to be expensive *6*
**chercher** to look for *6*
**chéri** dear, darling *16*
**cheval;** *pl.* **chevaux** m. horse *20*
**chevalier** *m.* knight *21*
**cheveux** *m. pl.* hair(s) *13*
**chèvre** *f.* goat *21*
**chez** at, in, or to country, house, place, etc. *5;* ____ **nous** in our country, house *5*
**chien** *m.* dog *10*
**chiffre** *m.* figure, number *4*
**chimie** *f.* chemistry *14*

**Chine** *f.* China *12*
**choix** *m.* choice *11*
**chose** *f.* thing *3;* **autre** ___ something else *5*
**choucroute** *f.* sauerkraut *4*
**ciel** *m.* sky *9*
**cinéma** *m.* movies *14*
**cinq** five *2*
**cinquantaine** *f.* about fifty *23*
**cinquante** fifty *4*
**cinquième** *adj.* fifth *5; m.* a fifth; **trois** ___**s** three fifths *23*
**circulation** *f.* circulation *13*
**citron** *m.* lemon *22*
**civilisation** *f.* civilization *19*
**clairement** clearly *18*
**clarinette** *f.* clarinet *15*
**classe** *f.* class *7*
**clé** *f.* key *2*
**client** *m.* customer *4*
**coeur** *m.* heart *13*
**coffre** *m.* trunk *17*
**collectionner** to collect *2*
**colline** *f.* hill *21*
**colorer** to color *22*
**combien** how much, how many *4*
**combiner** to combine *9*
**commander** to order *5*
**comme** as *2*
**commencer** to begin *4*
**comment** how *1;* ___ **ça va?** how are things? *8;* ___ **vas-tu?** how are you? *8;* ___ **cela?** how so? *14*
**commode** convenient *18*
**comparaison** *f.* comparison *9*
**comparatif, comparative** comparative; **le** ___ comparative degree *9*
**compartiment** *m.* compartment *20*
**complément** complement; **pronom** ___ object pronoun *4*
**complet, complète** *adj.* complete *1; m.* suit *(of clothes) 11*
**complètement** completely *18*
**compléter** to complete, to complement *17*
**compliqué** complicated *6*
**compliquer** to complicate *6*
**composé** compound; **passé** ___ past indefinite *7*
**composition** *f.* composition *15*
**comprendre** to understand *15*
**compte** *m.* count, reckoning; **se rendre** ___ **de** *(qqch.)* to realize *(sth.) 12*
**compter** to count, to intend *2*
**concert** *m.* concert; **salle de** ___ *f.* concert hall *17*
**concevoir** to conceive *Appendix I*
**conditionnel** *m.* conditional (tense) *15;* ___ **passé, passé du** ___ conditional perfect (tense) *15*
**conduire** to drive *17*
**conduisant** driving *17*
**confort** *m.* comfort *17*
**confortable** comfortable *3*
**connaissance** *f.* acquaintance; **faire la** ___ **de qqn** to make s.o.'s acquaintance, to become acquainted with s.o. *1*
**connaître** to know; to be familiar or acquainted with *11*
**conséquent** consequent; **par** ___ consequently *21*
**construction** *f.* construction *4*
**construire** to construct *12*
**construit** *p.p.* of **construire** *12*
**contact** *m.* contact *15*
**contenir** to contain *9*
**content** satisfied, pleased *5*
**contraire** contrary, opposed; **au** ___ on the contrary *5*
**contrôleur** *m.* ticket collector *20*
**convenable** proper, suitable *1;* **la partie la plus** ___ the most suitable part *18*
**conversation** *f.* conversation *1*
**convoiteux** covetous *24*
**copain** *m.* pal *8*
**corps** *m.* body *13*
**correspondant** corresponding *18*
**corsage** *m.* blouse *11*
**côte** *f.* coast *23;* **la Côte d'Azur** the Riviera *19*
**côté** *m.* side; **à** ___ **de** *(qqch., qqn)* beside, next to *(sth., s.o.) 11*
**côtelette** *f.* chop, cutlet; ___ **de veau** veal cutlet *4*
**couche** *f.* cover, layer *21*
**se coucher** to go to bed *8*
**couleur** *f.* color *9*

**coup** *m.* blow *24*
**coupe** *f.* cup *21*
**couper** to cut *7*
**courage** *m.* courage *9*
**courageusement** courageously *24*
**courageux, courageuse** courageous *24*
**courir** to run *Appendix I*
**cours** *m.* course *7*
**course** *f.* errand *6;* race *20;* **faire des ____s** to go shopping *6;* ____ **d'autos** motor race *20*
**cousin** *m.* cousin *21*
**couteau** *m.* knife *22*
**coûter** to cost *4;* ____ **cher [peu]** to be expensive [inexpensive] *6*
**couvert** *p.p.* of **couvrir** *21*
**couvrir** to cover *21*
**craindre** to fear *24*
**cravate** *f.* necktie *11*
**crème** *f.* cream *5*
**crier** to scream *24*
**croire** to believe *10*
**cuiller** *f.* spoon *22*
**cuillerée** *f.* spoonful *22*
**cuisine** *f.* kitchen, cooking *21;* **faire la ____** to cook *23*
**cuisinier** *m.*, **cuisinière** *f.* cook *23*
**cuisson** *f.* cooking *22*
**culture** *f.* culture *14*

## D

**dans** in, into, on *(when ref. to street) 1*
**date** *f.* date *2*
**dater** to date *20*
**davantage** more *9*
**de** of, from *1*
**débit** *m.* delivery *16*
**début** *m.* beginning *23*
**décembre** *m.* December *11*
**déchirer** to tear *10*
**décider** *(de faire qqch.)* to decide *(to do sth.) 16*
**décourager** to discourage *9*
**défendre** to defend *24*
**déficeler** to untie *22*
**défini** definite *1*
**dégraisser** to skim *22*
**dehors** *m.* outside *21*
**déjà** already *6*
**délicieux, délicieuse** delicious *23*
**demain** tomorrow *5*
**demander** *(à qqn de faire qqch.)* to ask *(s.o. to do sth.) 6;* ____ *(+ subj.)* to demand *19;* **se ____** to wonder *8*
**demeurer** to live, to reside *5*
**demi** *m.* a half *23;* **demie** *f.* half (hour) *3*
**démonstratif, démonstrative** demonstrative *4*
**dent** *f.* tooth *13*
**dentiste** *m.* dentist *13*
**départ** *m.* departure *19*
**département** *m.* department *14*
**dépasser** to go beyond *22*
**dépaysé** out of place; **se sentir ____** to feel strange *9*
**dépendre** to depend *12*
**depuis** since, for *2*
**déranger** to disturb *7*
**dernier, dernière** last *11*
**derrière** behind *21*
**des** some, any *3*
**dès que** as soon as *12*
**descendre** to descend, to go down *9*
**descente** *f.* descent *20*
**désespoir** *m.* despair *23*
**désirer** to desire; **Monsieur désire?** What would the gentleman like? *4*
**dessert** *m.* dessert *5*
**dessus** above, over *24*
**détail** *m.* detail *23*
**détester** to detest *12*
**deux** two *1*
**deuxième** second *2*
**devant** before, in front of *7*
**devenir** to become *7*
**deviner** to guess *18*
**devoir** to have to, to owe; **on doit** one must, one has to *7*
**différence** *f.* difference *14*
**différent** different *12*
**difficile** difficult *13*
**difficulté** *f.* difficulty *23*
**dîner** to dine *6*

**diplôme** *m.* diploma *13*
**dire** to say, to tell *4;* ____ **de la part de qqn** to tell for (from) s.o. *23;* **c'est-à-**____ that is to say, namely *9;* **dites (dis) donc!** look here! I say! *9*
**direct** direct *4*
**direction** *f.* direction *18*
**diriger** to point, to direct; **se** ____ *(vers)* to head *(toward) 23*
**discuter** to discuss *13*
**disjonctif** disjunctive *8*
**disparaître** to disappear *Appendix I*
**distance** *f.* distance *24*
**distrait** absent-minded *8*
**divers** varied, diverse *14*
**diviser** to divide *22;* ____ **en deux** to divide in half *23*
**division** *f.* division *23*
**dix** ten *2;* ____**-sept** seventeen *2;* ____**-septième** seventeenth *17;* ____**-huit** eighteen *2;* ____**-huitième** eighteenth *18;* ____**-neuf** nineteen *2;* ____**-neuvième** nineteenth *19*
**dixième** tenth *10*
**dizaine** *f.* about ten; **une** ____ **d'amis** about ten friends; **par** ____**s** by tens *23*
**doigt** *m.* finger *13*
**domaine** *m.* field, domain *14*
**dommage** *m.* pity; **c'est** ____ it's too bad, it's a pity; **quel** ____**!** what a pity! *10*
**donc** therefore *8*
**donjon** *m.* keep *(of a castle) 20*
**donné** *p.p.* of **donner** *3*
**donner** to give *1*
**dont** of which, of whom, whose *17*
**dormir** to sleep *19*
**douloureusement** sorrowfully, painfully *24*
**douze** twelve *2*
**douzième** twelfth *12*
**droit** *adv.* straight, directly *1;* **tout** ____ straight ahead *1; n.m.* law *15*
**droite** *f.* right *(side) 3;* **à** ____ on [to] the right *3*
**drôle** funny *18*
**duchesse** *f.* duchess *12*
**duquel, de laquelle;** *pl.* **desquels, desquelles** of which, of whom, whose *17*
**durer** to last *22*

## E

**eau** *f.* water *4;* ____**-de-vie** brandy *22*
**ébullition** *f.* boiling; **point d'**____ boiling point *22*
**échapper** to escape *24*
**éclater** to burst *21*
**écrire** to write *12*
**écrivain** *m.* writer *20*
**écumer** to skim *22*
**effet** *m.* effect, result; **en** ____ as a matter of fact, indeed *10;* ____ **scénique** stage effect *16*
**effrayant** frightening *13*
**égal** equal; **ça m'est** ____ it's all the same to me *7*
**égoutter** to drain *22*
**élément négatif** *m.* negative element, negative expression *16*
**élision** *f.* elision *2*
**elle;** *pl.* **elles** *f.* she, it; *pl.* they *1*
**éloigné** distant, faraway *19*
**éloigner** to remove, to take away; **s'**____ *(de)* to go away *(from),* to withdraw *19*
**embrasser** to kiss *20*
**emmener** to take, to lead (away) *(used for persons only) 6*
**employer** to use *2*
**en** *prep.* in, into *3;* to *14;* by, while *22; pron.* some, any, of it, of them *5;* from there *5*
**enchanter** to charm, to delight; **enchanté de faire votre connaissance** pleased to meet you, to make your acquaintance *1*
**enchanteur** *m.* enchanter *21*
**encore** still, yet *4;* again *15;* **pas** ____ not yet *4*
**encrassé** filthy, dirty *18*
**encre** *f.* ink *6*
**endormir** to put to sleep; **s'**____ to

fall asleep *Appendix I*
**endroit** *m.* place *15*
**énergique** energetic *24*
**enfant** *m.* child *21*
**enfermer** to shut up, to shut in *12*
**enfin** finally, at last *17*
**engager** to strike up *20*
**engloutir** to swallow up *21*
**ennuyer** to bore *23*
**énorme** enormous *10*
**enseignement** *m.* teaching, education *14*
**ensemble** together *4*
**ensuite** next *19*
**entendre** to hear *16*
**enterrement** *m.* burial *19*
**entier, entière** *adj.* whole, entire *7;* **entier** *m.* whole, entirety *13;* **en ____** in full, entirely *13*
**entourer** to surround *21*
**entre** in *1;* between, among *14*
**entrer** to enter *3*
**envie** *f.* desire, longing; **avoir ____ de faire qqch.** to feel like doing sth. *22*
**environs** *m. pl.* vicinity *12*
**envoyer** to send *23*
**épée** *f.* sword *24*
**épicerie** *f.* grocery store *1*
**épinards** *m. pl.* spinach *4*
**épisode** *m.* episode *24*
**époque** *f.* epoch *20*
**épouser** to marry *18*
**équilibre** *m.* balance *24*
**équivalent** *m.* equivalent *1*
**espérer** to hope *19*
**esprit** *m.* spirit *24*
**essayer** to try *23*
**essence** *f.* gasoline *18*
**essuie-glace** *m.* windshield wiper *17*
**essuyer** to wipe *17*
**est** *m.* east *19*
**estomac** *m.* stomach *13*
**et** and *1;* plus *23*
**étage** *m.* story, floor; **au deuxième ____** on the third floor *3*
**étang** *m.* pond *12*
**état** *m.* state; **États-Unis** *m. pl.* United States *7*
**été** *m.* summer *9*
**éteindre** to put out, to extinguish *24*
**éternel, éternelle** eternal *24*
**étoilé** starry *24*
**étonner** to astonish *12*
**être** to be *1;* **c'est** it is *3;* **____ à l'aise** to be comfortable *16;* **____ à** to belong to *17*
**étroit** narrow *20*
**étude** *f.* study *7*
**étudiant, étudiante** student *2*
**étudier** to study *8*
**Europe** *f.* Europe *14*
**eux** they, them *8*
**examen** *m.* examination *8*
**excellent** excellent, wonderful *4*
**exception** *f.* exception; **à l'____ de** with the exception of *24*
**excursion** *f.* excursion, trip *17*
**exemple** *m.* example *3;* **par ____** for example *14*
**exercice** *m.* exercise *1*
**expert** *m.* expert *17*
**explication** *f.* explanation *20*
**expliquer** to explain *15*
**expression** *f.* expression, phrase *1*
**extérieur** *m.* outside *17*
**extrêmement** extremely *23*

## F

**fabriquer** to manufacture *17*
**face** *f.* face; **en ____ de** opposite, facing *1*
**fâcheux, fâcheuse** vexing *19*
**facile** easy *23*
**facilement** easily *15*
**façon** *f.* way, manner *19*
**faculté** *f.* faculty, department, school; **Faculté de Médecine** medical school, Faculty of Medicine *15*
**faim** *f.* hunger; **avoir ____** to be hungry *4*
**faire** to do, to make *1;* **enchanté de ____ votre connaissance** pleased to meet you *1;* **il fait beau** it *(the weather)* is fine *6;* **____ un voyage** to take a trip *20;* **____ la cuisine** to cook *23;* **____ la rencontre** to meet *23;* **____ de son mieux** to do one's best

*24;* **se** ___ to become, to be *13;* **se** ___ **une idée** *(de)* to get an idea *(of, about) 16;* **font** equals, is *23*
**falloir** to be necessary; **il faut** it is necessary *6*
**famille** *f.* family *18*
**fatal** fatal *20*
**fatigué** tired *23*
**fauteuil** *m.* armchair *3;* ___ **d'orchestre** orchestra seat *16*
**féminin** feminine *18*
**femme** *f.* woman *17*
**fenêtre** *f.* window *3*
**ferme** *f.* farm *19*
**fermer** to close *12*
**feu** *m.* fire *21*
**feuille** *f.* leaf *9*
**février** *m.* February *11*
**ficeler** to tie up *22*
**ficelle** *f.* string *24*
**fiche** *f.* card, form *2;* ___ **d'identité** identification card *2*
**figure** *f.* face *19*
**figurer** to figure; **se** ___ to imagine, to picture *21*
**fille** *f.* daughter *21*
**film** *m.* movie *8*
**fils** *m.* son *21*
**fin** *f.* end *6*
**finalement** finally *19*
**finir** to finish *2*
**fleur** *f.* flower *14*
**Floride** *f.* Florida *12*
**flûte** *f.* flute *15*
**fois** *f.* time *17;* times *(in multiplication) 23;* **une** ___ once *17*
**fonder** to found *12*
**force** *f.* force, strength; **à** ___ **de** by dint (means) of *20*
**forêt** *m.* forest *17*
**forme** *f.* form *1*
**formidable** terrific *7*
**fort** strong *22*
**fortement** strongly, very much *22*
**foulard** *m.* scarf *10*
**foule** *f.* crowd *21*
**four** *m.* oven *22*
**fourchette** *f.* fork *22*
**fraction** *f.* fraction *23*
**frais, fraîche** fresh *21*
**franc** *m. (abbr.* **F***)* franc *4*
**français** *adj.* French; *n.m.* French (language) *1*
**Français** *m.* Frenchman; **Française** *f.* Frenchwoman, French girl *1*
**France** *f.* France *12*
**frapper** to strike *9*
**frein** *m.* brake *18*
**frère** *m.* brother *2*
**froid** cold; **il fait** ___ it *(the weather)* is cold *9;* **avoir** ___ to be cold *(ref. to animate beings) 11;* **être** ___ to be cold *(ref. to things) 11*
**fromage** *m.* cheese *5*
**fruit** *m.* fruit *14*
**futur** *m.* future (tense); ___ **antérieur** future perfect (tense) *12*

## G

**gai** gay *24*
**gant** *m.* glove *11*
**garçon** *m.* boy *1;* waiter *4*
**gare** *f.* railroad station *17*
**gâteau;** *pl.* **gâteaux** *m.* cake *5*
**gauche** *f.* left (side); **à** ___ on [to] the left *3*
**geler** to freeze *24*
**gêner** to bother, to hinder *7*
**général** general *14*
**genre** *m.* gender *1*
**gens** *m.&f.pl.* people *3*
**gentil, gentille** nice *23*
**géographie** *f.* geography *14*
**géologie** *f.* geology *14*
**glace** *f.* ice *21*
**gothique** Gothic *20*
**graisse** *f.* fat, grease *22*
**grammaire** *f.* grammar *1*
**gramme** *m. (abbr.* **g** *)* gram *22*
**grand** large *3*
**grand-chose** *m.* much *4*
**grand'mère** *f.* grandmother *21*
**grand-père** *m.* grandfather *21*
**grange** *f.* barn *21*
**grave** serious *19*
**gris** grey *9*

**gros, grosse** large, heavy *21*
**guichet** *m.* ticket window *16*
**Gulf Stream** *m.* Gulf Stream *19*

## H

**habiller** to dress; **s'____** to dress oneself, to get dressed *18*
**habitant** *m.* inhabitant *12*
**habiter** to live in, to dwell *2*
**habitude** *f.* habit, custom; **d'____** usually *9;* **comme d'____** as usual *24*
**habituer** to accustom; **s'____ à** to get used to *6*
**haleine** *f.* breath; **reprendre ____** to catch one's breath *20*
***haricot vert** *m.* string bean *4*
***hasard** *m.* chance, accident *8;* **par ____** by chance *10*
***haut, haute** high, tall; **à ____ voix** aloud *2*
***hauteur** *f.* height *22*
**heure** *f.* hour; **quelle ____ est-il?** what time is it? *3;* **il est sept ____s** it is seven o'clock *3;* **tout à l'____** a little while ago, in a little while *10;* **de bonne ____** early *12;* **à l'____** on time *20*
**heureux, heureuse** fortunate, happy *18*
**hier** yesterday *8*
**histoire** *f.* history *14;* story *24*
**historique** historical *20*
**hiver** *m.* winter *9*
**homme** *m.* man *2*
***honte** *f.* shame; **avoir ____** to be ashamed *23*
**hors** *prep.* outside; **____ de** outside, out of *18;* ***____-d'oeuvre** *(invar.)* hors d'oeuvre *22*
**hôtel** *m.* hotel *1*
**hôtelier** *m.,* **hôtelière** *f.* hotelkeeper *2*
**huile** *f.* oil *18*
***huit** eight; **le ____ juin** June eighth *14;* **de . . . en ____** a week from . . . *23*
***huitième** eighth *8*
**humain** *adj.* human *13*
**humeur** *f.* mood, humor *19*

## I

**ici** here *1*
**idée** *f.* idea *4;* **se faire une ____** *(de)* to get an idea *(of, about) 16*
**identité** *f.* identity; **fiche d'____** identification card *2*
**ignorer** not to know, to be unaware of *23*
**il;** *pl.* **ils** *m.* he, it; *pl.* they *1*
**imaginer** to imagine *23*
**immédiatement** immediately *21*
**imparfait** *m.* imperfect tense *10*
**impératif** *m.* imperative (mood) *3*
**importance** *f.* importance *2*
**important** important *23*
**impression** *f.* impression *19*
**impressionnant** impressive *8*
**inactif, inactive** inactive, idle *22*
**indéfini** indefinite *1*
**indication** *f.* direction *18*
**indirect** indirect *6*
**ininterrompu** uninterrupted *22*
**insérer** to insert *1*
**insister** to insist *5*
**installer** to install *2*
**instrument** *m.* instrument *15*
**intelligence** *f.* intelligence *20*
**intention** *f.* intention *23*
**intéressant** interesting *7;* reasonable, attractive *(price) 17*
**intéresser** to interest *4;* **s'____ à** to be interested in *14*
**intérêt** *m.* interest *19*
**intérieur** *m.* inside *17*
**interrogatif, interrogative** interrogative *1*
**interrogation** *f.* interrogation *1*
**inutile** useless *18*
**Italie** *f.* Italy *12*
**italique** italic *4*

## J

**jamais** ever, never *23;* **ne . . . ____** never *8*
**jambe** *f.* leg *13*

**janvier** *m.* January *11*
**Japon** *m.* Japan *12*
**jardin** *m.* garden *12*
**jaune** yellow *9*
**je** I *1*
**jeune** young *20*
**jeune fille** *f.* girl *1*
**joindre** to join, to put together *Appendix I*
**joli** pretty, attractive *3*
**jouer** to play *10;* ____ **d'un instrument** to play an instrument *17*
**jour** *m.* day *2;* **ces** ____**s-ci** these days *4;* **tous les** ____**s** every day *8;* **il se fait** ____ day is breaking *24*
**journal;** *pl.* **journaux** *m.* newspaper *6*
**journée** *f.* day *7*
**joyeux, joyeuse** happy *24*
**juger** to judge *18*
**juillet** *m.* July *11*
**juin** *m.* June *11*
**jupe** *f.* skirt *11*
**jurer** to swear *24*
**jus** *m.* juice, gravy *22*
**jusque** up to, until; **jusqu'à** up to, until *2;* **jusqu'ici** until now, up to now *7*
**juste** just, exactly; ____ **au moment où** just when *18*
**justement** exactly, precisely *9*

## K

**kilogramme** *m. (abbr. kg)* kilogram *(= 2.2 pounds) 22*
**kilomètre** *m.* kilometer *(= .621 mile) 18*
**kiosque** *m.* kiosk, newspaper stand *6*

## L

**la;** *pl.* **les** *f.* the *1*
**là** there *1;* ____**-bas** over there *10*
**lâcher** to set, to release *24*
**laisser** to leave *20;* **laisser** *(+ inf.)* to let *(do or be done) 22*
**langue** *f.* language, tongue *1*
**lard** *m.* pork fat, bacon *22*
**larder** to lard *(to insert thin strips of pork into meat) 22*
**laver** to wash *6;* **se** ____ to wash [oneself] *6*
**le;** *pl.* **les** *m.* the *1*
**leçon** *f.* lesson *1*
**lecture** *f.* reading *20*
**légendaire** legendary *21*
**légende** *f.* legend *21*
**léger, légère** light *21*
**légume** *m.* vegetable *4*
**lendemain** *m.* the next day *22*
**lentement** slowly *23*
**lequel, laquelle;** *pl.* **lesquels, lesquelles** who, whom, which *17*
**lettre** *f.* letter *2*
**leur;** *pl.* **leurs** *poss. adj.* their *2;* **le leur, la leur;** *pl.* **les leurs** *poss. pron.* theirs *14*
**lever** to raise, to lift; **se** ____ to get up *8;* **au** ____ **du soleil** at sunrise *24*
**lèvre** *f.* lip *8*
**liberté** *f.* freedom; **mettre en** ____ to set free *24*
**librairie** *f.* bookstore *15*
**libre** free *2*
**lieu** *m.* place *14;* **avoir** ____ to take place *24*
**lire** to read *7*
**lit** *m.* bed *3*
**litre** *m.* liter *(= 1.05 U.S. liquid quarts) 12*
**littérature** *f.* literature *14*
**livre** *f.* pound *12*
**livre** *m.* book *6*
**loi** *f.* law *15*
**loin** far; ____ **de** far from *2*
**Londres** London *12*
**long, longue** long *10;* **à la** ____ in the long run *23*
**longtemps** long, a long time; **depuis** ____ for a long time *2*
**lorsque** when *12*
**louer** to rent *17*
**loup** *m.* wolf *24*
**lourd** heavy *7*
**lu** *p.p.* of **lire** *7*

**lueur** *f.* gleam *24*
**lui** him *8*
**lumière** *f.* light *24*

## M

**madame, Madame** *(abbr.* $M^{me}$*)* madam, Mrs.; *pl.* **mesdames, Mesdames** *(abbr.* $M^{mes}$*)* ladies *2*
**mademoiselle, Mademoiselle** *(abbr.* $M^{lle}$*)* Miss; *pl.* **mesdemoiselles, Mesdemoiselles** *(abbr.* $M^{lles}$*)* young ladies *1*
**magasin** *m.* store; **grand** ____ department store *9*
**magnifique** magnificent *12*
**mai** *m.* May *11*
**maintenant** now *4*
**mais** but *1*
**maison** *f.* house; **à la** ____ at home *1*
**mal** badly *8*
**malade** sick, ill *9*
**maladie** *f.* illness, disease *12*
**malheur** *m.* misfortune *19*
**malheureusement** unhappily *18*
**malheureux, malheureuse** unfortunate, unhappy *19*
**maman** *f.* mama, mom *23*
**manger** to eat *4;* **salle à** ____ *f.* dining room *9*
**manquer** to miss *24*
**manteau** *m.* coat *10*
**manuel** *m.* textbook, manual *14*
**marché** *m.* market, bargain; **(à) bon** ____ inexpensive, cheap *4*
**marcher** to walk; to work, to function *17*
**mari** *m.* husband *23*
**marinade** *f.* marinade *22*
**marque** *f.* brand, make *17*
**mars** *m.* March *11*
**matelot** *m.* sailor *20*
**mathématiques** *f.pl.* mathematics *14*
**matière** *f.* matter, subject *17*
**matin** *m.* morning *12*
**maudire** to curse *24*
**mécanicien** *m.* mechanic *18*
**méchanceté** *f.* wickedness *24*
**méchant** naughty, wicked *24*
**médecin** *m.* doctor, physician; ____ **ordinaire** general practitioner *13*
**médecine** *f.* medicine *13*
**meilleur** best *10*
**même** *adj.* same *12; adv.* even *8;* **tout de** ____ all the same *12*
**mémoire** *f.* memory *17*
**mentir** to lie, to tell a lie *19*
**menton** *m.* chin *13*
**merci** thank you; ____ **bien** many thanks *1*
**mère** *f.* mother *1*
**merveilleusement** marvelously *17*
**merveilleux, merveilleuse** marvelous *21*
**métro** *m.* subway *12*
**mettre** to put *1;* **se** ____ *(à)* to begin *(to) 17;* **se** ____ **en route** to start on one's way *17;* ____ **la table** to set the table *22;* ____ **en liberté** to set free *24*
**Mexique** *m.* Mexico *12*
**midi** *m.* noon, twelve o'clock *3*
**mien: le mien, la mienne;** *pl.* **les miens, les miennes** *poss. pron.* mine *14*
**mieux** better; **le** ____ the best *7;* **faire de son** ____ to do one's best *24*
**mijotement** *m.* simmering *22*
**mil, mille** thousand *21*
**milieu** *m.* middle *24*
**millier** *m.* about a thousand; **des** ____**s de** thousands of; **par** ____**s** by thousands *23*
**million** *m.* million *5*
**minuit** *m.* midnight, twelve o'clock *3*
**modifier** to modify *3*
**moi** me *1*
**moins** less *2;* to, of, before *(in time expressions) 3;* minus *23;* **au** ____ at least *2;* **du** ____ at least *16*
**mois** *m.* month *9*
**moitié** *f.* half *23*
**moment** *m.* moment *13;* **au** ____ **où** (at the moment) when *18*
**mon, ma;** *pl.* **mes** my *1*
**monde** *m.* world; **tout le** ____ everybody *11*
**monnaie** *f.* change *16*
**monsieur, Monsieur** *(abbr.* **M.***)* gentle-

man, Sir (Mr.); *pl.* **messieurs, Messieurs** *(abbr.* **MM.***)* gentlemen *1*
**monter** to go up *10*
**montrer** to show *17*
**morceau** *m.* piece *22*
**morne** bleak, gloomy, dreary *21*
**mot** *m.* word *1*
**moteur** *m.* motor *17*
**mouchoir** *m.* handkerchief *11*
**mourir** to die *9*
**mouton** *m.* sheep *21*
**mouvementé** lively, spirited *19*
**moyen, moyenne** middle, medium *20;* average *22;* ____ **âge** *m.* The Middle Ages *20*
**muet, muette** mute, speechless *22*
**multiplication** *f.* multiplication *23*
**muscle** *m.* muscle *13*
**musée** *m.* museum *17*
**musicien** *m.* musician *15*
**musique** *f.* music *14*
**mystère** *m.* mystery *10*

## N

**naissance** *f.* birth *21*
**naître** to be born *9*
**nappe** *f.* tablecloth *22*
**natal, natale** native *4*
**nationalité** *f.* nationality *2*
**ne:** ____ **. . . pas** not *1;* ____ **. . . que** only *7;* ____ **. . . jamais** never *8;* ____ **. . . plus** no longer *8;* ____ **. . . personne** no one, anyone *16;* ____ **. . . rien** anything, nothing *16;* ____ **. . . guère** hardly, scarcely *19*
**nécessaire** necessary *5*
**négatif, négative** negative *1*
**négation** *f.* negation *1*
**neiger** to snow *9*
**nerf** *m.* nerve *13*
**nettoyer** to clean *18*
**neuf** nine *2*
**neuf, neuve** new, brand-new *17*
**neuvième** ninth *9*
**neveu;** *pl.* **neveux** *m.* nephew *21*
**nez** *m.* nose *13*
**nièce** *f.* niece *21*
**niveau;** *pl.* **niveaux** *m.* level *18*
**Noël** *m.* Christmas *19*
**noir** black *9*
**nom** *m.* noun *1;* name *14*
**nombre** *m.* number *4;* ____ **ordinal** ordinal number *23;* ____ **cardinal** cardinal number *23*
**non** no *4;* ____ **plus** nor, neither, not either *18*
**nord** *m.* north *18*
**note** *f.* grade, mark; **de bonnes** ____**s** good grades *15*
**notre;** *pl.* **nos** *poss. adj.* our *2;* **le nôtre, la nôtre;** *pl.* **les nôtres** *poss. pron.* ours *14*
**nous** we *1;* us *4;* to us *6*
**nouveau (nouvel), nouvelle;** *pl.* **nouveaux, nouvelles** new *18*
**novembre** *m.* November *9*
**nuage** *m.* cloud *21*
**nuit** *f.* night *24*
**numéro** *m.* number *2*

## O

**obtenir** to obtain *Appendix I*
**occasion** *f.* chance, opportunity, occasion *21*
**occidental** western *14*
**occuper** to occupy; **s'**____ **de** to be interested in, to be concerned with *13*
**octobre** *m.* October *9*
**oculiste** *m.* oculist *13*
**oeil;** *pl.* **yeux** *m.* eye *12*
**offrir** to offer *Appendix I*
**oignon** *m.* onion *22*
**oiseau** *f.* bird *20*
**on** one, someone; we, you, they *5*
**oncle** *m.* uncle *20*
**ondulant** undulating *21*
**onze** eleven *2;* **le** ____ **mai** May eleventh *(def. article not elided before onze) 14*
**onzième** eleventh *11*
**optimiste** optimistic *9*
**orage** *m.* storm *21*
**orchestre** *m.* orchestra *16;* **fauteuil d'**____ *m.* orchestra seat *16*

**ordinal**; *pl.* **ordinaux** ordinal; **nombre** ___ ordinal number *23*
**ordonné** orderly *19*
**oreille** *f.* ear *13*
**organe** *m.* organ *13*
**ou** or *2;* ___ **bien** or else *15*
**où** *adv.* where? *1; rel. pron.* where, when, in which, on which *17;* **n'importe** ___ anywhere *15*
**oublier** to forget *8*
**ouest** *m.* west *19*
**oui** yes *1*
**ouvrir** to open *6*

**P**

**pain** *m.* bread *7*
**paix** *f.* peace *24*
**panne** *f.* breakdown *23*
**pantalon** *m.* (a pair of) trousers *11*
**papeterie** *f.* stationery shop *6*
**papier** *m.* paper; ___ **à lettres** note paper, stationery *6*
**paquet** *m.* package *7*
**par** by, with *7;* ___ **ici** this way *11;* ___ **là** that way *11;* ___**-dessus** over *24*
**parc** *m.* park *12*
**parce que** because *8*
**pardon** *interj.* I beg your pardon; excuse me *1*
**pare-brise** *m. invar.* windshield *17*
**pareil** similar *23*
**parent** *m.* relative; ___**s** parents, relatives *5*
**parenthèses** *f.pl.* parentheses *1*
**parfait** perfect *23*
**parfaitement** perfectly *16*
**parfois** sometimes *3*
**parisien, parisienne** *adj.* Parisian *1*
**Parisien** *m.*, **Parisienne** *f.* Parisian *1*
**parler** to speak *1*
**part** *f.* share, portion; **à** ___ aside, except for *21*
**participe** *m.* participle; ___ **passé** past participle *6;* ___ **présent** present participle *22*
**partie** *f.* part *15*
**partir** to leave *19*
**partitif, partitive** partitive *4*
**partout** everywhere *23*
**pas** not; **ne . . .** ___ not *1;* ___ **encore** not yet *4;* ___ **du tout** not at all *5*
**passage** *m.* passage *7*
**passant** *adj.* passing *21; n.m.* passer-by *10*
**passé** *adj.* past *7;* **participe** ___ past participle *6; n.m.* past (tense); ___ **composé** past indefinite *7*
**passer** to pass, to go by *3;* **se** ___ to happen *18;* **tout s'est bien passé** all went off smoothly *20*
**passif** *m.* passive voice *6*
**pâtisserie** *f.* pastry *22*
**pauvre** poor *24*
**payer** to pay (for) *17*
**pays** *m.* country *17*
**paysage** *m.* countryside, landscape *21*
**peau** *f.* skin *13*
**pêcher** to fish *24*
**peindre** to paint *21*
**peine** *f.* pain, trouble, difficulty; **à** ___ scarcely *20*
**peint** *p.p.* of **peindre** *21*
**pendant** during *11*
**penser** *(à)* to think *(of, about) 16*
**perdre** to lose *9*
**père** *m.* father *1*
**permettre** to permit, to allow; **permets-moi, permettez-moi** permit me *8;* ___ **à qqn de faire qqch.** to permit s.o. to do sth. *20*
**persécuter** to persecute *19*
**personne** *f.* person *17;* no one, nobody *20;* **ne . . .** ___ no one, anyone *16*
**personnel** personal; **pronom** ___ personal pronoun *4*
**petit** little, small *5;* ___ **à** ___ little by little *24*
**peu** little; ___ **de** little, few *5;* **coûter** ___ to be inexpensive *6*
**peur** *f.* fear; **avoir** ___ to be afraid; **de** ___ **que** *conj.* fearing that *20*
**peut-être** perhaps *9*
**photo** *f.* photograph *5*
**phrase** *f.* sentence *1*

**physique** *f.* physics *14*
**piano** *m.* piano *15*
**pièce** *f.* play *16*
**pied** *m.* foot *13;* **à** ___ on foot *17*
**pierre** *f.* stone *21*
**pittoresque** picturesque *19*
**place** *f.* space, room *3;* seat *16;* ___ **de loge** box seat *16*
**plaindre** to pity *24;* **se** ___ *(de)* to complain *(about) Appendix 1*
**plaire** to please; **s'il vous plaît** (if you) please *4;* ___ **à** to please *9*
**plaisir** *m.* pleasure *4*
**planter** to plant *21*
**plat** *m.* dish *6*
**pleurer** to cry *23*
**pleuvoir** to rain; **il pleut** it rains, it is raining *9*
**plume** *f.* feather; pen *18*
**plupart: la plupart** most; **la** ___ **de** the majority of *21*
**pluriel** plural *2*
**plus** more *5;* **ne . . .** ___ no more, no longer *8;* **de** ___ **en** ___ more and more *8;* ___ **de** *(+ number)* more than *9;* ___ **de** *(+ noun)* no more *[implies negation] 9;* **non** ___ nor, neither, not either *18;* **la** ___ **jolie** the prettiest *24;* ___**-que-parfait** *m.* pluperfect tense *10*
**plusieurs** several *19*
**plutôt** rather *16*
**pneu** *m.* tire *18*
**poche** *f.* pocket *10*
**poêle** *f.* frying pan *22*
**poème** *m.* poem *14*
**poire** *f.* pear *5*
**poisson** *m.* fish *24*
**poivre** *m.* pepper *22*
**pomme** *f.* apple *4*
**pommes de terre** *f.pl.* potatoes; **pommes frites** french fries *4*
**pompe** *f.* pump *18*
**pont** *m.* bridge *10*
**porc** *m.* pork *4*
**porte** *f.* door *21*
**porter** to carry, to bear; to wear *14;* **se** ___ to be *(in a state of health);* **se** ___ **bien** to be fine, to be in good health *20*
**portrait** *m.* picture *20*
**Portugal** *m.* Portugal *12*
**poser** to put, to place; ___ **une question** to ask a question *14*
**possessif, possessive** possessive *2*
**possible** possible *19*
**poste de T.S.F.** *m. (télégraphie sans fil)* radio *17*
**poule** *f.* chicken *21*
**poumon** *m.* lung *13*
**pour** for, in order to *3;* ___ **que** *conj.* so that, in order that *20*
**pour cent** per cent *6*
**pourquoi** why *6*
**poursuivre** to pursue *24*
**pourtant** yet, however, nevertheless *24*
**pouvoir** to be able; **je peux** I am able, I can *5*
**pratiquer** to practice, to use; to cut, to make an opening *24*
**précipiter** to hurl; **se** ___ to rush *21*
**préférer** to prefer *4*
**premier, première** first *1*
**prendre** to take, to have *(with food) 4;* **j'en prends** I'll have (take) some *5*
**préparer** to prepare; ___ **un examen** to study for an exam *8*
**préposition** *f.* preposition *8*
**près** near; ___ **de** near, close to *1;* **tout** ___ very near *7*
**présent** *m.* present tense *10;* **participe** ___ *m.* present participle *22*
**présenter** to introduce *8;* to present *21*
**présidence** *f.* presidency *18*
**presque** almost *9*
**pressé** in a hurry, rushed *8*
**prêt** *(à)* ready *(to) 5*
**prier** to pray, to ask, to beg; **je vous (en) prie** please *10*
**principal;** *pl.* **principaux** *adj.* principal *21*
**printemps** *m.* spring *9*
**prix** *m.* price *17*
**problème** *m.* problem *23*
**prochain** next *23*
**procurer** to procure *23*
**professeur** *m.* teacher, professor *13*
**profession** *f.* profession *2*
**profiter** *(de)* to take advantage *(of) 16*

**promenade** *f.* walk, drive; **faire une** ____ to take a walk (drive); **faire une** ____ **(en auto)** to go for a ride *12*
**promettre** to promise *Appendix I*
**pronom** *m.* pronoun *1;* ____ **interrogatif** *m.* interrogative pronoun *13;* ____ **complément** object pronoun *4;* ____ **personnel** personal pronoun *4;* ____ **relatif** *m.* relative pronoun *9*
**prononcer** to pronounce *17*
**proportion** *f.* proportion *22*
**proposer** to propose *24*
**province** *f.* province *19*
**puis** then *22*
**puisque** since *10*

## Q

**quand** when; **depuis** ____...? how long...? *2;* ____ **même** all the same *23*
**quantité** *f.* quantity *5*
**quinzaine** *f.* about fifteen *23*
**quarante** forty *4*
**quart** *m.* quarter (hour) *3;* a fourth *23;* **trois** ____**s** three fourths *23*
**quartier** *m.* quarter *22;* **Quartier Latin** Latin Quarter *24*
**quatorze** fourteen *2*
**quatorzième** fourteenth *14*
**quatre** four *2;* ____**-vingts** eighty *4;* ____**-vingt-dix** ninety *4*
**quatrième** fourth *4*
**que** *conj.* that *1; rel. pron.* what, whom, which, that *9;* **ce** ____ that which, what *8; interr. pron.* what? *3;* **qu'est-ce que?** *3,* **qu'est-ce qui?** *13* what?
**quel, quelle** *interr. adj.* what? which? *2; exclam. adj.* what (a)! *3*
**quelque** *adj.* some, any; ____**s** a few, some *9*
**quelque chose** *invar. indef. pron.* something *3*
**quelque part** *loc. adv.* somewhere *6*
**quelqu'un** *invar. pron.* someone, somebody *14; pl.* **quelques-uns, quelques-unes** *indef. pron.* a few, some *12*
**questionnaire** *m.* questionnaire *1*
**queue** *f.* tail *24*
**qui** *rel. pron.* which, that, who, whom *4;* **ce** ____ that which, what *9; interr. pron.* who? whom? *13*
**quinze** fifteen *2*
**quinzième** fifteenth *15*
**quitter** to leave *10*
**quoi** *rel. pron.* what, which *8; interr. pron.* what? *11; exclam.* what! *17*
**quoique** *conj.* although *20*

## R

**raconter** to tell, to narrate *24*
**raison** *f.* reason, intellect; **vous avez** ____ you are right *1*
**rapide** fast, rapid *18*
**rapidité** *f.* rapidity *16*
**rappeler** to call again; **se** ____ to recall, to remember *17*
**rare** rare *21*
**rattacher** to fasten together; **se** ____ **à** to be connected with *13*
**recette** *f.* recipe *22*
**recevoir** to receive *19*
**réciter** to recite *24*
**reconnaître** to recognize; to acknowledge *Appendix I*
**réduction** *f.* reduction *22*
**refuser** *(de faire qqch.)* to refuse *(to do sth.) 22*
**regarder** to look at, to watch *3;* **regarde-moi ça!** look at that! *20*
**région** *f.* region *17*
**regretter** to regret *10*
**relatif, relative** *adj.* relative; **pronom** ____ *m.* relative pronoun *9*
**relativement** relatively *18*
**remarquer** to notice *8*
**remettre** to postpone, to put off *17*
**remplacer** to replace *1;* **remplaçant** replacing *22*
**remplir** to fill (in); to complete *2*
**renard** *m.* fox *24*
**rencontre** *f.* meeting, encounter *1;* **faire la** ____ to meet *23*

**rendre** to return, to give back *6;* **se ___ compte de** *(qqch.)* to realize *(sth.) 12*
**renforcer** to reinforce *8*
**renoncer** *(à)* to give up *17*
**rentrer** to return, to go back *12*
**repas** *m.* meal *5*
**répéter** to repeat *18*
**répondre** to reply, to answer *1*
**(se) reposer** to rest *19*
**reprendre** to take again, to take back; **___haleine** to catch one's breath *20*
**représentation** *f.* performance *16*
**reprocher** *(à qqn de faire qqch.)* to reproach *(s.o. for doing sth.) 19*
**restaurant** *m.* restaurant *4*
**rester** to stay, to remain *2*
**retard** *m.* delay; **en ___** late *20*
**retenir** to secure, to book *19*
**retirer** to pull out; **se ___** to withdraw, to retire *23*
**retour** *m.* return *21*
**retournant** turning over *22*
**retrouver** to find again, to rediscover; **se ___** to meet again *15*
**réunir** to join; **se ___** to meet, to join *24*
**réussir** *(à)* to succeed *(in) 17*
**revenir** to come back, to return *9*
**revoir** to see again; **au ___** good-bye, so long *1*
**riche** rich *10*
**rien** nothing *5;* **de ___** you're welcome *11;* **ne . . . ___** nothing, not . . . anything *16;* **___ d'autre** nothing else *20*
**rire** to laugh *24*
**risquer** to risk *17*
**rive** *f.* bank *(of a river) 23*
**rivière** *f.* river *21*
**robe** *f.* dress *11*
**roche** *f.* rock *21*
**roi** *m.* king *21*
**roman** *m.* novel *7*
**rond** round *21*
**rôtissage** *m.* roasting *22*
**rouge** red *9*
**route** *f.* road, route; **en ___** on the way *17*
**rue** *f.* street *1*
**ruer** to kick; **se ___** *(sur)* to hurl oneself *(at) 24*
**Russie** *f.* Russia *12*

## S

**sac** *m.* sack, bag *10*
**saison** *f.* season *9*
**salade** *f.* salad *5*
**salle** *f.* room *3;* **___ de bains** bathroom *3;* **___ à manger** dining room *9;* **___ de concert** concert hall *17*
**salon** *m.* living room *21*
**salut** *m.* greeting, salutation; **___ !** greetings! hi! *8*
**samedi** *m.* Saturday *12*
**sanglier** *m.* wild boar *22*
**sans** *prep.* without; **___ blague!** really! no kidding! *9;* **___ que** *conj.* without *20*
**santé** *f.* health *23*
**sauter** to jump *24*
**sauver** to save; **se ___** to run off *15*
**savoir** to know; **je sais** I know *4;* **il a su** he found out, he learned *19*
**scène** *f.* scene *24*
**science** *f.* science *14*
**scooter** *m.* motor scooter *17*
**secours** *m.* help, assistance; **porter ___ à qqn** to go to s.o.'s aid *24*
**seize** sixteen *2*
**seizième** sixteenth *16*
**sel** *m.* salt *22*
**selon** according to; **___ le cas** as the case may be *3*
**semaine** *f.* week *2*
**sembler** to seem *12*
**sens** *m.* sense, interpretation *10*
**sentir** to feel *9;* to smell *19*
**séparé** separate, distinct *18*
**séparer** to separate *24*
**sept** seven *2*
**septembre** *m.* September *11*
**septième** seventh *7*
**sérieux, sérieuse** serious *14*
**service** *m.* service *6*

**serviette** *f.* portfolio, briefcase *7;* napkin *22*
**servir** to serve *22;* ____ **de** to be used as, to serve as *21;* **se** ____ **de qqch.** to use, to make use of sth. *24*
**seulement** only *9*
**si** *conj.* if *3; adv.* so *22*
**siècle** *m.* century *7*
**sien: le sien, la sienne; les siens, les siennes** *poss. pron.* his, hers, its *14*
**signaler** to indicate, to point out *1*
**simple** simple *5*
**singulier** singular *3*
**sinon** if not, otherwise *18*
**situer** to situate, to locate *21*
**six** six *2*
**sixième** sixth *6*
**soeur** *f.* sister *2*
**soi** *pers. pron.* oneself; himself, herself, itself *8*
**soif** *f.* thirst; **avoir** ____ to be thirsty *11*
**soin** *m.* care; **avoir** ____ to be careful *20*
**soir** *m.* night *6*
**soirée** *f.* evening *16*
**soixante** sixty *4*
**soixante-dix** seventy *4*
**soleil** *m.* sun *21;* **au lever du** ____ at sunrise *24*
**sommeil** *m.* sleep; **avoir** ____ to be sleepy *20*
**son, sa;** *pl.* **ses** *poss. adj.* his, her, its *2*
**sonner** to ring *3*
**sorte** *f.* sort *13*
**sortir** to go out *10*
**souffrir** to suffer, to bear *Appendix I*
**soulagement** *m.* relief *20*
**soulier** *m.* shoe *11*
**soupe** *f.* soup *22*
**souper** *m.* supper *23*
**soupir** *m.* sigh *20*
**sourire** to smile *Appendix I*
**sous** under *24*
**soustraction** *f.* subtraction *23*
**souvenir: se souvenir (de)** to remember *Appendix I*
**souvent** often *9*
**spécialisation** *f.* specialization *13*
**spécialiser** to specialize; **se** ____ *(dans)* to specialize *(in) 13*
**spécialité** *f.* specialty *13*
**station-service** *f.* service station *18*
**statue** *f.* statue *17*
**stylo** *m.* fountain pen *6*
**subjonctif** *m.* subjunctive (mood, tense) *19;* **passé du** ____ perfect subjunctive *20*
**sucre** *m.* sugar *5*
**sud** *m.* south *18*
**suffire** to suffice *Appendix I*
**suite** *f.* continuation *5;* **tout de** ____ right away *11;* **de** ____ in succession *17*
**suivant** following *2*
**suivre** to follow *3;* **je suis** I follow *7;* ____ **un cours** to take a course *8*
**sujet** *m.* subject *2*
**superlatif** *m.* superlative (form) *24*
**sur** on *4*
**sûr** sure; **bien** ____ of course *10*
**surtout** especially *13*
**sweater** *m.* sweater *11*
**système** *m.* system *13*

## T

**tabac** *m.* tobacco; **bureau de** ____ *m.* tobacco shop *6*
**table** *f.* table *3;* ____ **à deux** table for two *17*
**taire** to say nothing of, to conceal; **se** ____ to be silent *Appendix I*
**tandis que** whereas, while *14*
**tant (de)** so much, so many *4;* ____ **que** as long as *12*
**tante** *f.* aunt *22*
**tard** late *11*
**tas** *m.* heap *13*
**tasse** *f.* cup *22*
**tellement** *adv.* so *24*
**température** *f.* temperature *23*
**temps** *m.* time, weather *7;* tense *24;* **avoir le** ____ **de** to have time to *7;* **en même** ____ at the same time *21;*

**quel ____ fait-il?** what is the weather like? *9*
**tenir** to hold; **tenez!** here! *6;* ____ **à** to value *23*
**terre** *f.* earth; **par ____** on the ground *10*
**terriblement** frightfully *9*
**tête** *f.* head *13*
**théâtre** *m.* theater *16*
**théorie** *f.* theory *15*
**tien: le tien, la tienne;** *pl.* **les tiens, les tiennes** *poss. pron.* yours *14*
**tiers** *m.* a third *23*
**timbre** *m.* stamp *6*
**tirer** to pull *24*
**toi** *pers. pron.* you *(fam.) 8*
**tomber** to fall *9;* ____ **amoureux (de)** to fall in love (with) *18*
**ton, ta;** *pl.* **tes** poss. adj. your *(fam.) 2*
**tort** *m.* wrong, error; **avoir ____** to be wrong *11*
**tôt** early *8*
**toujours** always; still *7*
**tour** *m.* turn; walk, stroll; **faire un petit ____** to go for a stroll *12;* **faire le ____ (de)** to go around *18*
**tournant** turning *16*
**tourner** to turn *16*
**tousser** to cough *18*
**tout, toute;** *pl.* **tous, toutes** *adj.* all, every *8;* ____ **le temps** all the time *8;* **tous les jours** every day *8;* ____ **le monde** everybody *11; pron.* all, everything *2;* **c'est ____** that's all *2;* **le ____** all, the whole *21; adv.* all, completely, quite *5;* **pas du ____** not at all *5;* ____ **à fait** completely, altogether *8;* ____ **à l'heure** in a little while, a little while ago *10;* ____ **de suite** right away *11;* ____ **de même** all the same *12;* ____ **à coup** suddenly *18*
**traduire** to translate *Appendix I*
**tragédie** *f.* tragedy *16*
**train** *m.* train *19*
**trajet** *m.* length of travel *17*
**tranquille** quiet, still *24*
**travail** *m.* work, job; *pl.* **travaux** works *14*
**travailler** to work *22*
**traverser** to go across *18;* to cross, to go through *20*
**treize** thirteen *2*
**treizième** thirteenth *13*
**trentaine** *f.* about thirty *23*
**trente** thirty *2*
**très** very *1*
**triste** sad *9*
**trois** three *2*
**troisième** third *3*
**tromper** to deceive; **se ____** to make a mistake *23*
**trop** too much, too many *5*
**trou** *m.* hole *24*
**trouver** to find *6;* **se ____** to be located, to be found *7*
**tu** you *(fam.) 1*

## U

**un, une** a, an, one *1*
**universitaire** *adj.* university *13*
**université** *f.* university *5*
**usine** *f.* factory *17*

## V

**vacances** *f.pl.* vacation *19;* **passer des ____** to spend a vacation *23*
**vache** *f.* cow *21*
**vaisseau** *m.* vessel; **vaisseaux sanguins** blood vessels *13*
**vaisselle** *f.* dishes; **faire la ____** to wash the dishes *22*
**val** *m.* valley *21*
**valise** *f.* suitcase, valise *19*
**valoir** to be worth, to deserve *Appendix I*
**veau** *m.* veal; **côtelette de ____** veal cutlet *4*
**vendeuse** *f.* saleswoman *11*
**vendre** to sell *6*
**venger** to avenge; **se ____ de** to take vengeance for, to revenge oneself for *24*

**venir** to come; **je viens** I come *1;* ___ **de** *(+ inf.)* to have just... *2*
**verbe** *m.* verb *1*
**vérifier** to verify, to check *18*
**verre** *m.* glass *22*
**vers** toward *16*
**verser** to pour *22*
**vert** green *9*
**veston** *m.* suit *(U. S.) 11*
**viande** *f.* meat *5*
**vie** *f.* life *24*
**vieux (vieil), vieille;** *pl.* **vieux, vieilles** old *12*
**village** *m.* village *21*
**ville** *f.* city *9*
**vin** *m.* wine *4*
**vingt** twenty *2;* ___ **et unième** twenty-first *21;* ___**-deuxième** twenty-second *22;* ___**-troisième** twenty-third *23;* ___**-quatrième** twenty-fourth *24*
**vingtaine** *f.* about twenty *23*
**vingtième** twentieth *20*
**violet, violette** violet, purple *10*
**violon** *m.* violin *15*
**violoncelle** *m.* cello *15*
**visiter** to visit *7*
**vite** fast, quickly *18*
**vivement** acutely, deeply *20;* briskly *22*
**vivifiant** invigorating *21*
**vivifier** to vivify *21*
**vivre** to live *17*
**vocabulaire** *m.* vocabulary *1*
**voici** here is, here are; here you are *2*
**voilà** there is, there are; there you are *3*
**voir** to see; **je vois** I see *1;* **voyons!** come now! *9*
**voisinage** *m.* neighborhood *24*
**voiture** *f.* car *17*
**voix** *f.* voice; **à haute** ___ aloud *2*
**volonté** *f.* will; **à** ___ at will, at pleasure *22*
**volontiers** gladly, willingly *11*
**votre; vos** *poss. adj.* your *1;* **le vôtre, la vôtre;** *pl.* **les vôtres** *poss. pron.* yours *14*
**vouloir** to wish, to want; **je veux** I want *4;* **je veux bien** I don't mind, by all means *6;* ___ **dire** to mean *12*
**vous** you, to you *1;* ___**-même** yourself *10*
**voyage** *m.* trip *17;* **faire un** ___ to take a trip *20*
**vrai** true *18*
**vraiment** really, truly *6*
**vue** *f.* view *3*

## W

**week-end** *m.* week end *11*

## Y

**y** there, in it, on it, to it *5;* **il** ___ **a** there is, there are *3;* ago *10;* ___ **a-t-il?** is there? are there? *3*
**yeux** *pl.* of **oeil** *m. 12*

PONT ALE

# ENGLISH-FRENCH VOCABULARY

## A

**a** un, une *1*
**able:to be able** pouvoir; **I am able** je peux *5*
**about** *(ten, twenty, etc.)* dizaine, vingtaine, etc. *f. 23*
**above** dessus *24*
**abruptly** brusquement *24*
**absent-minded** distrait *8*
**access** abord *m. 12*
**accident** *hasard *m. 8*
**accompany:to accompany** accompagner *18*
**according:according to** selon *3;* d'après *16*
**account:on account of** à cause de *17*
**accustom:to accustom** habituer *6*
**acknowledge:to acknowledge** reconnaître *Appendix I*
**acquaintance** connaissance *f.;* **to make s.o.'s ___ (to become acquainted with s.o.)** faire la connaissance de qqn *1;* **to be acquainted with** connaître *11*
**across:to go across** traverser *18*
**act:to act** agir *19*
**actor** acteur *m. 16*
**acutely** vivement *20*
**add:to add** ajouter *2*
**addition** addition *f. 2*
**address** adresse *f. 2*
**adjective** adjectif *m. 1*
**adult** adulte *adj. 22*
**advance** avance *f. 19*
**advantage** avantage *m. 15*
**advantage:to take advantage** *(of)* profiter *(de) 16*
**adventure** aventure *f. 24*
**adverb** adverbe *m. 18*
**affirmatively** affirmativement *2*
**afraid:to be afraid** avoir peur *20*
**Africa** Afrique *f. 14*
**after** après *13*
**afternoon** après-midi *m. 8*
**again** encore *15*
**age** âge *f. 22*
**ago** il y a; **a little while ___** tout à l'heure *10*
**agree:to agree** être d'accord; **I ___** je suis d'accord *8*
**agreed!** ça va! *8;* d'accord! *12*
**agreement** accord *m. 8*
**ahead:ahead of time** à l'avance *19;* **straight ___** tout droit *1*
**aid:to go to s.o.'s aid** porter secours à qqn *24*
**air** air *m. 21*
**all** tout *pron. 2;* tout *adv. 5;* tout, toute; *pl.* tous, toutes *adj. 8;* le tout *m. 21;* **that's ___** c'est tout *2;* **not at ___** pas du tout *5;* aucunement *14;* **___ the time** tout le temps *8;* **___ the same** tout de même *12;* quand même *23*
**allow:to allow** permettre *8*
**almost** presque *9*
**aloud** à haute voix *2*
**already** déjà *6*
**also** aussi *1*
**although** quoique *conj. 20;* bien que *conj. 20*
**altogether** tout à fait *8*
**always** toujours *7*
**America** Amérique *f. 14;* **South ___** Amérique du Sud *14*
**American** américain, américaine *adj. 1;* Américain *m.,* Américaine *f. 1*
**among** entre *14*
**amphitheater** amphithéâtre *m. 16*
**amuse:to amuse** amuser *23*
**amusing** amusant *3*
**an** un, une *1*
**anatomy** anatomie *f. 13*
**ancient** ancien, ancienne *12*
**and** et *1;* **___ so on** et ainsi de suite *13*
**angel** ange *m. 24*
**animal** animal; *pl.* animaux *m. 21*

**another** un autre *9*
**answer: to answer** répondre *1*
**Antarctica (the Antarctic)** Antarctique *m. 14*
**anterior** antérieur *12*
**any** des *adj. 3;* quelque *adj. 9;* aucun *adj. 23;* en *pron. 5*
**anyone: not . . . anyone** ne . . . personne *16*
**anything: not . . . anything** ne . . . rien *16*
**anywhere** n'importe où *15*
**aperitif** apéritif *m. 22*
**appearance** air *m. 21*
**apple** pomme *f. 4*
**appreciate: to appreciate** apprécier *22*
**approach** abord *m. 12*
**approach: to approach** approcher; s'approcher de *24*
**April** avril *m. 2*
**arm** bras *m. 13*
**armchair** fauteuil *m. 3*
**around** autour de *24;* **to go ____** faire le tour (de) *18*
**arrange: to arrange** arranger *20*
**arrival** arrivée *f. 7*
**arrive: to arrive** arriver; **to have just arrived** venir d'arriver *2*
**art** art *m. 14*
**article** article *m. 1*
**as** comme *2*; aussi *9*; **____ the case may be** selon le cas; **____ many [much] (as)** autant (que) *5*; **____ . . . ____** aussi . . . que *8*; **____ soon ____** aussitôt que; dès que; **____ long ____** tant que *12*; **____ well ____** ainsi que *19*; **____ usual** comme d'habitude *24*
**ashamed: to be ashamed** avoir honte *23*
**Asia** Asie *f. 14*
**aside** à part *21*
**ask: to ask** prier *10;* **to ____** *(s.o. to do sth.)* demander *(à qqn de faire qqch.) 6;* **to ____ a question** poser une question *14*
**asleep: to fall asleep** s'endormir *Appendix I*
**assistance** secours *m. 24*
**assure: to assure** assurer *10*
**astonish: to astonish** étonner *12*
**at** à *1;* **at** *(country, house, place, etc.)* chez *5;* **____ will (pleasure)** à volonté *22*
**attach: to attach** attacher *21*
**attend: to attend** assister (à) *16*
**attractive** joli *3;* **____** *(price)* intéressant *17*
**August** août *m. 11*
**aunt** tante *f. 22*
**automobile** auto *f. 17*
**autumn** automne *m. 9*
**avenge: to avenge** venger *24*
**avenue** avenue *f. 2*
**average** moyen, moyenne *22*
**away: right away** tout de suite *11*

## B

**back** arrière *m;* **in the ____** à l'arrière *17*
**bacon** lard *m. 22*
**badly** mal *8*
**bag** sac *m. 10*
**bakery** boulangerie *f. 23*
**balance** équilibre *m. 24*
**ballet** ballet *m. 16*
**bank** *(of a river)* rive *f. 23*
**bantering** badinage *m. 19*
**bargain** marché *m. 4*
**bark: to bark** aboyer *24*
**barn** grange *f. 21*
**bath** bain *m. 3*
**bathroom** salle de bains *f. 3*
**be: to be** être *1;* y avoir *10;* se faire *13;* faire *23;* **to ____ hungry** avoir faim *4;* **to ____ able** pouvoir *5;* **to ____ found (located)** se trouver *7;* **to ____ lucky** avoir de la chance *9;* **to ____ cold [warm]** avoir froid [chaud] *(ref. to animate beings);* **to ____ cold** être froid *(ref. to things);* **to ____ right [wrong]** avoir raison [tort]; **to ____ thirsty** avoir soif *11;* **to ____ connected with** se rattacher à *13;* **to ____ interested in** s'intéresser à *14;* **to ____ comfortable** être à l'aise *16;* **to ____ a question of** s'agir de *10;*

to ___ **afraid** avoir peur; to ___ *(in a state of health)* se porter; **to ___ fine** *(in good health)* se porter bien; **to ___ sleepy** avoir sommeil; **to ___ careful** avoir soin *20;* **to ___ used as** servir de *21;* **to ___ ashamed** avoir honte *23;* **to ___ silent** se taire *Appendix I;* **to ___ worth** valoir *Appendix I;* **it is** c'est *3;* **I am able** je peux *5;* **it** *(the weather)* **is fine [cold]** il fait beau [froid] *6;* **how are you?** comment vas-tu? *8;* **___ so kind as to** ayez la bonté de *21*
**bean:string bean** *haricot vert *m. 4*
**bear:to bear** porter *14;* souffrir *Appendix I*
**beautiful** beau (bel), belle; *pl.* beaux, belles *9*
**because** parce que *8;* car *10*
**become:to become** devenir *7;* se faire *13*
**bed** lit *m. 3;* **to go to ___** se coucher *8*
**beef** boeuf *m.;* **stewed ___** boeuf à la mode *22*
**before** avant (de) *2;* moins *(in time expressions) 3;* devant *7;* avant que *conj. 20;* **___ dinner drink** apéritif *m. 22*
**beg:to beg** prier *10;* **I ___ your pardon** pardon *interj. 1*
**begin:to begin** commencer *4;* se mettre (à) *17*
**beginning** début *m. 23*
**behind** derrière *21*
**believe:to believe** croire *10*
**below** en bas *3*
**beside** *(sth., s.o.)* à côté de *(qqch., qqn) 11*
**besides** d'ailleurs *4*
**best:the best** le mieux *7;* meilleur *adj. 10;* **to do one's ___** faire de son mieux *24*
**better** mieux *7*
**between** entre *14*
**bewitch:to bewitch** charmer *21*
**beyond:to go beyond** dépasser *22*
**bill** addition *f. 6*
**bird** oiseau *f. 20*
**birth** naissance *f. 21*
**black** noir *9*
**bleak** morne *21*
**blouse** corsage *m. 11*
**blow** coup *m. 24*
**blue** bleu *9*
**bluntly** carrément *22*
**body** corps *m. 13*
**boil:to boil** bouillir *22*
**boiling** ébullition *f.;* **___ point** point d'ébullition *22*
**book** livre *m. 6*
**book:to book** retenir *19*
**bookstore** librairie *f. 15*
**bore:to bore** ennuyer *23*
**born:to be born** naître *9*
**botany** botanique *f. 14*
**bother:to bother** gêner *7*
**bottle** bouteille *f. 4;* **water ___** carafe *f. 18*
**bouquet:bouquet garni** bouquet garni *m. 22*
**box:box seat** place de loge *f. 16*
**boy** garçon *m. 1*
**brain** cervelle *f. 19*
**brainless** sans cervelle *19*
**brake** frein *m. 18*
**branch** branche *f. 21*
**brand** marque *f. 17*
**brand-new** neuf, neuve *17*
**brandy** eau-de-vie *f. 22;* **cider ___** calvados *m. 22*
**bread** pain *m. 7*
**break:day is breaking** il se fait jour *24*
**breakdown** panne *f. 23*
**breath** haleine *f.;* **to catch one's ___** reprendre haleine *20*
**Breton** breton, bretonne *adj. 20*
**bridge** pont *m. 10*
**briefcase** serviette *f. 7*
**brilliant** brillant *17*
**briskly** vivement *22*
**Brittany** Bretagne *f. 19*
**brother** frère *m. 2*
**brown** brun *9*
**building** bâtiment *m. 12*
**bureau** bureau *m. 6*
**burial** enterrement *m. 19*
**burn:to burn** brûler *21*

**burst:to burst** éclater *21*
**but** mais *1*
**butcher:butcher's shop** boucherie *f. 23*
**buy:to buy** *(from)* acheter *(à) 6*
**by** par *7;* en *prep. 22;* ____ **all means** je veux bien *6;* ____ **tens, twenties, etc.** par dizaines, par vingtaines, etc. *23*

## C

**café** café *m. 17*
**cake** gâteau; *pl.* gâteaux *m. 5*
**call:to call** appeler; **to** ____ **oneself** s'appeler *1;* **to** ____ **again** rappeler *17*
**calm** calme *21*
**campus** campus *m. 15*
**Canada** Canada *m. 12*
**candle** bougie *f. 18*
**capital** capitale *f. 24*
**car** voiture *f. 17*
**card** fiche *f.;* carte *f.;* **identification** ____ fiche d'identité *2*
**cardinal** cardinal; *pl.* cardinaux; ____ **number** nombre cardinal *23*
**care** soin *m. 20*
**careful:to be careful** avoir soin *20*
**carrot** carrotte *f. 22*
**carry:to carry** porter *14*
**case** cas *m.;* **as the** ____ **may be** selon le cas *3*
**cashier** caissière *f. 16*
**castle** château *m. 12*
**catch:to catch one's breath** reprendre haleine *20*
**cathedral** cathédrale *f. 7*
**cause** cause *f. 17*
**cause:to cause** causer *20*
**cello** violoncelle *m. 15*
**century** siècle *m. 7*
**certain** certain *10*
**chair** chaise *f. 3*
**chance** chance *f. 9;* *hasard *m. 8;* occasion *f. 21;* **by** ____ par hasard *10*
**change** changement *m. 5;* monnaie *f. 16*
**charm:to charm** enchanter *1;* charmer *21*
**charming** charmant *17*
**chat:to chat** causer *20*
**cheap** (à) bon marché *4*
**check** addition *f. 6*
**check:to check** vérifier *18*
**cheese** fromage *m. 5*
**chemistry** chimie *f. 14*
**cherry** cerise *f. 5*
**chicken** poule *f. 21*
**child** enfant *m. 21*
**chin** menton *m. 13*
**China** Chine *f. 12*
**choice** choix *m. 11*
**chop** côtelette *f. 4*
**Christmas** Noël *m. 19*
**cider:cider brandy** calvados *m. 22*
**circulation** circulation *f. 13*
**city** ville *f. 9*
**civilization** civilisation *f. 19*
**clarinet** clarinette *f. 15*
**class** classe *f. 7*
**clean:to clean** nettoyer *18*
**clear** clair *24*
**close:to close** fermer *12*
**close to** près de *1*
**cloud** nuage *m. 21*
**coast** côte *f. 23*
**coat** manteau *m. 10*
**coffee** café *5;* **a cup of** ____ un café *10*
**cold** froid; **it** *(the weather)* **is** ____ il fait froid *9;* **to be** ____ *(ref. to animate beings)* avoir froid *11;* **to be** ____ *(ref. to things)* être froid *11*
**collect:to collect** collectionner *2;* **ticket collector** contrôleur *m. 20*
**color** couleur *f. 9*
**color:to color** colorer *22*
**combine:to combine** combiner *9*
**come:to come** venir *1;* **to** ____ **back** revenir *9;* **to** ____ **to a stop** s'arrêter; **to** ____ **with s.o.** accompagner *18;* **I** ____ je viens *1;* ____ **now!** voyons! *9*
**comfort** aise *f. 3;* confort *m. 17*
**comfortable** confortable *3;* **to be** ____ être à l'aise *16*
**commonplace** banal *23*
**comparative** comparatif, comparative; ____ **degree** le comparatif *9*

**comparison** comparaison *f. 9*
**compartment** compartiment *m. 20*
**complain: to complain** *(about)* se plaindre *(de) Appendix I*
**complement** complément *m. 4*
**complete** complet, complète *1*
**complete: to complete** remplir *2;* compléter *17*
**completely** tout *5;* tout à fait *8*
**complicate: to complicate** compliquer *6*
**complicated** compliqué *6*
**composition** composition *f. 15*
**compound** composé *7*
**conceal: to conceal** taire *Appendix I*
**conceive: to conceive** concevoir *Appendix I*
**concerned: to be concerned with** s'occuper de *13*
**concert** concert *m.;* ____ **hall** salle de concert *f. 17*
**conditional** *(tense)* conditionnel *m. 15;* ____ **perfect** *(tense)* conditionnel passé; passé du conditionnel *15*
**connected: to be connected with** se rattacher à *13*
**consequent** conséquent *21*
**consequently** par conséquent *21*
**construct: to construct** construire *12*
**construction** construction *f. 4*
**contact** contact *m. 15*
**contain: to contain** contenir *9*
**continuation** suite *f. 5*
**contrary** contraire; **on the** ____ au contraire *5*
**convenient** commode *18*
**conversation** conversation *f. 1*
**cook** cuisinier *m.,* cuisinière *f. 23*
**cook: to cook** faire la cuisine *23*
**cooking** cuisine *f. 21;* cuisson *f. 22*
**corresponding** correspondant *18*
**cost: to cost** coûter *4*
**cough: to cough** tousser *18*
**count** compte *m. 12*
**count: to count** compter *2*
**country** pays *m. 17*
**countryside** paysage *m. 21;* campagne *f. 23*
**courage** courage *m. 9*
**courageous** courageux, courageuse *24*
**courageously** courageusement *24*
**course** cours *m. 7;* **to take a** ____ suivre un cours *8*
**course: of course** bien sûr *10*
**cousin** cousin *m. 21*
**cover** couche *f. 21*
**cover: to cover** couvrir *21*
**covetous** convoiteux *24*
**cow** vache *f. 21*
**cream** crème *f. 5*
**cross: to cross** traverser *20*
**crowd** foule *f. 21*
**cry: to cry** pleurer *23*
**culture** culture *f. 14*
**cup** coupe *f. 21;* tasse *f. 22;* **a** ____ **of coffee** un café *10*
**curse: to curse** maudire *24*
**custom** habitude *f. 9*
**customer** client *m. 4*
**cut: to cut** couper *7;* pratiquer *24*
**cutlet** côtelette *f.;* **veal** ____ côtelette de veau *4*

## D

**darling** chéri *m.,* chérie *f. 16*
**date** date *f. 2*
**date: to date** dater *20*
**daughter** fille *f. 21*
**day** jour *m. 2;* journée *f. 7;* **good** ____ bonjour *2;* **these** ____**s** ces jours-ci *4;* **every** ____ tous les jours *8;* **the next** ____ lendemain *m. 22;* ____ **is breaking** il se fait jour *24*
**deal: a great deal** beaucoup *4*
**dear** cher, chère *adj. 6;* chéri *n.m.,* chérie *n.f. 16*
**decanter** carafe *f. 18*
**deceive: to deceive** tromper *23*
**December** décembre *m. 11*
**decide: to decide** *(to do sth.)* décider *(de faire qqch.) 16*
**deeply** vivement *20*
**defend: to defend** défendre *24*
**definite** défini *1*
**delay** retard *m. 20* •

**delicious** délicieux, délicieuse *23*
**delight: to delight** enchanter *1*
**delivery** débit *m. 16*
**demand: to demand** demander *(+ subj.) 19*
**demonstrative** démonstratif, démonstrative *4*
**dentist** dentiste *m. 13*
**department** département *m. 14;* faculté *f. 15;* ___ **store** grand magasin *m. 9*
**departure** départ *m. 19*
**depend: to depend** dépendre *12*
**descend: to descend** descendre *9*
**descent** descente *f. 20*
**deserve: to deserve** valoir *Appendix I*
**desire** envie *f. 22*
**desire: to desire** désirer *4*
**despair** désespoir *m. 23*
**dessert** dessert *m. 5*
**detail** détail *m. 23*
**detest: to detest** détester *12*
**die: to die** mourir *9*
**difference** différence *f. 14*
**different** différent *12*
**difficult** difficile *13*
**difficulty** peine *f. 20;* difficulté *f. 23*
**dine: to dine** dîner *6*
**dining room** salle à manger *f. 9*
**dinner** dîner *m.;* **before ___ drink** apéritif *m. 22*
**dint: by dint of** à force de *20*
**diploma** diplôme *m. 13*
**direct** direct *4*
**direct: to direct** diriger *23*
**direction** indication *f. 18;* direction *f. 18*
**directly** droit *adv. 1*
**dirty** encrassé *18*
**disappear: to disappear** disparaître *Appendix I*
**discourage: to discourage** décourager *9*
**discuss: to discuss** discuter *13*
**disease** maladie *f. 12*
**dish** plat *m. 6*
**dishes** vaisselle *f.;* **to wash the ___** faire la vaisselle *22*
**disjunctive** disjonctif *8*
**distance** distance *f. 24*
**distant** éloigné *19*
**distinct** séparé *18*
**disturb: to disturb** déranger *7*
**diverse** divers *14*
**divide: to divide** diviser *22;* ___ **in half** diviser en deux *23*
**division** division *f. 23*
**do: to do** faire *1;* agir *19;* **to feel like doing sth.** avoir envie de faire qqch. *22;* **to ___ one's best** faire de son mieux *24*
**doctor** médecin *m. 13*
**dog** chien *m. 10*
**domain** domaine *m. 14*
**door** porte *f. 21*
**down: to go down** descendre *9*
**downstairs** en bas *3*
**drain: to drain** égoutter *22*
**draw: to draw near** approcher *24*
**dreary** morne *21*
**dress** robe *f. 11*
**dress: to dress** habiller; **to ___ oneself (to get dressed)** s'habiller *18*
**drink: to drink** boire *14*
**drive** promenade (en auto) *f. 12;* **to take a ___** faire une promenade (en auto) *12*
**drive: to drive** conduire *17*
**driving** conduisant *17*
**duchess** duchesse *f. 12*
**during** pendant *11*
**dwell: to dwell** habiter *2*

## E

**each** chaque *3;* ___ **(one)** chacun, chacune *indef. pron. 13*
**ear** oreille *f. 13*
**early** tôt *8;* de bonne heure *12*
**earnest: in earnest** pour de bon *18*
**earth** terre *f. 10*
**ease** aise *f. 3;* **ill at ___** mal à l'aise *24*
**easily** facilement *15*
**east** est *m. 19*
**easy** facile *23*
**eat: to eat** manger *4*
**eaten** mangé *4*
**education** enseignement *m. 14*

**effect** effet *m. 10;* **stage** ___ effet scénique *16*
**eight** *huit *14*
**eighteen** dix-huit *2*
**eighteenth** dix-huitième *18*
**eighth** *huitième *8;* **June** ___ le huit juin *14*
**eighty** quatre-vingts *4*
**either: not either** non plus *18*
**eleven** onze *2*
**eleventh** onzième *11;* **May** ___ le onze mai *(def. article not elided before onze) 14*
**elision** élision *f. 2*
**else: or else** ou bien *15*
**elsewhere** ailleurs *4*
**enchanter** enchanteur *m. 21*
**encounter** rencontre *f. 1*
**end** fin *f. 6;* bout *m. 22*
**end: to end** *(at, in sth.)* aboutir *(à qqch.) 13*
**energetic** énergique *24*
**England** Angleterre *f. 12*
**English** anglais, anglaise *adj.;* anglais *m. (language) 1*
**Englishman** Anglais *m. 1;* Anglaise *f. 1*
**enjoy: to enjoy oneself** s'amuser *23*
**enormous** énorme *10*
**enough** assez *(de) 3*
**enter: to enter** entrer *3*
**entire** entier, entière *adj. 7;* **entirely** en entier *13*
**entirety** entier *m. 13*
**episode** épisode *m. 24*
**epoch** époque *f. 20*
**equal** égal *7*
**equals** *(in addition)* font *23*
**equivalent** équivalent *m. 1*
**errand** course *f. 6*
**error** tort *m. 11*
**escape: to escape** échapper *24*
**especially** surtout *13*
**eternal** éternel, éternelle *24*
**Europe** Europe *f. 14*
**even** même *adv. 8*
**evening** soirée *f. 16*
**ever** jamais *23*
**every** tout, toute; *pl.* tous, toutes *adj.;* ___ **day** tous les jours *8*
**everybody** tout le monde *11*
**everything** tout *pron. 2*
**everywhere** partout *23*
**exactly** justement *9;* juste *18*
**examination** examen *m.;* **to study for an** ___ préparer un examen *8*
**example** exemple *m. 3;* **for** ___ par exemple *14*
**excellent** excellent *4*
**except: except for** à part *21*
**exception** exception *f.;* **with the** ___ **of** à l'exception de *24*
**excursion** excursion *f. 17*
**excuse: excuse me** pardon *interj. 1*
**exercise** exercice *m. 1*
**expect: to expect** s'attendre à *21*
**expensive** cher, chère *adj. 6;* **to be** ___ coûter cher *6*
**expert** expert *m. 17*
**explain: to explain** expliquer *15*
**explanation** explication *f. 20*
**expression** expression *f. 1*
**extinguish: to extinguish** éteindre *24*
**extremely** extrêmement *23*
**eye** oeil; *pl.* yeux *m. 12*

## F

**face** figure *f. 19*
**facing** en face de *1*
**factory** usine *f. 17*
**faculty** faculté *f.;* ___ **of Medicine** Faculté de Médecine *15*
**fall: to fall** tomber *9;* **to** ___ **in love (with)** tomber amoureux (de) *18;* **to** ___ **asleep** s'endormir *Appendix I*
**familiar: to be familiar with** connaître *1*
**family** famille *f. 18*
**famished** affamé *24*
**famous** célèbre *12*
**far** loin; ___ **from** loin de *2*
**faraway** éloigné *19*
**farewell** adieu *24*
**farm** ferme *f. 19*
**fast** vite, rapide *18*
**fasten: to fasten together** rattacher *13*
**fat** graisse *f. 22;* **pork** ___ lard *m. 22*

**fatal** fatal *20*
**father** père *m. 1*
**fear** peur *f.;* **fearing that** de peur que *conj. 20*
**fear: to fear** craindre *24*
**feather** plume *f. 18*
**February** février *m. 11*
**feel: to feel** sentir *9;* **to ___ like doing sth.** avoir envie de faire qqch. *22*
**feminine** féminin *18*
**few** peu *5;* **a ___** quelques *adj. 9;* quelques-uns, quelques-unes *indef. pron. 12*
**field** domaine *m. 14;* champ *m. 21*
**fifteen** quinze *2*
**fifteenth** quinzième *15*
**fifth** cinquième *adj. 5*; **a ___** un cinquième; **three ___s** trois cinquièmes *23*
**fifty** cinquante *4;* **about ___** cinquantaine *f. 23*
**figure** chiffre *m. 4*
**figure: to figure** figurer *21*
**fill: to fill (in)** remplir *2*
**filthy** encrassé *18*
**finally** enfin *17;* finalement *19*
**find: to find** trouver *6;* **to ___ again** retrouver *15*
**fine** bien! *adv. 2;* **it** *(the weather)* **is ___** il fait beau *6;* **to be ___** se porter bien *20*
**finger** doigt *m. 13*
**finish: to finish** finir *2*
**fire** feu *m. 21*
**fireplace** cheminée *f. 21*
**first** premier, première *1;* **at ___** d'abord *12*
**fish** poisson *m. 24*
**fish: to fish** pêcher *24*
**five** cinq *2*
**flesh** chair *f.;* chairs *f.pl. 22*
**floor** *(story)* étage *m.;* **on the third ___** au deuxième *3*
**Florida** Floride *f. 12*
**flower** fleur *f. 14*
**flute** flûte *f. 15*
**follow: to follow** suivre *3;* **I ___** je suis *7*
**following** suivant *2*
**foot** pied *m. 13;* **on ___** à pied *17*
**for** depuis *prep. 2;* pour *prep. 3;* car *conj. 10;* **___ a long time** depuis longtemps *2;* **___ example** par exemple *14*
**force** force *f. 20*
**forest** forêt *f. 17*
**forget: to forget** oublier *8*
**fork** fourchette *f. 22*
**form** forme *f. 1*
**formerly** autrefois *21*
**fortunate** heureux, heureuse *18*
**fortunately** par bonheur *20*
**fortune: good fortune** bonheur *m. 18*
**forty** quarante *4*
**found: to found** fonder *12;* **to be ___** se trouver *7;* **he ___ out** il a su *19*
**fountain pen** stylo *m. 6*
**four** quatre *2*
**fourteen** quatorze *2*
**fourteenth** quatorzième *14*
**fourth** quatrième *4;* **a ___** quart *m.;* **three ___s** trois quarts *23*
**fox** renard *m. 24*
**fraction** fraction *f. 23*
**franc** franc *(abbr.* **F***) m. 4*
**France** France *f. 12*
**free** libre *2;* **to set ___** mettre en liberté *24*
**freedom** liberté *f. 24*
**freeze: to freeze** geler *24*
**French** français *adj.;* ___ *(language)* français *m. 1*
**french fries** pommes frites *f.pl. 4*
**Frenchman** Français *m. 1;* Française *f. 1*
**fresh** frais, fraîche *21*
**friend** ami *m.,* amie *f. 5*
**frightening** effrayant *13*
**frightfully** terriblement *9*
**from** de *1;* d'après *16;* **___ there** en *pron. 5;* **a week ___ . . .** de . . . en huit *23*
**front: in front** à l'avant *17;* **in ___ of** devant *7*
**fruit** fruit *m. 14*
**frying pan** poêle *f. 22*
**full: in full** en entier *13*
**function: to function** marcher *17*
**funny** amusant *3;* drôle *18*

**future** *(tense)* futur *m.;* ____ **perfect** futur antérieur *12*

## G

**garden** jardin *m. 12*
**gasoline** essence *f. 18*
**gay** gai *24*
**gender** genre *m. 1*
**general** général *14;* ____ **practitioner** médecin ordinaire *13*
**gentleman** monsieur, Monsieur *(abbr. M.); pl.* messieurs *(abbr. MM.) 1*
**geography** géographie *f. 14*
**geology** géologie *f. 14*
**get: to get an idea** *(of, about)* se faire une idée *(de) 16;* **to** ____ **used to** s'habituer à *6;* **to** ____ **up** se lever *8*
**girl** jeune fille *f. 1*
**give: to give** donner *1;* **to** ____ **back** rendre *6;* **to** ____ **up** renoncer (à) *17*
**gladly** volontiers *11*
**glass** verre *m. 22*
**gleam** lueur *f. 24*
**gloomy** morne *21*
**glove** gant *m. 11*
**go: to go** aller *1;* **to** ____ **by** passer *3;* **to** ____ **away** s'en aller *6;* **to** ____ **shopping** faire des courses *6;* **to** ____ **to bed** se coucher *8;* **to** ____ **down** descendre *9;* **to** ____ **out** sortir *10;* **to** ____ **back** rentrer *12;* **to** ____ **for a ride** faire une promenade (en auto) *12;* **to** ____ **for a stroll** faire un petit tour *12;* **to** ____ **with s.o.** accompagner *18;* **to** ____ **around** faire le tour (de) *18;* **to** ____ **across** traverser *18;* **to** ____ **away** *(from)* s'éloigner *(de) 19;* **to** ____ **through** traverser *20;* **to** ____ **beyond** dépasser *22;* **to** ____ **near** s'approcher *24;* **to** ____ **to s.o.'s aid** porter secours à qqn *24;* **I go (I am going)** je vais *2;* **go ahead!** allez-y! *5;* **let's get going!** allons-nous-en! *6*
**goat** chèvre *f. 21*
**good** bien! *2;* bon, bonne *3;* brave *(when precedes noun) 24;* ____ **day** bonjour *2;* ____ **fortune** bonheur *m. 18*
**good-bye** au revoir *1*
**goodness** bonté *f. 21*
**Gothic** gothique *20*
**grade** note *f. 15*
**gram** gramme *(abbr. g) m. 22*
**grammar** grammaire *f. 1*
**grandfather** grand-père *m. 21*
**grandmother** grand'mère *f. 21*
**gravy** jus *m. 22*
**grease** graisse *f. 22*
**great: a great deal** beaucoup *4*
**green** vert *9*
**greeting** salut *m.;* ____**s!** salut! *8*
**grey** gris *9*
**grocery: grocery store** épicerie *f. 1*
**ground: on the ground** par terre *10*
**grown-up** adulte *adj. 22*
**guess: to guess** deviner *18*
**Gulf Stream** Gulf Stream *m. 19*

## H

**habit** habitude *f. 9*
**hair(s)** cheveux *m.pl. 13*
**half** demie *f. (in time expressions) 2;* moitié *f. 23;* **a** ____ demi *m.;* **to divide in** ____ diviser en deux *23*
**hall: concert hall** salle de concert *f. 17*
**handkerchief** mouchoir *m. 11*
**handsome** beau *(bel),* belle; *pl.* beaux, belles *9*
**happen: to happen** se passer *18*
**happiness** bonheur *m. 18*
**happy** heureux, heureuse *18;* joyeux, joyeuse *24*
**hardly** ne ... guère *19*
**have: to have** avoir *1;* **to** ____ **just ...** venir de *(+ inf.) 2;* **to** ____ *(food)* prendre *5;* **to** ____ **time to** avoir le temps de *7;* **to** ____ **to** devoir *7;* **do you** ____ avez-vous? *2;* **I'll** ____ **some** j'en prends *5;* **one has to** on doit *7*
**he** il *m. 1*

**head** tête *f. 13*
**head: to head** *(toward)* se diriger *(vers) 23*
**health** santé *f. 23;* **to be in good ___** se porter bien *20*
**heap** tas *m. 13*
**hear: to hear** entendre *16*
**heart** coeur *m. 13*
**heat: to heat** chauffer *21*
**heating (heating system)** chauffage *m. 17*
**heavy** lourd *7;* gros, grosse *21*
**height** *hauteur *f. 22*
**hello** bonjour *2*
**help** secours *m. 24*
**help: to help** *(s.o. do sth.)* aider *(qqn à faire qqch.) 22*
**her** son, sa; *pl.* ses *poss.adj. 2*
**here** ici *1;* tenez! *6;* **___ (is, are, you are)** voici *2;* **look ___!** dites (dis) donc! *9*
**hers** le sien, la sienne; *pl.* les siens, les siennes *poss. pron. 14*
**herself** soi *pers. pron. 8*
**hi!** salut! *8*
**hide: to hide** cacher; se cacher *8*
**high** *haut, haute *2*
**hill** colline *f. 21*
**him** lui *8*
**himself** soi *pers. pron. 8*
**hinder: to hinder** gêner *7*
**his** son, sa; *pl.* ses *poss. adj. 2;* le sien, la sienne; *pl.* les siens, les siennes *poss. pron. 14*
**historical** historique *20*
**history** histoire *f. 14*
**hold: to hold** tenir *6*
**hole** trou *m. 24*
**home: at home** à la maison *1*
**hope: to hope** espérer *19*
**hors d'oeuvre** *hors-d'oeuvre *(invar.) 22*
**horse** cheval; *pl.* chevaux *m. 20*
**hot** chaud; **it** *(the weather)* **is ___** il fait chaud *9*
**hotel** hôtel *m. 1*
**hotelkeeper** hôtelier *m.,* hôtelière *f. 2*
**hour** heure *f. 3*
**house** maison *f. 1*
**how** comment *1;* **___ long...?** depuis quand...? *2;* **___ much [many]** combien *4;* **___ are things?** comment ça va? *8;* **___ are you?** comment vas-tu? *8;* **___ so?** comment cela? *14*
**however** pourtant *24*
**human** humain *adj. 13*
**humor** humeur *f. 19*
**hundred** cent *4;* **about a ___** centaine *f.;* **___s of** des centaines de *21*
**hunger** faim *f. 4*
**hungry: to be hungry** avoir faim *4*
**hunt** chasse *f. 24*
**hurl: to hurl** précipiter *21;* **to ___ oneself** *(at)* se ruer *(sur) 24*
**hurry: in a hurry** pressé *8*
**husband** mari *m. 23*

## I

**I** je *1*
**ice** glace *f. 21*
**idea** idée *f. 4;* **to get an ___** *(of, about)* se faire une idée *(de) 16*
**identification: identification card** fiche d'identité *2*
**identity** identité *f. 2*
**idle** inactif, inactive *22*
**if** si *conj. 3;* **___ not** sinon *18*
**ill** malade *9;* **___ at ease** mal à l'aise *24*
**illness** maladie *f. 12*
**imagine: to imagine** se figurer *21;* imaginer *23*
**immediately** immédiatement *21*
**imperative** *(mood)* impératif *m. 3*
**imperfect** *(tense)* imparfait *m. 10*
**importance** importance *f. 2*
**important** important *23*
**impression** impression *f. 19*
**impressive** impressionnant *8*
**in** entre; dans *1;* en *prep. 3;* **in** *(country, house, place, etc.)* chez; **___ our country** chez nous; **___ it** y *5;* **___ a little while** tout à l'heure *10;* **___ which** où *rel. pron.;* **___ succession** de suite *17*
**inactive** inactif, inactive *22*

**indeed** en effet *10*
**indefinite** indéfini *1;* **past** ____ passé composé *7*
**indicate: to indicate** signaler *1*
**indirect** indirect *6*
**inexpensive** (à) bon marché *4;* **to be** ____ coûter peu *6*
**inhabitant** habitant *m. 12*
**ink** encre *f. 6*
**insert: to insert** insérer *1*
**inside** intérieur *m. 17*
**insist: to insist** insister *5*
**install: to install** installer *2*
**instrument** instrument *m. 15;* **to play an** ____ jouer d'un instrument *17*
**intellect** raison *f. 1*
**intelligence** intelligence *f. 20*
**intend: to intend** compter *2*
**intention** intention *f. 23*
**interest** intérêt *m. 19*
**interest: to interest** intéresser *4*
**interested: to be interested in** s'occuper de *13;* s'intéresser à *14*
**interesting** intéressant *7*
**interpretation** sens *m. 10*
**interrogation** interrogation *f. 1*
**interrogative** interrogatif, interrogative *1*
**into** dans *1;* en *prep. 3*
**introduce: to introduce** présenter *8*
**invigorating** vivifiant *21*
**it** elle *f. 1;* il *m. 1;* ce *pron. 8;* **in (on, to)** ____ y *5*
**italic** italique *4*
**Italy** Italie *f. 12*
**its** son, sa; *pl.* ses *poss. adj. 2;* le sien, la sienne; *pl.* les siens, les siennes *poss. pron. 14*
**itself** soi-même *pers. pron. 8*

## J

**January** janvier *m. 11*
**Japan** Japon *m. 12*
**job** travail *m. 14*
**join: to join** (se) réunir *24;* joindre *Appendix I*
**judge: to judge** juger *18*
**juice** jus *m. 22*
**July** juillet *m. 11*
**jump: to jump** sauter *24*
**June** juin *m. 11*
**just** juste *18;* **to have** ____... venir de *(+ inf.) 2;* ____ **when** juste au moment où *18*

## K

**keep** *(of a castle)* donjon *m. 20*
**key** clé *f. 2*
**kick: to kick** ruer *24*
**kidding: no kidding!** sans blague! *9*
**kilogram** *(= 2.2 lbs.)* kilogramme *m. (abbr. kg) 22*
**kilometer** *(= .621 mile)* kilomètre *m. 18*
**kind: be so kind as to** ayez la bonté de *21*
**kindness** bonté *f. 21*
**king** roi *m. 21*
**kiosk** kiosque *m. 6*
**kiss** baiser *m. 23*
**kiss: to kiss** embrasser *20*
**kitchen** cuisine *f. 21*
**knife** couteau *m. 22*
**knight** chevalier *m. 21*
**know: to know** savoir *4;* connaître *11;* **not to** ____ ignorer *23;* **I** ____ je sais *4*

## L

**ladies** mesdames, Mesdames *(abbr. Mmes) 2;* **young** ____ mesdemoiselles, Mesdemoiselles *(abbr. Mlles) 1*
**landscape** paysage *m. 21*
**language** langue *f. 1*
**lard: to lard** *(to insert thin strips of pork into meat)* larder *22*
**large** grand *3;* gros, grosse *21*
**last** passé *7;* dernier, dernière *11;* ____ **year** l'année passée *f. 7;* **at** ____ enfin *17*
**last: to last** durer *22*
**late** tard *11;* en retard *20*
**laugh: to laugh** rire *24*
**law** droit *m. 15;* loi *f. 15*

**lawyer** avocat *m. 15*
**layer** couche *f. 21*
**lead** *(to sth.)* aboutir *(à qqch.) 13;* **to ____ (away)** *[used for persons only]* emmener *6*
**leaf** feuille *f. 9*
**learn:to learn** apprendre; **he learned** il a su *19*
**least:at least** au moins *2;* du moins *16*
**leave:to leave** quitter *10;* partir *19;* laisser *20*
**left (side)** gauche *f.;* **on [to] the ____** à gauche *3*
**leg** jambe *f. 13*
**legend** légende *f. 21*
**legendary** légendaire *21*
**lemon** citron *m. 22*
**length:length of travel** trajet *m. 17*
**less** moins *2*
**lesson** leçon *f. 1*
**let:to let** *(do or be done)* laisser *(+ inf.) 22*
**letter** lettre *f. 2*
**level** niveau; *pl.* niveaux *m. 18*
**lie:to lie (to tell a lie)** mentir *19*
**life** vie *f. 24*
**lift:to lift** lever *8*
**light** lumière *f. 24;* léger, légère *(ref. to weight) 21*
**like:to like** aimer *2;* **do you ____?** aimes-tu; aimez-vous? *2;* **what would the gentleman ____?** Monsieur désire? *4*
**lip** lèvre *f. 8*
**liter** *(= 1.05 U.S. liquid quarts)* litre *m. 12*
**literature** littérature *f. 14*
**little** petit; peu (de) *5;* **a ____ while ago, in a ____ while** tout à l'heure *10;* **____ by ____** petit à petit *24*
**live:to live** demeurer *5;* vivre *17;* **to ____ in** habiter *2*
**lively** mouvementé *19*
**living room** salon *m. 21*
**locate:to locate** situer *21*
**located:to be located** se trouver 7
**London** Londres *12*
**long** long, longue *10;* **how ____ . . . ?** depuis quand . . . ?; **a ____ time** longtemps; **for a ____ time** depuis longtemps *2;* **no longer** ne . . . plus *8;* **as ____ as** tant que *12;* **in the ____ run** à la longue *23*
**longing** envie *f. 22*
**look:to look at** regarder *3;* **to ____ for** chercher *6;* **to ____ forward to** s'attendre à *21;* **look here!** dites (dis) donc! *9;* **look at that!** regarde-moi ça! *20*
**lose:to lose** perdre *9*
**love:to love** aimer *2*
**low** bas, basse *3*
**luck** chance *f. 9;* bonheur *m. 18*
**lucky:to be lucky** avoir de la chance *9*
**lung** poumon *m. 13*

## M

**madam** madame, Madame *(abbr. Mme) 2*
**magnificent** magnifique *12*
**majority:the majority of** la plupart de *21*
**make** marque *f. 17*
**make:to make** faire *1;* **to ____ a mistake** se tromper *23;* **to ____ an opening** pratiquer; **to ____ use of sth.** se servir de qqch. *24;* **pleased to ____ your acquaintance** enchanté de faire votre connaissance *1*
**mama** maman *f. 23*
**man** homme *m. 2*
**manner** façon *f. 19*
**manufacture:to manufacture** fabriquer *17*
**many** beaucoup *4;* **____ thanks** merci bien *1;* **how ____** combien; **so ____** tant (de) *4;* **too ____** trop; **as ____ (as)** autant (que) *5*
**March** mars *m. 11*
**marinade** marinade *f. 22*
**mark** note *f. 15*
**market** marché *m. 4*
**marry:to marry** épouser *18*
**marvelous** merveilleux, merveilleuse *21*
**marvelously** merveilleusement *17*
**mathematics** mathématiques *f.pl. 14*

**matter** cas *m. 3;* matière *f. 17;* **as a ___ of fact** en effet *10*
**May** mai *m. 11*
**me** moi *1*
**meal** repas *m. 5*
**mean: to mean** vouloir dire *12;* **by all means** je veux bien *6*
**meat** viande *f. 5*
**mechanic** mécanicien *m. 18*
**medicine** médecine *f. 13;* **School or Faculty of ___** *(medical school)* Faculté de Médecine *15*
**medium** moyen, moyenne *20*
**meet: to meet** rencontrer *11;* faire la rencontre (de) *23;* se réunir *24;* **to ___ again** se retrouver *15;* **pleased to ___ you** enchanté de faire votre connaissance *1*
**meeting** rencontre *f. 1*
**memory** mémoire *f. 17*
**menu** carte *f. 4*
**Mexico** Mexique *m. 12*
**middle** milieu *m. 24*
**middle** moyen, moyenne *20;* **The Middle Ages** le moyen âge *20*
**midnight** minuit *m. 3*
**million** million *m. 5*
**mind: I don't mind** je veux bien *6*
**mine** le mien, la mienne; *pl.* les miens, les miennes *poss. pron. 14*
**minus** moins *23*
**misfortune** malheur *m. 19*
**Miss** mademoiselle, Mademoiselle *(abbr. Mlle) 1*
**miss: to miss** manquer *24*
**mistake: to make a mistake** se tromper *23*
**modify: to modify** modifier *3*
**mom** maman *f. 23*
**moment** moment *m. 13*
**money** argent *m. 4*
**month** mois *m. 9*
**mood** humeur *f. 19*
**more** plus *5;* davantage *9;* **no ___** ne . . . plus; **___ and ___** de plus en plus *8;* **___ than** plus de *(+ number);* **no ___** plus de *(+ noun) [implies negation] 9*
**morning** matin *m. 12*
**most** la plupart *21*
**mother** mère *f. 1*
**motor** moteur *m. 17;* **___ scooter** scooter *m. 17*
**mouth** bouche *f. 13*
**move: to move** bouger *24*
**movie** film *m. 8*
**movies** cinéma *m. 14*
**Mr.** Monsieur *(abbr.* **M.***) 1*
**Mrs.** madame, Madame *(abbr. Mme) 2*
**much** beaucoup *adv. 4;* **as ___ (as)** autant (que) *5;* **how ___** combien; **so ___** tant (de) *4;* **too ___** trop (de) *5;* **very ___** fortement *22*
**multiplication** multiplication *f. 23*
**muscle** muscle *m. 13*
**museum** musée *m. 17*
**music** musique *f. 14*
**musician** musicien *m. 15*
**must: one must** on doit *7*
**mute** muet, muette *22*
**my** mon, ma; *pl.* mes *1*
**mystery** mystère *m. 10*

## N

**name** nom *m. 14;* **what is your ___?** comment vous appelez-vous?; **my ___ is** je m'appelle *1*
**namely** c'est-à-dire *9*
**napkin** serviette *f. 22*
**narrate: to narrate** raconter *24*
**narrow** étroit *20*
**nationality** nationalité *f. 2*
**native** natal, natale *4*
**naughty** méchant *24*
**near** près; près de *adj. 1;* **very ___** tout près *7;* **to draw ___** approcher; **to go ___** s'approcher de *24*
**necessary** nécessaire *adj. 5;* **to be ___** falloir; **it is ___** il faut *6*
**necktie** cravate *f. 11*
**need** besoin *m.;* **to ___** avoir besoin de *3*
**negation** négation *f. 1*
**negative** négatif, négative *1;* **___ element (expression)** élément négatif *m. 16*

**neighborhood** voisinage *m. 24*
**neither** non plus *18*
**nephew** neveu; *pl.* neveux *m. 21*
**nerve** nerf *m. 13*
**never** ne . . . jamais *8;* jamais *23*
**nevertheless** cependant *14;* pourtant *24*
**new** neuf, neuve *17;* nouveau (nouvel), nouvelle; *pl.* nouveaux, nouvelles *18*
**newspaper** journal; *pl.* journaux *m. 6;* ____ **stand** kiosque *m. 6*
**next** ensuite *adv. 19;* prochain *adj. 23;* **next to** *(sth., s.o.)* à côte de *(qqch., qqn) 11;* **the** ____ **day** lendemain *m. 22*
**nice** gentil, gentille *23*
**niece** nièce *f. 21*
**night** soir *m. 6;* nuit *f. 24*
**nine** neuf *2*
**nineteen** dix-neuf *2*
**nineteenth** dix-neuvième *19*
**ninety** quatre-vingt-dix *4*
**ninth** neuvième *9*
**no** non *4;* ____ **longer,** ____ **more** ne . . . plus *8;* ____ **more** plus de *(+ noun) [implies negation] 9;* ____ **kidding!** sans blague! *9;* **in** ____ **way** aucunement *14;* ____ **one** ne . . . personne *16;* personne *f. 20*
**nobody** personne *f. 20*
**noise** bruit *m. 17*
**noon** midi *m. 3*
**nor** non plus *18*
**north** nord *m. 18*
**nose** nez *m. 13*
**not** pas; ne . . . pas *1;* ____ **yet** pas encore *4;* ____ **at all** pas du tout *5;* aucunement *14;* ____ **either** non plus *18;* **if** ____ sinon *18*
**note: note paper** papier à lettres *6*
**nothing** rien *5;* ne . . . rien *16;* ____ **else** rien d'autre *20;* **to say** ____ taire *Appendix I*
**notice: to notice** remarquer *8;* s'apercevoir de *17*
**noun** nom *m. 1*
**novel** roman *m. 7*
**November** novembre *m. 9*
**now** maintenant *4;* **until** ____, **up to** ____ jusqu'ici *7;* **come** ____! voyons! *9*
**number** numéro *m. 2;* chiffre *m. 4;* nombre *m. 4;* **ordinal** ____ nombre ordinal; **cardinal** ____ nombre cardinal *23*

# O

**object: object pronoun** pronoun complément *4*
**obtain: to obtain** obtenir *Appendix I*
**occasion** occasion *f. 21*
**occupy: to occupy** occuper *13*
**o'clock: it is seven** ____ il est sept heures; **twelve** ____ midi *m.;* minuit *m. 3*
**October** octobre *m. 9*
**oculist** oculiste *m. 13*
**of** de *1;* moins *(in time expressions) 3;* ____ **it [them]** en *pron. 5*
**offer: to offer** offrir *Appendix I*
**office** bureau *m.;* **post** ____ bureau de poste *m. 6*
**often** souvent *9*
**Oh!** Ah! *2*
**oil** huile *f. 18*
**O.K.!** d'accord! *12*
**old** vieux (vieil) vieille; *pl.* vieux, vieilles *12*
**on** sur *4;* dans *(when ref. to street) 1;* ____ **the left [right]** à gauche [droite] *3;* ____ **it** y *5;* ____ **the way** en route *17;* ____ **which** où *rel. pron. 17;* ____ **time** à l'heure *20*
**once** une fois *17*
**one** un, une *1;* on *5;* **this [that]** ____ celui, celle; **the** ____**s** ceux, celles *7;* **no** ____ ne . . . personne *16;* personne *f. 20*
**oneself** soi *pers. pron. 8*
**onion** oignon *m. 22*
**only** ne . . . que *7;* seulement *9*
**open: to open** ouvrir *6*
**opening: to make an opening** pratiquer *24*
**opinion** avis *m.;* **in my** ____ à mon avis *23*

**opportunity** occasion *f. 21*
**opposed** contraire *5*
**opposite** en face de *1*
**optimistic** optimiste *9*
**or** ou *2;* ___ **else** ou bien *15*
**orchestra** orchestre *m.;* ___ **seat** fauteuil d'orchestre *m. 16*
**order: to order** commander *5;* **in** ___ **to** pour *3;* afin de *20;* **in** ___ **that** pour que *conj.;* afin que *conj. 20*
**orderly** ordonné *19*
**ordinal** ordinal; *pl.* ordinaux; ___ **number** nombre ordinal *23*
**organ** organe *m. 13*
**other** autre *9*
**otherwise** sinon *18*
**our** notre; *pl.* nos *poss. adj. 2*
**ours** le nôtre, la nôtre; *pl.* les nôtres *poss. pron. 14*
**out: to go out** sortir *10;* ___ **of place** dépaysé *9*
**outside** extérieur *m. 17;* dehors *m. 21;* hors *prep. 18;* hors de *(out of) 18*
**oven** four *m. 22*
**over** par-dessus; dessus *24;* ___ **there** là-bas *10*
**owe: to owe** devoir *7*

## P

**package** paquet *m. 7*
**painfully** douloureusement *24*
**paint: to paint** peindre *21*
**pal** copain *m. 8*
**pan** casserole *f.;* **frying** ___ poêle *f. 22*
**paper** papier *m.;* **note** ___ papier à lettres *6*
**pardon: I beg your pardon** pardon *interj. 1*
**parentheses** parenthèses *f.pl. 1*
**parents** parents *m.pl. 5*
**Parisian** parisien, parisienne *adj.;* Parisien *n.m.,* Parisienne *n.f. 1*
**park** parc *m. 12*
**part** partie *f. 15;* **the most suitable** ___ la partie la plus convenable *18*
**participle** participe *m.;* **past** ___ participe passé *6;* **present** ___ participe présent *22*
**partitive** partitif, partitive *4*
**pass: to pass** passer *3*
**passage** passage *m. 7*
**passer-by** passant *m. 10*
**passing** passant *adj. 21*
**passive voice** passif *m. 6*
**past** passé *7; (tense)* passé *n.m.;* ___ **participle** participe passé *6;* ___ **indefinite** passé composé *7;* **in the** ___ autrefois *21*
**pastry** pâtisserie *f. 22*
**path** chemin *m. 23*
**pay: to pay (for)** payer *17*
**peace** paix *f. 24*
**pear** poire *f. 5*
**peculiar** bizarre *15*
**pen** plume *f. 18;* **fountain** ___ stylo *m. 6*
**people** gens *m.&f.pl. 3*
**pepper** poivre *m. 22*
**per cent** pour cent *6*
**perfect** parfait *23;* **future** ___ futur antérieur *(tense) 12*
**perfectly** parfaitement *16*
**performance** représentation *f. 16*
**perhaps** peut-être *9*
**permit: to permit** permettre *8;* **to** ___ **s.o. to do sth.** permettre à qqn de faire qqch. *20;* ___ **me** permets-moi; permettez-moi *8*
**persecute: to persecute** persécuter *19*
**person** personne *f. 17*
**personal** personnel; ___ **pronoun** pronom personnel *4*
**photograph** photo *f. 5*
**phrase** expression *f. 1*
**physician** médecin *m. 13*
**physics** physique *f. 14*
**piano** piano *m. 15*
**picture** portrait *m. 20*
**picture: to picture** se figurer *21*
**picturesque** pittoresque *19*
**piece** morceau *m. 22*
**pity** dommage *m.;* **it's a** ___ c'est dommage; **what a** ___**!** quel dommage! *10*
**pity: to pity** plaindre *24*

**place** lieu *m. 14;* endroit *m. 15;* **out of ____** dépaysé *9;* **to ____** poser *14;* **to take ____** avoir lieu *24*
**plant: to plant** planter *21*
**plate** assiette *f. 22*
**play** pièce *f. 16*
**play: to play** jouer *10;* **to ____ an instrument** jouer d'un instrument *17*
**pleasant** agréable *23*
**please** s'il vous plaît *4;* je vous (en) prie *10;* ayez la bonté de... *21;* **to ____** plaire *4;* plaire à *9*
**pleased** content *5;* **____ to meet you (to make your acquaintance)** enchanté de faire votre connaissance *1*
**pleasure** plaisir *m. 4;* **at ____** à volonté *22*
**pluperfect** plus-que-parfait *m. 10*
**plural** pluriel *2*
**plus** et *23*
**pocket** poche *f. 10*
**poem** poème *m. 14*
**point: to point** diriger *23;* **to ____ out** signaler *1*
**pond** étang *m. 12*
**poor** pauvre *24*
**pork** porc *m. 4;* **____ fat** lard *m. 22*
**portfolio** serviette *f. 7*
**portion** part *f. 21*
**Portugal** Portugal *m. 12*
**possessive** possessif, possessive *2*
**possible** possible *19*
**post office** bureau de poste *m. 6*
**postpone: to postpone** remettre *17*
**potatoes** pommes de terre *f.pl. 4*
**pound** livre *f. 12*
**pour: to pour** verser *22*
**practice: to practice** pratiquer *24*
**practitioner: general practitioner** médecin ordinaire *13*
**pray: to pray** prier *10*
**precisely** justement *9*
**prefer: to prefer** préférer *4;* aimer mieux *19*
**prepare: to prepare** préparer *8*
**preposition** préposition *f. 8*
**present: to present** présenter *21*
**present** *(tense)* présent *m. 10;* **____ participle** participe présent *m. 22*
**presidency** présidence *f. 18*
**pretty** joli *3;* **the prettiest** le (la) plus joli(e) *24*
**previously** auparavant *23*
**price** prix *m. 17*
**principal** principal; *pl.* principaux *adj. 21*
**problem** problème *m. 23*
**procure: to procure** procurer *23*
**profession** profession *f. 2*
**professor** professeur *m. 13*
**promise: to promise** promettre *Appendix I*
**pronoun** pronom *m. 1;* **object ____** pronom complément; **personal ____** pronom personnel *4;* **relative ____** pronom relatif *m. 9;* **interrogative ____** pronom interrogatif *m. 13*
**pronounce: to pronounce** prononcer *17*
**proper** convenable *1*
**proportion** proportion *f. 22*
**propose: to propose** proposer *24*
**province** province *f. 19*
**pull: to pull** tirer *24;* **to ____ out** retirer *23*
**pump** pompe *f. 18*
**purple** violet, violette *10*
**pursue: to pursue** poursuivre *24*
**put: to put** mettre *1;* poser *14;* **to ____ off** remettre *17;* **to ____ out** éteindre *24;* **to ____ to sleep** endormir; **to ____ together** joindre *Appendix I*

## Q

**quantity** quantité *f. 5*
**quarter** *(hour)* quart *m. 3;* quartier *m. (of a town) 22;* **Latin Quarter** Quartier Latin *24*
**question: to ask a question** poser une question *14;* **to be a ____ of** s'agir de *19*
**questionnaire** questionnaire *m. 1*
**quickly** vite *18*
**quiet** tranquille *24*
**quite** tout *adv. 5*

## R

**race** course *f.;* **motor ____** course d'autos *20*
**radio** poste de T.S.F. *m. 17*
**railroad** chemin de fer *23;* **____ station** gare *f. 17*
**rain:to rain** pleuvoir; **it rains, it is raining** il pleut *9*
**raise:to raise** lever *8*
**rapid** rapide *18*
**rapidity** rapidité *f. 16*
**rare** rare *21*
**rather** assez *5;* plutôt *16*
**reach:to reach** atteindre *22*
**read:to read** lire *7*
**reading** lecture *f. 20*
**ready** *(to)* prêt *(à) 5*
**realize:to realize** *(sth.)* se rendre compte de *(qqch.) 12*
**really** vraiment *6;* sans blague! *9*
**reason** raison *f. 1;* cause *f. 17*
**reasonable** intéressant *(price) 17*
**recall:to recall** se rappeler *17*
**receive:to receive** recevoir *19*
**recipe** recette *f. 22*
**recite:to recite** réciter *24*
**reckoning** compte *m. 12*
**recognize:to recognize** reconnaître *Appendix I*
**red** rouge *9*
**rediscover:to rediscover** retrouver *15*
**reduction** réduction *f. 22*
**refuse:to refuse** *(to do sth.)* refuser *(de faire qqch.) 22*
**region** région *f. 17*
**regret:to regret** regretter *10*
**reinforce:to reinforce** renforcer *8*
**relative** parent *m. 5;* relatif, relative *adj.;* **____ pronoun** pronom relatif *m. 9*
**relatively** relativement *18*
**release:to release** lâcher *24*
**relief** soulagement *m. 20*
**remain:to remain** rester *2*
**remember:to remember** se rappeler *17;* se souvenir (de) *Appendix I*
**remove:to remove** éloigner *19*
**rent:to rent** louer *17*
**repeat:to repeat** répéter *18*
**replace:to replace** remplacer *1;* **replacing** remplaçant *22*
**reply:to reply** répondre *1*
**reproach:to reproach** *(s.o. for doing sth.)* reprocher *(à qqn de faire qqch.) 19*
**requirement** besoin *m. 3*
**reside:to reside** demeurer *5*
**rest:to rest** (se) reposer *19*
**restaurant** restaurant *m. 4*
**result** effet *m. 10*
**retire:to retire** se retirer *23*
**return** retour *m. 21*
**return:to return** rendre *6;* revenir *9;* rentrer *12*
**revenge:to revenge oneself for** se venger de *24*
**rich** riche *10*
**ride:to go for a ride** faire une promenade (en auto) *12*
**right** ça va! *8;* droit *f. (side) 3;* **on** *(to)* **the ____** à droite *3;* **____ away** tout de suite *11*
**right:to be right** avoir raison *11;* **you are ____** vous avez raison *1*
**ring:to ring** sonner *3*
**risk:to risk** risquer *17*
**river** rivière *f. 21*
**Riviera:the Riviera** la Côte d'Azur *19*
**road** route *f. 17*
**roasting** rôtissage *m. 22*
**rock** roche *f. 21*
**room** chambre *f. 2;* salle *f. 3;* **dining ____** salle à manger *f. 9;* **living ____** salon *m. 21*
**round** rond *21*
**route** route *f. 17*
**run:to run** courir *Appendix I;* **to ____ off** se sauver *15;* **in the long ____** à la longue *23*
**rush:to rush** se précipiter *21*
**rushed** pressé *8*
**Russia** Russie *f. 12*

## S

**sack** sac *m. 10*
**sad** triste *9*

**sailor** matelot *m. 20*
**salad** salade *f. 5*
**saleswoman** vendeuse *f. 11*
**salt** sel *m. 22*
**salutation** salut *m. 8*
**same** même *adj. 12;* **it's all the ___ to me** ça m'est égal *7;* **all the ___** tout de même *12;* **at the ___ time** en même temps *21*
**satisfied** content *5*
**Saturday** samedi *m. 12*
**sauerkraut** choucroute *f. 4*
**save:to save** sauver *15*
**say:to say** dire *4;* **to ___ nothing of** taire *Appendix I;* **that is to ___** c'est-à-dire; **I ___!** dites (dis) donc! *9*
**scalded** blanchi *22*
**scarcely** ne ... guère *19;* à peine *20*
**scarf** foulard *m. 10*
**scene** scène *f. 24*
**school** faculté *f.;* **medical ___** Faculté de Médecine *15*
**science** science *f. 14*
**scooter:motor scooter** scooter *m. 17*
**scream:to scream** crier *24*
**season** saison *f. 9*
**seat** place *f.;* **orchestra ___** fauteuil d'orchestre *m.;* **box ___** place de loge *f. 16*
**seat:to seat** asseoir; **seated** assis *17*
**second** deuxième *(of more than two items) 2;* second *(of two items) 23*
**secure:to secure** retenir *19*
**see:to see** voir; **to ___ again** revoir; **I ___** je vois *1*
**seem:to seem** sembler *12;* avoir l'air *15*
**sell:to sell** vendre *6*
**send:to send** envoyer *23*
**sense** sens *m. 10*
**sentence** phrase *f. 1*
**separate** séparé *18*
**separate:to separate** séparer *24*
**September** septembre *m. 11*
**serious** sérieux, sérieuse *14;* grave *19*
**serve:to serve** servir *22;* **to ___ as** servir de *21*
**service** service *m. 6;* **___ station** station-service *f. 18*
**set:to set** lâcher *24;* **to ___ the table** mettre la table *22;* **to ___ free** mettre en liberté *24*
**seven** sept *2*
**seventeen** dix-sept *2*
**seventeenth** dix-septième *17*
**seventh** septième *7*
**seventy** soixante-dix *4*
**several** plusieurs *19*
**shame** *honte *f. 23*
**share** part *f. 21*
**she** elle *f. 1*
**sheep** mouton *m. 21*
**shelter:to shelter** abriter *21*
**shine:to shine** briller *21*
**shirt** chemise *f. 11*
**shoe** soulier *m. 11*
**shop** boutique *f.;* **stationery ___** papeterie *f.* 6; **tobacco ___** bureau de tabac *m. 6*; **butcher's ___** boucherie *f. 23*
**shopping:to go shopping** faire des courses *6*
**short:in short** bref *adv. 23*
**show:to show** montrer *17*
**shut:to shut up [in]** enfermer *12*
**sick** malade *19*
**side** côté *m. 11*
**sigh** soupir *m. 20*
**silent:to be silent** se taire *Appendix I*
**similar** pareil *23*
**simmering** mijotement *m. 22*
**simple** simple *5*
**since** depuis *2*; puisque *conj. 10*
**singular** singulier *3*
**Sir** Monsieur *(abbr. M.) 1*
**sister** soeur *f. 2*
**sit:to sit down** s'asseoir; **___ down!** asseyez-vous! *4*
**situate:to situate** situer *21*
**six** six *2*
**sixteen** seize *2*
**sixteenth** seizième *16*
**sixth** sixième *6*
**sixty** soixante *4*
**skim:to skim** dégraisser, écumer *22*
**skin** peau *f. 13*
**skirt** jupe *f. 11*
**sky** ciel *m. 9*

**sleep** sommeil *m. 20;* **to ___** dormir *19;* **to put to ___** endormir *Appendix I*
**sleepy:to be sleepy** avoir sommeil *20*
**slowly** lentement *23*
**small** petit *5*
**smell:to smell** sentir *19*
**smile:to smile** sourire *Appendix I*
**smoothly:all went off smoothly** tout s'est bien passé *20*
**snow:to snow** neiger *9*
**so** aussi *9;* si *adv. 22;* tellement *adv. 24;* **___ long** au revoir *1;* **___ much [many]** tant (de) *4;* **how ___?** comment cela? *14;* **and ___ on** ainsi de suite *13;* **___ as to** afin de *prep.;* **___ that** afin que *conj.;* pour que *conj. 20*
**sock** chaussette *f. 11*
**some** des *3;* en *pron. 5;* quelque, quelques *adj. 9;* quelques-uns, quelques-unes *indef. pron. 12*
**somebody** quelqu'un *invar.pron. 14*
**someone** on *5;* quelqu'un *invar.pron. 14*
**something** quelque chose *indef.pron. invar. 3;* **___ else** autre chose *5*
**sometimes** parfois *3*
**somewhere** quelque part *loc.adv. 6*
**son** fils *m. 21*
**soon:as soon as** aussitôt que; dès que *12*
**sorrowfully** douloureusement *24*
**sort** sorte *f. 13*
**soup** soupe *f. 22*
**south** sud *m. 18;* **___ America** Amérique de Sud *f. 14*
**space** place *f. 3*
**spark plug** bougie *f. 18*
**speak:to speak** parler *1*
**specialization** spécialisation *f. 13*
**specialize:to specialize** spécialiser; **to ___** *(in)* se spécialiser *(dans) 13*
**specialty** spécialité *f. 13*
**speechless** muet, muette *22*
**spend:to spend a vacation** passer des vacances *23*
**spinach** épinards *m.pl. 4*
**spirit** esprit *m. 24*
**spirited** mouvementé *19*
**spoon** cuiller *f. 22*
**spoonful** cuillerée *f. 22*
**spring** printemps *m. 9*
**squarely** carrément *22*
**stamp** timbre *m. 6*
**starry** étoilé *24*
**start:to start on one's way** se mettre en route *17*
**state** état *m.;* **United States** États-Unis *m.pl. 7*
**station:railroad station** gare *f. 17;* **service ___** station-service *f. 18*
**stationery** papier à lettres; **___ shop** papeterie *f. 6*
**statue** statue *f. 17*
**stay:to stay** rester *2*
**steak** bifteck *m. 4*
**stewed:stewed beef** boeuf à la mode *m. 22*
**still** encore *adv. 4;* toujours *adv. 7;* tranquille *adj. 24*
**stomach** estomac *m. 13*
**stone** pierre *f. 21*
**stop:to stop** *(s.o.)* arrêter *(qqn);* **to ___ (oneself), to come to a ___** s'arrêter *18*
**store** boutique *f. 6;* magasin *m. 9;* **grocery ___** épicerie *f. 1*; **department ___** grand magasin *m. 9*
**storm** orage *m. 21*
**story** étage *(floor) m. 3;* histoire *f. 24*
**straight** droit *adv. 1;* **___ ahead** tout droit *1*
**strange** bizarre *15;* **to feel ___** se sentir dépaysé *9*
**street** rue *f. 1*
**strength** force *f. 20*
**strike:to strike** frapper *9;* **to ___ up** engager *20*
**string** ficelle *f. 24;* **___ bean** haricot vert *m. 4*
**stroll** tour *m.;* **to go for a ___** faire un petit tour *12*
**strong** fort *22*
**strongly** fortement *22*
**student** étudiant, étudiante *2*
**study** étude *f. 7;* **to ___** étudier *8;* **to ___ for an exam** préparer un examen *8*
**subject** sujet *m. 2;* matière *f. 17*

**subjunctive** *(mood, tense)* subjonctif *m. 19;* **perfect ____** passé du subjonctif *20*
**subtraction** soustraction *f. 23*
**subway** métro *m. 12*
**succeed: to succeed** *(in)* réussir *(à) 17*
**succession: in succession** de suite *17*
**suddenly** tout à coup *18;* brusquement *24*
**suffer: to suffer** souffrir *Appendix I*
**suffice: to suffice** suffire *Appendix I*
**sugar** sucre *m. 5*
**suit** complet *m.;* veston *m. (U.S.) 11*
**suit: to suit** aller *11*
**suitable** convenable *1;* **the most ____ part** la partie la plus convenable *18*
**suitcase** valise *f. 19*
**summer** été *m. 9*
**sun** soleil *m. 21*
**sunrise: at sunrise** au lever du soleil *24*
**superlative** *(form)* superlatif *m. 24*
**supper** souper *m. 23*
**sure** sûr *10*
**surround: to surround** entourer *21*
**swallow: to swallow up** engloutir *21*
**swear: to swear** jurer *24*
**sweater** sweater *m. 11*
**sword** épée *f. 24*
**system** système *m. 13*

## T

**table** table *f. 3;* **____ for two** table à deux *17;* **to set the ____** mettre la table *22*
**tablecloth** nappe *f. 22*
**tail** queue *f. 24*
**take: to take** prendre *4;* **to ____ (away)** *[used for persons only]* emmener *6;* **to ____ a course** suivre un cours *8;* **to ____ a walk** faire une promenade *12;* **to ____ advantage** *(of)* profiter *(de) 16;* **to ____ away** s'éloigner (de) *19;* **to ____ again (to ____ back)** reprendre; **to ____ a trip** faire un voyage *20;* **to ____ vengeance for** se venger de; **to ____ place** avoir lieu *24;* **I'll take (have) some** j'en prends *5*
**tall** *haut, haute *2;* grand *3*
**teacher** professeur *m. 13*
**teaching** enseignement *m. 14*
**tear: to tear** déchirer *10*
**tell: to tell** dire *4;* raconter *24;* **to ____ for (from) s.o.** dire de la part de qqn *23;* **to ____ a lie** mentir *19*
**temperature** température *f. 23*
**ten** dix *2;* **about ____** dizaine *f.;* **about ____ friends** une dizaine d'amis; **by ____s** par dizaines *23*
**tense** temps *m. 24*
**tenth** dixième *10*
**terrific** formidable *7*
**textbook** manuel *m. 14*
**thank: thank you** merci; **many thanks** merci bien *1*
**that** que *conj. 1;* cela *2;* qui *rel. pron.;* ce (cet), cette *adj. 4;* que *rel. pron. 9;* ça *10;* **____ which** ce que *8;* ce qui *9;* **____ one** celui, celle (-ci, -là)*7;* **____ way** par là *11*
**the** la *f.,* le *m.; pl.* les *m.&f. 1*
**theater** théâtre *m. 16*
**their** leur; *pl.* leurs *poss. adj. 2*
**theirs** le leur, la leur; *pl.* les leurs *poss. pron. 14*
**them** eux *8*
**then** alors *9;* puis *22*
**theory** théorie *f. 15*
**there** là *1;* y *5;* voilà!; **____ is [are]** il y a; voilà; **____ you are** voilà; **is [are] ____?** y a-t-il? *3;* **over ____** là-bas *10*
**therefore** donc *8*
**these** ces *adj. 4;* ceux, celles *pron. 7;* **____ days** ces jours-ci *4*
**they** elles *f.;* ils *m. 1;* eux *8;* on *5*
**thing** chose *f. 3*
**think: to think** *(of, about)* penser *(à) 16*
**third** troisième *3;* **a ____** tiers *m. 23*
**thirst** soif *f. 11*
**thirsty: to be thirsty** avoir soif *11*
**thirteen** treize *2*
**thirteenth** treizième *13*
**thirty** trente *2;* **about ____** trentaine *f. 23*

**this** ce (cet), cette *adj. 4;* ____ **one** celui, celle -ci, -là *7;* ____ **way** par ici *11*
**those** ces *adj. 4;* ceux, celles *pron. 7*
**thousand** mil, mille *21;* **about a** ____ millier *m.;* ____**s of** des milliers de; **by** ____**s** par milliers *23*
**three** trois *2*
**thus** ainsi *13*
**ticket** billet *m.;* ____ **window** guichet *m. 16;* ____ **collector** contrôleur *m. 20*
**tie: to tie up** ficeler *22*
**time** temps *m. 7;* fois *f. 17;* **a long** ____ longtemps; **for a long** ____ depuis longtemps *2;* **what** ____ **is it?** quelle heure est-il? *3;* **to have** ____ **to** avoir le temps de *7;* **all the** ____ tout le temps *8;* **ahead of** ____ à l'avance *19;* **on** ____ à l'heure *20;* **at the same** ____ en même temps *21;* **times** *(in multiplication)* fois *23*
**tire** pneu *m. 18*
**tired** fatigué *23*
**to** à *1;* en *prep. 14;* moins *(in time expressions) 3;* **to** *(country, house, place, etc.)* chez; ____ **it** y *5*
**tobacco** tabac *m;* ____ **shop** bureau de tabac *m. 6*
**today** aujourd'hui; ____ **is** c'est aujourd'hui *2*
**together** ensemble *4;* **to put** ____ joindre *Appendix I*
**tomorrow** demain *5*
**tongue** langue *f. 1*
**too** aussi *1;* ____ **much [many]** trop *5*
**tooth** dent *f. 13*
**toward** vers *16*
**track** chemin *m. 23*
**tragedy** tragédie *f. 16*
**train** train *m. 19*
**translate: to translate** traduire *Appendix I*
**travel: length of travel** trajet *m. 17*
**tree** arbre *m. 9*
**trip** excursion *f.;* voyage *m. 17;* **to take a** ____ faire un voyage *20*
**trouble** peine *f. 20*
**trousers: (a pair of) trousers** pantalon *m. 11*
**true** vrai *18*
**truly** vraiment *6*
**trunk** coffre *m. 17*
**try: to try** essayer *23*
**turn** tour *m. 12*
**turn: to turn** tourner *16*
**turning** tournant *16;* ____ **over** retournant *22*
**twelfth** douzième *12*
**twelve** douze *2;* ____ **o'clock** midi *m.;* minuit *m. 3*
**twentieth** vingtième *20*
**twenty** vingt *2;* ____**-first** vingt et unième *21;* ____**-second** vingt-deuxième *22;* ____**-third** vingt-troisième; **about** ____ vingtaine *f. 23*
**two** deux *1*

## U

**unaware: to be unaware of** ignorer *23*
**uncle** oncle *m. 20*
**uncomfortable** mal à l'aise *24*
**under** sous *24*
**understand: to understand** comprendre *15*
**undulating** ondulant *21*
**unfortunate** malheureux, malheureuse *19*
**unhappily** malheureusement *18*
**unhappy** malheureux, malheureuse *19*
**uninterrupted** ininterrompu *22*
**United States** États-Unis *m.pl. 7*
**university** université *f. 5;* universitaire *adj. 13*
**untie: to untie** déficeler *22*
**until** jusque; jusqu'à *2;* ____ **now** jusqu'ici *7*
**up: up to** jusque; jusqu'à *2;* ____ **to now** jusqu'ici *7;* **to go** ____ monter *10*
**us** nous *4;* **to** ____ nous *6*
**use: to use** employer *2;* pratiquer *24;* **to make** ____ **of sth.** se servir de qqch. *24;* **to get used to** s'habituer à *6;* **to be used as** servir de *21*
**useless** inutile *18*

**usual: as usual** comme d'habitude *24*
**usually** d'habitude *9*

## V

**vacation** vacances *f.pl. 19;* **to spend a ____** passer des vacances *23*
**valise** valise *f. 19*
**valley** val *m. 21*
**value: to value** tenir à *23*
**varied** divers *14*
**veal** veau *m.;* **____ cutlet** côtelette de veau *f. 4*
**vegetable** légume *m. 4*
**vengeance: to take vengeance for** se venger de *24*
**verb** verbe *m. 1*
**verify: to verify** vérifier *18*
**very** très *1;* bien *adv. 4;* **____ much** beaucoup *4*; fortement *22*
**vessel** vaisseau *m.;* **blood ____s** vaisseaux sanguins *13*
**vexing** fâcheux, fâcheuse *19*
**vicinity** environs *m.pl. 12*
**view** vue *f. 3*
**village** village *m. 21*
**violet** violet, violette *10*
**violin** violon *m. 15*
**visit: to visit** visiter *7*
**vivify: to vivify** vivifier *21*
**vocabulary** vocabulaire *m. 1*
**voice** voix *f. 2;* **passive ____** passif *m. 6*

## W

**wait: to wait (for)** attendre *2*
**waiter** garçon *m. 4*
**walk** promenade *f.;* tour *m.;* **to take a ____** faire une promenade *12*
**walk: to walk** marcher *17*
**want: to want** vouloir; **I ____** je veux *4*
**warm** chaud; **to be ____** *(ref. to animate beings)* avoir chaud *11;* **it** *(the weather)* **is ____** il fait chaud *9*
**wash: to wash** laver; **to ____ (oneself)** se laver *6;* **to ____ the dishes** faire la vaisselle *22*
**watch: to watch** regarder *3*
**water** eau *f. 4;* **____ bottle** carafe *f. 18*
**way** façon *f. 19;* chemin *m. 23;* **in no ____** aucunement *14;* **to start on one's ____** se mettre en route; **on the ____** en route *17;* **this [that] way** par ici [là] *11*
**we** nous *1*
**wear: to wear** porter *14*
**weather** temps *m. 7;* **what is the ____ like?** quel temps fait-il? *9*
**week** semaine *f. 2;* **a ____ from . . .** de . . . en huit *23*
**week end** week-end *m. 11*
**welcome: you're welcome** de rien *11*
**well** bien *adv. 1;* eh bien! *4;* **as ____ as** ainsi que *19*
**west** ouest *m. 19*
**western** occidental *14*
**what** quel?, quelle? *interr.adj. 2;* que? *interr.pron. 3;* ce qui; quoi *rel.pron.;* que *rel.pron. 9;* qu'est-ce que?, qu'est-ce qui? *13;* quoi? *interr.pron. 11;* quoi! *exclam. 17;* **____ (a)!** quel!, quelle! *exclam. adj.;* **____ time is it?** quelle heure est-il? *3;* **____ would the gentleman like?** Monsieur désire? *4;* **____ is the weather like?** quel temps fait-il? *9*
**when** quand *2;* lorsque *12;* où *rel.pron. 17;* **just (at the moment) ____** juste au moment où *18*
**where** où? *adv. 1;* où *rel.pron. 17*
**whereas** tandis que *14*
**which** quel?, quelle? *interr.adj. 2;* qui *rel.pron. 4;* quoi *rel.pron. 8;* que *rel. pron. 9;* lequel, laquelle; *pl.* lesquels, lesquelles *17;* **that ____** ce que *8;* ce qui *9;* **to ____** auquel, à laquelle; *pl.* auxquels, auxquelles; **of ____** dont; duquel, de laquelle; *pl.* desquels, desquelles; **in [on] ____** où *rel.pron. 17*
**while** tandis que *14;* en *prep. 22;* **a little ____ ago, in a little ____** tout à l'heure *10*

**white** blanc, blanche *10*
**who** qui *rel.pron. 4;* qui? *interr.pron. 13;* lequel, laquelle; *pl.* lesquels, lesquelles *17*
**whole** entier, entière *adj. 7;* entier *m. 13;* **the ____** le tout *21*
**whom** qui *rel.pron. 4;* que *rel. pron. 9;* qui? *interr.pron. 13;* lequel, laquelle; *pl.* lesquels, lesquelles; **to ____** auquel, à laquelle; *pl.* auxquels, auxquelles; **of ____** dont; duquel, de laquelle; *pl.* desquels, desquelles *17*
**whose** dont; duquel, de laquelle; *pl.* desquels, desquelles *17*
**why** pourquoi *6*
**wickedness** méchanceté *f. 24*
**wild boar** sanglier *m. 22*
**will** volonté *f.;* **at ____** à volonté *22*
**willingly** volontiers *11*
**window** fenêtre *f. 3*
**windshield** pare-brise *m. invar. 17;* **____ wiper** essuie-glace *m. 17*
**wine** vin *m. 4*
**winter** hiver *m. 9*
**wipe:to wipe** essuyer; **windshield wiper** essuie-glace *m. 17*
**wish:to wish** vouloir *4*
**with** avec *5;* par *7;* **____ the exception of** à l'exception de *24*
**withdraw:to withdraw** s'éloigner (de) *19;* se retirer *23*
**without** sans *prep. 9;* sans que *conj. 20*
**wolf** loup *m. 24*
**woman** femme *f. 17*
**wonder:to wonder** se demander *8*
**wonderful** excellent *4*
**wood** bois *m. 21*
**word** mot *m. 1*
**work** travail *m.; pl.* travaux *14*
**work:to work** marcher *17;* travailler *22*
**world** monde *m. 11*
**worth:to be worth** valoir *Appendix I*
**write:to write** écrire *12*
**writer** écrivain *m. 20*
**wrong** tort *m. 11;* **to be ____** avoir tort *11*

## Y

**year** an *m. 14;* année *f. 7;* **last ____** l'année passée *7*
**yellow** jaune *9*
**yes** oui *1*
**yesterday** hier *8*
**yet** encore *4;* cependant *14;* pourtant *24;* **not ____** pas encore *4*
**you** vous; tu *(fam.) 1;* on *5;* toi *8;* **to ____** vous *1*
**young** jeune *20;* **____ ladies** Mesdemoiselles *(abbr.* **M**[lles]*) 1*
**your** votre; *pl.* vos *poss. adj. 1;* ton, ta; *pl.* tes *(fam.) poss. adj. 2*
**yours** le vôtre, la vôtre; *pl.* les vôtres *poss.pron.;* le tien, la tienne; *pl.* les tiens, les tiennes *(fam.) poss.pron. 14*
**yourself** vous-même *10*

# INDEX

*references are to page numbers*

## PHOTOGRAPH CREDITS

Courtesy of Cynthia Adamic: *390, 466*; Courtesy of Jane Bachman: title page; Bernadine Bailey: *206, 218*; Blondel la Rougéry: *186*; Courtesy of Mary Ann Dorr: *40*; Courtesy of the French Embassy: *70, 232, 258*; Courtesy of the French Government Tourist Office, Chicago: *310, 352, 426*; Courtesy of Thomas Gorman: *138, 154, 272*; Courtesy of Marilyn Knudson: *324, 444*; The Newberry Library, Chicago: *370*; Henry Stavan: *2, 20, 54, 84, 106, 124, 172, 244, 292, 340.*

1 2 3 4 5 6 7 8 9 10 11 12 13 14 15 16 17 18 19 20 21 22 23 24 25 SH 74 73 72 71 70 69 68 67 66 65 64